D0108129

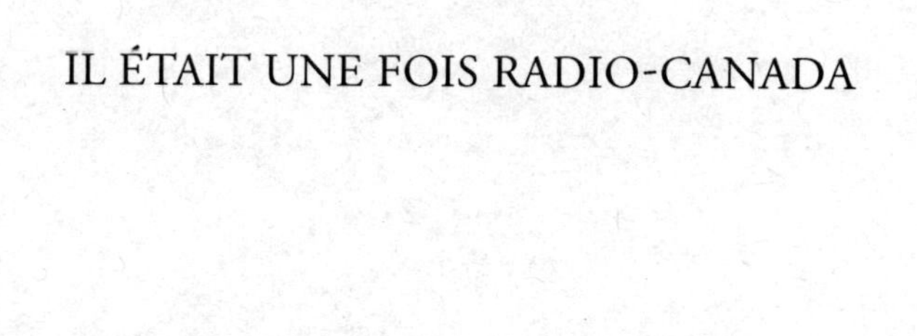

IL ÉTAIT UNE FOIS RADIO-CANADA

Robert Roy

Il était une fois RADIO-CANADA

DEL BUSSO

Del Busso Éditeur :
514 276-1298
www.delbussoediteur.ca
Distibution : Socadis

Dépôt légal : 1er trimestre 2015
Bibliothèque et Archives nationales du Québec
Imprimé au Canada
ISBN 978-2-923792-61-3

1

PARIS-MATANE

Un séjour à Paris en 1955 est à l'origine de mon entrée à Radio-Canada.

Pendant près d'un an, mon statut d'étudiant à Paris m'a donné accès, parfois gratuitement, à une foule d'activités ou de services offerts par l'UNEF (Union nationale des étudiants de France) avec des entrées à la Faculté des lettres de l'Université de Paris, à la Société des amis du Louvre, aux Jeunesses musicales de France (au moins un concert tous les dimanches, dont plusieurs à la salle Pleyel), et aussi aux restaurants universitaires. Difficile à croire, surtout aujourd'hui, mais la cuisine française à l'heure du midi proposait même l'excellente cervelle de veau qu'on ne connaissait pas chez nous. Ces repas, que l'on prenait tantôt à l'École des Mines, tantôt au Foyer des beaux-arts, coûtaient alors soixante-quinze francs, l'équivalent de dix-huit cents canadiens. Mes confrères à l'Université de Montréal devaient débourser au minimum cinquante-cinq cents pour un repas, plutôt minable disaient-ils.

Le lundi matin, automne, hiver, printemps, je venais tôt rue des Écoles pour faire la file devant une librairie qui offrait quantité de livres neufs et récents pour moins d'un dollar. Je fréquentais aussi un autre libraire du côté de Montparnasse, moins pour ses livres à prix courant que pour nos longs échanges sur la politique française ou québécoise.

J'ai découvert le système politique français sur les murs de l'Hôtel-Dieu, à côté de Notre-Dame. J'étais impressionné par le nombre de partis en lice pour la succession de Pierre Mendès-France, qui venait de démissionner: une vingtaine. Guy Mollet, socialiste, deviendra président du Conseil tandis qu'au Québec, Maurice Duplessis régnait déjà depuis plusieurs années. Le libraire avec qui je causais chaque semaine était poujadiste (mouvement corporatiste de droite) et moi j'étais plutôt de gauche et opposé à l'Union nationale de Duplessis.

Je n'ai pas perdu trop de temps à la Sorbonne, ayant compris rapidement que je devais fréquenter l'honorable institution comme auditeur libre. Le premier signal m'avait été donné lorsque j'appris que je devais suivre un cours d'anglais obligatoire ; ce n'était certes pas pour ça que j'avais traversé l'océan. Mais je ne pouvais pas m'éterniser à la Sorbonne pour une raison fort simple : l'argent. Il m'était impossible de vivre à Paris plus d'une année même en logeant dans une chambre de bonne à soixante-quinze cents par jour. Pour m'offrir ce voyage, j'avais travaillé quatre mois, de la Terre de Baffin jusqu'à Saint-Jean de Terre-Neuve, en passant par la côte du Labrador ; mon budget était trop limité pour m'inscrire comme étudiant régulier. Par ailleurs, après la lecture de mes résultats académiques au Québec, l'Université exigea une année de propédeutique (première année d'études supérieures, préparatoires aux licences) avant de m'admettre à la faculté de Sciences Po.

Comme étudiant libre, je pouvais suivre des cours d'histoire et de sociologie à la Sorbonne et aussi au Collège de France, que je fréquentais assidûment et où l'éminent professeur René Huyghe, futur membre de l'Académie française, ouvrait mes horizons sur l'histoire de l'art. Il était déjà l'auteur du *Dialogue avec le visible*. Voilà un livre que je conserve toujours dans ma bibliothèque.

Comme auditeur libre, on pouvait fréquenter les comédiens, les artistes, les auteurs à la mode et aussi les classiques. J'étais abonné au Théâtre national populaire de Jean Vilar, au Palais de Chaillot, où j'ai vécu des moments inoubliables avec Victor Hugo (*Marie Tudor*), Von Kleist (*Le Prince de Hombourg*), Büchner (*La Mort de Danton*), Shakespeare (*Macbeth*), Brecht (*Mère Courage*) et quelques autres. Sur scène en 1956, on applaudissait Philippe Noiret, Maria Casarès, Alain Cuny, Jean Vilar, Gérard Philipe, Jeanne Moreau, Germaine Montero et plusieurs autres.

J'aimais marcher jusqu'à la Comédie Française, place de l'Odéon, où les places au pigeonnier de la salle Luxembourg étaient abordables ; ce niveau, le cinquième, je crois, était le quartier des sans-le-sou, étudiants ou vieillards. Je me suis aussi offert, au moins une fois, le théâtre Sarah-Bernhardt pour voir *Les Sorcières de Salem* d'Arthur Miller, mettant en vedette Simone Signoret et Yves Montand ; un drame violent sur fond d'histoire coloniale américaine servi par deux géants du théâtre français. Je fréquentais des théâtres aux quatre coins de Paris qui offraient de bons rabais aux étudiants, ravis de voir jouer les Pierre Fresnay, Danielle Darrieux, Jean Gabin, Pierre Brasseur, Michel Simon, Arletty, Madeleine Renaud, Jean-Louis Barrault... J'aimais aussi le cinéma, surtout le Champo, ma salle favorite au quartier latin, où je pouvais voir de vieux films entre deux cours à la Sorbonne ou au Collège de France.

À l'université, les babillards offraient aux étudiants un nombre déterminé de billets gratuits pour les petites salles de spectacles. À l'occasion, avec des amis, on arrivait tôt dans telle salle vide où l'on s'attablait devant une bouteille de champagne, qui ne contenait en réalité que de l'eau pétillante. Notre rôle était de faire croire aux clients potentiels qui jetaient un œil à l'intérieur de la salle qu'il y avait déjà du monde pour le spectacle annoncé. Un soir, notre présence avait attiré un groupe important de touristes. Avec eux, nous allions découvrir une chanteuse qui venait tout juste de lancer son premier 45 tours : la « Collégienne de la chanson » ; elle n'avait que dix-huit ans, elle s'appelait Marie-Josée Neuville.

Splendeurs et misères des étudiants

Malgré mes moyens financiers plus que limités, j'ai accepté l'invitation de René Ferron d'aller passer avec lui les fêtes de Noël dans l'Espagne de Franco ; dans sa Volkswagen, nous avons roulé de Paris jusqu'à Barcelone, le pays de Gaudi et de sa cathédrale, pour ensuite prendre un ferry de nuit jusqu'à Palma de Majorque. J'y ai passé une semaine. J'ai visité la Chartreuse de Valldemossa où Frédéric Chopin, en séjour avec Georges Sand, a créé ses *Préludes*. Avec René Ferron, que je retrouverai plus tard à Montréal comme libraire, puis producteur à la télévision, deux autres Québécois étaient aussi du voyage : Michel Gréco, futur réalisateur à la télévision jeunesse dans les années 1970, et Claude Théberge, un peintre célébré à travers le monde, qui nous a quittés en 2008.

Toujours au chapitre des voyages, des curés que j'avais connus à Rigaud et rue Jean de Beauvais à Paris m'ont emmené en Belgique, au Luxembourg et en Hollande, ce qui m'a permis de visiter de célèbres musées à Amsterdam, Rotterdam et La Haye et d'admirer les peintres flamands : Rembrandt, Vermeer, Hals, Rubens, Bosch, Van Eyck, Van Gogh...

Toute bonne chose a une fin. Je m'étais offert la Ville Lumière ; ce séjour d'études représentait, pour un jeune Québécois qui venait de passer huit années au pensionnat de Rigaud, l'occasion exceptionnelle d'acquérir de nouvelles connaissances. En juin 1956, je reprenais le bateau à destination de la maison paternelle, sans savoir que ce voyage me réservait d'heureuses conséquences.

Je resterai marqué toute ma vie par l'expérience européenne. J'avais la conviction, pendant cette courte année à Paris, que je n'étais pas encore sorti de l'adolescence. Je découvrais le monde qui, pour moi, se situait bien évidemment en dehors du Québec et du Canada. Après Rigaud, Matane et la Terre de Baffin, voir Paris, c'était ouvrir grands les yeux sur l'architecture, la peinture, la littérature, la gastronomie, les grandes avenues, les monuments historiques, la pauvreté aussi, celle des étudiants que je côtoyais à l'université et qui venaient des quatre coins du monde, de l'Afrique du Nord notamment.

C'est au hasard de mes longues marches, Boul'Mich, ou Saint-Germain-des-Prés, de Montparnasse à la butte Montmartre, que j'ai fait la connaissance de Fernand Côté. Sans lui, je n'aurais jamais été invité à rencontrer Robert Élie, je n'aurais pas passé un examen sur la trilogie de Pagnol. Je n'aurais sans doute pas fait carrière à la télévision de Radio-Canada. Il semble bien que ces dix mois ont donné une orientation à ma vie.

36 métiers à la radio de Matane

De retour au pays, j'ai trouvé un emploi comme travailleur manuel, à porter de longues tiges de fer sur mes épaules ; puis j'ai fait un stage dans la construction, avec l'espoir de mettre suffisamment d'argent de côté pour retourner étudier à Paris. Mais l'automne me réservait une surprise qui changera le cours de ma vie. Je me suis retrouvé à la radio de Matane comme scripteur commercial. D'octobre à juin, j'ai travaillé à CKBL, rue Saint-Jérôme, à remplir toutes les tâches imaginables dans une station de radio, sauf celles du propriétaire et de sa secrétaire. En priorité, j'étais affecté aux messages commerciaux, au bénéfice des frères René et Gustave Lapointe, les propriétaires de la station. Je pouvais aussi, chaque semaine, mettre ma plume au service d'un journal hebdomadaire fondé en 1955, *La Voix gaspésienne*. J'écrivais les textes d'enchaînement pour une émission musicale où je pouvais aussi dire mes poèmes à l'antenne ; je participais à une émission de nouvelles régionales avec l'annonceur Jean Berger ; j'ai joué le rôle d'un médecin dans une continuité dramatique fort populaire sur nos ondes et ailleurs. Comble de témérité, j'ai même accepté de chanter à l'occasion à l'émission d'Armande Desrosiers, accompagné au piano par Aline Gagné. Un jour, j'ai été appelé à remplacer le technicien du week-end ; à la suite d'une erreur technique de ma part, notre public s'est retrouvé, pour quelques instants, à CBM plutôt qu'à CBF. L'épouse du patron, une anglophone, a bien ri ce dimanche-là.

Ces stations de radio, régionales et privées, offraient pour la plupart des émissions locales de divertissement, d'information ou encore de la musique populaire dès six heures le matin. À Matane, on avait aussi développé le créneau du radio-roman. Une belle aventure pour le public et les artisans, une affaire rentable pour les patrons, d'autant que les interprètes se contentaient d'un salaire minimal, tout heureux qu'ils étaient de contribuer à une œuvre locale. Je peux en témoigner avec mon rôle du médecin dans le feuilleton *Le Mauvais Partage* qui me valait cinq dollars supplémentaires à mon salaire hebdomadaire. Debout dans le studio, texte en main, les interprètes se serraient autour du micro pour dire leurs répliques. Nous avions un auteur, un technicien, des acteurs, mais pas de réalisateur ! S'il nous arrivait de bafouiller, le technicien ne l'entendait guère, tout occupé qu'il était à assurer la bonne marche de l'antenne, et personne ne nous a jamais demandé une deuxième prise. Ce qui reste gravé dans ma mémoire, après toutes ces années, c'est qu'entre deux répliques, il m'arrivait de me précipiter vers le piano à queue pour écrire un message commercial que devait lire au micro l'annonceur de service. Le scripteur servait aussi bien les émissions de musique que les reportages, mais j'étais, avant tout, la plume du service commercial.

L'auteur Marcel Houle avait créé *L'épave* et *La Marjolaine*. Le scripteur auquel j'avais succédé, François Côté, a écrit le troisième radio-roman hebdomadaire, *Le Mauvais Partage*. Ces œuvres radiophoniques, destinées d'abord aux auditeurs de CKBL en Gaspésie et sur la Côte-Nord, avaient été acquises par une vingtaine de stations à travers le Québec.

Merci Côté, merci Pagnol!

Printemps 1957. Fernand Côté, que j'avais connu à Paris, était rédacteur au Service de presse et d'information à Radio-Canada. Il savait, à ce moment-là, que j'occupais un emploi temporaire à CKBL et m'informait, par courrier, qu'un poste allait peut-être se libérer dans son secteur. J'ai décidé de poser ma candidature ; en mai, je recevais une lettre du directeur du service, Robert Élie, qui me disait : « Il n'existe pas de vacance dans mon service, mais je vous recommande de remplir les formules de demande d'emploi ci-incluses. Si jamais vous devez venir à Montréal, veuillez m'en avertir. »

Je n'ai pas tardé à donner suite à cette invitation. En juin, je prends le train et je me présente à l'examen d'entrée. Il faisait très chaud. Il n'y a pas de climatisation au 1410, rue Stanley, 7e étage. Madeleine Brabant, secrétaire du directeur, sentait bien ma grande nervosité. J'étais rouge de gêne, assis pendant un très long moment devant cette belle grande fille et je devais attendre le retour du patron, sans doute à son lunch. Nervosité, chaleur, anxiété, l'eau me pissait partout sur le corps. Le directeur arriva enfin, m'informa des données du concours, et m'invita à passer dans la pièce à côté où, désormais, je serais seul devant mes pages blanches. La tension a baissé rapidement quand je me suis mis à rédiger mon examen : des textes de 20 secondes et d'une minute pour des messages à l'antenne et quelques feuillets pour un article dans *La Semaine à Radio-Canada* sur le thème de la trilogie de Pagnol : *Marius, César, Fanny.*

Je serais curieux de relire ce que j'ai livré ce jour-là. Si je devais reprendre ce même examen 50 ans plus tard, je devrais sûrement chercher un autre emploi !

Je suis retourné à Matane avec fierté, sachant qu'en me cédant à Radio-Canada, mon patron faisait passer mon salaire annuel de

2500 $ à 4157 $. La station CKBL était doublement affiliée au réseau de Radio-Canada comme membre privé : d'abord comme station de radio, et ce, dès sa création en 1948 ; puis, en 1957, elle venait d'obtenir du Bureau des gouverneurs de la radiodiffusion (BGR) un permis de télévision à la suite de la demande que j'avais rédigée. La demande a été appuyée par Jean Saint-Georges, responsable des stations affiliées à Radio-Canada. La nouvelle station, CKBL-TV, sera en ondes en 1958. Radio-Canada achètera la radio et la télé de Matane en 1972.

À Paris, en 2007, pour célébrer les 50 ans de mon entrée à Radio-Canada, je longeais les quais de la Seine ; chez un bouquiniste, j'ai acheté trois petits livres de poche : *Marius, César, Fanny*, la trilogie de Pagnol qui fut l'objet de mon examen en juin 1957 pour un poste de rédacteur à Radio-Canada, ma porte d'entrée dans la Maison où j'ai passé 31 ans.

2

ENTRÉE CÔTÉ COUR

Mon entrée à Radio-Canada a lieu le 2 juillet 1957, rue Stanley, coin Sainte-Catherine. En face de l'édifice où je vais travailler, un restaurant très fréquenté de l'époque, le *Pam Pam*. Le quartier est le rendez-vous des artistes, surtout ceux qu'on appelle les « beatniks », de la *Beat Generation*. Après huit années de collège chez les curés, un peu de travail manuel pour poursuivre mes études, une année ou presque à Paris, plusieurs mois à la radio privée d'une ville de province de dix mille habitants, me voici donc au cœur de la vie montréalaise, dans la métropole du Canada.

Cette nouvelle vie, je la dois à Fernand Côté, mon ami de Paris avec qui j'ai conservé un contact épistolaire, et à l'écrivain Robert Élie, le directeur qui m'a le premier ouvert la porte, puis embauché ; je la dois aussi, sans doute, à la grande diversité des expériences que j'ai faites pendant mon année parisienne, expériences qui m'ont ouvert bien des horizons.

Pendant deux ans, je poursuis mes études d'histoire à l'Université de Montréal, les week-ends. Quand je retournerai à Paris, beaucoup plus tard, ce ne sera plus pour étudier mais pour travailler. Le métier que j'ai choisi en 1956, en attendant un retour à la Sorbonne, est vite devenu un job passionnant, à plein temps et pour longtemps.

Nos propriétaires les contribuables

Je fais désormais partie de l'équipe P&I, c'est-à-dire, selon l'expression anglophone, *Press and Information*. On mettra quelques années encore à s'affranchir des termes imposés par le Siège social, à Ottawa. Mais je suis conscient que la télévision canadienne n'a pas encore cinq ans.

Le rôle principal du service de presse et d'information de la télévision publique, où je me retrouve pendant la canicule de 1957, consiste à informer nos propriétaires (les contribuables canadiens) des émissions radio et télé de la Société. Nos principaux canaux sont *La Semaine à Radio-Canada* et les communiqués de presse expédiés chaque semaine aux quotidiens et aux hebdos, aux postes de radio et de télévision ainsi qu'aux agences de publicité. Ces agences et ces médias, pour la plupart privés, servent ainsi de courroie de transmission au service public. On peut s'étonner de voir des médias privés servir aussi généreusement la télévision publique. Il faut se rappeler qu'en 1957, il n'existe qu'une chaîne de télévision au pays, CBC/SRC, et elle est publique. D'aucuns utilisent l'expression « télévision d'État » ; je préfère dire « télévision de service public », puisque Radio-Canada appartient au public et non au gouvernement.

La *Loi sur la radiodiffusion* stipule que la Société Radio-Canada, à titre de radiodiffuseur public national, doit offrir une très large programmation radio et télé qui enseigne, éclaire et divertit. D'autre part, le télédiffuseur doit rendre des comptes au Parlement qui contribue pour une part importante de ses ressources financières. Le Parlement toutefois n'intervient pas directement dans la programmation de la Société. Je me souviens qu'à la fin des années 1950, le ministre de l'Information en France était le tuteur de l'ORTF et à ce titre, intervenait chaque soir en vérifiant le contenu des émissions d'information. Notre gouvernement peut exercer un pouvoir important en réduisant ses contributions financières à la Société et par le fait même avoir un impact indirect sur la programmation. Depuis les années 1970 et jusqu'à aujourd'hui (2012), il ne s'en prive pas.

Mes premiers textes à Radio-Canada sont destinés à la publicité en ondes, pour la télévision. Dès février 1958, je suis affecté comme rédacteur à *La Semaine à Radio-Canada* qui deviendra, quelques années plus tard, la revue *Ici Radio-Canada*.

À fouiller dans de vieux dossiers, je retrouve un de mes textes publié dans *La Semaine* en février 1958 sous le titre : « Les Enfants de la rue ». Il porte sur une série d'aventures présentée à 17 h 30 et destinée aux enfants. On y lit : « Les membres de ce clan sont effectivement des enfants de la rue. Sous la direction du réalisateur Claude Caron, ils jouent leur propre personnage, là où se déroule leur existence de chaque jour… Dans les ruelles sombres, dans les fonds de cour, dans les grands magasins où le vol à l'étalage rapporte quelques sous et un casier judiciaire… » Sans doute déjà la télé-réalité ! Et les jeunes délinquants sont entourés de vrais comédiens sur leur lancée : Jean-Louis Millette, Claude Léveillée, Clémence DesRochers, Jean Gaumont et Edgar Fruitier.

Toujours en 1958, un autre texte informe le public qu'« une nouvelle émission, *Petit Écran,* consistera en une anthologie des meilleurs films de courte durée ». Et j'ajoutais : « Grâce aux festivals de cinéma et aussi à la télévision, le court-métrage est en voie de devenir accessible à un public de plus en plus nombreux. » Une cinquantaine d'années plus tard, si le court est bien établi et qu'on le diffuse dans quelques salles de cinéma au Québec, c'est grâce à la nouvelle technologie mais aussi à ses ardents défenseurs que sont Michel Coulombe, chroniqueur cinéma, Mario Fortin, directeur général du Cinéma Beaubien et Lise Dandurand, directrice générale de Ciné-Québec. Au XXIe siècle, cet art sera encore renforcé par plusieurs initiatives comme *Cours écrire ton court*, des classes de maîtres et une présence de plus en plus importante des diplômés de l'Institut national de l'image et du son dans les festivals de cinéma.

À La Poubelle

Le soir, à la sortie du bureau, il m'arrive de m'attarder dans l'Ouest montréalais où vivent plusieurs comédiens, auteurs et autres artistes. Il y a ce bar de la rue Saint-Mathieu où je suis souvent le seul client à écouter un certain artiste plus connu pour sa peinture (et sans aucun doute aussi plus riche grâce à elle) que pour sa musique. C'est ainsi qu'à *La Poubelle*, car c'est bien ainsi que le bar s'appelle, Tex Lecor gratte sa guitare pendant que le jeune prestidigitateur « Toulouse » (de son vrai nom André Leblanc) nous livre ses tours avec beaucoup de talent. Malheureusement, Leblanc meurt peu après dans un accident de voiture.

Janvier 1958. Six mois à peine après mon arrivée à Radio-Canada, Robert Élie nous annonce son départ. C'est un poète, un écrivain, un gestionnaire mais surtout un gentilhomme. Il vient d'accepter la direction de l'École des beaux-arts. Jean-Jules Trudeau est rappelé du siège social à Ottawa pour le remplacer ; il a une réputation d'horloger. À la première rencontre, il nous dit qu'il faut être au bureau à 8 h 45, ne pas le quitter avant 17 h, ne pas dépasser une heure pour le lunch... Lors d'une réception amicale, le vin aidant, on lui répond gentiment que notre travail de rédaction est lié à nos rendez-vous fréquents avec les réalisateurs dont les heures de travail sont plutôt flexibles... De toute façon, nous avons des heures de tombée qu'il est impossible de rater. Bon prince, il comprend que nous ne comptons pas les heures et que surtout, nous aimons notre travail.

Après quelques mois comme adjoint au rédacteur en chef, ce qui m'a permis entre autres de me familiariser avec la mise en page, on me nomme adjoint au chef des publications. Je fais alors équipe avec Paul Roussel. Cela me donne l'occasion et le plaisir de fréquenter des artistes comme Normand Hudon, Charles Daudelin, Jean-Paul Mousseau, Fernand Leduc, Alexis Chiriaeff, Robert Sarrazin ou Gilles Carle... Certains d'entre eux, pigistes, font aussi de la peinture mais cela ne les nourrit pas. En travaillant comme illustrateurs à la télévision publique, ils s'assurent un revenu décent. Je conserve encore aujourd'hui un dessin de Normand Hudon pour la promotion d'un téléthéâtre tiré des *Noces de sang* de Federico Garcia Lorca. D'autres illustrateurs comme Carle, Chiriaeff et Sarrazin sont des employés permanents de Radio-Canada, affectés au Service des arts graphiques. Les affiches tirées de leurs illustrations sont bien en vue dans les lieux publics de la culture montréalaise comme la librairie Tranquille, par exemple. Elles annoncent un téléthéâtre, un concert, une soirée culturelle à l'antenne de Radio-Canada. C'était avant les *Beaux Dimanches* qui débuteront à l'automne 1966, vitrine prestigieuse du théâtre et de la musique, mais aussi des émissions de variétés, des documentaires, des longs-métrages honorés dans les festivals internationaux.

J'étais venu à Radio-Canada comme rédacteur, mais de nouvelles responsabilités m'éloignent progressivement de mon travail d'écriture. Jean-Jules Trudeau a compris que je ne vais pas faire carrière avec ma plume. Il me convoque un jour pour me parler de mon avenir. Je choisis la voie administrative, avec tout ce que cela comporte de connotation négative dans le milieu de la création. Une dizaine d'années plus tard, je clarifierai mon choix par une formule qui me poursuivra pendant toute ma carrière : *gestionnaire de la création*.

3

MA PREMIÈRE GRÈVE

L'année 1958 se termine par un événement majeur dans l'histoire de la Société qui rendra les mois suivants difficiles à vivre. Le 29 décembre, je vais tôt le matin chez l'imprimeur Pierre DesMarais, au 225, rue Roy. Je suis responsable de la dernière vérification des épreuves d'une brochure préparée depuis des mois par nos services d'information et qui doit être envoyée en début d'année à trente mille abonnés. Cette brochure contient le programme des émissions d'affaires publiques des trois prochains mois. C'est un travail de moine que de colliger tous ces renseignements auprès des réalisateurs. Et que dire de ceux et celles qui doivent prévoir plus de trois mois à l'avance le contenu de leurs émissions pour nous en informer ! Autres temps, autres mœurs. Quel dommage de ne pas avoir conservé une copie de ce document...

En fin d'après-midi, je quitte l'imprimerie... mission terminée. Je rentre à nos bureaux, situés dans le Northern Building, 1425, boulevard Dorchester Ouest (maintenant René-Lévesque) au coin de la rue Guy. J'apprends que les réalisateurs des réseaux français et anglais du siège de Montréal ont déclenché la grève : ils revendiquent le droit de se syndiquer avec la CTCC (Confédération des travailleurs catholiques du Canada, aujourd'hui la CSN) et de négocier collectivement leurs conditions de travail. C'est à André Ouimet, directeur du réseau de télévision, Roger Rolland, directeur général des programmes et Jean-Paul Ladouceur, chargé de la réalisation des programmes à Montréal, que l'Association des réalisateurs s'est adressée, mais sans succès. Confirmant l'arrêt de travail, Ouimet déclare que « selon la loi fédérale, les réalisateurs font partie de la direction et dès lors ne peuvent faire partie d'un syndicat ». Un communiqué est émis le jour même par le président du syndicat, Fernand Quirion, avec cette réponse: «Aucune loi n'interdit à qui que ce soit de s'associer pour défendre et promouvoir ses intérêts professionnels», ajoutant qu' «aucune loi n'interdit à un employeur de reconnaître un groupement syndical formé par des employés associés à la gérance, comme en témoigne l'existence, à la cité de Montréal, administration publique, d'un syndicat de contremaîtres».

La haute direction de la Société refuse de reconnaître ce droit sous prétexte que les réalisateurs ont un statut de gestionnaire, de cadre. Elle reconnaît l'association professionnelle mais refuse l'affiliation syndicale et la négociation collective. Il faut savoir qu'une fois l'an, chaque réalisateur vient négocier individuellement son traitement auprès d'un délégué de la direction. «Négocier» n'est pas le mot utilisé par les réalisateurs.

Gérard Philipe solidaire de nos réalisateurs

Ce jour-là, j'apprends que les nombreux syndicats d'employés de Radio-Canada ont déjà décidé, en signe d'appui, de ne pas franchir les lignes de piquetage érigées le soir même, devant l'immeuble du boulevard Dorchester. Les réalisateurs sont donc, dès le premier jour, appuyés par les nombreux syndicats de la Maison, dans une grève de solidarité.

Très rapidement en cette fin d'année, l'Union des artistes (UDA), présidée par Jean Duceppe, annonce son intention de respecter les lignes de piquetage; la Société des auteurs dramatiques, par la voix de son président Jean-Louis Roux, prend la même décision. D'autre part, les artistes de Toronto refusent de participer à la réalisation de toute émission habituellement produite à Montréal. Si les journalistes se présentent au travail l'avant-midi du 30 décembre, ils ne franchissent pas les lignes de piquetage après l'heure du lunch. Même le comédien Gérard Philipe, président du Syndicat français des acteurs, fait suivre ce message à l'Association des réalisateurs: «Nous demandons aux acteurs français de refuser toute participation à des émissions ou films de télévision spécialement destinés au Canada.»

Après dix jours de conflit et constatant l'impossibilité de trouver un terrain d'entente avec la Société, les réalisateurs décident de s'adresser directement au gouvernement conservateur de John Diefenbaker à Ottawa. Ils font parvenir un télégramme au ministre fédéral du Travail, Michael Starr, signé par Fernand Quirion et Jean Marchand, le secrétaire général de la CTCC.

Le 8 janvier, je reçois un télégramme de Guy Coderre, gérant du personnel à Montréal, adressé au 3360, chemin de la côte Sainte-Catherine à Montréal, où je lis : « Nous vous confirmons l'avis officiel déjà donné aux unions qui représentent les employés de Radio-Canada. Si, sans autorisation de Radio-Canada, vous vous êtes absenté de votre travail depuis 5 h PM le 29 décembre 1958, vous avez contrevenu aux règlements de la Société et au contrat collectif régissant votre emploi. Vous devez comprendre que vous n'avez droit à aucun salaire pour la durée de toute absence non autorisée. Vous ne pourrez toucher de salaire à nouveau qu'une fois revenu au travail. »

Le gouvernement fédéral refuse de s'impliquer dans ce conflit prétextant que Radio-Canada, société de la Couronne, a toute autorité pour gérer le conflit dans ses murs, après avoir soutenu que son refus est basé sur le fait que l'Association des réalisateurs n'est pas encore certifiée, et qu'elle n'a donc pas d'existence légale reconnue. Le 16 janvier, quand on demande au chef du gouvernement de se prononcer sur l'échec des négociations entre la Société et les réalisateurs, il répond encore : « Je n'ai pas d'autres commentaires à faire en marge de la rupture des négociations que celui-ci : cet arrêt de travail est une affaire qui ne regarde que la Société Radio-Canada et l'Association des réalisateurs de la télévision. » Un point, c'est tout. Plusieurs diront dans les deux mois suivants que si la grève avait paralysé le réseau anglais de télévision, le gouvernement d'Ottawa aurait exercé son rôle de médiateur plus rapidement. Les réalisateurs francophones se rendent compte qu'ils font face à l'incompréhension de leurs confrères anglophones, de leurs patrons de Montréal qui maintiennent un service limité au public, mais surtout ils ont compris qu'ils ne peuvent compter sur la collaboration du gouvernement canadien ni du siège social de la Société.

Le pouvoir public ne souhaite pas s'immiscer dans ce débat et lorsque les syndiqués et leurs supporteurs se rendent à Ottawa le 17 janvier 1959 pour rencontrer Michael Starr, René Lévesque résume ainsi cette démarche : « Starr ne comprenait même pas de quoi l'on parlait. C'était juste le réseau français qui était fermé. » Déjà lors de cette visite à Ottawa, les réalisateurs ont l'appui de Pierre Elliott Trudeau, Jeanne Sauvé et Pierre Bourgault, qui deviendront bientôt des personnalités de premier plan au Québec et au Canada. Il est aisé de comprendre que nous faisons là un pas important vers la Révolution tranquille et l'affirmation nationale.

En attendant un règlement qui semble de plus en plus difficile à atteindre, les membres de l'Union des artistes, en assemblée générale, décident de préparer un grand spectacle dont les recettes seront versées aux syndiqués moins fortunés. Et ils passent à l'acte avec *Difficultés temporaires*, spectacle présenté à la Comédie canadienne, futur Théâtre du Nouveau Monde. Jean Doat en assure la mise en scène. Une salle pleine à craquer applaudit ses artistes de la télé. Un autre spectacle est monté au théâtre Her Majesty's, un music-hall, cette fois sous le titre *On recommence à neuf*. Enfin cette démarche généreuse des artistes se poursuit désormais au théâtre Amherst sous le titre *N'ajustez pas vos appareils* dont l'objectif est toujours de venir en aide financièrement aux syndiqués dans le besoin.

Mais d'un jour à l'autre, les manchettes des journaux, surtout *Le Devoir* et la *La Presse*, font état tantôt de ruptures, tantôt de reprises de négociations. André Laurendeau se demande si Ottawa va laisser Radio-Canada saborder son réseau français. Pendant qu'à la Comédie canadienne, René Lévesque offre au public un *Point de mire* consacré à la rétrospective de la grève.

Fin janvier, à la gare centrale, 1500 grévistes prennent place dans seize wagons, direction : la capitale fédérale. À Ottawa, il apparaît que les ministres du cabinet de Diefenbaker ne s'entendent pas tous sur l'illégalité de la grève. Diefenbaker gouverne le pays avec 208 sièges à la Chambre, dont 50 au Québec. Pour Léon Balcer, solliciteur général, le gouvernement doit intervenir comme médiateur tandis que George Nowlan, ministre du Revenu et porte-parole de Radio-Canada au Parlement dénonce encore l'illégalité de la grève. Le premier ministre ne veut pas entendre parler de médiation en invoquant le principe de la non-intervention du gouvernement dans les affaires d'une société de la Couronne.

Inutile de dire que les relations vont s'empirant avec le temps qui passe sans règlement. Mais on peut lire dans *La Presse*, *Le Devoir* et dans *VRAI*, l'hebdo de Jacques Hébert, les interventions d'analystes et de spécialistes des relations de travail qui prennent de plus en plus de place dans le débat, favorisant la médiation, l'arbitrage, la reconnaissance d'un syndicat de cadres.

Un député dévoué

La grève dure depuis plus d'un mois. Le 29 décembre, certains membres de la direction avaient prédit aux réalisateurs que tout serait réglé dans 48 heures. Mais le premier signe d'un règlement apparaît au début de février. Il n'est pas trop tôt! Le député conservateur de Saint-Laurent/Saint-Georges, Egan Chambers, décide de son propre chef, sans en informer le gouvernement dira-t-il plus tard, de rencontrer les réalisateurs, puis la direction de la Société. Le mardi 3 février, il déclare: « Comme la majorité des personnes impliquées dans l'arrêt de travail demeurent dans la circonscription électorale... et que les principaux bureaux de Radio-Canada à Montréal se trouvent également dans Saint-Laurent/Saint-Georges, j'ai proposé un projet de formule pour mettre fin à la grève. »

Le 8 février, c'est la surprise, avec cette grosse manchette à la une du *Dimanche-Matin*: « Grève de TV finie... » Mais on apprend en soirée que l'Association des réalisateurs, malgré un accord de principe intervenu la veille, a prévenu Radio-Canada qu'elle n'apposerait sa signature au bas d'un accord que si les autres groupes de grévistes, qui l'ont accompagnée depuis quarante jours, le font en même temps qu'elle. Ils ne sont que 74 dans cette association mais quelle rigueur, quel esprit de solidarité!

Le 19 février, Clément Brown, du *Devoir*, demande: « Puisque la cause de la grève est disparue, pourquoi ne parvient-on pas à s'entendre? » Le 20, *Le Devoir* à la une: « Radio-Canada: impasse complète, confusion, accusations et défis ».

On sent que cette aventure va bientôt se terminer mais on ne sait pas comment. Le 23 février, une contre-proposition de Radio-Canada est soumise aux syndicats NABET, IATSE et ANG qui l'approuvent, même si certains membres se disent très déçus du règlement proposé; mais enfin ils l'acceptent parce qu'ils ont faim ou encore parce qu'on prétend que cette offre est finale. Fin février, l'UDA décide de reprendre le travail dès que l'Association des réalisateurs retire les lignes de piquetage. Dans son offre aux artistes, Radio-Canada accepte de leur prêter de l'argent ; les artistes considèrent cette offre comme un affront et la refusent, voulant rentrer au travail la tête haute et non pas en mendiant. Quelques jours plus tard, entente entre la Société des auteurs et Radio-Canada.

Mais le lundi 2 mars, nous apprenons que Radio-Canada, la veille, a souhaité renégocier le genre d'affiliation que l'Association des réalisateurs voulait conclure avec le CTCC. Évidemment, si la direction de la Société joue à ce jeu dangereux, tous les accords conclus sont remis en cause. Jean Duceppe, président de l'UDA, s'exprime avec force contre ces gens de mauvaise foi.

René Lévesque en prison !

Dans la nuit de dimanche à lundi, volte-face de la Société sur l'affiliation syndicale et rupture des négociations. Radio-Canada décide, en fait, de rouvrir la négociation sur un texte déjà accepté le 7 février « en vertu du sens que les *journalistes* auraient donné à la clause de l'affiliation ». Comme si les journalistes de la presse écrite avaient leur mot à dire dans cette difficile et longue négociation. Attitude honteuse de la Société pour tous ceux et celles qui ont déjà fait plus de deux mois de grève. Il y a convocation d'une réunion générale des grévistes au Gesù, colère des syndiqués indignés. René Lévesque leur propose un défilé, boulevard Dorchester Ouest. Avant même d'y arriver, ils font face à une centaine de policiers en voiture et plusieurs à cheval. Les manifestants entonnent le *Ô Canada*. Mais la police à cheval bloque le boulevard aux syndiqués qui se retrouvent entre l'immeuble de la Société et les chevaux, entre les rues Bishop et Mackay. Les bêtes envahissent le trottoir et les policiers à cheval chargent la foule en colère, sous prétexte que les syndiqués n'ont pas de permis de manifester. Plusieurs personnes sont appréhendées, montent dans le fourgon et, quelques heures plus tard, sortent de prison sous cautionnement.

Parmi les célébrités ainsi menées au poste de police : Jean Marchand, secrétaire général de la CTCC ; René Lévesque, commentateur à *Point de mire;* Louis Morisset, de la Société des auteurs ; Roland Chenail, comédien ; Monique Bosco, ma collègue aux services d'information ; Jean V. Dufresne, journaliste à *La Presse* ; Thérèse Arbic et Madeleine Langlois, comédiennes. Le journaliste Marcel Vleminckx vient s'informer si son frère, le réalisateur de téléromans René Verne, a été arrêté. On lui confirme que son frère ne l'a pas été. Mais lui le sera !

Le 4 mars, dans un long éditorial au *Devoir*, Gérard Filion dénonce l'attitude de la Société Radio-Canada : « Elle ne peut aujourd'hui refuser d'honorer sa signature sous quelque prétexte que ce soit. Autrement personne ne croira plus à la validité de ses engagements. On traitera avec Radio-Canada comme avec un maquignon ; on n'osera plus s'y fier. »

Sur la gestion policière de la manifestation, Filion ne se gêne pas quand il écrit : « On comprend dès lors qu'en présence d'une violation aussi manifeste d'un engagement, les grévistes aient senti le besoin d'exprimer ouvertement leur mécontentement. Ce qui s'est produit par la suite n'est plus l'affaire de Radio-Canada, mais relève de la direction de la police de Montréal. La ville de Montréal a la rare distinction d'avoir à la tête de son service policier un homme d'une notoire imbécillité. Les policiers auraient mauvaise grâce de se montrer plus intelligents que leur chef. Une telle extravagance ne faciliterait pas leur avancement. »

Peu de temps après, des agents de la Gendarmerie royale sont postés à l'entrée principale de Radio-Canada. Ils sont chargés d'assurer la protection à l'intérieur de l'immeuble.

Nouvel effort, venu de l'intérieur cette fois. Le 5 mars, *La Presse* titre en première page : « Intervention des non-grévistes. 80 employés supérieurs demandent à Radio-Canada de signer l'entente du 7 février ou d'interrompre les émissions de radio et de télévision ». Cette pétition est présentée au directeur du réseau français, Gérard Lamarche, qui aurait répliqué qu'il doit consulter les autorités supérieures à Ottawa. Pierre Mercure, responsable des émissions musicales, choisit ce moment pour se joindre à l'Association des réalisateurs et demande ses premières heures de piquetage. Quelques années plus tard, Pierre Mercure trouvera la mort à 40 ans dans une ambulance sur une route de France. Ce compositeur, primé en Italie, joué partout en Europe, a été un des grands réalisateurs de *L'heure du concert* (*La Bohême*, *Jeanne d'Arc au Bûcher*...)

Un réseau sous le bras

Le 7 mars, André Laurendeau écrit dans son éditorial au *Devoir:* « On a cédé. Il y a un syndicat des réalisateurs, un vrai. » Il signale aussi le désintéressement de la CTCC et de son secrétaire général Jean Marchand puisque le syndicat des réalisateurs ne peut s'affilier à aucune centrale syndicale. Et il salue le rôle difficile et essentiel joué avec dignité par le député Egan Chambers.

Dans la nuit du 8 mars, l'entente est signée et le retour au travail est fixé au lendemain. À 3 h du matin, René Lévesque clame, en pleine assemblée générale : « Le plus consolant dans tout cela, c'est que lundi matin, c'est nous tous qui allons rentrer au travail avec le réseau français sous notre bras. » Et le père Ambroise Lafortune, qui s'est accordé le titre d'aumônier des grévistes, d'ajouter : « Vous avez remporté la victoire de la justice. Il vous reste maintenant à remporter celle de l'amour ! » Oui, c'était comme ça, en ce temps-là !

Dans *Le Devoir* du 9 mars, le journaliste Michel Roy souligne l'importance de cette grève des réalisateurs. Rappelant les luttes syndicales des mineurs, des tisserands, des métallos, il écrit : « Dans ces combats qui bousculent des traditions et provoquent la conscience sociale, les travailleurs intellectuels auront aussi leur place. » André Laurendeau exprimera, plus tard et très clairement, que la grève aura été à l'origine d'une grande carrière politique : celle de René Lévesque. Après avoir constaté qu'« on ne compte pas plus que ça », l'animateur vedette de *Point de mire* dira que cette crise a eu un terrible impact sur lui. On connaît bien la suite.

Le lundi matin 9 mars 1959, après 70 jours de grève où ils ont tenu bon malgré des froids sibériens, les piqueteurs brûlent leurs pancartes dans un feu de joie et font leur rentrée triomphale au 1425, boulevard Dorchester Ouest. Ils sont accompagnés de l'ours noir qu'on peut voir chaque semaine dans le programme *La vie qui bat*. Un journaliste écrira que celui-ci était le seul à rentrer à quatre pattes.

J'ai écrit « Ma première grève ». Ce fut aussi ma dernière. Quand j'aurai à faire état d'autres arrêts de travail, il s'agira de la grève... des autres.

4

RETOUR AU TRAVAIL

Bien qu'employé à la télévision, j'ai le privilège et le plaisir, à la fin de juin 1959, d'accompagner à travers la Gaspésie l'équipe de *Chez Miville,* le programme matinal quotidien de la radio. La tournée réunit le réalisateur Paul Legendre, sa scripte Hélène Mondor et bien sûr, les trois lurons, Miville Couture, Lorenzo Campagna et Jean Mathieu. Je fais le voyage en voiture avec ces compagnons exceptionnels, qui respirent la bonne santé et la bonne humeur. Le 26 juin, la dernière émission de la saison est réalisée en direct de l'hôtel Belle Plage à Matane-sur-Mer et diffusée, bien sûr, par CKBL. À l'occasion, le pianiste attitré de *Chez Miville,* Roger LeSourd, accompagne mon ex-collègue Aline Gagné dans une chanson à répondre. On m'a délégué avec cette équipe pour des raisons de promotion, et je passe avec elle de très agréables moments, deux années presque jour pour jour après avoir quitté CKBL.

Voyage en Acadie

Plus tard dans l'année, je reçois une autre affectation spéciale, en Acadie cette fois, au pays de mes racines. Jean-Jules Trudeau y prend goût et moi aussi. Nous sommes en décembre 1959 ; Carl Coderre et moi sommes délégués à Moncton auprès de la petite équipe acadienne pour l'aider au lancement d'une nouvelle station de base du réseau français de télévision. Carl Coderre est chargé de la préparation technique tandis que mon rôle consiste à joindre la population avec la collaboration des médias locaux et régionaux. Le dévouement des employés de CBAF assure le succès de l'opération. CBAFT est la troisième station de la télévision publique francophone, après celles de Montréal et Québec. Il n'est pas sans importance de rappeler que l'Acadie du début des années 1960 n'a rien à voir avec celle d'aujourd'hui.

Je me souviens d'un après-midi précédant l'ouverture officielle où les esprits se sont échauffés en présence d'un directeur général et d'un réalisateur acadien. Le jour de l'inauguration, le directeur général en porte un signe évident au sourcil droit. L'alcool, à l'occasion, peut nous réserver des surprises désagréables. Mais je dois dire que près de cinquante ans plus tard, ce n'est qu'un souvenir parmi tant d'autres.

Voyage dans l'Ouest

Quelques mois passent... En mars 1960, je suis maintenant appelé vers l'Ouest canadien, destination Winnipeg. Radio-Canada compte déjà quatre stations de radio privées affiliées dans l'Ouest : CKSB, Saint-Boniface (depuis le 27 mai 1946) ; CHFA, Edmonton (depuis le 20 novembre 1949) ; CFRG, Gravelbourg (depuis le 1er juin 1952) ; et CFNS, Saskatoon (depuis le 1er novembre 1952). Le temps est venu d'appuyer les associations qui assurent, dans cette vaste partie du Canada, la survivance de la langue et de la culture françaises.

Dès mon arrivée à Winnipeg et Saint-Boniface, à la fin du mois de mars, je découvre la vitalité de ces francophones que Léo Rémillard, directeur des programmes, m'invite à rencontrer. Dès le premier soir, les familles de Léo et de son épouse sont réunies pour une soirée manitobaine afin de me faire sentir chez moi, chez eux.

Pendant cette affectation, j'ai des conversations musclées avec le directeur régional, Monsieur Finlay. Sous sa direction, un horaire hebdomadaire est publié pour la télévision de langue anglaise, avec quelques lignes seulement consacrées aux rares programmes français diffusés par sa station, CBWT. Au nom du réseau français, qui diffusera désormais soixante heures de programmes par semaine à destination des Prairies, je lui demande d'accorder une couverture quotidienne beaucoup plus riche en textes et photos à la programmation française.

Le 5 avril 1960, Jerry Lee rapportait dans le *Winnipeg Free Press* que « The CBC's French Network, said Mr Roy, produces the largest volume of French-language live programs in the world and is the third largest producer of live programs next to Hollywood and New York. » Je n'y allais pas avec le dos de la cuiller. C'est pour défendre cette nation, le Canada français (peut-être était-ce déjà le Québec) qu'on m'a délégué à Winnipeg, moi dont les racines sont acadiennes. Je me souviens avoir dit à cette époque que je suis doublement minoritaire, comme Québécois et Acadien. Cette appartenance à deux minorités me rend capable de faire face, sans complexe, à mes homologues. Pour moi, c'est là une réalité mathématique : deux négations égalent une affirmation ! Monsieur Finlay, bon prince, accepte de nous réserver un espace quotidien qui lui paraît un compromis honorable.

Le 15 avril, le quotidien francophone, *La Liberté et le Patriote*, publie en première page un article qui souligne l'arrivée d'un menu copieux d'émissions françaises sur les ondes de la nouvelle station anglaise CBWT : « L'ouverture du poste CBWFT, le dimanche 24 avril, ne marquera pas la transition d'un régime de miettes à celui d'un banquet. C'est plutôt l'entrée libre à une cave bien garnie de vins variés, après un voyage ponctué de verres d'eau et de tasses de café. La programmation française de CBW (*sic*) était bonne, mais deux heures par jour, deux jours par semaine, ne permirent pas aux directeurs de faire valoir les richesses et la variété des programmes produits à Montréal, le plus grand centre du genre dans le monde entier. Les miettes au moins font soupçonner l'étendue du menu qui a étoffé un banquet. Maintenant, c'est le banquet, maintenant, c'est la cave. Pendant les deux semaines qui précèdent l'ouverture du poste, le Service d'information de Radio-Canada étalera dans les pages du journal, moyennant photographies et notes, la diversité qui enrichit l'écran français. »

Les Nuits de Cabiroi

En 1961, le Service d'information a un nouveau directeur, Antonin Boisvert, qui passe d'abord quelques mois à faire du ménage, en multipliant les changements d'affectation. Dans sa note du 6 octobre 1961, il nomme Laurent Duval superviseur des présentations visuelles, c'est-à-dire au poste que j'occupais alors. Je suis désormais affecté à l'administration, sous l'autorité d'Ernest Hébert. Le 23 mai 1962, un coup de théâtre met fin à mes cinq années au Service d'information à Montréal : Ernest Hébert succède à Antonin Boisvert. Le nouveau directeur, qui a longtemps été numéro 2, annonce très rapidement de nouveaux changements chez ses cadres : « Robert Roy permute au Siège social à Ottawa, pour assumer les fonctions d'adjoint d'administration au directeur national du Service d'information. » Il s'agit d'un échange puisqu'il accueille à Montréal celui que je remplace à Ottawa, Pierre Rainville. Un soir que nous fêtons simultanément, drôle de coïncidence, plusieurs nominations, anniversaires et naissances, plusieurs se demandent si c'est la fête ou le deuil. L'avenir nous le dira. Quant à moi, c'est à la fois une promotion et un exil.

Avant l'exil, toutefois, j'ai droit à une soirée d'adieu. D'abord au bureau, où je goûte au talent de mes confrères ; surtout à leur humour parfois grinçant. Chez nous, on appelle ça un « bien cuit ». Puis, je suis invité au restaurant *Chez Pierre*, rue Labelle, au sud de la rue Sainte-Catherine. La soirée est placée sous le thème des « Nuits de Cabiroi », en référence aux *Nuits de Cabiria*, film de Federico Fellini qui avait valu à Giulietta Masina le prix d'interprétation à Cannes en 1957. Il faut dire toutefois que Cabiria est une prostituée courageuse et naïve, un état que je ne connaîtrai jamais. Ce qui n'empêche pas mes collègues de se payer ma tête, puisque je suis coupable, selon eux, de quitter la création pour l'administration. Et comme mon avenir se joue désormais à Ottawa, certains m'accusent de frayer avec l'ennemi ! J'y suis pourtant poussé par un homme qui en a décidé ainsi pour des raisons personnelles plutôt que professionnelles.

Comme cadeaux de départ, je reçois le ruban audio de la fête qui contient tous les textes pondus par mes brillants collègues. Je pourrais plus tard les réentendre à tête reposée à l'aide de mon enregistreuse. Aussi, pour rire un peu, on m'offre quelques livres traitant de sexualité, du scrupule, de l'estime de soi ; plus sérieusement, je reçois un superbe volume d'Arnold Toynbee sur l'histoire des civilisations. Tout ça reste dans ma voiture garée en face de *Chez Pierre*, juste devant la porte. Après un excellent et fort agréable repas, nous découvrons, à la sortie du restaurant, qu'on a fracassé la vitre de ma voiture et tous mes cadeaux, laissés innocemment à la vue de tous, ont disparu. Si l'enregistreuse, les rubans, les livres qu'on m'avait si généreusement offerts sont perdus à jamais, j'ai tout de même conservé jusqu'à ce jour les textes originaux et, en partie, des manuscrits de Fernand Côté, Michel Chalvin, Gaston Lebarbé, Gabriel Langlais...

5
EXIL À OTTAWA

Ce que je retiens surtout de cette période, c'est une équipe chaleureuse, à l'image du directeur Wilson qui retournera un jour dans son lieu d'origine, les Maritimes. Une bonne partie de cette équipe se réunit en dehors du travail, par exemple pour déjeuner, discuter ou jouer au bowling... Car à Ottawa, c'est la vie tranquille dès qu'on quitte le bureau. Du moins c'est comme ça au début des années 1960. C'est un lieu où l'on vit en famille et, à mon arrivée, je n'en ai pas. Je suis seul ! Mon emploi, plutôt routinier et peu créatif, n'est pas vraiment source d'enrichissement. Je dois donc trouver mes distractions dans cette capitale du Canada qui est une ville plutôt ennuyeuse avant la venue de Pierre Trudeau. Si on veut aller au restaurant après 18 heures, mieux vaut traverser le pont et manger à Hull, chez Madame Burger, par exemple. Et quand on sort de la salle de bowling, les rues sont désertes. J'apprends au moins à manger avec des baguettes chinoises puisque, dans cette capitale nationale, les restaurants étrangers sont la norme.

Humour de diplomate

Un de mes collègues de Radio-Canada, Ludovic Hudon, est un ancien diplomate aux Affaires extérieures. Il a un style et un humour qu'on apprécie d'autant plus qu'il est francophone et francophile. Il a l'habitude de franciser tout ce qui lui saute aux yeux dans la langue de Shakespeare. Il ne dit pas la rue *Queen,* mais : « la rue de la reine » ; il traduit rue *Metcalfe* par « rue du veau rencontré », et *Gladstone*, dans sa bouche, devient « la rue de la pierre joyeuse ». Si on marche rue *Cathcart*, nous sommes « en charrette à chats ». Tout n'est donc pas triste à Ottawa ! Je prends même le temps de pondre, pour la publication des employés de la Société, un long texte sur *Radio-Canada, le plus important entrepreneur de spectacle au pays* où je décris comment le Service d'information travaille à faire connaître les émissions et les services de Radio-Canada sous leur meilleur jour à ses dix-huit millions d'actionnaires.

Au printemps 1964, je suis nommé coordonnateur des relations avec les stations affiliées. Un job où je dois travailler en anglais et côtoyer encore davantage la télévision anglophone.

Mon nouveau patron à la tête toute blanche, George Young, a été durant la guerre l'animateur populaire d'une émission de chansons à la radio, *Canada Sings ;* au moment où j'arrive dans son service, il est presque à la retraite. Le lundi, quand on se retrouve à la cafétéria pour le déjeuner, nous causons d'abord de la programmation du dimanche soir à la télévision anglophone. Je connais bien la programmation des deux chaînes, d'abord parce que je suis bilingue et qu'à la maison, je les regarde en même temps sur mes deux appareils de télé, sachant ce qu'on attend de moi le lundi. De plus, le dimanche, j'apprécie autant l'information à la CBC que le téléthéâtre ou le concert à la SRC. Mes collègues anglophones, eux, sont presque tous unilingues.

Je dois avouer que la CBC nous offre, le dimanche soir, l'émission qui alimente les discussions du lundi sur tous les étages de l'immeuble que nous avons aménagé avenue Bronson : *This Hour Has Seven Days.* Un contenu génial et un duo d'animateurs exceptionnels formé de Patrick Watson et Laurier LaPierre, sans oublier le producteur Douglas Leiterman, à l'origine du projet avec Patrick Watson. Beaucoup plus tard, j'aurai des relations professionnelles avec les deux animateurs, quand Patrick présentera sa série *Democracy* dans les années 1980 et quand je retrouverai Laurier au Festival de télévision de Banff, dans les années 1990. *This Hour* est une série hebdomadaire de très haut niveau, avec 50 épisodes diffusés entre le 4 octobre 1964 et le 8 mai 1966. Voici ce qu'on en dira des années plus tard, sur le site Internet du Museum of Broadcast Communications : « A controversial CBC TV news magazine – one of the most important and influential productions ever aired by a Canadian television network – the most exciting and innovative public affairs television series in the history of Canadian broadcasting... Most popular drawing more than three million viewers at the time of its controversial cancellation by CBC management... » Le vice-président Bud Walker a dû démissionner en raison de son rôle dans l'annulation de cette série.

Avec *This Hour*, la chaîne anglaise de la télévision publique canadienne rappelle des objectifs, à l'origine, fort différents de ceux de la chaîne francophone. La SRC, à ses débuts, a surtout consacré ses moyens financiers à la production de dramatiques, d'émissions musicales, de variétés et d'émissions destinées à la jeunesse. De son côté, la CBC a surtout offert à son public un service de nouvelles et d'affaires publiques, afin de contrer l'influence des chaînes privées qui traversent notre frontière en provenance des États-Unis, un voisin anglophone qui restera toujours un important compétiteur pour le Canada anglais.

Ce temps d'antenne est alloué...

Sous les ordres de George Young, puis de son successeur Ian Ritchie, je suis responsable des politiques qui régissent les relations entre Radio-Canada et ses affiliés, anglophones et francophones. Je suis le premier francophone à assumer au siège social un poste de direction dans ce domaine. Parmi mes fonctions, je dois régulièrement faire rapport au BGR (Bureau des gouverneurs de la radiodiffusion), futur Conseil de la radiodiffusion et des télécommunications canadiennes (CRTC). À ce mandat s'en ajoute un autre, lié au système électoral canadien, qui me donne l'occasion, pendant deux ans, de rencontrer des responsables politiques dans la plupart des provinces canadiennes. Sans avoir beaucoup de temps pour visiter, je passe un jour ou deux dans plusieurs capitales provinciales. Dès qu'une élection est annoncée, au fédéral ou au provincial, je m'envole vers telle ou telle capitale pour aller rencontrer les représentants des partis à la Chambre. L'objectif est de distribuer, selon un protocole établi, le temps alloué à chaque parti pour faire connaître son programme à la population. Une expérience de diplomate où je rencontre le plus souvent des gens sympathiques et compréhensifs; mais il y a aussi, à l'occasion, des échanges assez virils, surtout dans les petites provinces où les délégués politiques se connaissent davantage et préfèrent parfois l'affrontement au dialogue. Je ne suis pas l'arbitre puisque le protocole est clairement établi, mais je suis celui qui doit rassembler, alors que les partis politiques ont plutôt tendance à se battre ou à tout le moins à se mesurer.

J'ai un lien très étroit avec Benoît Lafleur, le délégué francophone aux relations avec les affiliés à Montréal. C'est un ancien correspondant de guerre, aux côtés de Marcel Ouimet et Pascal Barrette. Benoît Lafleur a fait Alger, puis la campagne d'Italie, on l'a retrouvé sur le Ponte Vecchio à Florence et en Allemagne quelques mois avant la chute d'Hitler en mai 1945. Marcel Ouimet, lui, est un homme fier qui a assumé, dès sa création, la responsabilité du Service des nouvelles de Radio-Canada. Il a accompagné les troupes canadiennes au front en juin 1943 avant de devenir vice-président du réseau français de radio et de télévision. À son retour du front, Benoît Lafleur a dirigé la radio avant de succéder à Jean Saint-Georges dans un job de diplomate auprès des stations affiliées francophones, radio et télévision. Diplomate, cet homme humble, cultivé et d'une grande gentillesse l'était certainement. J'aurai le bonheur de l'apprécier encore davantage à l'automne 1965.

On a pensé, aussi bien à Ottawa qu'à Montréal, que le temps était venu d'organiser une visite de courtoisie aux relais de la chaîne française qui touchent les populations québécoises en régions. Je ne nommerai pas tous les endroits visités, mais je n'oublierai jamais Saint-Georges de Beauce où nous avons été accueillis comme des princes par les propriétaires. Ceux-ci ont fait fortune en vendant des poteaux un dollar pièce au gouvernement de l'Union nationale. Si on vend un million de poteaux, disent-ils, on devient millionnaire! Nous avons droit, aussi, à un moment de célébration plutôt triste. Le propriétaire de la station s'est offert, sur son domaine, une superbe volière où les oiseaux sont rois... jusqu'au moment où il se saisit d'une carabine et nous fait la démonstration qu'il est aussi chasseur.

Au pays du Canal 10

Pendant ces quelques années à Ottawa, j'ai eu la chance de ne pas devoir consacrer tout mon temps au quotidien de ma fonction. Pendant mon affectation au service des relations avec les stations affiliées, le vice-président du réseau français, Marcel Ouimet a pensé qu'il serait intéressant de connaître le contenu exact de quelques jours de diffusion de la nouvelle station CFTM-TV, Canal 10. Un mandat plutôt hors de l'ordinaire qui n'a rien à voir avec les affiliés, mais plutôt avec le compétiteur. Dès sa mise en ondes, cette première station privée de langue française, inaugurée en février 1961, fait une compétition féroce au canal 2, CBFT. Je m'installe donc à l'hôtel Maritime, coin Guy et Dorchester, dans l'ouest de Montréal. Mon mandat consiste à regarder le Canal 10 de l'ouverture à la fermeture, pendant de très longues journées. Pendant quatre jours, assis dans un fauteuil ou étendu sur le lit, je visionne, sans fermer l'œil, des téléromans, des variétés, de l'information, des émissions pour enfants, de la lutte...

Une programmation pas très culturelle, que je ne subis certainement pas par choix personnel, mais plutôt par obligation professionnelle. Je dois manger dans ma chambre la cuisine de l'hôtel, trois repas par jour, pendant quatre jours. Je suis conscient que plusieurs m'envient d'avoir décroché cette mission. Savent-ils cependant qu'il s'agit d'un travail d'espionnage puisqu'il me faut noter tout mouvement dans l'horaire, consigner chaque contenu, tenir un registre à la seconde près des contenus de programmes, de messages commerciaux, de concours, d'identification de la station, etc. À la fin, après avoir perdu toute inspiration, mon cerveau demandant un répit, mon corps aussi, je reprends le chemin d'Ottawa.

J'ignore comment ce document de plusieurs dizaines de pages grand format a été utile à la direction du réseau français. Mais en octobre 1966, alors que nous dînons chez des amis, le téléphone sonne. C'est Jean-Marie Dugas. Notre gardienne, à la maison, lui a donné le numéro des Lamarche. Nous sommes au sous-sol, après le repas, et j'entends Jean-Marie exprimer le souhait de me voir à Montréal. Je sens que mon séjour à Ottawa tire à sa fin. WOW!

6

JE REVIENS CHEZ NOUS

Évidemment, je ne perds pas de temps pour venir rencontrer Jean-Marie Dugas qui m'apprend que Max Cacopardo a exprimé le désir de retourner à la réalisation et que le poste de directeur adjoint des programmes de la télévision (coordination) sera bientôt vacant. Jean-Marie, qui a eu l'occasion de me connaître dans mes fonctions à Ottawa, s'était promis de me ramener un jour à Montréal. Le directeur de la télévision, Jean Blais, annonce ma nomination le 8 novembre 1966 et j'entre en fonction le 14. Jacques Landry est directeur des programmes et Jean-Marie, directeur adjoint. Léo Rémillard, que j'avais connu à l'occasion de l'ouverture de CBWFT à Winnipeg, me succède à Ottawa.

Ce poste de coordination à la direction des programmes n'a rien à voir avec la production mais plutôt avec la mise en ondes, les changements à l'horaire et les relations avec deux autres directions, information et ventes. Et demain, c'est 1967 ! C'est l'année de l'exposition universelle à Montréal qui va durer six mois ; c'est aussi l'année du centenaire de la Confédération canadienne. Plusieurs événements nationaux et internationaux s'en viennent chez nous, avec beaucoup de dignitaires : une grosse fête en vue pour la télévision. C'est un défi qui tombe bien pour mon dixième anniversaire à Radio-Canada. Je n'aurai pas le temps de chômer.

Je vais donc célébrer mes dix années à la télévision publique. J'y étais venu sur l'invitation de Robert Élie, et dix ans plus tard, j'y ai pris racine et je suis fier d'appartenir à ce que j'appelle, encore aujourd'hui, ma maison. Les anglophones de Toronto surnomment cette maison *Mother Corp.* Avant de poursuivre mon récit personnel, puisque je vais désormais vivre au cœur du mandat de la télévision publique, donc des programmes, il me semble utile de faire un court retour en arrière, sur l'origine de la télévision en 1952.

7

BREF RETOUR SUR LES DÉBUTS DE LA TÉLÉ

J'étais étudiant, pensionnaire au secondaire, quand la télévision canadienne est née. Je n'ai donc pas bien connu les premières années de ce service public. Les professeurs et autres curés ne nous invitaient pas à regarder la télé au collège Bourget à Rigaud. Le seul souvenir que j'en garde, ce sont quelques images, pendant les vacances à Matane, à l'heure du repas du soir. C'est là que j'ai découvert, entre autres, les danseurs de ballet où les mâles offensaient certaines téléspectatrices avec une tenue qui affichait leur organe de reproduction ! Une dame âgée, amie de la famille, ne pouvait accepter cette insulte de la télévision publique même si son fils gagnait bien sa vie comme technicien à Radio-Canada. Peut-être, à ce moment-là, était-il affecté à la radio !

Une télé publique pour résister aux Américains

J'ai appris beaucoup plus tard que la première station de télévision à entrer en ondes, au Canada, le 6 septembre 1952, a été CBFT à Montréal ; puis, le 8 septembre, Toronto a été dotée de la deuxième station, CBLT. Cette dernière diffusait en langue anglaise tandis qu'à Montréal, le service a été bilingue pendant un bon moment pour servir les anglophones du Québec. Ce n'est qu'en janvier 1954 que CBFT a offert ses émissions exclusivement en français, après l'ouverture de CBMT ; celle-ci desservira désormais la population anglophone de la grande région montréalaise. Dès l'origine, les objectifs des deux chaînes de télévision publique ont été différents. Du côté anglophone, la concurrence, depuis toujours, suit l'axe nord-sud.

La commission Massey est considérée comme la fondatrice de la télévision publique au Canada. Son président, Vincent Massey, était un homme de théâtre, homme politique, ambassadeur et universitaire ; il a été le premier gouverneur général né au Canada. La commission qu'il a dirigée avait clairement émis l'opinion que le danger qui guettait le Canada était son annexion culturelle par son voisin du Sud. Elle ajoutait « CBC is the greatest single agency for national unity, understanding and enlightenment. » Son rapport recommandait, en 1951, la création d'une télévision publique canadienne.

Importer des émissions américaines coûtait moins cher que de produire des émissions canadiennes mais il fallait stimuler la production canadienne pour contrer la domination culturelle de notre voisin du Sud. La CBC allait entre autres développer, sur le modèle de la BBC, un service d'information (nouvelles et affaires publiques) de très haut niveau, pour couvrir les événements nationaux et mondiaux selon le point de vue canadien et non américain.

Le ministre libéral des Transports, Lionel Chevrier, avait déclaré à la Chambre des Communes qu'il fallait une télévision publique dans notre pays parce que nous voulions des programmes produits au Canada, par des Canadiens, à propos du Canada. Fin politicien, il disait aussi que les diffuseurs privés préférant importer des émissions américaines, celles-ci pourraient constituer un *complément* à la CBC.

En 1954, on comptait un million de téléviseurs en fonction : ce nombre est révélateur du chemin parcouru. Le réseau français de télévision de la SRC, pour des raisons linguistiques, était le seul à offrir une majorité importante de productions maison. Ses priorités n'avaient rien à voir avec la relation nord-sud. Le réseau français diffusait certes quelques séries ou films américains mais l'essentiel de son contenu, dramatiques, variétés, information, émissions pour enfants, nous parvenait de ses studios à Montréal.

Dès le mois d'août 1952, quelques semaines avant l'inauguration officielle de CBFT, le public avait eu droit à quelques essais, entre autres à une première série destinée aux enfants, *Pépinot et Capucine*, écrite par Réginald Boisvert et jouée par Paule Bayard, Charlotte et Jean Boisjoli, Guy Hoffmann, Marie-Ève Liénard, Gérard Paradis et Robert Rivard. Les années suivantes, les réalisateurs affectés à cette création seront, entre autres, Pierre DesRoches, Fernand Doré, Pierre Gauvreau et Jean-Paul Ladouceur. Quand je dis que le public avait eu droit à ces avant-premières, il faut se rappeler que dans leur très grande majorité, les téléspectateurs de l'été 1952 voyaient les émissions dans les vitrines des magasins où l'on vendait cette nouvelle boîte à images. Beau temps mauvais temps, cette fameuse boîte restait allumée pour montrer le jardin des merveilles mais surtout pour inciter la clientèle à envisager l'achat d'un appareil. Ce nouveau meuble qui offrait des images du vaste monde allait changer la vie des Québécois.

Le 11 octobre, le premier reportage de hockey était diffusé en direct du Forum de Montréal (coin Sainte-Catherine et Atwater, où l'on en trouve encore quelques vestiges). Les Canadiens affrontaient les Red Wings de Détroit. Bien entendu, le Tricolore a remporté ce match. Dans la première équipe de reportage, il y avait Michel Normandin et René Lecavalier. Au début, et pendant plusieurs années, Radio-Canada ne diffusait que les deux dernières périodes de la partie. Pour les grands fans de la Sainte Flanelle qui souhaitaient voir toute la partie, il fallait toujours se rendre au Forum et acheter un billet.

Les premières émissions

Pour mémoire, voici quelques titres qui ont marqué les cinq premières années de la télé :

Rolande et Robert (1953-1958) avec Rolande Désormeaux et son conjoint Robert L'Herbier (on retrouvera ce dernier à la direction des programmes de CFTM, Canal 10, dans les années 1960 ; il a réussi à lancer une télévision privée fort populaire, qui l'est encore aujourd'hui). Cette série hebdomadaire faisait une large place à la chanson québécoise et a été à l'origine du *Concours de la chanson canadienne*. C'est ainsi qu'on appelait la chanson québécoise dans les années 1950.

Le 2 juin 1953, alors que j'étais encore étudiant à Rigaud, le collège nous avait offert une journée à Ottawa... pour *assister* au couronnement d'Élisabeth II, nouvelle reine d'Angleterre (et du Canada). La radio transmettait la célébration en direct de Londres avec les annonceurs Ted Briggs et Marcel Ouimet, sans oublier le commentateur René Lévesque. Toutefois, l'événement majeur de cette journée fut la transmission des *images* du couronnement. En effet, Radio-Canada avait envoyé à Londres une équipe pour capter sur film des images de la BBC. Les films ont été transportés le jour même de Londres à Goose Bay au Labrador, puis à l'aéroport de Saint-Hubert, d'où un hélicoptère les apporta coin Guy et Dorchester, à proximité de l'édifice de Radio-Canada. Cet exploit a permis aux Canadiens d'Ottawa, de Toronto et de Montréal de voir le couronnement avec quelques heures de décalage. C'était une première dans l'histoire de la diffusion : une émission de télévision était diffusée le même jour en Angleterre et en Amérique du Nord. Il fallait s'en remettre à l'aviation ; c'était bien avant l'ère des satellites de communication.

Dès novembre 1953 (et jusqu'en 1959), une année à peine après l'inauguration de la télévision, les téléspectateurs découvraient *La Famille Plouffe*, série tirée du roman de Roger Lemelin qui racontait la vie quotidienne d'une famille ouvrière de la Basse-Ville de Québec. La diffusion avait lieu en direct ; c'était le début des téléromans et le premier grand succès de notre télévision. On en a fait aussi une version anglaise... avec les mêmes comédiens. À cette époque, peu de nos comédiens maîtrisaient la langue anglaise et cette famille, que les ondes ont portée de l'est à l'ouest du Canada, a fait pleurer et bien rire aussi, autant par son contenu que par le jeu de ses comédiens dans la langue de Shakespeare. On m'a raconté que les téléspectateurs anglophones de l'Ouest canadien n'appréciaient pas beaucoup... Allez savoir pourquoi ! On ne peut oublier les interprètes de ce premier téléroman, en français comme en anglais : Amanda Alarie (maman Plouffe), Paul Guévremont (le papa), Jean-Louis Roux, Émile Genest, Pierre Valcour, Denise Pelletier... Quelle famille !

Ce n'est qu'en 1954 que le *Téléjournal,* qui succédait aux reportages et documentaires diffusés dans le cadre de l'émission *Actualité,* a commencé à être présenté quotidiennement.

Un an après *La Famille Plouffe*, en novembre 1954, la télé proposait le *Survenant* (1954-1960), que Germaine Guévremont écrivait à partir de son roman du même nom. Le héros de ce nouveau téléroman était interprété par Jean Coutu ; la réalisation était assumée par Denys Gagnon, Maurice Leroux et Jo Martin.

En octobre 1956, commençaient deux nouvelles séries hebdomadaires qui marqueront à jamais notre histoire : *Les Belles Histoires des pays d'en haut*, nées de la plume de Claude-Henri Grignon et qui racontait la vie mouvementée de l'avare, Séraphin Poudrier. Depuis plusieurs années déjà, on connaissait *Un Homme et son péché* à la radio publique. Ce feuilleton était suivi religieusement par mon père, à la radio comme à la télévision... était-ce parce qu'il était banquier de son état qu'il en a fait son émission préférée pendant des décennies ? Les réalisateurs de la série télévisée, de 1956 à 1970, étaient Bruno Paradis, Fernand Quirion et Yvon Trudel. En 2012, cette série dramatique était toujours à la grille horaire de la chaîne ARTV de notre télévision publique.

Les plus vieux avaient entendu René Lévesque à la radio comme correspondant de guerre pour l'armée américaine. Dès l'automne 1956, on a pu le voir à la barre de *Point de mire* où il commentait l'actualité et nous ouvrait des horizons sur le monde. *Point de mire* prit fin au moment de la grève des réalisateurs de Radio-Canada en 1959. Après avoir quitté le studio pour la rue, René Lévesque se joindra, au début des années1960, à la nouvelle équipe du Parti libéral du Québec. Il participera à la Révolution tranquille à titre de ministre des Richesses naturelles où il mènera le combat pour la nationalisation de l'électricité.

Cette digression vers le passé m'apparaissait importante. Il me fallait rappeler au moins quelques dates et émissions qui ont jalonné les débuts de la télévision publique, alors que mon nouveau mandat concernait maintenant directement les programmes.

8

UN CERTAIN ÉTÉ 1967

Revenons donc à la fin de l'année 1966, avant de rappeler le rythme exceptionnel de l'année de l'Expo et du centenaire du Canada.

Je viens à peine d'entrer en fonction que je dois faire face à une demande d'injonction contre Radio-Canada. Me Alban Flamand avait enregistré au Bureau des droits d'auteur à Ottawa le titre *Médecine d'aujourd'hui* et il m'avait prévenu au téléphone « qu'il s'objectait formellement à l'usage de ce nom sous quelque forme que ce soit ». Nous avons passé outre à sa demande et commencé la diffusion de la nouvelle émission *Médecine d'aujourd'hui* le 25 janvier 1967. Pour l'avocat, c'est une violation du droit d'auteur « malicieuse, préméditée et délibérée. » La demande d'injonction est inscrite en Cour supérieure contre Radio-Canada, l'Association médicale de la province et l'Université de Montréal. Dans sa requête, il est déclaré que « Me Flamand et associés subissent et subiront un tort et un préjudice considérables, sérieux et irréparable ». Il réclame la somme de 1000 $.

Convoqué en Cour supérieure

À ma grande surprise, je suis convoqué à la Cour supérieure, à la requête du demandeur, pour donner ma version des faits. Pour moi c'est une première. Avant d'aborder le sujet du litige, je me rends compte que le juge exprime une attitude plutôt sympathique à mon endroit. Il a devant lui quelqu'un qui, sans doute, peut répondre à ses questions sur Radio-Canada et il va en profiter pendant un bon moment. Je fais de mon mieux pour répondre à ses attentes tout en pensant qu'il racontera, ce soir, à sa femme, tout ce qu'il a appris à la cour sur la réalité de la télévision, sur l'envers du décor. Le climat est détendu, du moins entre moi et le juge. La question de fond, celle du droit d'auteur, est abordée dans ce climat de bonne humeur.

Et je me souviens encore très bien du jugement où le juge fait la distinction entre un titre fantaisiste comme *Cré Basile* au Canal 10 et un titre descriptif comme *Médecine d'aujourd'hui*. Notre émission, dont le titre est contesté par Me Alban Flamand, traite de médecine; non pas celle d'hier, mais bien celle d'aujourd'hui. Et j'ai souligné qu'à Radio-Canada, on choisit des titres fantaisistes pour les émissions dramatiques ou de variétés, mais les émissions éducatives, sportives ou d'information, portent plutôt un titre descriptif. Et je donne l'exemple du *Téléjournal*, des *Nouvelles du sport*, de *L'Heure du concert*, de *La Soirée du Hockey*. Que ce soit à une antenne ou à une autre, ces titres varient très peu. La requête de Me Alban Flamand est rejetée. Me voilà rassuré: dans ce nouveau poste, si on fait face à des problèmes publics, il y a moyen de s'en sortir. Ce n'est encore que le début d'une nouvelle vie qui va durer plus de vingt ans. Je rappelle aussi que la série *Médecine d'aujourd'hui* n'en est pas une de vulgarisation scientifique destinée au grand public, mais plutôt, comme le disait son réalisateur Guy Comeau, un cours destiné aux praticiens.

Au moment où commence mon premier mandat à la direction des programmes, la télévision publique est adolescente, à l'aube de ses quinze ans. Elle est tout feu tout flamme. Fernand Séguin anime *le Sel de la semaine* que réalisent Gérard Chapdelaine et Pierre Castonguay. L'animateur reçoit entre autres Michel Simon, qui raconte son voyage à Saint-Pierre de Rome pour une béatification et Juliette Gréco qui nous parle de sa vie sous l'occupation; Eugène Ionesco, Jacques Tati et Jack Kerouac défilent aussi devant lui. La grille des programmes comporte également une *Place à Olivier Guimond* de Gilles Carle, une heure de ballet de Zizi Jeanmaire et Roland Petit et un récital d'Isaac Stern. Michel Garneau anime *Images en tête,* réalisé par René Boissay, où l'on invite, entre autres, le célèbre animateur tchèque Bretislav Pojar, que j'aurai le privilège de rencontrer plus tard à Prague, à quelques reprises. *Les Beaux Dimanches* met en vedette les chansonniers comme les chanteurs d'opéra, et on y présente le *Roméo et Juliette* de Prokofiev sous la direction du chef Sergui Celibidache.

Une émission couleur de Radio-Canada

Quelques jours avant Noël, le public voit pour la première fois *l'Heure du concert* en couleurs, dans une réalisation de Pierre Morin. Hubert Tison, graphiste, vient de remporter le concours pour la création du symbole des émissions en couleur de Radio-Canada. En 1966, on voit partout son fameux papillon : dans les journaux, sur les autobus, et, bien sûr, à la télé où la couleur se répand aussi sur *Les Belles Histoires, La Vie qui bat, Moi et l'autre, Rue des Pignons, Atome et Galaxies, La Soirée du hockey.* Même le héros des enfants, *Bobino*, avec son chapeau melon tout noir, apparaîtra désormais en couleurs. Hubert Tison décrit ainsi son papillon : « Il transmet bien le message de la couleur. L'homme a toujours admiré le papillon pour la multitude de ses couleurs. Le papillon apporte la grâce, la légèreté, la poésie, la fraîcheur, la finesse, la couleur. » C'est le même Hubert Tison qui produira bientôt tous les films d'animation de Frédéric Back. L'avènement de la télévision en couleur au Canada a eu lieu le 1er septembre 1966.

C'est aussi en 1966 (le 30 mai) que débute le tournage d'une des grandes œuvres télévisuelles de Radio-Canada, *D'Iberville*. Pierre DesRoches est le directeur du Service des émissions jeunesse. Cette première série dramatique en couleur de 39 épisodes, réalisée par Pierre Gauvreau et Rolland Guay, est produite en collaboration par la SRC, l'ORTF (France), la RTBF (Belgique) et la SSR (Suisse) et sera diffusée à l'automne 1967 par ces quatre pays, suivis par Télé Luxembourg et Télé Monte-Carlo. Les maquettes de la série, une œuvre colossale, sont créées par Jean-Paul Boileau et Frédéric Back. Cette production raconte les aventures de Pierre Lemoyne à partir de 1682 jusqu'à l'établissement de la colonie de la Louisiane en 1704 avec la fondation de Mobile. Albert Millaire et Jean Besré tiennent les rôles principaux. Guy Fournier est responsable de la recherche historique et des synopsis, Jacques Létourneau signe les scénarios et Jean Pellerin, les dialogues.

Dans son livre publié en 2010 aux Éditions de l'Homme, *Mes amours de personnages,* Albert Millaire nous raconte d'où vient l'idée de tourner les aventures de Pierre Le Moyne d'Iberville, notre héros national : le comédien Lionel Villeneuve, un amoureux de la mer et des bateaux, l'avait conçue avant la grève des réalisateurs de 1959. J'ajouterai que mes racines acadiennes me rendent encore plus sympathique ce héros québécois puisque son frère Jean-Baptiste Le Moyne de Bienville, qui l'accompagnait dans son épopée et qui a été commandant général et gouverneur de la Louisiane de 1699 à 1743, est reconnu comme le fondateur de la Nouvelle-Orléans en 1718. Après la signature du traité de Paris, plusieurs Acadiens prendront la direction de la Louisiane devenue espagnole et y seront accueillis à bras ouverts.

La Cité des ondes

En juin, la SRC dévoile la maquette de la nouvelle Place Radio-Canada que certains journalistes appellent la « Cité des ondes ». Le nouveau siège doit réunir en un seul lieu tous les services créatifs et administratifs, à proximité du pont Jacques-Cartier. Heureusement, le quadrilatère à aménager est très vaste : au nord, le boulevard Dorchester (futur boulevard René-Lévesque) ; au sud, la rue Craig (future rue Viger) ; à l'est, l'avenue Papineau, et à l'ouest, la rue Wolfe. Six stations de télévision et de radio doivent y loger, en plus d'un service international et des services du Nord et des forces armées ; tous sous un même toit ! Les bureaux auront une vue bien dégagée sur la ville dans une tour de vingt-cinq étages alors que la production se fera en sous-sol.

Boulevard Laurier à Sainte-Foy, CBVT a officiellement pignon sur rue au mois d'octobre. Si j'en fais mention, c'est que le premier ministre Daniel Johnson profite de la cérémonie d'ouverture pour faire, avec humour, allusion à son propre programme électoral qui préconise la création d'un réseau québécois de radio et de télévision : « Les nouvelles installations de Radio-Canada feraient un bon début pour le projet de mon gouvernement », ironise-t-il.

L'année canadienne

En décembre 1966, Pierre Lebeuf, réalisateur aux émissions jeunesse, est nommé directeur du pavillon jeunesse à l'Expo 67. Ce lieu de rencontre des jeunesses du monde a annoncé ses thèmes :

- décrire la jeunesse du monde de 1967 ;
- la rage de vivre : goût du risque, vitesse, rythme ;
- le besoin des jeunes d'imiter et d'admirer ;
- les différentes formes de révolte de la jeunesse. La crise qui oppose et divise les générations. La délinquance ;
- la volonté des jeunes de transformer et de refaire le monde ;
- le défi de la fraternité.

L'année 1967 s'ouvre d'abord sur le centenaire du pays avant de voir déferler quotidiennement les foules, quelques mois plus tard, à l'Expo universelle de Montréal. Dès janvier, plusieurs émissions de télévision sont consacrées au Canada : *Canada Express*, réalisée par Réjean Plamondon, qui illustre le Canada ethnique, le Canada insolite, le Canada artistique et les grands hommes (et, j'espère, les femmes aussi) du Canada, aussi le Canada sous l'influence des États-Unis... *Vivre en ce pays*, réalisée par Claude Sylvestre avec les cinéastes Michel Brault, Claude Fournier et Bernard Gosselin, les textes d'Eugène Cloutier et la voix chaude, théâtrale d'Albert Millaire, qui nous transporte d'Est en Ouest, du Sud au Nord, pour découvrir comment vivent les Canadiens. *Histoire d'une ville,* qui fait le portrait des capitales nationale et provinciales et d'autres grandes villes canadiennes.

Mais le moment tant attendu approche à grands pas. Le 31 mars, c'est le lancement de la chanson thème de l'Expo, composée par Stéphane Venne et chantée par Michèle Richard ; comme pour calmer notre impatience, elle s'intitule *Un jour, un jour* :

Un jour, un jour,
Quand tu viendras...
Nous t'en ferons voir de grands espaces...
Pour toi nous retiendrons le temps qui passe...

Cette « Expo 67 », cette « Terre des Hommes », sera toujours pour moi l'œuvre de l'homme qui a marqué la vie montréalaise pendant un bon moment, Jean Drapeau. Sous le titre « Jean Drapeau veut l'Expo ! », un article trouvé dans les archives de Radio-Canada raconte ceci : « En 1960, le Bureau international des expositions choisit l'URSS comme hôte de l'Exposition universelle de 1967. Mais en 1962, l'Union soviétique se désiste pour des raisons financières et permet ainsi au Canada d'obtenir la tenue de l'Expo 67. Le 9 octobre 1962, l'émission *Métro magazine* diffuse l'annonce par le maire Jean Drapeau du départ pour Paris d'une délégation canadienne. Le dossier de candidature sera présenté au Bureau international des expositions. Le maire Drapeau profite de ce temps d'antenne pour dévoiler le thème et les dates de l'exposition. Le 13 novembre 1962, Le Bureau international des expositions retient la candidature du Canada. En décembre, la Compagnie canadienne de l'Exposition universelle et internationale de Montréal 1967 est formée pour coordonner la préparation et la construction de l'Expo. Les dates de l'événement sont fixées du 28 avril au 27 octobre 1967 (*l'exposition se terminera finalement le 29 octobre*). Le thème choisi, Terre des Hommes/Man and his World, s'inspire du titre d'un livre de l'écrivain et aviateur français Antoine de Saint-Exupéry. »

Arrive enfin le 27 avril, jour de l'ouverture officielle de l'exposition universelle. Le lendemain, le site est ouvert au public. Cet événement demeure aujourd'hui un souvenir vibrant pour des millions de Québécois qui vont fréquenter cette Terre des Hommes, et vivre son climat euphorique. On dit que 650 millions de téléspectateurs à travers le monde ont suivi la cérémonie d'ouverture de l'exposition grâce à Radio-Canada, son diffuseur. Il faut le répéter pour les nouvelles générations : cet événement de six mois aura un effet profond et durable ; il a ouvert les Québécois et les Québécoises au monde ! Pour la première fois, une majorité de gens du pays ouvrent leurs portes, leurs yeux, leurs cœurs, leurs esprits aux autres nations de la planète. Il n'est plus seulement question des plages de Plattsburgh ou de Lake George, au sud de la frontière avec les USA, nos horizons habituels ; on fait ici, chez nous, la découverte de l'étranger dans toute sa richesse, avec ses couleurs, son désir de rencontres, sa joie de vivre et sa faim de partager. C'est la fête et des millions de personnes acceptent de prendre la file pendant des heures pour entrer dans un pavillon thématique ou national. Et, pendant cette longue attente, les hôtes mettent leur gêne de côté pour entrer en contact avec leurs invités, découvrir de nouveaux accents, de nouveaux visages ouverts et généreux.

Dès le jour de l'ouverture officielle et jusqu'à la fin d'octobre, je fais partie des privilégiés. Travail oblige ! Chargé, entre autres, de tout changement d'horaire à la télé publique, et ils seront nombreux pour faire place aux visiteurs de marque, je bénéficie d'un « coupe-file », une carte de presse que je conserve encore, souvenir palpable de cette année faste en événements de toutes sortes.

Des dignitaires à caser

Si la mémoire est une faculté qui oublie, j'ai néanmoins réussi à reconstituer une courte liste de ces puissants d'ici et d'ailleurs qui, un jour ou l'autre, ont fréquenté cette Terre des Hommes entre avril et octobre. Parmi ces invités d'honneur, dont la plupart font un passage sur nos ondes, il y a d'abord ceux de chez nous : le gouverneur général Roland Michener, le premier ministre du Canada Lester B. Pearson, celui du Québec, Daniel Johnson, le maire de Montréal et initiateur d'Expo 67, Jean Drapeau. On dit que 53 chefs d'État nous ont visités ; parmi eux, la reine Élisabeth II et le duc d'Édimbourg, le prince Albert et la princesse Paola de Belgique, le prince et la princesse Takamatsu du Japon, le prince Rainier et la princesse Grace de Monaco, le général Charles de Gaulle (on se souvient de sa journée passée sur le Chemin du Roy jusqu'au balcon de l'hôtel de ville de Montréal), la princesse Irène de Grèce, la princesse Margaret et Lord Snowdon, le président américain Lyndon B. Johnson, Robert Kennedy et sa famille, de même que Jackie Kennedy, le roi Bhumibol Abulyadej de Thaïlande, l'empereur d'Éthiopie Hailé Sélassié. Il ne faut pas oublier les stars, aujourd'hui presque toutes disparues : Marlene Dietrich, Maurice Chevalier, Madeleine Renaud et Jean-Louis Barrault, Laurence Olivier, Jack Lemmon, Harry Belafonte, Bing Crosby...

Le soir, certains d'entre eux nous retiennent au bureau, Claude Morin et moi, en attendant le téléphone des responsables au Service de nouvelles. On n'impose pas à une reine ou un empereur une heure pour visiter l'Expo ; le protocole est de rigueur et Ottawa a nommé un ministre, Lionel Chevrier, commissaire général des visites d'État.

Comme gestionnaire de la grille des programmes, on doit répondre aux besoins exprimés. En soirée surtout, il faut déplacer ou annuler des émissions, parfois les préférées du public comme *Moi et l'autre* ou *Rue des Pignons*, pour les remplacer par une visite impériale, royale ou princière... tout en souhaitant ne pas déplaire à nos téléspectateurs (ou à nos commanditaires). À cette époque, Radio-Canada ne représente qu'une chaîne de télévision affiliée à plusieurs stations privées ; cela signifie un seul choix de programmes dans une période horaire. Plus tard, on pourra disposer de CBFT, RDI, ARTV pour relayer les émissions spéciales, diminuant ainsi les modifications à l'horaire sur la chaîne principale.

All You Need is Love

Il est évident que cette année de célébrations, avec le centenaire du Canada et l'exposition universelle, est marquée d'événements spéciaux qui prennent une place prédominante à l'antenne de Radio-Canada. En voici une courte liste, pour mémoire :

- ouverture officielle de l'Expo 67... (27 avril) ;
- festival d'art dramatique de Saint-Jean de Terre-Neuve (14 mai) ;
- départ de la Course des canots au pied des Rocheuses canadiennes (24 mai) et arrivée des canotiers à l'Expo (2 septembre). Ces canots, en écorce de bouleau comme ceux utilisés par les premiers coureurs des bois, partent de Rocky Mountain House au sud d'Edmonton et, par les rivières et les lacs, se rendront jusqu'à Montréal au site de l'Expo ;
- carrousel militaire de Vancouver ;
- revue navale mondiale dans l'incomparable rade naturelle d'Halifax (24 juin) ;
- « *Notre Monde / Our World* » (voir plus loin) ;
- la reine à Ottawa (1er juillet) et à l'Expo (3 juillet) ;
- Le Stampede de Calgary dans la ville des cowboys (10 juillet) ;
- Les Jeux panaméricains à Winnipeg (du 22 juillet au 6 août) avec nos commentateurs René Lecavalier, Richard Garneau et Jean-Maurice Bailly.

Notre Monde / Our World est un projet de l'Union européenne de radio-télévision (UER) auquel on a collé l'épithète de « première émission diffusée en mondovision ». Pour la première fois, en effet, une production est diffusée simultanément via satellite pendant plus de deux heures dans plusieurs pays, à travers plusieurs fuseaux horaires. Le 25 juin, l'URSS et la Pologne, la Tchécoslovaquie, la Hongrie et l'Allemagne de l'Est se retirent du projet pour protester contre la guerre des Six Jours qui oppose Israël à la Ligue arabe. Ce qui n'a pas empêché cette première émission en mondovision de coller à leurs fauteuils, devant leurs écrans, quatre cents millions de téléspectateurs à travers le monde. Selon les documents que j'ai consultés, le fait marquant de cette première en mondovision est la contribution de la BBC à l'événement : pour l'occasion, la chaîne publique britannique avait commandé à un groupe pop une chanson qui devait être simple et comprise par les téléspectateurs de diverses langues. C'est ainsi qu'*All You Need Is Love*, composée par John Lennon et jouée par les Beatles, est devenue l'hymne à l'amour de cet été 1967.

Vive le Québec... quoi ?

On ne peut évidemment pas passer sous silence le défilé historique du président de la République française le long du Chemin du Roy, salué au passage par des milliers de Québécois ; défilé qui se termine au balcon de l'hôtel de ville de Montréal, où des milliers de personnes s'entassent pour entendre l'illustre visiteur. Personne n'est indifférent à ce qui ce passe ce 24 juillet 1967. Charles de Gaulle est en visite officielle au Canada et ce qu'il s'apprête à dire va déclencher une crise politique sans précédent entre Paris et Ottawa. Une journée qui soulève les passions entre ceux qui souhaitent un Québec souverain et les tenants du fédéralisme canadien. Du haut du balcon de l'hôtel de ville, à côté de son « ami Johnson » père, alors premier ministre du Québec, le général fait monter la fièvre en s'enflammant lui-même de plus en plus ; quand il clame : « Vive Montréal ! Vive le Québec ! Vive le Québec... libre ! », c'est un tonnerre de joie et d'applaudissements qui éclate à Montréal, tandis qu'à Ottawa, on dénonce aussitôt l'ingérence du président français dans les affaires internes du Canada. De Gaulle retournera d'ailleurs à Paris sans passer par la capitale du Canada, où il était attendu.

En plus des émissions spéciales, Radio-Canada a aussi prévu une programmation axée sur l'exposition afin de guider nos téléspectateurs, avec les émissions :

Visite à l'Expo, un magazine d'une heure présenté le samedi à 21 h et réalisé par Jean-Maurice Laporte et Marcel Laplante, qui couvre l'actualité de l'Expo, avec des reportages sur la Journée de la jeunesse, sur des restaurants, des spectacles, des galeries d'art, etc. ;

Terre des Hommes, réalisée par Lucille Baril, où le professeur Guy Dozois présente les seize pavillons thématiques de l'Expo, avec leurs thèmes : l'histoire de l'homme, ses aspirations, ses idées, ses réalisations ;

Les Pavillons de l'Expo, réalisée par Max Sansoin, où l'animateur et recherchiste Roger Rolland nous fait connaître la richesse des pays représentés. (À mes premiers pas à Radio-Canada, Roger Rolland était un grand patron à la direction des programmes ; il sera plus tard adjoint spécial de Pierre Elliott Trudeau) ;

Carnets de l'Expo, où Jacques Fauteux et Gisèle Mauricet nous offrent une mine de renseignements sur les choses à faire et à voir chaque jour à l'Expo. Un agenda culturel qui permettra aussi à nos téléspectateurs éloignés, Montréal de visiter le site sans quitter leur foyer.

L'année 1967 est celle de *Jeunesse oblige Expo,* animée par Louise Latraverse, avec un orchestre dirigé par François Cousineau. Un lieu de rencontre des jeunes de tous les pays. L'année est aussi marquée par le passage, à *Tous pour un,* de Denis Thérien, un garçon de 12 ans incollable sur Tintin. L'émission, réalisée par Alex Page, est animée par Raymond Charrette, le père de Christiane. Il ne faut pas oublier le *Club des Jnobs*, animé par Mariette Lévesque et Guy Boucher et réalisé par Pierre Monette, qui me succédera au Service jeunesse en 1979. Mais il est encore trop tôt pour parler de la fin de la prochaine décennie !

Je me doutais bien, quand j'ai accepté l'offre de Jean-Marie Dugas, que l'année 1967 serait l'occasion exceptionnelle de poursuivre mon apprentissage dans cette maison qui m'avait accueilli, dix ans plus tôt, rue Stanley. Nous sommes maintenant Place Ville-Marie, en plein cœur du centre-ville de Montréal.

Directeur des émissions féminines

Chaque jour je me rends compte de ma chance ; les journées sont longues, mais je travaille avec de grands professionnels. Nous sommes tous conscients de faire partie d'une équipe dynamique et respectueuse non seulement du mandat de la télévision publique mais aussi des talents et de la générosité de chacun. Personne ne se plaint de la lourdeur de la tâche ; souvent nous faisons face à des problèmes auxquels il faut trouver des solutions rapides puisque la télé ne sait pas attendre. On ne compte pas les heures. Ce climat de fébrilité constante nous tient en éveil et nous avons la conviction profonde de participer à une aventure exceptionnelle.

Pendant mon court séjour à la direction des programmes (1966-1968), mon patron, Jean-Marie Dugas, qui ne manque pas une occasion de me lancer de nouveaux défis, me propose d'ajouter, à la coordination aux programmes, la direction par intérim des émissions féminines, en remplacement de Michèle Lasnier qui vient de donner naissance à un petit garçon. C'est elle qui avait lancé quelques années auparavant l'émission quotidienne *Femme d'aujourd'hui* ; avec cette nouvelle affectation, je dois me déplacer chaque jour entre la Place Ville-Marie et la rue Stanley pour diriger, pendant une heure, une réunion avec les animateurs (Aline Desjardins et Yoland Guérard) et les réalisateurs (André Groulx, Yvette Pard, Jeanne Quémart, Fernand Choquette, Jeannette Tardif, Madeleine Marois et Hélène Roberge). Une expérience enrichissante qui me prépare à de futures responsabilités. Je commence à comprendre que le psychologue Dugas n'est pas venu me chercher à Ottawa pour me faire chômer.

Si j'ai un seul regret, c'est que mes enfants sont encore trop jeunes pour apprécier cette vie effervescente qui est devenue la mienne après le séjour tranquille à Ottawa. Ils souffrent certainement, dans leur très jeune âge, de mes absences répétées, et ne se doutent pas que cette situation s'aggravera dans les années à venir. Je ne peux que leur souhaiter de goûter un jour à leur tour à cette euphorie qui s'empare de nous quand le défi est grand et que notre acharnement en vient à bout grâce à la passion qui nous anime.

9

RUES QUI CHAUFFENT, JEUNES EN FEU

Début 1968 : changements importants à Ottawa dans la hiérarchie des télécommunications. Alphonse Ouimet, qui dirige les destinées de la Société Radio-Canada depuis 1958, présente sa démission au gouvernement libéral de Lester B. Pearson. Andrew Stewart, président du Bureau des gouverneurs de la radiodiffusion, fait de même. Bien des années plus tard, je songerai qu'il vaut mieux en effet démissionner quand on sait que l'avenir nous réserve des surprises... peu agréables. Cela n'a rien à voir avec le talent ou la compétence, mais bien avec l'air du temps ! Dans la haute fonction publique, cet air du temps a souvent des odeurs politiques tandis que dans le privé, elles sont, ces odeurs, davantage économiques. La compétition sera bien plus vive à l'avenir et l'époque de riche collaboration que j'ai eu le bonheur de vivre est, dans plusieurs sociétés et organismes, appelée à disparaître. Mais qu'on soit dans le privé ou le public, il faut apprendre à humer les odeurs de la vie dans laquelle on baigne et s'en inspirer pour orienter ses lendemains, là où le bonheur nous attend. Souvent ces choix ne sont pas faciles, mais la vie intérieure et notre système de valeurs sont des instruments fort utiles dans ces moments où le changement nous appelle.

Télé publique ? Télé privée ? Contenu canadien !

Je me permets ici, une fois encore, un retour en arrière pour comprendre les rouages de la gestion canadienne des télécommunications. À sa création en 1936, Radio-Canada avait obtenu le mandat de réglementer le système de radiodiffusion. Une dizaine d'années plus tard, ce rôle lui a été confirmé sur proposition de la commission Massey-Lévesque (1949-1951). C'est cette commission royale d'enquête sur l'avancement des arts, lettres et sciences du Canada, rappelons-le, qui avait engendré le service de télévision public. Le père Georges-Henri Lévesque, doyen de la faculté des sciences sociales de l'Université Laval, y siégeait comme commissaire, représentant le Québec et, bien sûr, le milieu francophone. Une recommandation concernant le rôle de Radio-Canada reposait sur le principe suivant, exprimé par la Commission : « Le Canada a fait l'expérience d'un régime de radiodiffusion purement commercial avant d'adopter un régime nationalisé. La répétition de cette expérience serait dangereuse dans le nouveau domaine, plus coûteux et plus puissant, de la télévision. » La Commission recommandera le contrôle public sur le système de télévision.

La télévision publique canadienne est née à Montréal puis, deux jours plus tard, à Toronto au début de septembre 1952. Mais quelques années seulement après la mise sur pied de ce système public de télévision, une nouvelle commission royale d'enquête sur la radio et la télévision a été constituée, la commission Fowler. Eh oui ! C'était comme ça en ce temps-là ; on ne lésinait pas sur les commissions royales. Cette dernière commission a été créée en 1955. Sa mission était d'entendre les points de vue des Canadiens en ce qui a trait aux questions de financement du système et au rôle des diffuseurs publics et privés dans les solutions recherchées. Elle a rendu son rapport deux ans plus tard, en 1957, l'année où j'ai quitté la station privée de radio de Matane pour venir en métropole à la télévision publique francophone. Mais, fait beaucoup plus important, c'est le 21 juin 1957 qu'arrivait au pouvoir le Parti progressiste conservateur et que John Diefenbaker est devenu premier ministre.

Le rapport de la commission Fowler mettait l'accent sur l'importance du système canadien de télévision pour une population parsemée, au nord du 49e parallèle, sur des milliers de kilomètres, et voisine d'un géant, au sud, qui a déjà manifesté de diverses façons son intention et sa capacité de contrôler le monde. Du même souffle, la Commission confirmait le rôle de la CBC/SRC comme diffuseur public national, et soutenait que les objectifs culturels ne devraient pas être limités à la seule télévision publique, comme le souhaite le secteur privé ; elle proposait donc que les normes culturelles s'appliquent également aux réseaux canadiens privés de télévision, dont elle autorisait la création. Les permis accordés à cette fin devaient comporter, selon la Commission, la condition suivante : que 45 % au moins de la programmation télévisuelle, aussi bien dans le privé que dans le public, soit d'origine canadienne, ce qui impliquait nécessairement un large recours aux créateurs canadiens et québécois. Cette condition de licence fait ainsi partie de la *Loi sur la radiodiffusion* de 1958.

L'année suivante, le gouvernement conservateur, inspiré par le rapport Fowler, adoptait la loi qui créait le Bureau des gouverneurs de la radiodiffusion (BGR) dont le rôle était d'assumer la réglementation du secteur auprès des diffuseurs privés et publics. Si, d'une part, le BGR recevait désormais les demandes pour de nouvelles stations et soumettait ses recommandations au ministre responsable au Cabinet, la CBC-SRC, pour sa part, conservait son Conseil d'administration qui relevait toujours directement du Parlement. Une des premières décisions du BGR, en 1961, a été d'accorder un permis au réseau CTV lequel, avec ses huit stations affiliées, modifiera considérablement le paysage canadien des télécommunications. Le BGR deviendra, en 1968, le CRTC, Conseil de la radio-télévision canadienne.

Frédéric Back dans le métro

Revenons maintenant à Montréal, en 1968. Nous venons de vivre l'année euphorique de toutes les surprises ; une île, une ville à la disposition de nos invités des quatre coins du monde, des rencontres plus riches les unes que les autres, une année qui restera longtemps gravée dans la mémoire des Québécois et des Montréalais, les hôtes de ces festivités. Mais l'année 1968 nous réserve quant à elle des moments difficiles, non seulement chez nous, mais à travers le monde.

L'année commence sur une note artistique. Grâce à Jean Drapeau et aux millions versés par les contribuables, Montréal est doté d'un tout nouveau métro. La Ville croit qu'il serait intéressant de créer des œuvres d'art pour décorer ses stations. La première œuvre, dévoilée à la station Place-des-Arts, avait été commandée à Frédéric Back : c'est une verrière illustrant l'histoire de la musique dans la métropole depuis l'origine de la ville jusqu'à nos jours. Frédéric a recherché, documenté, conçu et réalisé cette verrière tout en confectionnant, en collaboration avec Jean-Paul Boileau, les neuf maquettes de la série *D'Iberville.* Ces maquettes ont été remises en novembre 1967 au Musée militaire et maritime de la ville de Montréal à l'île Sainte-Hélène. Dans les années 1970 et 1980, on entendra parler de plus en plus souvent de ce grand artiste québécois, Frédéric Back.

Les bouleversements de l'année 1968, je vais les vivre dans le bureau du vice-président et directeur général de la radiodiffusion française. C'est l'année des remises en question, des manifestations parfois anarchiques qui secouent les capitales des Amériques et de l'Europe, l'année où l'on conteste les pouvoirs, à l'Est comme à l'Ouest. L'Europe est divisée depuis la fin de la Seconde Guerre mondiale en deux zones d'influence, avec à l'Ouest nos alliés, et à l'Est, la domination de Moscou. J'aurai bientôt l'occasion de faire un premier saut dans cette Europe de l'Est que je ne connais que par mes notions de géopolitique. En 1968, donc, l'Allemagne, la France, les États-Unis, le Japon, la Tchécoslovaquie, l'Italie, le Mexique, le Brésil et d'autres sont traversés par ce vent de révolte, cette soif de liberté.

Évidemment, le pays qui nous est le plus proche – non pas par la géographie mais par la culture – et qui connaîtra une grande agitation dont on parle encore, c'est la France. Il y a eu d'abord l'« Affaire Langlois ». Henri Langlois a fondé en 1936 la Cinémathèque française et il en est le directeur artistique. L'écrivain André Malraux, auteur de *La Voie royale, La Condition humaine* et *L'espoir* est ministre de la culture, et Charles de Gaulle est président de la République. Tout a commencé quand André Malraux a voulu chasser Henri Langlois de son poste. À la défense de Langlois, les cinéastes les plus en vue de l'heure, Jean Renoir, François Truffaut, Jean-Luc Godard et Claude Lelouch déclenchent un mouvement de protestation. Le Festival de Cannes, qui avait débuté brillamment sa vingt et unième édition par la présentation d'*Autant en emporte le vent* (*Gone with the wind*), est interrompu à cause de l'« affaire », dans une grande confusion. Monica Vitti, Louis Malle et Roman Polanski démissionnent du jury. Tout devient politique et les médias s'emparent de Cannes. Milos Forman,

Alain Resnais et Carlos Saura retirent leurs films de la compétition et le festival se termine abruptement. Aucun prix n'est décerné à Cannes en 1968. Et André Malraux doit revenir sur sa décision.

Paris, Ville poussière

Début mai, Maurice Grimaud, préfet de police de Paris, évoque la tradition frondeuse du Quartier latin pour expliquer une manifestation qui y a éclaté sans que l'on sache trop pourquoi. Sympathie? Habitude? Peu de temps après, les facultés de la Sorbonne et de Nanterre sont fermées et évacuées. Mais ça ne s'arrête pas là. La révolte des étudiants se transporte dans la rue; des barricades s'élèvent sur le Boul'Mich et la rue Gay-Lussac. Mai 68 est lancé. Dans le Quartier latin, des voitures incendiées, des vitrines fracassées, des pavés arrachés et des cocktails Molotov répondent aux matraques et aux gaz lacrymogènes des CRS (Compagnies républicaines de sécurité). Plus de 500 arrestations sont effectuées. De mouvement étudiant, la révolte se transforme en crise sociale. Les brutalités policières poussent les syndicats à rallier les étudiants, grèves en cascade... Une crise importante dans un pays où «les mœurs ont trente ans de retard sur la réalité sociale», dira l'auteur, scénariste et réalisateur Patrick Rotman.

Quelques semaines plus tôt, le 4 avril, Martin Luther King était assassiné à Memphis dans le Tennessee par un raciste blanc. Quelques semaines plus tard, le 5 juin, Robert Kennedy sera abattu à son tour à Los Angeles après sa victoire aux primaires de Californie par un militant propalestinien; pour ceux qui se souviennent du 22 novembre 1963 à Dallas, c'est un coup dur et un nouvel espoir anéanti. À Baltimore, Washington, Chicago, des violences éclatent entre Noirs et forces de l'ordre pendant que les pourparlers de paix se poursuivent entre Lyndon Johnson et le général Nguyen Van Thieu sur la guerre au Vietnam. Et tout ça bien sûr fait partie du menu quotidien de notre télévision publique.

À Paris, le président français refuse de démissionner et maintient à son poste le premier ministre Georges Pompidou; le 30 mai, il dissout l'Assemblée nationale en déclarant s'opposer à la dictature. La République n'abdiquera pas! L'année suivante, en avril 1969,

Charles de Gaulle proposera à ses concitoyens, par référendum, de redistribuer des pouvoirs aux régions, promettant de démissionner si le non l'emporte. Ce qui fut dit fut fait. Le non l'emportera et le général se retirera à Colombey-les-Deux-Églises où il s'éteindra en novembre 1970.

En 1968, la Chine fait sa « Révolution culturelle », la Tchécoslovaquie vit son « Printemps de Prague », les jeunes révoltés français proclament qu'il est « interdit d'interdire », tandis qu'au Japon, aux États-Unis, en Italie, la plupart des manifestations populaires expriment le rejet de la guerre que les Américains mènent au Vietnam contre les soi-disant « communistes », depuis la perte par la France de sa colonie indochinoise.

Que reste-t-il de tout ça ? se demanderont les médias, quarante ans plus tard. À cette question, le Franco-Allemand Daniel Cohn-Bendit, jeune leader de la contestation en 1968 à Paris devenu député vert au Parlement européen, donnera cette réponse : « Le sentiment qu'il est permis de vouloir changer le monde. »

Et au Québec, alors ?

L'année 1968 est celle de la création de l'Université du Québec. Le monde du théâtre est mis sens dessus dessous par la pièce *Les Belles Sœurs,* créée au Rideau Vert par le metteur en scène André Brassard. Cette œuvre écrite en 1965 par le tout jeune Michel Tremblay réunit une distribution de rêve : Denise Proulx, Denise Filiatrault, Janine Sutto, Rita Lafontaine, Hélène Loiselle, Luce Guilbeault et Amulette Garneau… La jeunesse en ébullition se reconnaît aussi dans les Robert Charlebois, Mouffe, Louise Forestier et Yvon Deschamps qui vont se lancer, avec Guy Latraverse comme producteur, dans un show qui marquera profondément le monde du spectacle québécois : *L'Osstidcho*. Ce spectacle créé au théâtre de Quat'Sous est le berceau de quelques grands classiques, comme *Les Unions qu'ossa donne* d'Yvon Deschamps et *Lindbergh* de Robert Charlebois. À Bernard Derome, 41 ans plus tard, Robert Charlebois dira : « On ne revendiquait pas, on contestait tout », se souvenant qu'à l'époque de *L'Osstidcho* « nous étions convaincus qu'on pouvait changer le monde à travers la chanson, la musique. »

J'ai commencé ce chapitre en évoquant la démission, au début de 1968, d'Alphonse Ouimet à la tête de Radio-Canada. Fin janvier, c'est George F. Davidson, ancien secrétaire du Conseil du trésor du Canada, qui le remplace à la présidence, avec Laurent Picard comme vice-président. Un mois plus tard, le gouvernement libéral de Lester B. Pearson adopte une nouvelle *Loi sur la radiodiffusion* qui, confirme, entre autres, le mandat de Radio-Canada comme diffuseur national, avec recours prédominant aux créateurs canadiens. À la même époque, le CRTC remplace le BGR, et Pierre Juneau en devient le président. On se souvient que la SRC/CBC avait été le gardien de la réglementation de 1936 à 1958, suivie du BGR durant les dix années suivantes. Désormais, c'est le CRTC qui assurera la réglementation et l'attribution des permis.

Du 5 au 7 février 1968, la scène fédérale est marquée par la première d'une série de conférences sur la Constitution canadienne, qui date de 1867. Cette rencontre réunit les premiers ministres des provinces et elle est diffusée en direct par la télévision publique. Notre télévision nationale est soumise aux événements politiques et sa grille horaire, déjà bousculée par les événements de l'année précédente, continue d'accommoder l'actualité. En 1967, c'était la fête à l'occasion de l'exposition universelle et les portes ouvertes pour célébrer le centenaire du Canada. En 1968, le moment est venu de revisiter notre Constitution à l'aube de son second siècle. Ces réunions et séances de travail dureront trois ans, jusqu'à l'échec de la Conférence de Victoria. Même si la télévision publique n'est pas partie prenante dans le jeu politique, ses caméras véhiculent les messages de nos représentants fédéraux et provinciaux tandis que la télévision privée poursuit sa conquête de l'auditoire avec sa programmation régulière.

Cinéphiles reconnaissants

Dans les premières semaines de 1968, le bouillant présent est très présent sur nos ondes, mais dans les créneaux consacrés au cinéma, comme *Ciné-club,* on célèbre aussi le passé. À notre antenne, ce cinéma a pour titres : *L'Homme tranquille* (*The Quiet Man*) de John Ford, avec John Wayne et Maureen O'Hara, film qui avait remporté les oscars de la mise en scène et de la photographie. Mentionnons aussi un documentaire de Marc Allégret sur les frères Auguste et Louis Lumière, et un festival Ingmar Bergman. Des coups de cœur, aussi, pour *Hiroshima mon amour* d'Alain Resnais, un film écrit par Marguerite Duras et mettant en vedette Emmanuelle Riva, et *Les Enfants du paradis* de Marcel Carné, avec des dialogues de Jacques Prévert et des personnages inoubliables interprétés par Arletty, Pierre Brasseur, Madeleine Renaud, Jean-Louis Barrault, Maria Casarès, Simone Signoret...

En février, deux productions extérieures, diffusées sur nos ondes, ont pour moi une importance particulière, mais pour des raisons fort différentes. Ce sont deux morceaux d'anthologie. Le premier est un court-métrage de l'ONF, d'une durée d'une demi-heure – télévision oblige – signé Fernand Dansereau : *Ça n'est pas le temps des romans.* Le film illustre une journée dans la vie d'une jeune femme, épouse et mère, qui exprime ses rêves, son attitude devant la vie, l'amour, les enfants. Il interpelle le téléspectateur sur le mariage, l'émancipation féminine et la situation sociale au Québec. Quand j'étais à Ottawa, dans mes temps libres, je jouais parfois le rôle d'animateur de rencontres auprès de jeunes couples qui envisageaient de se marier ; ce court-métrage m'avait été très précieux pour déclencher des sessions d'échanges entre les participants. Je reviendrai plus tard sur la carrière de ce cinéaste qui était toujours actif en 2014.

La seconde production est l'œuvre d'un groupe d'étudiants de l'Université de Montréal, *Seul ou avec d'autres,* réalisée en 1962. C'est une tentative réussie, selon certains critiques, de cinéma-vérité, inspirée par le Français Jean Rouch. Pour Pierre Véronneau, conservateur du cinéma à la Cinémathèque québécoise, c'est « un essai d'anthropologie culturelle sur les mœurs estudiantines ». Pour Léo Bonneville, cependant, « il manque derrière la caméra un créateur ». Un créateur ? Il faut savoir qui sont les étudiants du groupe : Nicole Brown, Marie-José Raymond (plus tard productrice avec Claude Fournier), Pierre Létourneau (qui connaîtra une fructueuse carrière comme auteur de la chanson québécoise), Denis Héroux, Stéphane Venne, Michel Brault, Marcel Carrière, Gilles Groulx, Bernard Gosselin et Denys Arcand. Il est quand même intéressant de constater que ce film, dans son temps, a rapporté en salle plus qu'il n'avait coûté – fait très rare au Québec. Il faut se rappeler aussi que ce film étudiant avait été présenté à la Semaine de la critique au Festival de Cannes en 1963. Diffusé à Radio-Canada le 24 février 1968, cette œuvre de jeunesse sera restaurée en 2008.

Trois colombes à Ottawa

Avril 1968. C'est le printemps. Depuis quelques années déjà, Jean Marchand, dirigeant syndical, le journaliste Gérard Pelletier et le professeur de droit Pierre Elliott Trudeau ont choisi le Parti libéral du Canada. Jean Marchand avait accepté l'invitation de Lester B. Pearson à se présenter aux élections, mais à la condition que ses amis, Trudeau et Pelletier, le suivent. Les « trois colombes », comme on les appelle, s'étaient fait élire aux élections fédérales de 1965. Trudeau est déjà fort connu du ROC (Rest of Canada) où sa réputation est celle d'un battant en faveur du Canada devant les exigences nationalistes québécoises. À la conférence constitutionnelle de février 1968, avant même d'être candidat à la succession de Lester B. Pearson, on l'avait vu tenir tête fermement au premier ministre du Québec, Daniel Johnson père. Le projet du fédéral de modifier la Constitution canadienne ne fera pas l'unanimité. Mais après ce bras de fer, Daniel Johnson prendra une décision importante pour l'avenir des communications au Québec. Une loi, déjà votée sous Maurice Duplessis dès 1945, autorisait la création d'une antenne provinciale. En appliquant cette loi, Johnson crée l'Office de radiotélédiffusion du Québec (ORTQ), future Radio-Québec, future Télé-Québec.

À la fin de 1967, Lester B. Pearson avait offert sa démission. Plusieurs candidats se sont mis sur les rangs pour lui succéder, dont Pierre Trudeau. La télévision publique avait déjà couvert les débats aux Nations Unies à l'été 1967 autour de la guerre des Six Jours au Proche-Orient ; en septembre 1967, le congrès du Parti progressiste conservateur avait accaparé notre antenne. En avril 1968, c'est le congrès du Parti libéral national au Centre civique d'Ottawa qui mobilise nos équipes : à la réalisation, Gérald Renaud ; à l'animation comme reporter pilote, Pierre Nadeau, accompagné de Jean V. Dufresne, Guy Lamarche, Claude-Jean Devirieux et Claude Sénécal. C'est une période un peu folle d'un océan à l'autre, avec un engouement pour la politique comme nous n'en avons pas connu depuis longtemps. C'est la *Trudeaumanie*, en anglais *Trudeaumania*. Pierre Trudeau est ministre de la Justice depuis un an déjà. Il est élu chef du parti au début d'avril, au quatrième tour de scrutin. Le 20 avril, il est assermenté premier ministre du Canada. Sa présence sur les ondes de la télévision publique ne fait que commencer, mais pas ses démêlés avec Radio-Canada. On m'a raconté que plusieurs années avant sa carrière politique, ses prises de position et ses comportements provocateurs ennuyaient tellement certaines personnalités politiques et religieuses, que celles-ci obtenaient, discrètement, il va sans dire, des autorités de Radio-Canada que Trudeau ne soit pas invité aux émissions d'affaires publiques pour exprimer ses opinions. Je doute qu'il soit possible de vérifier ces faits.

Une « chose plutôt ennuyeuse »

Le 9 juin, notre antenne diffuse, d'un océan à l'autre et dans les deux langues officielles, le débat des chefs. Nous avions déjà connu un tel débat au Québec entre Jean Lesage (Parti libéral du Québec) et Daniel Johnson (Union nationale) en 1962. Dans les années 1990, cette rencontre entre les dirigeants des partis politiques à la veille des élections deviendra incontournable. Mais nous sommes en 1968. Mis au défi de faire bonne figure devant l'auditoire canadien, on trouve les candidats Robert Stanfield, chef du Parti progressiste conservateur ; Tommy Douglas, chef du Nouveau parti démocratique ; Réal Caouette, chef du Crédit social et Pierre Elliott Trudeau, le nouveau chef des libéraux. Le débat, animé du côté francophone par Pierre Nadeau et Jean-Marc Poliquin, est suivi par près de dix millions de téléspectateurs canadiens. Le thème principal est l'économie, que Trudeau aurait qualifiée de « chose plutôt ennuyeuse ».

Bertolino arrive en ville

Au début de juin 1968, un nouveau venu débarque sur nos ondes, qui jouera un rôle important à la télévision dans les années qui suivront. Dix ans plus tôt, à l'âge de 16 ans, il avait quitté le domicile familial de Paris à destination du Caire pour rencontrer le président Gamal Abdel Nasser, son héros. Ses parents avaient dû lancer un avis de recherche pour le retrouver. C'est un voyageur impénitent. Le jeune Daniel Bertolino avait plein de courage, certains diraient beaucoup de culot ; sûrement beaucoup d'audace. En 1966, avec sa compagne Nicole Duchêne, il avait été accueilli à Orly par une foule de jeunes fans enthousiastes, après avoir effectué un périple d'une année dans plus de cinquante pays. Par étapes, pendant leur voyage, ils avaient fait parvenir à Paris un carnet de voyage en noir et blanc que l'ORTF (Office de la radiotélévision française) diffusait sous le titre de *Caméra Stop* ; des films que l'on peut retrouver aujourd'hui sur le site *ina.fr.* Le ministre français de la Jeunesse et des Sports, Maurice Herzog, vainqueur de l'Annapurna, leur avait remis le prix d'Initiative à la jeunesse et aux sports. Cette aventure est l'ancêtre de *La Course autour du monde,* lancée par Antenne 2 et à laquelle nous participerons quelques années plus tard.

Daniel Bertolino était venu au Québec à l'occasion de l'Expo 67. Il avait tenté de contacter Claude Caron, mais sans succès ; il décida alors de ramasser une quinzaine de minutes de ses films réalisés pour l'ORTF, de se rendre à la porte du bureau de Caron et de lui présenter ce qu'on peut appeler sa carte de visite filmique. Par la bonne impression qu'il avait produite sur le chef et sur son bras droit Pierre Duceppe, directeur du pavillon de la jeunesse à l'Expo, Bertolino avait obtenu un contrat pour coanimer avec Nicole une série de demi-heures intitulée *Jeunesse sans frontière,* où ils présentaient leurs voyages. René Boissay réalisait la série. L'objectif de Bertolino et de Nicole était d'inciter les jeunes à voyager, à voir le monde, à s'y frotter. La société qu'il venait de fonder, Via le monde, était unique, animée par une équipe jeune qui souhaitait toucher les jeunes, leur donner la parole, les transporter d'un continent à l'autre, ouvrir leurs horizons. En s'aidant des films tournés dans les nombreux pays qu'ils avaient visités, mais aussi de diapositives, de cartes et d'objets divers rapportés de leurs expéditions, Daniel et Nicole ouvraient un dossier sur le monde. Quelques années plus tard, quand je passerai au Service jeunesse de Radio-Canada, je reprendrai avec Daniel notre collaboration qui durera jusqu'à mon départ de la Société.

La Maison en chantier

En 1968, Pierre Trudeau est premier ministre, Gérard Pelletier est ministre d'État responsable du Secrétariat d'État. Laurent Picard est vice-président exécutif de la Société Radio-Canada, présidée par George F. Davidson. Marcel Ouimet, qui dirigeait les réseaux français, assumera la vice-présidence aux programmes pour l'ensemble du pays. Son successeur, Raymond David, devient vice-président et directeur général de la radiodiffusion française, qui regroupe la radio et la télévision. La télévision publique ne pourrait être mieux servie que par ces hommes.

Pendant ce temps, les gestionnaires politiques travaillent toujours au développement du nouveau siège de Radio-Canada à Montréal. Notre « Maison » n'existe pas encore ; nos bureaux sont éparpillés dans une vingtaine de lieux dans l'ouest de la ville. Plusieurs de nos immeubles sont vieillots, d'anciennes résidences privées converties en petits bureaux pour réalisateurs et les assistants. En juin 1968, l'adjudication du contrat de génie annonce la création de la Place Radio-Canada, qui deviendra éventuellement la Maison de Radio-Canada, dans l'est de Montréal. Les travaux doivent débuter en novembre, nous annonce le ministre de la Main d'œuvre et de l'Immigration, Jean Marchand, une des trois colombes à Ottawa. Et le 20 décembre, Laurent Picard signe, en présence de Gérard Pelletier, secrétaire d'État, et de Raymond David, le contrat pour la construction du nouvel immeuble. La gestion du contrat est octroyée à Janin, représenté par Henri Vautrin.

Le lundi de la matraque

L'année 1968 connaîtra aussi deux journées mémorables pendant lesquelles la télévision aura, encore une fois, son rôle à jouer. Il est évident que la télévision est un instrument de communication et que nous vivons dans le siècle où ce secteur de l'activité humaine a connu un essor sans précédent. Nous n'avons qu'à regarder le chiffre des audiences aux Jeux olympiques ou au Championnat mondial de soccer. La télévision joue plusieurs rôles. Et si la télévision publique a pour mandat d'offrir une programmation distinctive et de qualité, d'éclairer, de renseigner, d'informer, de divertir, il arrive fréquemment qu'elle soit le véhicule des moments de crise dans la société. Parfois même, selon certains, elle en serait le déclencheur.

Le 24 juin, c'est la fête nationale des Québécois. Je vous l'annonce déjà : c'est « le lundi de la matraque », une soirée d'émeutes à la veille d'une élection fédérale ; il est évident que la télévision publique est sur place et bien prête à tout dès le début de la soirée. Je suis toujours directeur adjoint des programmes, responsable de la coordination. Le réalisateur affecté à la couverture du défilé de la Saint-Jean est Henri Parizeau. Jusqu'à ce jour de juin 1968, les événements de ce type sont couverts chez nous par le Service des reportages et non par le Service des nouvelles. Henri Parizeau est un vieux routier, et ce soir-là, il est au front, et les choses pourraient mal tourner pour lui. À la tribune d'honneur, élevée devant la bibliothèque municipale, rue Sherbrooke, face au parc LaFontaine, Pierre Elliott Trudeau, devenu premier ministre quand il avait succédé à Pearson comme chef du Parti libéral, mais non encore élu par le suffrage universel, est l'invité du maire de Montréal. Le défilé de la Saint-Jean débute à 22 h, commenté sur nos ondes par Henri Bergeron et Gabi Drouin. Sur un char allégorique, Gilles Vigneault chante *Mon pays* ; sur un autre, flotte le drapeau fleurdelisé du Québec, 20 ans après son adoption par l'Assemblée nationale ; sur d'autres chars encore, on évoque le Chemin du Roy et la visite du général de Gaulle l'année précédente, on rend hommage aux régions, on salue le Québec en marche... Tout ne va pas si mal.

Mais Pierre Bourgault, alors président du RIN (Rassemblement pour l'indépendance nationale), avait adressé une mise en garde au premier ministre du Canada (qu'il ne porte pas dans son cœur, surtout que ce dernier a refusé de reconnaître la nation québécoise), si ce dernier s'avisait de venir faire le paon au Québec le 24 juin. Mais l'invité du maire Drapeau, qui doit subir le lendemain son premier test électoral à titre de premier ministre, est bien en place sur l'estrade d'honneur. Je suis dans la foule et je sens rapidement monter la tension. Nous sommes face à la tribune ; derrière nous, le parc LaFontaine est plongé dans la noirceur. Bientôt, les insultes commencent à fuser de la foule : « Trudeau traître ! Trudeau vendu ! À bas Trudeau ! » On brûle des drapeaux du Canada, on renverse des voitures de police, on cherche à déstabiliser notre unité mobile – après tout, nous sommes la Société Radio-*Canada*. Puis les attaquants lancent des bouteilles vers l'estrade d'honneur. Les policiers perdent le contrôle et la police à cheval charge dans le noir les militants indépendantistes.

Nos caméras qui couvraient le défilé sont bientôt redirigées vers ce qu'il est convenu d'appeler, ce soir-là, de la brutalité policière. Sous la pluie des projectiles, les dignitaires désertent la tribune, sauf Pierre Trudeau qui se tient debout, imperturbable, face aux émeutiers. Cette image de bravoure ne déplaira pas à tous ! Alors que notre auditoire était encore branché sur le défilé, j'avais senti que l'émeute allait en s'accroissant. J'ai quitté rapidement les lieux pour rentrer en taxi à nos studios du 1425, boulevard Dorchester. Une fois sur place, je fais entrer en ondes le Service des nouvelles. C'est mon rôle de coordonner l'utilisation de l'antenne entre la direction des programmes et le Service des nouvelles, en tenant compte des événements politiques et sociaux.

Trudeau élu, Trudeau boudé

Au bulletin d'information de 23 h, notre reporter, Claude-Jean Devirieux, parle d'un « lundi de la matraque », ayant vu, du haut d'une tour d'éclairage, l'action policière. Le lendemain matin, il est sanctionné par la direction de Radio-Canada qui a jugé qu'il n'avait pas respecté la fameuse règle d'objectivité. Certains se souviennent qu'il avait même donné en ondes le numéro de matricule d'un policier « matraqueur »... Cette sanction aura des conséquences importantes, car c'est aussi jour d'élections générales au Canada. Le soir même, depuis le Centre international de la radiodiffusion (CIR), dont nous avons hérité après l'Expo 67, une équipe de Radio-Canada doit couvrir le dépouillement du scrutin. Pour marquer leur soutien à leur collègue Devirieux, l'animateur et les journalistes affectés décident que Trudeau ferait sans eux. Celui-ci triomphe aux élections, et les Libéraux remportent une forte majorité de sièges au Québec. Le XXIe siècle était déjà commencé quand Pierre Nadeau, l'animateur récalcitrant, racontait ses souvenirs de cette soirée mémorable dans *L'Impatient*. Rappelant qu'il avait pris la décision de ne pas participer à la soirée d'élections qu'il était chargé d'animer, il écrira : « Après toutes ces années, j'ai acquis la conviction que notre réplique avait été trop catégorique. Mais nous étions en 1968... »

En 1968, la télévision de Radio-Canada a 16 ans. Elle est encore adolescente et le climat politique favorise les conflits, ici comme ailleurs. Le pouvoir du pays se heurte souvent au quatrième pouvoir, la presse. Quand notre animateur, Louis Martin, interviewe Pierre Elliott Trudeau, des libéraux jugent que le journaliste est dur avec leur leader puisqu'il le pousse au pied du mur. Mais, devant la même entrevue, plusieurs membres de l'opposition dénoncent la complaisance du *journaliste libéral* qui donne souvent à son vis-à-vis l'occasion de rebondir. Pendant plusieurs années, notre paysage politique sera dominé par cette dichotomie droite-gauche, libéraux-conservateurs, fédéralistes-séparatistes dont nous serons très souvent perçus, à tort ou à raison, comme les porte-parole. Je me suis souvent demandé si tel ou tel journaliste exprimait des préjugés personnels à propos d'un parti ou d'un autre ; j'en ai parlé à l'occasion avec un homme brillant que je respecte beaucoup, Marc Thibault, qui a été pendant plusieurs années le grand patron de l'Information, le bras droit et l'ami de Raymond David.

L'Acadie, l'Acadie

Peut-être est-ce le temps d'une pause... rafraîchissante, avec *Fleurs d'amour, fleurs d'amitié,* un titre emprunté à un tube de Johnny Hallyday. Cette série estivale, réalisée à Terre des Hommes par

Micheline Latulippe du Service jeunesse, met en vedette deux jeunes animateurs et interprètes, Nanette Workman et Tony Roman, qui accueillent les vedettes populaires et underground de l'heure. Certaines d'entre elles résistent encore à l'oubli, comme René Angélil et ses Baronets, Renée Martel, Michèle Richard, Donald Lautrec, Jenny Rock, Marc Gélinas ou Chantal Renaud.

Le 1er septembre, nous diffusons une œuvre consacrée à mon pays d'origine : *Les Acadiens de la dispersion,* réalisée par Leonard Forest de l'Office national du film. En août, on m'avait délégué à Moncton pour son avant-première, au cinéma Paramount. Tourné au Nouveau-Brunswick, en France et en Louisiane, ce film présente une Acadie des visages : pêcheurs de Caraquet, professeur d'histoire, tapisseries de Chéticamp... on y rencontre aussi une jeune folkloriste du nom d'Édith Butler. Moncton vit alors sous le règne du maire Leonard Jones ; poussée par sa jeunesse radicale, l'Acadie est en marche vers l'égalité face à la population anglophone. Michel Vital-Blanchard est l'un des dirigeants de cette lutte, qui est racontée en détail dans *L'Acadie, l'Acadie,* de Pierre Perrault et Michel Brault. Réalisé pendant les événements de 1968, ce documentaire sera diffusé par Radio-Canada en 1972.

Du PQ au FLQ

La politique continue d'occuper notre écran. À l'automne, le Mouvement souveraineté-association (MSA) et le Ralliement national (RN) fusionnent pour former le Parti québécois que dirigera désormais René Lévesque. Celui-ci avait débuté sa carrière comme correspondant de guerre et journaliste à Radio-Canada dans les années 1950, et il avait animé la populaire émission d'information *Point de mire* qui avait pris fin lors de la grève des réalisateurs en décembre 1958. Deux semaines après la création du Parti québécois, le Rassemblement pour l'indépendance nationale (RIN), dirigé par Pierre Bourgault, se saborde et son chef encourage ses membres à rallier le nouveau parti indépendantiste.

Nous avons aussi, au Québec, notre manifestation étudiante qui réunit plusieurs milliers de jeunes dans les rues de Montréal. Ceux-ci occupent la majorité des cégeps qui viennent à peine de naître, et réclament plus d'ouverture des universités. Comme leurs confrères parisiens, nos étudiants s'expriment aussi par slogans ; on leur doit notamment : « Je me révolte donc je suis », ou encore : « Négocier, c'est s'faire fourrer ». Plusieurs de nos futurs leaders politiques s'y démarquent déjà : Louise Harel, Claude Charron, Jean Doré, Gilles Duceppe...

Cette grève étudiante, ce vent de révolte s'est essoufflé rapidement. Il reste le FLQ (Front de libération du Québec), qui croyait peut-être que l'agitation étudiante d'octobre déboucherait sur une démarche révolutionnaire. Avant la fin de 1968, des attentats à la bombe frappent le transporteur Murray Hill et le magasin Eaton, tandis qu'à l'Assemblée nationale, on proclame la création d'une nouvelle université populaire avec des campus à Montréal, Trois-Rivières, Chicoutimi et Rimouski. Pour les étudiants, c'est une victoire qui leur assure la poursuite de leurs études à la sortie du cégep. Pour le FLQ, c'est partie remise.

Carmina Burana par Jean-Yves Landry

Mais avant que cette année ne prenne fin, parmi les grandes œuvres de Radio-Canada, je me dois de rappeler un *Carmina Burana* réalisé par Jean-Yves Landry, celui-là même qui remportera, quelques années plus tard, la Prague d'or au Festival international de Tchécoslovaquie pour sa production du *Sacre du printemps* (1979). Pour son *Carmina Burana*, Jean-Yves Landry s'est inspiré de peintres comme Breughel, Goya et Bosh pour mettre en scène des personnages qui symbolisent le grotesque, le fabuleux, le fantastique et le réel. *Carmina Burana* nous montre les deux aspects de la vie monastique médiévale : l'austérité, la chasteté, la piété mais aussi le côté paillard, gourmand, buveur des moines du XIIIe siècle. Une œuvre exceptionnelle dans la grande tradition radio-canadienne des années 1960.

Au terme d'une année aussi riche en événements sociaux, culturels, politiques et sportifs, la direction des programmes confie au réalisateur Richard Martin un projet ambitieux : une rétrospective humoristique de l'année écoulée pour accompagner les téléspectateurs dans leurs célébrations du Nouvel An, le 31 décembre, de 23 h à minuit. L'émission spéciale est intitulée *Bye-Bye 68*. Début encore modeste d'une autre grande tradition de Radio-Canada, que Jean Bissonnette marquera à jamais en nous offrant, deux ans plus tard, l'inoubliable numéro d'Olivier Guimond en soldat de l'armée canadienne, à Westmount, pendant la crise d'octobre de 1970.

Je crois que celui qui a le mieux résumé cette année 1968 est l'historien Jacques Lacoursière quand il écrit : « Ce qui se préparait depuis le début des années 1960 arrive à maturité en 1968. Le Québec moderne éclate en plein jour. » Et il ajoute : « Au Québec et ailleurs, c'était toute une génération qui cherchait sa place au soleil. » Ce que confirme l'Européen Daniel Cohn-Bendit : « Nous voulions nous approprier notre vie. Nous ne cherchions pas à nous approprier le pouvoir. » À Radio-Canada, je suis vraiment aux premières loges pour observer les transformations qui secouent le monde, le Canada et le Québec.

10

LE RÈGNE DE RAYMOND DAVID

Pas besoin d'attendre le *Bye-Bye* de fin d'année pour dire au revoir à la coordination à la direction des programmes. Je quitte ces responsabilités à l'automne tout en sachant, qu'un jour, j'y reviendrais. Je suis de plus en plus intéressé par tout ce qui concerne la télévision quoique je n'aie pas idée où je serai affecté à la fin de ce mandat. Mais pour le moment j'ai droit à un second mentor. Raymond David ayant pris la direction des Services français de la Société, je suis *prêté* à son bureau. Le mot est de Jean-Marie Dugas, qui m'avait rappelé d'Ottawa en 1966 ; le mot reprend maintenant tout son sens alors que je me retrouve, en quelque sorte, chef de cabinet du nouveau grand patron, avec le titre d'adjoint au vice-président et directeur général de la radiodiffusion française. Ce stage m'ouvrira les yeux sur la direction de la Société, en télévision aussi bien qu'en radio, et sur notre relation avec le siège social à Ottawa.

Les cotes d'écoute

En novembre 1968, le responsable de notre Service des sondages, Jean-Paul Kirouac, qui fera plus tard carrière à la direction des programmes, nous apporte une bonne nouvelle : on sait bien qu'on fait de la télévision de qualité, mais voilà que la firme de sondages AC Nielsen confirme la popularité de Radio-Canada auprès des téléspectateurs. Cependant, la cote d'écoute – comme cela va changer dans l'avenir ! – n'est pas considérée comme l'indicateur de notre succès. En somme, là n'est pas notre mandat. Mais cette nouvelle fait réagir notre concurrent privé, le Canal 10, comme s'il y avait une guerre des cotes d'écoute entre nous. Je me souviens d'un échange plutôt viril entre mon patron Raymond David et le vice-président de CFTM-TV, Roland Giguère. Ce dernier a débuté sa carrière à Radio-Canada comme annonceur puis réalisateur avant de passer chez J.-A. DeSève, le fondateur de Télé-Métropole, première station de télévision privée au Québec en 1961. Lors d'une audience au CRTC, Giguère reproche à Radio-Canada de ne pas tenir compte des coûts de la production d'une émission comme *Moi et l'autre*, par exemple, en relation avec les revenus qu'elle génère. Un organisme privé ne peut pas se permettre, comme son concurrent public, de dépenser pour une émission davantage que ce qu'elle rapporte en commandites. Raymond David lui donne raison, ajoutant que la première responsabilité de Radio-Canada est de financer des émissions de qualité, avant même de rechercher les meilleurs revenus de commandite. Il est évident que la cote d'écoute favorise les revenus mais elle n'est pas un objectif primordial à Radio-Canada au moment de la décision de produire une série. Une différence fondamentale entre la télévision privée et la télévision publique.

Nous sommes tout de même heureux d'apprendre que sur les dix émissions francophones les plus populaires du moment, sept proviennent de la télévision publique. Quatre de ces émissions sont des œuvres dramatiques : *Moi et l'autre*, la comédie de Gilles Richer ; *Rue des Pignons*, de Mia Riddez et Louis Morisset ; *Le Paradis terrestre*, de Réginald Boisvert et Jean Filiatrault ; et bien sûr *Les Belles Histoires des pays d'en haut* de Claude-Henri Grignon. Les trois autres émissions de Radio-Canada dans ce palmarès sont *La Soirée du hockey*, *Les Couche-tard* avec Jacques Normand et Roger Baulu, et enfin une production américaine, *Ma sorcière bien-aimée*. Avec ses deux vedettes Dominique Michel et Denise Filiatrault, *Moi et l'autre* est en première place ; quelques mois plus tard, cette émission de télévision sera adaptée pour la Comédie canadienne à Montréal, dans une mise en scène du réalisateur Jean Bissonnette. L'actualité inspire une bonne partie de la trentaine de sketches qui composent la revue.

Une télé à notre image

Quelques mois après mon arrivée au 12e étage de la Place Ville Marie, où loge la direction générale, mon nouveau patron décide de faire un rapport au public, non pas sur les activités de la Société mais sur son mandat. L'année 1968 est une année exceptionnelle, mais ce ne sont pas tellement les événements des derniers mois qui teintent son rapport, comme sa personnalité. Nommé vice-président et directeur général à l'été 1968, il a déjà une longue carrière à Radio-Canada aux émissions d'affaires publiques et culturelles, à la radio comme à la télévision.

Dans son discours du Nouvel An, il traite brièvement de l'information, qui a connu une année fort mouvementée, pour ne pas dire *annus horribilis,* comme une reine le fera vingt-quatre ans plus tard ; en citant des émissions comme *Atomes et galaxies*, une série d'information scientifique jeunesse destinée aussi aux adultes, *Le Professeur Guillemin*, production de la Télévision suisse romande qui traite d'histoire et, bien sûr, *Les Beaux Dimanches,* il parle de cette mission de la Société Radio-Canada qui consiste à élever le public au-dessus du simple divertissement. Les émissions culturelles de la télévision n'ont pas d'autre but. Le théâtre, la musique et le ballet aux *Beaux Dimanches* visent à susciter le goût de ces formes d'expression artistique. Avec fierté, Raymond David déclare : « Nous avons une télévision à notre image. » La programmation raffinée de Radio-Canada plaît au public, comme en témoignent nos cotes d'écoute.

Le Sel de la semaine continue de nous offrir des rencontres avec des personnalités scientifiques ou artistiques exceptionnelles. Dès le début de 1969, les Pierre Brasseur, Gilles Vigneault, Jean Rostand, Jean Gascon, Alain Grandbois viennent s'ajouter aux Michel Simon, Han Suyin, Jeanne Moreau, Claude-Henri Grignon des années précédentes... Cette émission hebdomadaire de haut niveau culturel connaît un grand succès d'écoute, on dit même un succès populaire. Réalisée par Pierre Castonguay, l'émission est préparée avec grand soin la veille de sa mise à l'antenne dans les terres de l'animateur à Saint-Marc-sur-Richelieu.

À la demande du public, les Éditions Ici Radio-Canada, en collaboration avec les Éditions de l'Homme, publient une collection de brochures réunissant quelques-uns des meilleurs entretiens présentés au *Sel.* La rencontre avec le célèbre biologiste français Jean Rostand, un moment fort de cette série, connaît un beau succès de librairie avec plus de dix mille exemplaires vendus ; l'ensemble de la collection est tiré à plus de trente mille exemplaires.

Au *Sel,* je dois remplir une tâche assez pénible, d'autant plus que je connais le réalisateur Pierre Castonguay depuis mon adolescence au collège. Le directeur général adjoint, Jean Blais, me demande de réclamer des justificatifs pour la somme « astronomique » d'un dîner à l'auberge Handfield où Fernand Séguin a l'habitude de recevoir son invité pour préparer l'émission du lendemain. Le repas controversé a réuni cette fois Pierre Brasseur, Catherine Sauvage et quelques autres invités triés sur le volet afin d'échanger dans un lieu où la table est riche et accueillante et où le vin est réputé excellent. Le lendemain, l'émission est décevante, au grand désespoir de l'équipe et de l'animateur. Cette intervention de la direction était la goutte qui fait déborder le vase. L'animateur dit avoir reçu *avec regret* le questionnement d'un *administrateur tatillon.* En 2001, en me dédicaçant son livre *L'impatient,* Pierre Nadeau m'a rappelé combien cette intervention avait ennuyé son ex-collègue Pierre Castonguay. Au début des années 1970, les deux Pierre avaient connu des heures d'enchantement et de gloire, avec la série d'information *Le 60,* une des émissions les plus populaires de Radio-Canada, qui battait régulièrement aux cotes d'écoute *Que reste-t-il de nos amours?* au Canal 10, animé par Claude Blanchard. Quant à notre bouillant et parfois mégalomane Fernand Séguin, l'Unesco lui remettra, en 1977, la plus haute distinction mondiale en matière de vulgarisation scientifique, le prix Kalinga.

Moins d'un an après la nomination de Raymond David à titre de vice-président et directeur général, les choses bougent à la télévision. D'abord, « Le Grec » nous quitte. Depuis quatre ans qu'il était à la barre du Service des nouvelles du réseau français (radio et télévision), Phed Vosniacos, qui a vécu toutes les tensions de l'époque, doit ralentir son rythme. Il accepte le poste de coordonnateur de l'information pour le réseau français au bureau de Radio-Canada à Londres. Ayant fait face aux crises du dedans et du dehors pendant ces dernières années de turbulence constante, il a permis à l'information de faire un bond considérable. C'est sous sa gouverne que nous avons pu mettre en place une équipe de correspondants tant au pays qu'à l'étranger (Paris, Nations Unies, New York, avec un poste à Hong Kong durant la guerre du Vietnam). Vosniacos, que le directeur de l'information appelait affectueusement *Zorba*, est remplacé par Pierre Charbonneau. Jean Blais devient directeur général adjoint, tandis que Jacques Landry lui succède à la direction de la télévision. Jean-Marie Dugas est nommé directeur des programmes et Pierre DesRoches quitte la direction de l'exploitation pour venir brièvement le seconder jusqu'en mai 1970, avant de devenir directeur de la radio française.

Le cinéma snobe la télé

L'année 1968 marque la fin de la trilogie que le cinéaste Pierre Perreault a consacrée, à l'Isle-aux-Coudres, aux Harvey, Tremblay et Perron, constructeurs et navigateurs de goélettes en bois. Une espèce en voie d'extinction. Ces hommes de mer passionnés, parlant une belle langue pittoresque, s'inquiètent de l'avenir de leur profession. Après *Pour la suite du monde* (coréalisé avec Michel Brault en 1963) et *Le règne du jour* (1967), Perrault nous offre maintenant *Les voitures d'eau* que Radio-Canada diffuse en mars 1969. Cette troisième œuvre connaît un lancement parfois houleux, quand des artisans du film, après quelques verres, déclarent vertement aux cadres de Radio-Canada ce qu'ils pensent de la télévision publique. À la fin des années 1960, la télévision est encore considérée par certains comme un genre mineur, très mineur, face au cinéma.

On reproche à la télévision, sans doute avec raison, de se cantonner dans des émissions de chaise, des dramatiques de cuisine et des téléthéâtres Alcan de salles paroissiales, tandis que le cinéma se tourne en plein air, dans les grands espaces de ce beau pays du Québec. Ajoutons que la pellicule-film est conservée dans les archives à la cinémathèque, tandis que les kinescopes ne durent pas et que les bandes magnétoscopiques sont effacées en vue d'un second usage. D'autres affirment, avec raison également, que le cinéma chez nous n'a pas d'antenne tandis que la télévision rassemble les familles dans le confort de leur foyer, été comme hiver. Le débat va évoluer, mais, pour plusieurs cinéastes en 1969, la télé est toujours un genre mineur.

Je suis témoin du rayonnement de Radio-Canada dans la communauté québécoise, non seulement pas ses émissions mais aussi par son vice-président, Raymond David, qui vient exprimer les valeurs de notre télévision publique à l'occasion du Congrès des affaires québécoises à l'Université Laval de Québec.

Sous le thème Télévision facteur de progrès ou de régression, il pose la question suivante: «Comment faudra-t-il évaluer le phénomène de la télévision qui, en une quinzaine d'années, s'est imposée comme la plus puissante technique massive de diffusion et le plus grand instrument de loisirs de toute la population?» Voici, en résumé, quelques éléments de sa réflexion en ce mois de février 1969, pour ce qui est des craintes exprimées: «On a l'impression qu'un instrument d'une telle force risque de tout bouleverser. Aussi ces craintes se cristallisent-elles autour de quatre pôles principaux:

1) bouleversement de l'ordre établi;
2) transformation des échelles de valeurs;
3) stimulation du crime et de la violence;
4) abrutissement intellectuel.

«Ce n'est pas en véhiculant uniquement les formes de culture traditionnelles que la télévision va opérer sa révolution culturelle. C'est le contenu même de la culture et l'idée que nous en avons qui seront profondément transformés.

«Comment pourrons-nous, à l'aide d'une technique aussi puissante et aussi complexe, servir l'homme? Deux formules fondamentales s'offrent à nous: libéralisme absolu, dirigisme rigide... Selon la première formule, la télévision n'a qu'à répondre aux goûts du public. La cote d'écoute devient alors la pierre d'angle de la programmation... À l'opposé, il y a la télévision dirigée... sur les plans politique, religieux, social, la télévision oriente le menu qu'elle offre au public. C'est une sorte de dictature intellectuelle qu'on impose ainsi au public.

«Si l'on rejette ces deux formules... nous avons le devoir d'être les témoins impartiaux et exigeants de la réalité... la télévision est là pour faire connaître les opinions les plus diverses et parfois les plus divergentes... La télévision doit permettre aux auditeurs de connaître sur une question les différents courants d'opinions. Elle doit proposer, non pas affirmer... Le respect de la liberté du public implique qu'on lui laisse la responsabilité de son choix... Le reportage, la table ronde, le feuilleton populaire, les variétés sont des formes, des manifestations de la culture... La télévision est un facteur de transformation de l'homme... »

« Si l'on ferme la porte à l'erreur... »

Au Club Richelieu de Montréal, en décembre de la même année, il aborde encore le thème *Grandeurs et misères du journalisme électronique*, sujet très hot en cette période de turbulence, ici comme ailleurs, aux quatre coins du monde, dans les sociétés dont le pouvoir est démocratique ou dictatorial. Son exposé fait d'abord état de réactions du public, citant un commentaire reçu à l'occasion du mouvement de protestation contre le projet de loi 63 (en 1969, le gouvernement unioniste de Jean-Jacques Bertrand propose de laisser aux parents le libre choix de la langue d'enseignement, ce que dénoncent les défenseurs de la langue française). « Radio-Canada justifie tous les reproches dont elle est actuellement l'objet par suite du parti pris évident avec lequel elle donne raison aux contre, aux opposants, aux négateurs de l'ordre et en laissant dans l'ombre et le silence ceux qui sont pour. » Parlant du journaliste en général, le conférencier ajoute : « Devant la caméra, la forme de l'événement prend souvent plus d'importance que le fond... » et il note « la différence fondamentale entre la lecture du journal et l'image accompagnée d'un court topo à la télévision ». Il y a aussi le fait « qu'on ne retient comme valable que ce qui confirme ses idées et ses jugements. Cette rétention se fait d'abord au niveau de l'affectivité. » Et comme on l'entend fréquemment à cette époque, il déclare que « la recherche rigoureuse de la plus grande objectivité possible demeure l'un des premiers impératifs du journalisme électronique ». Il ajoute : « Recherche de l'objectivité, service du réel, ouverture d'esprit, tels semblent être les pôles, les fondements de l'éthique qui doit inspirer le journalisme de l'ère électronique. » Citant le grand poète indien Rabindranâth Tagore, prix Nobel de littérature, Raymond David conclut ainsi : « Si l'on ferme la porte à l'erreur, la vérité ne pourra pas entrer. »

Pendant mon séjour à la direction générale, je suis invité à participer à une session de formation à Washington; un cours de gestion dirigé par des professeurs du MIT (Massachusetts Institute of Technology). Nous logeons dans un endroit qui deviendra bientôt célèbre, l'hôtel Watergate, situé sur les rives du Potomac. La plupart des participants proviennent de ministères canadiens à Ottawa et Radio-Canada a été invitée à y déléguer quelques employés. Parmi les heureux appelés, nous reconnaissons Marc Lalonde, le chef de cabinet du premier ministre Trudeau. Dès notre arrivée, le chargé de cours nous sépare en petits groupes de travail. Le nôtre est francophone et les Québécois présents sont heureux d'avoir un aussi célèbre compatriote dans leur équipe. Sans perdre de temps, nous nous mettons au travail. Mais le plaisir de côtoyer Lalonde est de courte durée: en fin d'après-midi, il doit nous quitter pour un rendez-vous... à la Maison-Blanche.

La soirée est longue, car le problème que nous soumet le professeur demande beaucoup de travail et nous devons le résoudre avant d'aller dormir. Après de vaillants efforts, nous retournons à nos chambres. Le lendemain matin, Lalonde est impatient de connaître le résultat de nos délibérations. D'un commun accord, on lui demande d'attendre la reprise du cours. Cette réponse jette un froid entre nous. Devant le professeur, il écoute notre rapport sans mot dire, et reçoit sa part de félicitations comme tous les autres membres de l'équipe.

Jugeant un peu hautaine l'attitude de notre illustre collègue, gamins que nous sommes, nous poussons notre audace encore un peu plus. À notre dernier repas à Washington, nous commandons quelques bouteilles de vin pour célébrer la fin de nos trois jours de travail intense dont nous sommes plutôt fiers. M. le chef de cabinet ne peut se joindre à nous... voilà un homme très occupé. Quand le serveur nous demande à quel numéro de chambre porter la note du vin, nous lui donnons, par plaisanterie un peu douteuse, celui de notre collègue absent. Au moment du départ, postés derrière les colonnes du lobby, nous épions en riant Marc Lalonde, qui règle sa chambre à la réception. Il s'étonne des frais qui lui sont facturés mais il finit par régler la note, ayant compris, croyons-nous, notre petite blague.

J'ai déjà écrit que si la télévision joue un rôle de véhicule dans les moments de crise, elle est aussi parfois perçue comme un acteur de l'événement. Le 28 mars 1969 me ramène à cette notion de responsabilité des médias alors que des milliers de jeunes manifestants appelés par l'UGEQ, l'Union générale des étudiants du Québec, envahissent la rue Sherbrooke face au campus de l'Université McGill pour réclamer la francisation de la prestigieuse université anglophone montréalaise. La direction de Radio-Canada, dont je fais partie, convoque le réalisateur Claude Sylvestre, un vétéran au Service de l'information, pour déterminer s'il faut ou non envoyer une équipe couvrir l'événement. La grande question est de savoir si la manifestation ne prendra pas plus d'ampleur par la présence même des caméras et des journalistes sur les lieux. C'est d'ailleurs l'avis d'un jeune parent à moi, étudiant à l'Université de Montréal, très impliqué à la direction de l'Association des étudiants.

Des auteurs comme Régis Debray, Carlos Marighella et Marek Halter se poseront la même question à propos de la situation israélo-palestinienne. Elle a été soulevée aussi au moment des événements de Mai 68. Dans *L'Impatient,* Pierre Nadeau fait dire à Phed Vosniacos, le directeur du Service des nouvelles que: « Sans caméra, il n'y aurait pas eu de contestation. » Et Nadeau se demande: « Mais la présence des caméras ne contribue-t-elle pas à civiliser un peu l'événement ? N'est-elle pas une soupape pour ceux qui ont l'impression de ne jamais avoir voix au chapitre ? » Le fameux adage de Marshall McLuhan semble prendre ici tout son sens: « Le médium, c'est le message »...

Ce n'est pas sans raison qu'on désigne la presse, les journalistes et les médias comme un « quatrième pouvoir », surtout face à l'État. De là à croire que les médias contrôlent l'opinion publique, il n'y a qu'un pas que certains franchissent avec facilité.

Et nos caméras se retrouvent bien sûr au milieu de la manifestation des étudiants, jeunes militants de gauche et nationalistes québécois, qui réclament une deuxième université francophone à Montréal. Il y a des échauffourées, les policiers font vider les lieux et nos journalistes Paul Racine, Normand Lester et André Dubois, encadrés par le réalisateur Claude Sylvestre, témoignent en direct. Après une accalmie, Paul Racine fait ce commentaire qui confirme le pouvoir des caméras: « Chaque fois que les policiers arrêtaient un manifestant, les cameramen se précipitaient sur les lieux, ce qui incitait les policiers à être plus doux avec les personnes arrêtées.» Voilà pour le pouvoir des médias et, qui sait, pour le pouvoir du peuple face à l'État!

Les demandes des étudiants ne restent pas sans effet. La création des cégeps au Québec a fait bondir le nombre d'étudiants qui souhaitent entrer à l'université et les institutions ont de la difficulté à répondre à la demande. En conséquence, McGill s'engage à accroître le nombre de francophones sur son campus; avec le temps, ceux-ci formeront près de la moitié de la clientèle de cette université dont la réputation d'excellence dépasse nos frontières. Pour sa part, le gouvernement de la province annonce la création de l'Université du Québec, un réseau qui doit non seulement répondre aux besoins de Montréal et de Québec, mais aussi des régions.

Radio-Canada arrête le tabac

Pendant mon séjour à la direction générale, je constate que les décisions de «bon citoyen» ont beaucoup à voir avec l'intelligence et l'éthique personnelle des responsables du réseau, du grand patron, mais aussi des Marc Thibault, Jean-Marie Dugas, Jean Blais et Jacques Landry, une équipe chaleureuse et dynamique de grands professionnels, où règnent la confiance et le respect mutuels. Je ne pouvais rêver, quelques années plus tôt, avant mon séjour à Ottawa, faire partie un jour d'une équipe de direction aussi professionnelle. Le climat a beaucoup évolué depuis la longue grève de 1958-1959 où la direction nationale à Ottawa, et aussi la direction régionale à Montréal, s'étaient opposées au milieu de la création. Mauvais souvenir que plusieurs de mes collègues n'ont pas encore digéré dix années plus tard.

Je côtoie chaque jour Raymond David, le patron de cette belle équipe, qui a commencé comme réalisateur à «Radio-Collège», avant de diriger ce service de 1953 à 1956. Cette école radiophonique avait un mandat d'éducation populaire qui s'appuyait sur des professionnels légendaires, comme le frère Marie-Victorin, fondateur du Jardin botanique de Montréal, ou Fernand Séguin, vulgarisateur scientifique. Ce dernier a déclaré dans une entrevue: «J'ai compris que la science ne valait rien si elle n'était pas au service d'une certaine conception de l'homme.»

Je ne suis donc pas surpris quand Radio-Canada décide de renoncer à des revenus substantiels en supprimant la publicité sur le tabac. Déjà en 1967, les services de santé aux USA avaient établi que l'usage du tabac était la cause principale du cancer du poumon ; une enquête de Santé et Bien-être social Canada révélait la teneur en goudron et en nicotine des grandes marques de cigarettes. En 1968, le ministre canadien de la Santé John Munro avait condamné la publicité sur le tabac. Il fallait donc cesser par tous les moyens d'encourager le public à acheter un produit aussi dangereux, en dépit de l'élément de plaisir que vante efficacement la publicité. Le 7 mai 1969, avant même la fin des audiences qui portent sur le sujet, Radio-Canada annonce qu'elle cesse volontairement la diffusion de publicité sur le tabac à la radio comme à la télévision. Quant à moi, qui avais fumé ma première cigarette au collège en 1946, je ne mettrai fin une fois pour toutes à cette dépendance qu'en 2000.

Petit crochet au Reine Elizabeth

Voici une anecdote de 1969 qui n'implique pas directement la SRC, mais plutôt un jeune journaliste de Radio-Québec, Gilles Gougeon, qui passera quelques années plus tard au Service de l'information de Radio-Canada. Rare privilège pour un journaliste d'ici, Gilles réussit à passer un bon moment dans la chambre 1742 de l'hôtel Reine Elizabeth, où deux grandes vedettes ont organisé un « bed-in » en protestation contre la guerre au Vietnam : John Lennon et Yoko Ono. C'est là qu'est crée, le 1er juin 1969, la chanson *Give Peace a Chance*, devenue depuis un hymne universel à la paix.

L'été de la Lune

Parmi les événements exceptionnels qui seront largement couverts par la télévision publique en 1969, il y a évidemment la course à l'espace entre les USA et l'URSS qui n'était pas tellement scientifique au départ, mais plutôt politique. La course folle culmine avec l'aventure d'Apollo XI, la fusée partie du cap Kennedy le 16 juillet avec à son bord Neil Armstrong, Edwin Aldrin Jr et Michael Collins, à destination de la Lune. Entre le 15 et le 24 juillet, Radio-Canada consacre des dizaines d'heures à l'événement, de la veille du lancement au retour de l'équipage. Le moment le plus important a lieu le 20 juillet quand le module d'opération lunaire (LEM) touche la surface de la Lune et que Neil Armstrong est consacré premier homme à poser le pied sur un sol extraterrestre. L'Histoire se souvient de ses mots: « One small step for man, one giant leap for mankind. » – « Un petit pas pour l'homme, un grand pas pour l'humanité. » Ces minutes historiques sont commentées par Henri Bergeron, Claude-Jean Devirieux, Raymond Laplante et Marcel Sicotte, ce dernier étant le spécialiste en astronomique à l'origine de notre série hebdomadaire *Atome et Galaxies*.

C'est le président démocrate John F. Kennedy qui avait lancé le bal en 1961, pour combler le retard que les USA accusaient face à l'URSS dans la conquête de l'Espace. Huit ans et 20 milliards de dollars plus tard, le président républicain, Richard Nixon (battu de peu par Kennedy en 1960, mais élu président en 1968), reçoit en direct l'hommage des astronautes depuis la Lune, où ils ont planté le drapeau américain et laissé une plaque d'acier portant leurs noms et le sien. Les coûts accablants de la guerre au Vietnam auront raison du programme d'exploration lunaire, et l'affaire du Watergate aura raison de la présidence Nixon.

C'est grâce à la télévision, une fois encore, que ces événements historiques restent dans les mémoires de centaines de millions de personnes.

L'hebdomadaire *La Semaine à Radio-Canada,* dans son numéro du 17 au 23 janvier 1970, exprime de façon très claire et par quelques chiffres le pouvoir de la télévision auprès de son public. L'article est signé Pierre Sarrazin: « Pendant que 25 000 personnes assistent au récital d'une vedette à la scène, 1 398 000 personnes regardent son triomphe à *Zoom en liberté*. 100 000 personnes assistent à la consécration d'une star au Festival de Cannes et 1 208 000 personnes profitent de son talent à l'émission *Les Grands Films*. Quand 18 000 personnes assistent à une partie de hockey de la ligue nationale, 1 495 000 vivent les mêmes émotions chez elles en regardant *La Soirée du hockey*. Quand 25 000 personnes assistent à la dernière pièce canadienne à la scène, 930 000 applaudissent une autre création canadienne aux *Beaux Dimanches.* »

Comment naît une image

À l'Expo 67, Radio-Canada avait installé un studio à Terre des Hommes, le Centre international de radiotélévision (CIR), pour nos confrères d'ailleurs qui couvraient l'événement. Pendant l'été 1969, Radio-Canada, toujours soucieuse de rejoindre son public et de l'informer, récupère ce studio pour y présenter l'exposition intitulée : *Comment naît une image.* Les visiteurs y sont initiés à toutes les étapes associées à la production d'une émission de télévision, de sa conception à sa diffusion, en passant par sa gestion. Cette exposition est réalisée avec la collaboration de tous les secteurs de la production : décors, costumes, maquillage, arts graphiques, technique du son, trame musicale, mécanique, éclairage, photos, construction et montage.

Les jeunes se donnent aussi rendez-vous dans un nouveau studio en plein air, le Kiosque E de Terre des Hommes à l'île Sainte-Hélène, d'où fuseront tout l'été des rythmes, des chansons et des jeux. Richard Martin y réalise *Zoom en liberté*; Donald Lautrec y anime *Coup de soleil,* réalisée par Jean-Guy Benjamin.

À l'automne le populaire animateur reprend son *Donald Lautrec Chaud*, les vendredis soirs à 20 h. C'est un succès, que je retrouverai dans la grille jeunesse un an plus tard. Jean-Pierre Ferland, au faîte de sa popularité, anime *Salut Jean-Pierre*, coproduite avec la Belgique, la Suisse romande et Monaco.

Depuis son arrivée dans nos foyers, la télévision de Radio-Canada a consacré une grande tradition en offrant le dimanche soir au public francophone un bouquet d'œuvres dramatiques et musicales. Et contrairement à la chaîne anglaise de la société, bon nombre de ces œuvres expriment la culture québécoise et à l'occasion canadienne. Depuis l'automne 1966, cette soirée prestigieuse s'appelle *Les Beaux Dimanches,* où s'ajoutent des spectacles de variétés, des documentaires, des récitals, et même des longs-métrages de grande qualité.

Triomphes en Pologne

Je dois avouer que je n'ai jamais été un fervent adepte des émissions de variétés. Mais nos artistes québécois ont la cote, ici comme ailleurs. Le public en raffole. Témoin de ce succès populaire, 1970 marque le 10e anniversaire du Festival international de Sopot en Pologne, le « Saint-Tropez de la mer Baltique », qui couronne chaque année un artiste. Cette année-là, la vedette du gala de clôture est l'ancien grand gagnant de 1967, qui avait interprété *La Manic* de Georges Dor. Nous n'en sommes pas peu fiers, car ce chanteur n'est nul autre que notre Donald Lautrec, héros de nos émissions jeunesse. D'autres Québécois ont brillé avant lui à ce festival : Pauline Julien avait remporté le 2e prix en 1964 avec *Jack Monoloy* de Gilles Vigneault et Monique Leyrac y remportait le Grand Prix en 1965 en consacrant *Mon Pays* de ce même Vigneault ; en 1968, Ginette Ravel remportait le 2e prix avec *Je reviens chez nous* de Jean-Pierre Ferland. Pour le 10e anniversaire, Radio-Canada a choisi Robert Charlebois pour défendre les couleurs du pays, avec sa chanson *Ordinaire*, écrite par Mouffe. Il remporte aussi le 1er prix.

Encore Bertolino

Du côté documentaire, chaque lundi à 18 h, *Plein feu l'aventure* nous fait voyager en Amérique du Sud. L'équipe de Via le monde composée de Daniel Bertolino, Nicole Duchêne, François Floquet et Annick Dousseau, nous fait rencontrer des coopérants techniques de langue française qui ont choisi de vivre et de travailler sur ce continent. Avec eux nous découvrons l'Amazonie, nous suivons les traces de Tupac Amaru sur le Machu Pichu, nous faisons le carnaval à Rio et nous visitons Bahia. Pendant des années encore, Via le monde fournira au Service jeunesse de Radio-Canada des regards inédits sur le monde qui auront un impact considérable sur les jeunes d'ici qui aspirent à voyager. D'ailleurs, cette année-là, Nicole et Daniel lancent aussi leur *Guide de l'aventure* publié conjointement par les Éditions du Jour et Radio-Canada.

À la fin de l'été 1970 s'achèvent deux années d'un stage d'apprentissage exceptionnel en vue de ce qui m'attend maintenant au cœur de la raison d'être de la société : les programmes. J'ai fréquenté des gens de panache, mais aussi de généreuse simplicité, des grands patrons mais aussi des êtres formés dans le respect de l'autre et de ses talents. Une équipe qui m'a appris que les crises ne durent qu'un moment et qu'il faut savoir y faire face tout en sachant qu'il y a lumière au bout du tunnel. D'ailleurs, je m'étonne souvent de la facilité avec laquelle chaque nouvelle crise fait oublier celle d'avant, surtout dans le milieu des journalistes.

Dans les faits, j'ai appris aussi que mettre un collègue à la porte pour manque d'intégrité, ce n'est pas facile ; mais les patrons agissent sans hésitation dès que la cause est entendue et que le responsable est reconnu coupable. Important ici de noter qu'il s'agit de culpabilité prouvée et non de mise à pied due à des divergences d'opinion.

Un chef de service qui a reçu des enveloppes bien garnies d'un scénariste le remerciant de son contrat s'est vu congédier malgré sa compétence et son dynamisme ; à la fin des années 1950, on lui prédisait même une ascension jusqu'à la haute direction. Le même traitement a été réservé, quelques années plus tard, à un collègue avec lequel j'avais travaillé au tout début de ma carrière à Radio-Canada. Devenu chef de service, lui aussi avait accepté des pots-de-vin de distributeurs, ce qui, je dois le reconnaître, est une pratique fort répandue dans d'autres pays.

L'anecdote suivante m'a été racontée par le producteur indépendant d'une série de treize demi-heures documentaires diffusée à notre antenne. Un jour, il se présente à Paris au responsable des acquisitions d'une chaîne française pour lui proposer sa série. Celui-ci accepte de lui acheter six épisodes, mais à la condition non discutable et non négociable que le producteur québécois lui rende en espèces la moitié de la somme versée par la chaîne pour l'achat de sa série. Joli pot-de-vin, c'est même un pot-de-champagne dans ce cas-ci ! Dans l'autre sens, j'ai moi-même été témoin de ces mœurs douteuses de nos cousins de France. J'avais invité un distributeur français à dîner à la maison. Voyant ma piscine hors terre, il me suggère une manière fort simple de la changer pour une piscine creusée. Il s'engage à en payer les coûts, environ dix mille dollars, puisque nous sommes un bon client de sa maison de distribution. Devant mon refus, il m'avoue, sans aucune gêne, qu'à Paris, c'est pratique courante.

Chez nous, la probité est une condition *sine qua non* et si cette règle n'est pas observée, le président de la société à Ottawa en est informé et le renvoi est immédiat. Il m'est arrivé de recevoir une information d'un distributeur de films à l'effet qu'un de mes collaborateurs aurait accepté des pots-de-vin. J'ai questionné ce dernier, en qui j'avais pleine confiance : il a nié toutes les allégations. J'ai demandé au distributeur de me fournir des preuves de ses dires. Incapable de répondre à ma demande, le dossier était clos.

The buck stops here

Avec Raymond David, patron ouvert, les échanges sont fréquents et fructueux, surtout quand il faut prendre des décisions importantes. Parfois, il se sert de moi comme d'un mur sur lequel on lance une balle pour la faire rebondir. Mon patron sait aussi que je suis un homme discret : quand mon père, directeur de banque, parlait de son travail à la maison, on savait très bien que ce qu'on entendait ne devait jamais franchir le mur de la maison. Et quand le vice-président s'interroge tout haut devant moi sur un événement ou une décision à prendre, je peux certes exprimer mon opinion, mais là s'arrête mon intervention. Cet homme cultivé et respecté nous consulte souvent, mais il sait fort bien qu'il est le seul responsable de la décision à prendre, comme disait le président américain Truman, ce qui se traduirait chez mon patron par : j'assume ma décision. C'est d'ailleurs ce qu'il a fait le 25 juin 1968 quand les journalistes ont décidé d'appuyer leur collègue Devirieux en refusant de couvrir la soirée électorale : la décision de sanctionner le journaliste a été maintenue, même si cela signifiait qu'il n'y aurait pas de reportage sur la victoire de Pierre Elliott Trudeau. Il faut se tenir debout, comme je l'ai compris ce soir-là.

Souvent, en fin de journée, le patron ouvre sa porte à ses collaborateurs, les membres de la direction, pour avoir leurs points de vue sur tout ce qui touche à la télévision ; ces conversations sont enrichissantes pour chacun des participants. Une équipe décidément très dévouée au service de la télévision publique, et au sein de laquelle j'ai passé deux années formidables.

11

LE RÉGNE DE FRÉDÉRIC BACK

En 1968, le graphiste Hubert Tison a convaincu la direction de Radio-Canada de créer un secteur de cinéma d'animation pour produire des ouvertures d'émission de qualité, pour concevoir et créer des promotions et aussi pour produire éventuellement des films. C'est Hubert qui avait conçu deux ans plus tôt le papillon qui annonçait l'arrivée de la couleur à la télévision. L'artiste de la Maison (il n'est pas le seul mais il sera sans doute le plus célèbre) Frédéric Back accepte de se joindre à son équipe dans l'espoir de pouvoir un jour réaliser des courts-métrages basés sur ses propres scénarios.

Frédéric Back est un être exceptionnel. Dès sa plus tendre enfance, il aime dessiner, surtout les animaux. Il a toujours été très près de la nature ; le travail de la ferme lui plaisait beaucoup. Adolescent, il a été en France l'élève du peintre et dessinateur Mathurin Maheut, qui l'a aidé à aiguiser son regard sur un monde qui change. Il a peint et dessiné les trésors de la vie traditionnelle bretonne, avec ses traditions et ses vieux métiers en train de disparaître : pêcheurs en mer, cercliers, ardoisiers, sabotiers travaillant en pleine forêt... Frédéric a transcrit dans ses mémoires ce mot de Maheut : « Ne vendez pas vos originaux, gardez-les comme source d'inspiration et référence pour le futur. » La succession de Frédéric Back détient aujourd'hui plus de 5000 de ses dessins.

Frédéric Back arrive au Québec

En 1948, il débarquait au Québec, avec, pour toute fortune, une vieille bicyclette, une valise pleine de dessins et trente dollars. Il était venu rencontrer Ghylaine, sa correspondante, qu'il épousa bien vite. J'ai eu droit 50 ans plus tard à une carte de lui qui parlait de son arrivée au Canada : on y voit une vieille maison, deux superbes chevaux et ce mot : « À l'endos vous voyez la demeure de mon premier patron québécois qui m'ait fait confiance en m'embauchant pour 1$ par jour, nourri et logé, avec deux heures libres chaque jour pour dessiner et peindre. J'ai aimé beaucoup ce temps, trop court, avec des chevaux, des vaches à traire, des cochons à soigner, qui m'ont permis de vivre au cœur de cette vie paysanne laborieuse et se contentant de peu – ce qui n'empêchait pas Mr Boyce de chanter des *reels* irlandais pendant qu'il moissonnait avec ses chevaux. » Quand Frédéric m'a envoyé cette carte, nous avions tous deux quitté Radio-Canada depuis longtemps ; Frédéric avait décidé, avec l'aide d'Hubert Tison, de préparer une exposition sur son travail à la télévision. « C'est l'occasion, écrivait-il, de sortir des tiroirs des trésors oubliés pour lesquels je deviens un prétexte d'exhibition… » Et il ajoutait : « Comme disait mon cher Maître Mathurin Maheut : "Le boulot, il n'y a que ça de vrai." »

Depuis la fin des années 1940, il continuait à peindre d'après nature aussi bien les légendes indiennes, qui le passionnaient, que la vie rurale québécoise. Il explorait son nouveau pays jusqu'aux canyons des Rocheuses. Puis la Gaspésie à bicyclette, les États-Unis, le Mexique. Tout ce qu'il voyait, il le peignait.

L'environnement sur tous les fronts

Quelques années plus tard, dès l'ouverture de la télévision de Radio-Canada en 1952, il était engagé au bureau des titres comme lettreur. Pas très intéressé par cette tâche, il ajoutait des dessins au lettrage. Malgré sa timidité, il avait accepté d'apparaître à l'écran : au jeu-questionnaire *Le Nez de Cléopâtre,* il dessinait en direct devant le public. Il ne résistait pas aux invitations qui lui étaient offertes ; il était à la fois professeur à l'École du meuble tout en conservant ses contrats au bureau des arts graphiques de Radio-Canada ; il a passé bien des nuits blanches à répondre à toutes les demandes, à enseigner, à illustrer, à dessiner, à inventer, sans jamais sacrifier à sa rigueur ni à son goût pour la perfection. Cela ne l'empêcha pas de s'impliquer dans le mouvement écologiste dont il fut l'un des pionniers. Membre très actif de la Société pour vaincre la pollution (SVP), il dessinait des affiches et plantait des arbres. Et la plupart de ses œuvres créées pour les enfants furent marquées de son engagement, depuis *Abracadabra* jusqu'à *L'Homme qui plantait des arbres* et *Le fleuve aux grandes eaux*. J'ai appris plus tard combien toutes ces activités qui occupaient ses journées et ses soirées le privaient de temps précieux avec ses enfants. L'environnement était dans toutes ses pensées.

On se souviendra toujours de sa légendaire humilité, de son intensité au travail, de sa générosité auprès de tous ceux qu'il a fréquentés, et bien sûr de son talent remarquable. J'ai entendu Frédéric dire qu'il servait la beauté et la vie ; du même souffle il affirmait qu'on ne peut pas imposer un changement par la violence.

Pendant les années 1950-1960, il avait choisi de se perfectionner en Europe en cinéma d'animation et en construction de décors. Il avait vu juste et cette décision marquera le reste de sa vie.

Radio-Canada et l'Europe échangent des films

Le nouveau secteur d'animation créé par Hubert Tison lui donne les moyens de ses grandes ambitions artistiques, et une vitrine internationale pour exposer son talent. Le Groupe de travail jeunesse de l'Union européenne de radiodiffusion (UER) avait déjà mis sur pied dans les années 1960 un protocole d'échange de films documentaires, auquel notre service participait à titre de membre associé puisque nous ne sommes pas européens. Hubert Tison avait suggéré à Claude Caron, chef des émissions jeunesse, qu'un tel protocole permette aussi l'échange de films d'animation, ce que le Groupe jeunesse de l'UER a accepté. La table était mise et Hubert Tison a mis immédiatement son équipe au travail autour d'un projet de Frédéric Back. *Abracadabra,* un film de huit minutes signé Frédéric Back et Graeme Ross, avec Paul Webster à la caméra, Thérèse Bernard au montage et Pierre F. Brault à la musique originale, est devenu le premier film d'animation envoyé aux pays membres de l'UER. C'est le début d'une grande aventure. Plusieurs pays membres de l'UER ont accepté de produire un court film pour ce premier échange et notre service de télévision jeunesse va s'enrichir ainsi de plusieurs films avec un droit illimité de diffusion.

Abracadabra « met en scène des enfants de tous les continents unissant leurs efforts pour retrouver et délivrer le soleil qu'un méchant sorcier a volé et emprisonné », a écrit Frédérick, ajourant que « *Abracadabra* est une fable sur les dangers encourus lorsqu'on accapare une ressource naturelle indispensable à tous représentée ici par le soleil. »

Abracadabra est diffusée aux *Beaux Dimanches* de Radio-Canada le 7 mars 1971. Nos collègues de l'UER l'ont adoré. L'entente entre ces télévisions de langues différentes, c'est que les films doivent comporter du son, mais pas de paroles, ce qui libère du temps et des ressources financières pour peaufiner chaque film. Je me souviens d'avoir dit que l'œuvre de Frédéric restait la meilleure…

Son deuxième film sera *Inon ou la conquête du feu,* d'après une légende algonquine qui reprend « un archétype qu'on retrouve dans toutes les cultures : le feu caché aux humains par *Inon*, le dieu du tonnerre. Vivant en symbiose avec leur milieu naturel, les animaux partent à la conquête du feu que détient ce dieu du tonnerre et le mettent à la disposition des humains pour en finir avec le froid. En ce temps-là les hommes et les animaux se comprenaient. » L'harmonie entre les humains et les animaux est garante d'une vie meilleure et honorable.

Notre contribution à l'échange de 1973 est une légende micmaque intitulée *La Création des oiseaux,* « une fable inspirée de légendes amérindiennes qui raconte le cycle des saisons ». Dans cette légende sont évoqués les jeux et les peurs des enfants amérindiens qui sont semblables à ceux de tous les enfants du monde. Ce petit film merveilleux remportera la première mention d'honneur au Festival Prix Danube de Bratislava, au grand regret du cinéaste tchèque Bretislav Pojar qui m'avait dit que le film de Frédéric aurait dû remporter la palme à la place du vainqueur, *Peter fishing,* un film slovaque. Curieusement, je me rappelle très bien ce film où le jeune Peter tend sa ligne mais au lieu de poissons, il retire de l'eau tous les déchets qui ont été jetés à la rivière par les citoyens. Décidément, l'environnement interpelle les cinéastes d'animation.

En 1974, Frédéric dénonce la surproduction et la surconsommation dans *Illusion*. Sur le site Internet de Frédéric, on peut lire: « Dans ce quatrième film réalisé dans le cadre des échanges internationaux, le passage à un registre plus grave s'accomplit avec la complicité des autorités des émissions jeunesse de Radio-Canada qui apprécient la grande inventivité de Frédéric Back. » Pour *Illusion,* Frédérick travaille pour la première fois avec le musicien Normand Roger, qui signera les musiques de *Taratata la parade, Tout-rien, Crac!, L'Homme qui plantait des arbres*... À son arrivée au 3e Festival de Bratislava, Frédéric est attendu à sa descente d'avion par une meute de journalistes tchécoslovaques. Sa réputation est déjà assurée. Les critiques adultes ont accordé à Frédéric le 2e prix du festival, derrière un film polonais. Mais *Illusion* a remporté le 1er prix du jury des enfants. Le film est salué partout: grand prix des films pour la télévision au 7e Festival international de film de la Croix-Rouge et de la Santé à Varna en Bulgarie; 1er prix dans la catégorie Nature et environnement au 7e Festival international du court-métrage pour la jeunesse à Paris; grand prix d'animation (court) au Festival international du film pour enfants et adolescents de Téhéran, où Guy Joussemet accepte le prix au nom de Frédéric, des mains mêmes de l'impératrice Fahra.

En 1975, Frédéric célèbre la fête nationale des Québécois dans *Taratata la parade*. Qu'est-ce qu'une parade? Pour Frédéric, ce peut être deux choses: une démonstration de puissance ou une démonstration de tendresse. Dans la revue *Ici Radio-Canada* on lit que « c'est jour de fête. La ville se pare de drapeaux et de fleurs. Le défilé commence. Le petit garçon suivi de son chien cherche sans succès à voir cette parade dont il entend les échos. Effrayé par un policier, il s'enfuit. Quand il revient, tout est fini. Puis miracle, la musique renaît, transporte son imagination qui recrée une parade où amour et tendresse tiennent la vedette. » Ce court-métrage est aussi un hymne à la défense de l'environnement où Frédéric dénonce le progrès qui cautionne tant de destructions du patrimoine et des milieux naturels. Il reprend donc le thème d'*Illusion,* en appelant les spectateurs des *Beaux Dimanches*, à faire tous ces petits gestes quotidiens qui « peuvent modifier la destinée de l'humanité ».

En 1977, Frédéric Back fait son 6e film, *Tout-rien,* « une allégorie de la possession », dans lequel « les espèces animales sont satisfaites de leur sort mais l'humanité est sans cesse mécontente de son apparence, de ses possessions. Ce film aborde l'éternelle insatisfaction humaine découlant de la notion de bonheur et possession. »

Le film est inspiré par *L'Histoire du soldat* de Ramuz mise en musique par Stravinsky. Dans *Tout-rien*, nous sommes témoins de la création du monde, de la naissance des couleurs et des formes de la vie ; puis le monde se transforme et l'homme tente de conquérir la nature, de la dominer pour ne réussir qu'à la détruire. Et puisque ce film est réalisé d'abord à l'intention des enfants, Frédéric leur rappelle que « le désir de tout posséder est à la source du malheur des humains. Le bonheur n'est possible que par le partage de ce qui existe. »

Avec *Tout-rien,* qui fait 11 minutes et compte dix mille dessins, Frédéric Back et Radio-Canada sont cités pour la première fois aux Oscars. *Tout-rien* remporte le 1er prix dans la catégorie film jeunesse au Festival international du film d'animation à Varna en Bulgarie et le grand prix du 3e Festival pour l'enfance et la jeunesse à Lausanne (Suisse) en 1981. La même année, Frédéric reçoit le prix du président de Radio-Canada.

L'animation à SRC, pépinière de talents

En 1981, devant la journaliste Hélène Fecteau, Frédéric rend hommage à son patron Hubert Tison qui « a sacrifié sa propre création pour mettre ce service d'animation sur pied et il m'a aidé autant par son dynamisme que par ses critiques. S'il est possible de faire un film presque parfait c'est à cause, entres autres, de gens comme ceux qui vérifient la qualité du son et dont on ne parle pas. »

Hubert Tison dirige des créateurs doués ; Graeme Ross, illustrateur, graphiste et animateur, réalise *Le Lièvre et la tortue*, un petit chef d'œuvre de sept minutes qui a nécessité un an de travail minutieux et six mille dessins. Mais Ross a remplacé les mots de La Fontaine par une musique de Rossini qui donne au film son rythme. Avant d'être engagé par l'Office national du film, un cinéaste hollandais, Paul Driessen, a travaillé à Londres sur le long-métrage d'animation *Yellow*

Submarine du réalisateur canadien George Dunning. En 1974, il signait *Cat's Cradle* (*Au bout du fil*) que l'ONF a inscrit dans son palmarès des 100 meilleurs films d'animation en 2000. En 1977, son film *David* avait remporté le grand prix d'Annecy. En 1979, il signe *Jeu de coudes,* son premier film court au studio d'animation de Radio-Canada : « Des hommes dominos se donnent des coups de coude jusqu'à ce que le dernier tombe dans le précipice »... Faut-il supprimer les autres pour maintenir sa place dans la société ? Arrive enfin le non-conformiste qui ne se plie pas à ce jeu et qui évite de se faire supprimer. Ce film obtient un premier prix au Festival mondial d'animation à Zagreb en 1981 (en Croatie, dans la Yougoslavie d'alors) et un prix spécial au Festival du film à Athens en Ohio (USA). En 1984, *Tip Top* qui remporte la Sirène d'or, grand prix du dessin animé décerné à Juan-les-Pins (France). En 1985, il nous livre *Elephantrio* avec deux autres artistes et collaborateurs. Ce film raconte trois histoires parallèles sur un même thème, film sans paroles, à faire rire ou pleurer... Une coproduction de la SRC (Hubert Tison) et de l'ONF (David Verral), une réalisation de trois animateurs, Paul Driessen, Graeme Ross et John Weldon.

Notre président à Ottawa, Al Johnson, apprend que nous échangeons les œuvres d'animation avec les télévisions européennes membres de l'UER depuis plusieurs années déjà mais que la CBC n'en a diffusé aucune : la chaîne anglophone s'empresse de corriger cette lacune, surtout que les films ne lui coûtent rien ni à acquérir ni à adapter, puisqu'ils sont conçus sans paroles.

Frédéric ne travaille pas que sur ses films. Sa contribution à *L'Oiseau de feu* de Jean-Yves Landry est remarquable : un film d'animation de quatre minutes qui montre les métamorphoses successives de l'oiseau.

Crac !, Premier oscar

Après avoir quitté le Service jeunesse, il m'arrive de m'arrêter au rez-de-chaussée de la Maison pour saluer ce cher Frédéric et voir où il en est dans sa création. Et quand je quitte le bureau tard en soirée, je refais le crochet et la porte du Service d'animation ne semble jamais fermée. C'est tranquille... Frédéric est en quelque sorte le gardien de nuit... Une journée normale ne lui suffit pas; il crée sans cesse.

Crac! est un des très agréables souvenirs de mes 31 années à la télévision publique. C'est un dessin animé de quinze minutes, toujours sans dialogue. On découvre rapidement que le personnage principal de ce récit, la chaise berçante, incarne notre folklore québécois. En fait, *Crac!* nous raconte l'histoire de l'évolution très rapide de notre milieu et se révèle une façon on ne peut plus personnelle de faire revivre un passé savoureux. Cette chaise nous conduit du Québec d'hier à celui d'aujourd'hui. *Crac!* est aussi la façon de Frédéric de dire merci au Québec de l'avoir si bien accueilli quand il était descendu du bateau en tenant son vélo pour aller retrouver sa correspondante Ghylaine. Frédéric a écrit que *Crac!* est « un film hommage à un mode de vie en disparition, sinon complètement disparu. » Sa fille Süzel a joué un rôle important dans l'élaboration de ce film : « Le canevas de cette histoire est inspiré d'une composition française que sa fille Süzel a faite quand elle avait dix ans. Étonné et ravi, Frédéric Back avait conservé ce travail scolaire racontant l'histoire d'une bonne vieille chaise berçante qu'on ne sait plus apprécier. Ce court texte sert de départ à l'histoire racontée dans *Crac!*. »

La musique ici est primordiale; s'y ajoutent des rires et des cris d'enfants, des bruits de la nature et de la ville, les bruits de notre vie. La scène où la chaise est récupérée par jeune gardien de musée d'art contemporain m'a toujours fasciné et rempli de joie. Elle nous offre une danse sur les musiques de mon enfance et l'on y rencontre aussi bon nombre de nos peintres québécois, autre hommage de Frédéric aux talentueux artistes qui l'ont précédé en ce pays.

La première diffusion de *Crac!* a lieu aux *Beaux Dimanches* le 12 novembre 1981. Scénario et dessins de Frédéric Back, conception sonore et visuelle de Normand Roger, caméra de Claude Lapierre et Jean Robillard, montage de Jacques Leroux, prise de son d'André J. Riopel, effets sonores de Gilles Paré, mixage final de Michel Descombes. Producteur Hubert Tison.

Le 29 mars 1982, *Crac!* connaît une reconnaissance mondiale instantanée en remportant l'oscar du meilleur court d'animation. C'est une œuvre fondamentalement québécoise qui est ainsi récompensée. En plus de l'oscar, *Crac!* remporte une vingtaine de prix aux festivals d'Annecy (France), d'Odense (Danemark), de Yorkton (Saskatchewan), de Chicago (États-Unis), d'Expinho (Portugal) et de Stuttgart (Allemagne fédérale). Au début des années 2000, le Festival d'Annecy, en association avec les magazines spécialisés *Studio* et *Variety*, présente une sélection de cent films pour un siècle d'animation : *Crac!* y occupe le 4e rang. Cette liste a été compilée par une trentaine de spécialistes à travers le monde, choisissant les courts-métrages d'animation les plus marquants depuis *Fantasmagorie* d'Emil Cohl en 1908.

Pendant que Frédéric travaille à ses dessins, le musicien Normand Roger contribue à un autre petit miracle avec le réalisateur Mino Bonan : *Trapèze* est un petit film assez intrigant de sept minutes qui dépeint sous un angle tout à fait inhabituel la relation entre le porteur et le voltigeur dans un numéro de trapèze volant.

L'Homme qui plantait des arbres, un manifeste

J'ai souvent rendu visite à Frédéric dans son atelier, quand il s'acharnait sur *L'Homme qui plantait des arbres*. Un jour, j'ai pris place dans la chaise berçante que ses collègues lui avaient offerte après le succès de *Crac!* et il m'a raconté comment ce projet l'a habité pendant de nombreuses années. Il a découvert le livre de Giono dans les années 1970. Comme *L'Homme* de Giono, Frédéric, aidé de ses enfants, a lui-même planté des milliers d'arbres dans sa montagne à Huberdeau, le long de la rivière Rouge dans les Laurentides. J'ai moi-même vu ce prodige. L'homme qui plante des arbres, c'est lui, Frédéric. J'ai vu aussi le magnifique jardin amoureusement tenu par Ghylaine, un peu découragée par les ravages qu'y font les animaux que Frédéric se refuse de chasser.

Frédéric a écrit sur son site Internet que « c'est Robert Roy qui a obtenu le feu vert pour *L'Homme qui plantait des arbres* alors qu'il n'y avait jamais eu de projet de ce genre qui ait été accepté à la Société Radio-Canada ou à l'Office national du film ». J'ai en effet appuyé ce projet dès le départ, séduit par le sujet et connaissant le talent de Frédéric. Mais après avoir confirmé mon accord, un document officiel aurait dû parvenir aussitôt au studio d'animation pour permettre à Frédéric de mettre le projet en marche. Le document s'égare et Frédéric, toujours aussi patient, ne se plaint pas de la lenteur de la procédure, même s'il brûle de se mettre au travail. Apprenant que Frédéric n'a pas reçu son feu vert, je cours au 12e étage au bureau du vice-président, et Raymond David trouve le document, vieux déjà de quelques mois, sous une pile de dossiers. Il appose sa précieuse signature et Frédéric peut enfin démarrer. Une course au 12e étage: voilà tout ce qu'un directeur pouvait faire dans ces circonstances. Mais cette course a déclenché une entreprise artistique historique. J'ai conservé un dessin humoristique de Frédéric où l'on voit Raymond David en train de signer chaque arbre d'une forêt; on me voit près du vice-président, disant: « Raymond, y en a-t-il qui ne sont pas signés ? » Je détiens plusieurs de ces caricatures que Frédéric ne pouvait pas s'empêcher de faire. C'est mon trésor.

Lisant le récit de Giono, Frédéric se disait « très ému par cette générosité qui ne cherchait de récompense nulle part. » En remportant l'oscar pour *Crac!*, Frédéric pensait bien pouvoir dès lors s'attaquer au récit de Giono. Il y mettra cinq années de dur labeur avec la collaboration de Lina Gagnon. Parfois, insatisfait de son travail, il met à la poubelle des milliers de dessins et recommence. Cent fois sur le métier...

L'Homme qui plantait des arbres est diffusé pour la première fois aux *Beaux Dimanches* du 29 mars 1987. Boris Volkoff, qui s'occupe de la revue du personnel, donne une idée de la carrière qui s'annonce pour le nouvel opus de Frédéric en saluant « L'homme qui plantait des trophées! » La liste des récompenses commence en force à Annecy, la Mecque de l'animation, avec le Grand Prix, le prix du Public et le prix de Canal +. La suite est bien connue: un 2e oscar le 11 avril 1988, notoriété internationale et d'autres grands prix (une quarantaine) sur plusieurs continents. Parmi les nombreux prix que Frédéric a reçus, j'en signale un qui me fait tout particulièrement plaisir: c'est le Prix d'excellence pour l'ensemble de son œuvre, décerné par l'Institut de radiotélévision pour enfants, que j'ai eu l'honneur de lui remettre le 21 mai 1988. Frédéric était alors à Cannes ou Annecy pour présenter son *Homme qui plantait des arbres*; c'est son fils Francis qui a accepté le prix en son nom. Très ému, le digne fils avait dit: « J'aurais voulu en dire davantage devant l'auditoire, mais après l'éloge que vous avez fait de mon père, c'était très difficile... »

On sait que Frédéric avait perdu l'usage d'un œil et une partie de l'autre ; cet accident avait eu lieu au moment où il travaillait sur un dessin dans son atelier à Radio-Canada. Ce qui lui restait de vision lui a suffi pour réaliser des chefs-d'œuvre. Il aurait pu sauver ses yeux, m'a-t-il confié vingt ans plus tard : « Il m'aurait fallu trois ou quatre mois... mais je devais aller à l'étranger... Cannes, Annecy, Los Angeles... » Frédéric négligeait son corps, trop occupé à soigner la planète : avec ses qualités artistiques prodigieuses, son film, « un hymne à la vie, à l'espoir et à la générosité », a aussi été un puissant instrument pour sa cause puisqu'il a eu pour effet de stimuler d'innombrables citoyens à travers le monde à faire comme lui, à faire comme son Elzéar : planter des arbres.

•

Un chef-d'œuvre qui a failli ne pas se faire

En 2004, Frédéric a dit au *Devoir* : « Si l'oscar reçu pour *Crac!* m'a permis de faire *L'Homme qui plantait des arbres*, ce deuxième oscar m'a clairement permis de réaliser *Le Fleuve aux grandes eaux* alors que Radio-Canada voulait fermer son studio d'animation. »

En 1988, en tant que directeur général des programmes, j'avais autorisé la production du *Fleuve aux grandes eaux,* le dernier film d'animation de Frédéric Back. J'ai quitté la télévision publique la même année. J'avais joué mon rôle en mon temps ; je laissais désormais les dirigeants mener leur barque comme ils l'entendaient. Mais au moins une situation inacceptable m'a forcé à sortir de ma réserve.

En avril 1989, j'apprends qu'on veut pousser Frédéric Back vers la sortie parce qu'il a atteint 65 ans. Je me souvenais que la carrière de l'artiste décorateur Edmondo Chiodini s'était prolongée bien au-delà de ses 65 ans parce que nous avions besoin de son talent et de son expérience à la télévision jeunesse. La loi fédérale sur les droits de la personne permettait-elle que l'on force un employé à quitter son travail pour raison d'âge ? N'était-ce pas de la discrimination ? Je me permets donc d'appeler Pierre Thérien à la direction des programmes pour l'avertir, la voix étranglée par l'émotion, que j'allais alerter les journaux si le renvoi de Frédéric était confirmé. Pierre

Thérien me rassure... et l'on connaît la suite. Frédéric a terminé *Le Fleuve aux grandes eaux* à Radio-Canada en 1993.

Ce film a remporté une vingtaine de prix à travers le monde : Grand Prix du Festival international du film d'animation à Annecy (France), le Los Angeles Critics Award (USA) pour le meilleur film d'animation de l'année 1993, le Grand Prix au Festival d'animation d'Hiroshima (Japon) et, au pays, le prix Gémeaux de l'ACCT et le Prix d'excellence au Festival de télévision de Banff.

En 2009, Frédéric est invité à Strasbourg pour y présenter ses croquis qui racontent son coin de pays, l'Alsace de 1945. On lui demande : « L'environnement est une de vos préoccupations. D'où vient cet engagement ? » Sa réponse est claire et exprime fort bien la conscience de cet homme admirable : « À mon âge, j'ai vu la société passer de la bougie à l'ère atomique. Ça fait réfléchir. Il faut préserver la beauté et la richesse de la nature. Nous ne sommes pas les maîtres du monde. La nature nous enseigne des leçons que nous n'écoutons pas. N'y a-t-il pas un dicton alsacien qui dit que *lorsque l'enfant est tombé dans le puits, c'est alors seulement qu'on y met une grille* ? »

Le 24 décembre 2013, j'ai perdu mon meilleur ami. Frédéric Back nous a quittés. Il a cessé de souffrir, lui qui vivait avec le cancer depuis longtemps. Ce qui ne l'a pas empêché pas de poursuivre une vie toujours très active, jusqu'à la fin.

Adieu, Frédéric. Et merci !

12

ANNÉES GLORIEUSES DE LA TÉLÉ JEUNESSE

À l'été 1970, Pierre Charbonneau, qui a remplacé Phed Vosniacos comme chef du Service des nouvelles, m'invite à venir le seconder, à la place de Jean Baulu. J'ai toujours été friand des émissions d'information et d'affaires publiques et ce secteur m'apparaît taillé sur mesure pour mes intérêts, mes compétences aussi, ayant étudié les sciences sociales et l'histoire. Je sais bien que ce n'est pas un milieu facile. Ces dernières années, le journaliste et ardent syndicaliste Michel Bourdon y fait la pluie et le beau temps. Cette invitation demande réflexion. Mais pendant que j'y réfléchis, Jean-Marie Dugas, le directeur des programmes qui m'avait «prêté» deux ans plus tôt au grand patron, me réclame à nouveau à la télévision (rappelons que Télévision et Information – celle-ci dirigée par Marc Thibault – ont deux directions distinctes, qui relèvent toutes deux du vice-président). Dugas veut m'attacher au nouveau chef des émissions pour la jeunesse, Rolland Guay, qui a succédé à Claude Caron. J'hésite, car je n'ai pas de formation pédagogique pour assumer un rôle à la télévision jeunesse, même si mes deux adorables enfants de quatre et cinq ans m'en ont appris un bout sur les goûts de leur tranche d'âge. Le directeur général adjoint vient alors à mon secours. Jean Blais est un homme sage à la tête froide; selon lui, ma tâche au Service des nouvelles risque de ne pas être très agréable puisque je devrai passer mon temps à régler des problèmes syndicaux à titre de second. C'est un travail de relations humaines et non pas de programmation, croit-il. J'accepte alors l'offre de Jean-Marie Dugas, et c'est Ray Chaisson qui devient directeur adjoint des Nouvelles.

En juillet 1970, me voici donc chef adjoint du Service des émissions pour la jeunesse et coordonnateur des émissions d'enseignement à la télévision ; mon directeur, Rolland Guay, est réalisateur depuis 1954. Spécialiste des émissions jeunesse il a réalisé des séries comme *Opération Mystère, Kosmos 2001, Les Enquêtes Jobidon* et *Picolo.*

La crise d'Octobre

Au moment où commence pour moi ce nouveau mandat, éclate la crise d'Octobre – sans doute la plus grave dans l'histoire moderne du Québec. Le Front de libération du Québec (FLQ) enlève le diplomate britannique James Richard Cross et le ministre du Travail du Québec Pierre Laporte. Laporte est assassiné, Cross est libéré et rentre chez lui. Plusieurs membres du FLQ partent en exil. Trudeau décrète la *Loi des mesures de guerre* et l'armée canadienne est déployée à Montréal... pour y assurer la paix ! Un soir, roulant sur la Route 132 entre Montréal et Boucherville, des policiers m'interpellent et fouillent ma voiture, sous les yeux de Patrick, mon fils de quatre ans, avant de me relâcher. Des centaines de présumés séparatistes soupçonnés des plus noirs desseins sont arrêtés et emprisonnés. Parmi ceux-ci, le syndicaliste Michel Chartrand, président de la Confédération des syndicats nationaux (CSN), les poètes Michel Garneau, Gaston Miron et Gérald Godin (qui deviendra ministre péquiste six ans plus tard), la chanteuse Pauline Julien et le critique de cinéma Patrick Straram, dit « Bison Ravi » (anagramme de Boris Vian). Si je nomme ce dernier, c'est qu'il était scripteur comme moi à Radio-Canada à la fin des années 1950. Tout un personnage ! Pour lui, Radio-Canada était le lieu de « toute activité intellectuelle et politique » mais aussi « un fabuleux bordel ». Grave pour les poètes, les syndicalistes, les artistes d'appartenir au mouvement indépendantiste... en 1970.

Cette crise force Radio-Canada à diffuser, le 8 octobre, le manifeste du FLQ, lu à la caméra par Gaétan Montreuil et qui contient ce message clair « : Le FLQ veut l'indépendance totale des Québécois. » Et le chef du Service des nouvelles, Pierre Charbonneau, déclare à la fin de cette crise d'Octobre : « Il a fallu faire des miracles afin d'informer le public de l'une des crises politiques les plus graves que le Québec ait vécues. La salle des nouvelles avait été transformée en studio d'où annonceurs et reporters communiquaient au public les informations dès qu'elles leur parvenaient.» C'est RDI déjà! On se croirait aux jours les plus sombres de la guerre de 1939. Preuve de la gravité de la situation : une nuée de journalistes des USA et d'Europe s'est abattue sur le Service des nouvelles ; la BBC, l'ORTF, CBS, NBC ont dépêché des équipes tout comme les télévisions belge et suisse.

18 ans de jeunesse à Radio-Canada

Rolland Guay et moi assumons notre nouveau rôle dans ce contexte de crise, respectueux de la grande tradition que nous sommes appelés à poursuivre. Dès les premiers balbutiements de l'offre télévisuelle en 1952, les enfants ont eu droit à *Pépinot et Capucine* ainsi qu'au *Grenier aux images*, deux séries de Jean-Paul Ladouceur, pionnier de la télévision pour la jeunesse. Dans ses traces ont déjà marché, avant nous, Fernand Doré, premier directeur du Service jeunesse (1954-1964), Pierre DesRoches (1964-1966) et Claude Caron (1967-1970).

Quand Rolland Guay et moi prenons la relève, la télévision a 18 ans. Si le mandat de Radio-Canada est d'offrir une programmation distinctive, de développer des contenus de qualité, de renseigner, d'éclairer et de divertir, nous savons aussi que nous sommes au service d'un client très spécial : l'enfant. Et depuis 18 ans, l'enfant a été gâté par Radio-Canada. Des moments forts, inoubliables :

Bobino en 5000 temps

De 1957 à 1985, Guy Sanche est Bobino, le grand frère de Bobinette, cette marionnette aux longues tresses blondes, qu'anime et fait parler d'abord Paule Bayard, puis Christine Lamer en 1973. Plusieurs personnages les entourent, mais on ne les voit pas : Gustave (le régisseur), Tapageur (le bruiteur), Telecino (qui fait tourner les trois dessins animés quotidiens) et Camério (la caméra). Il faut saluer Michel Cailloux, le créateur de cette émission quotidienne qui a si longtemps marqué notre antenne. Il a écrit plus de 5000 scénarios ! Guy Sanche a établi avec ses « tout-petits », comme il appelle tendrement ses téléspectateurs, une « complicité basée sur le respect de l'enfant, de son intelligence et de ses attentes ». Ce rendez-vous de 16 h, du lundi au vendredi, a signifié pour des générations d'enfants un agréable moment de divertissement mais aussi d'apprentissage de la langue, du comportement et de la culture.

Au nom des millions de « tout-petits » qui ont grandi avec Bobino, merci aux réalisateurs : René Boissay, Gilles Brissette, Claude Caron, Pierre Castonguay, Fernande Chouinard, Maurice Falardeau, Aimé Forget, Fernand Ippersiel, Marcel Laplante, Jean-Paul Leclerc, Louis Létuvé, Alex Page et Gilles Sénécal. De 1975 à 1985, Bobino a été réalisé par Thérèse Dhubé, qui a longtemps été script. Un autre artisan mérite également d'être salué : Edmondo Chiodini, qui a créé la première Bobinette d'après un dessin de Michel Cailloux et qui a aussi créé la maison de Bobinette, lieu mythique dans l'imaginaire collectif québécois. Quant à Guy Sanche, il nous a quittés beaucoup trop tôt en 1988, à l'âge de 52 ans. Tout le monde connaissait Bobino ; peu de gens connaissaient vraiment Guy Sanche.

La Boîte à surprise, incubateur de séries

De 1956 à 1968, à 16 h 30, tout de suite après *Bobino*, les enfants retrouvent Monsieur Surprise, incarné pendant dix ans par Pierre Thériault, remplacé par intermittence par Guy Mauffette. Ce dernier, parlant du rôle, a dit : « Je suis de garde à *La Boîte à surprise.* » Mauffette est un poète, comédien et animateur, et le grand ami de Félix Leclerc. Dès les années 1930, on l'entendait à la radio publique ; le dimanche soir, il a animé pendant 12 ans la très populaire émission *Le cabaret du soir qui penche*. Un oiseau de nuit. Je l'ai connu à Ottawa au début des années 1960 quand l'équipe de l'émission de cirque *Caravane* est passée dans la région. Il faisait Monsieur Loyal, le maître de piste ; un homme chaleureux, aimé des enfants, et un magnifique poète.

La Boîte est l'incubateur de personnages truculents, dont plusieurs ont développé leur univers propre :

Marie Quat'Poches (1967-1968). Série réalisée par Guy Hoffman, écrite par Roland Lepage, Jani Pascal et Michel Cailloux, et jouée par

Jani Pascal (Marie Quat'Poches), Roland Lepage (Florian Latulippe), Gisèle Mauricet (Naphtaline), Yvon Thiboutot (Général Tortillas) et Lucille Papineau (Tante Anselme).

Le Pirate Maboule (1968-1971). Au théâtre, le Pirate a été interprété par plusieurs comédiens ; à la télévision, par Jacques Létourneau. Autour de lui, son frère Yves, Guy Hoffman, Edgar Fruitier, Yvonne Laflamme, Huguette Uguay, Marcel Sabourin et Victor Désy. Jacques Létourneau signe les textes. À la réalisation se succèdent Hubert Blais, Maurice Falardeau, Guy Hoffman et Jean Valade.

Bidule de Tarmacadam (1966-1970). Une réalisation d'Hubert Blais, textes de Guy Fournier et Marcel Godin. Un théâtre pour enfants joué devant un public des écoles primaires de la grande région de Montréal, plus d'une centaine d'épisodes. Tarmacadam est un très petit village avec un magasin général, tenu d'abord par Madame Bouline (Denise Morelle) puis par Monsieur Arriviste Crétin (Yvon Thiboutot) ; on y retrouve bien sûr Bidule (Ronald France) et son père, Maître Piochon (Gilbert Chénier), toujours en train de malmener son fils.

Le Major Plum-Pouding (1969-1973). Créé par les frères Létourneau, réalisé par André Bousquet et Guy Hoffman ; les principaux rôles sont tenus par Yves Létourneau (le Major), Élisabeth Chouvalidzé (Fanfan), Janine Sutto (Dame Pénélope), Françoise Lemieux (Bibiane) et Gaétan Labrèche (Aristide Cassoulet)… L'action se passe en Angleterre, dans une bonne entente franco-britannique. Fanfan a toujours des idées de bons coups, ce que des parents désapprouvent ; mais pour Élisabeth Chouvalidzé (la compagne de Richard Martin) : « Qu'est-ce qu'il y a de plus beau que d'accompagner l'enfance de quelqu'un ? »

Sol et Gobelet

Sol et Gobelet (1969-1972) « sont de drôles de pistolets », dit la ritournelle du générique d'ouverture de cette comédie loufoque. Avec Marc Favreau et Luc Durand, à la fois comédiens et auteurs ; aussi, à l'occasion, Suzanne Lévesque (Isabelle) et des comédiens invités. À la réalisation, Maurice Falardeau, Rolland Guay, André Pagé ; à la musique, Herbert Ruff.

Sol et Gobelet sont deux clowns amis qui habitent un appartement sans murs ; un langage coloré, des aventures absurdes, un très haut niveau de poésie. Bien sûr, Sol y va déjà de sa langue bien à lui avec ses mots composés : « Je penche donc je suis », « La statue erre », « La douche vie »... On dit de Sol que tout lui arrive mais lui n'arrive jamais à rien ; il se fait exploiter facilement, on l'a au sentiment, il suffit de bien peu de bagout. Les enfants sont fascinés par ses poches inépuisables, où il puise tous les accessoires dont il a besoin, comme ce combiné de téléphone dont le fil pendouille, mais qui marche tout de même. Quant à Gobelet, clown fougueux et désinvolte, il est aussi le Pierrot le plus tendre, le plus fondant ; il est impulsif, emporté et passe facilement de la gaieté à la colère. On se souviendra toujours d'eux. Un journaliste les avait qualifiés de « deux plus merveilleux poètes de la télévision canadienne ». Leurs noms sont réunis à jamais dans l'arrondissement Rosemont-La Petite-Patrie à Montréal, avec la bibliothèque Marc-Favreau et le parc Luc-Durand ; aussi dans le même quartier, la place Raymond-Plante, du nom d'un auteur exceptionnel qui a collaboré aux émissions jeunesse pendant plusieurs années.

La manière Fanfreluche

Fanfreluche (1968-1971). Jusqu'au 13 janvier 2008, j'avais toujours cru que la célèbre poupée était née à *La Boîte à surprise.* Ce jour-là, j'ai entendu Kim Yaroshevskaya à l'émission de radio de Joël Le Bigot, *Pourquoi pas dimanche ?*, raconter à Stéphane Garneau que sa Fanfreluche dansait déjà sur les scènes en 1951, une année avant la naissance de notre télévision. En 1956, de danseuse, Fanfreluche est devenu conteuse, et l'une des stars de *La Boîte à surprise;* à partir de 1968, *Fanfreluche* a sa propre série hebdomadaire, où elle fait littéralement entrer les enfants dans le livre qu'elle leur lit, en transformant à sa guise des histoires archiconnues. Dans son rôle de poupée, elle invite donc l'enfant à faire appel à son imagination ; une façon de dire que tout est possible. Une émission divertissante avec un angle éducatif !

En 2008, chez Le Bigot, elle a encore « un beau conte à raconter » : « Deux voisins se chicanent. Chacun dit : "C'est ma terre." Et la terre d'ajouter : "Vous serez à moi un jour !" »

En 1990, à Banff, j'ai eu le grand honneur de remettre à Kim Yaroshevskaya le prix spécial de l'Alliance pour l'enfant et la télévision.

Grujot et Délicat (1968-1971) « Les voici, les voilà, Grujot et Délicat. » Nés dans *La Boîte à surprise*, ces deux chiens sont co-maires de Saucissonville, dont les habitants sont en majorité des chiens. Grujot (Lise LaSalle) et Délicat (Gisèle Mauricet) ont pour concitoyens Sourdine (Benoît Girard), Chatonne (Monique Joly), Rossignol des Bois (Suzanne Langlois), Mademoiselle Sainte Bénite (Clémence DesRochers) et Tommie l'Écossais (François Tassé). Les scénarios sont de Jean Besré et de Clémence DesRochers. André Bousquet, Jean Valade, Jean-Pierre Sénécal et James Dormeyer sont les réalisateurs.

Il faut un sacré sang-froid pour réaliser une telle série. James Dormeyer se rappelle comment on procédait à l'époque : « Nous ne disposions que de deux heures d'enregistrement au Studio 2 du CIR, Cité du Havre, et d'aucune période de montage. Il fallait donc monter les séquences, les unes à la suite des autres (*live-editing*), au fur et à mesure qu'elles étaient enregistrées, et dans l'ordre voulu par le scénario, pour sortir de ces deux heures de studio avec un produit fini qui irait en ondes quelques jours, ou parfois même, quelques heures plus tard ! La colonne de gauche du texte, là où on pouvait lire toutes les indications touchant les décors, costumes, accessoires, effets spéciaux, voulus par ce texte, était donc très importante. Dans un texte de Clémence DesRochers, deux petites lignes de la colonne de gauche avaient échappé à mon appréciation du temps qu'il faudrait pour y répondre... Elle avait écrit : "Tommie rêve qu'il est en Écosse... et tout le décor devient écossais !" Rarement dans ma carrière aux Émissions jeunesse, deux si petites lignes m'auront causé autant de stress... En un temps record, les palissades de Saucissonville durent être entièrement recouvertes de papier peint... à motifs écossais, le linge qui séchait sur la corde, les tuiles et les murs des niches, et même les feuilles des arbres, devinrent aussi écossais, à la grande joie de Tommie, au son des cornemuses issu du clavier magique d'Herbert Ruff (Oncle Herbert), le génial et modeste musicien qui créa tous les thèmes musicaux des différentes émissions de la série *La Boîte à surprise*. Quelle course ! Mais cela créait un tel esprit d'équipe, car tout le monde mettait un peu la main à la pâte, pardon, à la patte ! »

La Commedia dell'arte revue et corrigée

La Ribouldingue (1968-1971) remet au goût du jour la très ancienne tradition de la commedia dell'arte, avec *Paillasson*, le clown naïf au grand cœur interprété par l'inoubliable Jean-Louis Millette. Ses partenaires sont *Monsieur Bedondaine* (Roland Lepage), *le professeur Mandibule* (Marcel Sabourin), *Friponneau* (André Montmorency), *Dame Plume* (Denise Morelle), *Prunelle* (Élisabeth LeSieur) et *Giroflée* (Micheline Giard). À l'écriture, Roland Lepage, Marcel Sabourin et Jean-Louis Millette ; à la réalisation, André Pagé et Gilles Brissette.

Picolo (1968-1971). Paul Buissonneau y joue « l'ami qui fait des bêtises comme tous les enfants ». *Picolo* a été créé en 1956 quand Fernand Doré était le directeur des Émissions jeunesse. Dans une saison, Picolo s'entretient avec des personnages de contes de fées : Le Chat botté, Le Petit Poucet, Le Petit Chaperon rouge... Dans une autre, Picolo fait le tour des régions de France, pays d'origine de Buissonneau. On se souvient que Paul est arrivé à Montréal en 1949, avec une tournée des Compagnons de la chanson, le groupe d'Édith Piaf. On retrouve Picolo en 1967 dans *La Boîte à surprise*, en compagnie de Michel le Magicien (Michel Cailloux).

En 1968, Picolo a sa propre série, avec Pantalon (Yves Massicotte), le docteur Macaroni (Guy L'Écuyer), Colombine (Christine Olivier) et le Capitaine (alternativement interprété par Ronald France et Albert Millaire). Jean-Guy Benjamin, Rolland Guay, Francine Bordeleau et Hélène Roberge se sont partagé la réalisation tandis que Paul Buissonneau, Marc-F. Gélinas et Michel Cailloux ont collaboré aux textes.

Trésors perdus

Dans la foulée de Picolo, James Dormeyer réalise *Picolo Musique :* 90 minutes conçues chez Paul Buissonneau à Habitat 67 et tournées sur film dans différents décors naturels de Montréal, tous plus spectaculaires les uns que les autres. Ce sont de courts intermèdes musicaux destinés à remplacer les messages publicitaires désormais interdits à l'intérieur des émissions jeunesse. Sur des musiques très connues, Paul Buissonneau étale tout son art du pantomime : sur l'*Ouverture*

1812 de Tchaïkovski, il marche au pas de l'oie sur le mont Royal avec un casque nazi tout chromé sur la tête : à chaque coup de cimbale, un œuf vient s'abattre sur son casque ; sur une autre musique, vêtu d'une armure de la Renaissance, Picolo est aveuglé par son casque qui lui retombe sur les yeux, et tombe à l'eau de la marina de l'île Sainte-Hélène. James Dormeyer décrit une des scènes tournées pendant ces journées frénétiques : « La *Pavane pour une infante défunte* de Maurice Ravel fut un des grands moments de cette série, et du talent chaplinesque de ce grand comédien. Nous tournions dans le décor vaste et désert de la future autoroute Ville-Marie, alors en construction. Là où Décarie Sud devient l'autoroute Ville-Marie, un pilier géant en forme de V donne à ce lieu, avec un peu d'imagination, une allure de palais grandiose, et Paul, dans cet immense décor, valse avec l'infante, sur la musique triste de Ravel... Elle est toute revêtue de dentelles noires, et d'une somptueuse mantille qui lui cache le visage... C'est très impressionnant, et l'on sent Picolo très épris de sa cavalière... Mais voilà qu'on entend un petit sifflement qui prend peu à peu de l'ampleur, et aux signes de faiblesse manifestés par l'infante, on comprend que Paul valse en fait... avec une poupée gonflable. Le grand talent de mime de Paul Buissonneau et son sens de l'improvisation (car on ne tourne pas ces scènes-là deux fois) font merveille. Tout y passe : il est tour à tour surpris, attristé, veut réparer les fuites sans que ça paraisse, ramasse du mieux qu'il peut sa partenaire de plus en plus amaigrie, et finalement, un peu découragé, rejette ce qu'il en reste sur son épaule, et s'en va tout penaud, la longue mantille noire de la défunte infante traînant à terre sur ses talons. »

Il est un peu cruel de rappeler ces trésors, car ils semblent aujourd'hui introuvables. Les films de cette époque sont pourtant généralement conservés, ce qui n'est pas le sort de toutes les vidéos. On sait que les services techniques de Radio-Canada ont été obligés d'effacer des émissions sur rubans magnétoscopiques à maintes reprises pour éviter de devoir s'en procurer des neufs à 400 $ pièce. Avis de recherche, donc, pour retrouver les *Picolo Musique* !

Je n'allais quand même pas oublier *La Souris verte* (1966-1972). Ah ! cette chère souris, Louisette Dussault ! *10 moutons, 9 moineaux, 8 marmottes, 7 lapins, 6 canards, 5 fourmis, 4 chats, 3 poussins, 2 belettes et une souris... une souris verte.* Elle est déjà là quand Rolland Guay et moi arrivons à la télévision jeunesse. Elle assure le quart d'heure du matin que nos enfants Isabelle et Patrick regardent avec ferveur. En janvier 1971, le réalisateur Renaud Gariépy invite nos deux marmots à jouer dans une émission écrite par Marie Racine, sur le thème de la musique, avec le pianiste et compositeur André Gagnon. Avec une baguette, nos enfants sont censés frapper des colonnes de carton en rythme avec la musique. Dans le studio, leurs deux parents anxieux s'apprêtent à assister au triomphe de leurs enfants devant les milliers de téléspectateurs. Tout va bien. Mais la Souris fait alors son entrée sur le plateau et les deux petits percussionnistes figent de stupeur, hypnotisés par l'apparition soudaine de leur héroïne. Au diable la musique! Les parents auraient sans doute aimé que les téléspectateurs soient témoins du talent de leur progéniture mais Isabelle et Patrick n'ont aucune envie de jouer aux héros; ce rôle est déjà rempli, pour eux, par cette souris en chair et en costume rayé vert et blanc. Fascination quand tu nous tiens!

Sciences pour les jeunes

À l'automne 1970, quand Guay et moi prenons en charge le service, en plus de ces inoubliables divertissements que je viens de citer, Radio-Canada Jeunesse dispose aussi d'un fameux catalogue d'émissions à caractère plus documentaire:

Techno Flash, réalisée par Thérèse Patry: une sorte de digeste technologique pour permettre aux jeunes d'être de leur temps et de satisfaire leur curiosité sur leur milieu environnant. Recherche et texte de François Valère et musique d'André Gagnon.

Atome et Galaxies, une série de vulgarisation scientifique réalisée par Jacques Faure et Jean Martinet, écrite par Pierre Dumas. Dans cette série, l'animateur Raymond Charrette reçoit des sommités de la science contemporaine... Les jeunes y font notamment la connaissance, en 1968, du célèbre ingénieur allemand Wernher von Braun, l'inventeur de la terrible fusée V2 qui a fait tant de ravages sur la Grande-Bretagne pendant la Seconde Guerre mondiale. Cependant, ce n'est pas pour parler de ce sombre passé que l'Allemand est présenté à nos jeunes téléspectateurs, mais plutôt d'un avenir plein de promesses : le débarquement des Américains sur la Lune, prévu pour l'année suivante. C'est l'Allemand qui dirige ce programme à la NASA.

Il est intéressant de signaler qu'à l'émission du 27 mai 1971, des membres fondateurs de la Société pour vaincre la pollution (SVP) viennent à l'émission pour dénoncer la détérioration de la Terre par les humains. Le mouvement écologiste au Québec en est encore à ses balbutiements et la SVP fait figure de pionnière. L'un des pionniers est notre cher artiste Frédéric Back, qui décrit la pollution comme « une chose beaucoup trop grave pour être confiée à des politiciens ».

Tour de terre, recherches et textes de Réjane Charpentier et réalisation de Gilles Sénécal. Cette série qui a connu une longue carrière (1964 à 1972) est animée par deux jeunes comédiens chaleureux et dynamiques qu'on n'oubliera jamais, Lise LaSalle et Jean Besré ; François Tassé y apparaît également. Chaque semaine, les enfants de 6 à 12 ans sont conviés à un voyage dans tous les domaines de la connaissance. Qu'il soit question de l'infiniment grand ou de l'infiniment petit, d'une visite sur terre ou aux planètes, les informations sont communiquées avec candeur et humour, ce qui facilite la compréhension et l'intérêt des jeunes.

La vie qui bat (1955-1968), diffusée le mardi à 17 h 30, est réalisée par Adelin Bouchard avec Guy Provost puis Harvey Paradis à l'animation. Cette demi-heure hebdomadaire parle aux jeunes de tout ce qui bouge en ce bas monde, y compris les insectes et les plantes. Les jeunes sont toujours ravis et fascinés par la présence en studio d'animaux, parfois exotiques. On se souvient qu'après la grève de 1958-1959, les réalisateurs piqueteurs sont rentrés au travail accompagnés d'un ours : l'animal faisait partie de la ménagerie de *La vie qui bat*.

Variétés pour les jeunes

À la fin des années 1960, les émissions de variétés produites par le Service jeunesse rejoignent un auditoire considérable : les *Copains d'abord* réalisée par André de Bellefeuille (surnommé « ADB ») est animée par Michel Trahan ; le jeudi soir, dans *Âge tendre*, réalisée par

Pierre Duceppe, l'animateur Philippe Arnaud s'adresse aux 15-25 ans. Mais le grand succès est certainement le *Donald Lautrec Chaud* qui fait un malheur le vendredi soir à 20 h : en direct du Centre Paul-Sauvé, mille jeunes viennent s'y défouler après cinq journées d'école. Il y a aussi, bien sûr, *Jeunesse oblige*. Diffusée six jours par semaine à 18 h, cette émission couvre un champ très large : musique classique ou disco, mode, loisirs, sports, science, actualités. Une belle brochette d'animateurs aussi, avec les Guy Boucher, Jacques Fauteux, Louise Latraverse, Gilles Houde, Pierre Lalonde, Chantal Renaud, Jean-Pierre Ferland ; plusieurs compositeurs et interprètes ont fait leurs débuts à *Jeunesse oblige*.

Hommage au maestro Ruff

Enfin, impossible d'oublier celui qui a accompagné tant de comédiens, d'auteurs et de réalisateurs en ajoutant sa merveilleuse touche musicale à des centaines d'émissions. Il faut lui rendre hommage non seulement pour ses talents exceptionnels de musicien, compositeur, chef d'orchestre, pianiste et pédagogue, mais aussi pour sa grande sensibilité, sa générosité et sa bonne humeur communicative ; un des êtres les plus extraordinaires que j'aie eu le bonheur de côtoyer pendant les années 1970, le très grand artiste Herbert Ruff. En 1968, il a reçu le trophée BMI à titre de meilleur compositeur de musique pour enfants. En 1981, l'Alliance pour l'enfant et la télévision lui a remis son prix annuel pour une contribution insigne à la radiotélévision enfantine canadienne, soulignant ses nombreuses années de riche collaboration aux émissions jeunesse de la SRC.

Bien parler avec les Oraliens

Enfin, tous les matins à 9 h 15, les enfants d'âge préscolaire, auquel le Service jeunesse doit aussi penser, passent un quart d'heure agréable avec deux sympathiques extraterrestres venus sur Terre pour leur apprendre à bien parler français, *Les Oraliens*. Avec eux, bien parler et bien communiquer est un jeu qui peut être aussi amusant que de dessiner ou d'écrire. Parler, c'est aussi inventer, chercher, décrire, raconter selon le principe qui veut que « nommer, c'est posséder ». Cette production, conçue par Laurent Laplante, nous vient du ministère de l'Éducation du Québec, via un nouveau joueur dans notre paysage audiovisuel : Radio-Québec. Le réalisateur de la série est notre camarade André de Bellefeuille, dit ADB, futur directeur des programmes de Radio-Québec.

13

DES ÉMISSIONS JEUNESSE NOUVEAU GENRE

Dans les toutes dernières heures de leur règne, Claude Caron et son adjoint, Pierre Duceppe, nous ont légué le dernier-né du Service Jeunesse de Radio-Canada. Sans doute encore un coup de Pierre Duceppe. C'est un concepteur-né.

Cette nouvelle création porte un titre fort original. En fait elle n'a même pas de nom, que des signes typographiques : trois points d'exclamation, suivis d'un astérisque : *!!!** Ce n'est donc pas un titre mais une impression visuelle. Une suggestion. Très québécois ! Cette nouvelle émission fait son apparition à notre antenne le dimanche de 18 h 05 à 19 h le 6 septembre 1970. Un beau cadeau pour les nouveaux arrivants !

Comment définir cette émission ? Parce qu'il n'y a pas que le titre qui soit original. Quarante ans plus tard, j'ai appelé Pierre Sarrazin, qui était rédacteur en 1970 à l'hebdomadaire *Ici Radio-Canada,* pour lui poser la question. Il m'a répondu : « Une expérience collective. Un environnement. Un happening. Une création spontanée. Une traduction de notre époque. Une satire de la télévision, une farce. Une *hippidémie* de luxe. Une vision surréelle, chromatique, transparente... La fusion du Grand cirque ordinaire et du Théâtre du Même Nom. »

J'ai retrouvé une courte description de cette chose : « Contestation, bandes dessinées, expériences vécues par les jeunes, orientation vers des carrières bizarres... » On y affirme qu'après en avoir vu la première heure, « vous ne pourrez plus jamais regarder la télévision du même œil ». Derrière ce titre, derrière cette aventure qui n'aura duré que quelques semaines : le producteur délégué et réalisateur Jean-Guy Benjamin, la réalisatrice Micheline Latulippe ; à l'écriture, Gilles

Gougeon et Marc F. Gélinas; les membres du Grand cirque ordinaire: Jocelyn Bérubé, Suzanne Garceau, Paule Baillargeon, Raymond Cloutier, Guy Thauvette, Claude Laroche et Gilbert Sicotte. Du Théâtre du même nom, dirigé par l'auteur et metteur en scène Jean-Claude Germain: Monique Rioux, Nicole Leblanc, Louisette Dussault, Gilles Renaud, Yves Sauvageau et Jean-Luc Bastien.

Cette émission destinée aux grands ados, de 15 à 25 ans, est diffusée les 13 et 20 septembre et le 4 octobre, comme l'indique l'hebdomadaire *Ici Radio-Canada*. Mis hors jeu momentanément par un séjour à l'hôpital, j'ignore à l'époque que la direction a ordonné le retrait de la série. Dès octobre, deux nouvelles émissions de 30 minutes qui ne s'adressaient pas à la jeunesse feront leur apparition dans ce créneau.

Plus sagement, en décembre 1970, à l'approche de Noël, Radio-Canada met sur le marché des casse-tête, des *puzzles*, comme on dit en France, avec des images de *Bobino, Picolo, le Pirate Maboule, le Major Plum-Pouding*. Nous lançons également un nouveau disque, le numéro 6 de la collection de *Bobino et Bobinette*, intitulé *Le temps des fêtes*.

Dès le début de notre mandat à la Jeunesse, Rolland Guay, qui vient pourtant de la création, décide d'assumer davantage de responsabilités administratives et de me déléguer auprès des créateurs. Comme les réalisateurs sont parfois plutôt jaloux de leur autonomie professionnelle, quand je me pointe sur les lieux d'une production, en studio ou à l'extérieur, l'accueil n'est pas toujours cordial. Mais je suis heureux de cette position qui me permet non seulement de me familiariser avec la création mais aussi d'apprendre à connaître les créateurs. Il faut du temps, parfois des gants blancs aussi.

Certains se souviennent de l'année 1971 comme celle d'un grand ménage dans la programmation jeunesse: ce n'est pas mon avis. Dans les années 1960, nos émissions ont connu la gloire auprès des enfants et adolescents; elles ont aussi confirmé des auteurs, animateurs, réalisateurs et comédiens de grand talent qui vont, en majorité, poursuivre une longue carrière à la télévision comme à la scène et au cinéma, certains connaîtront même un succès international. Cette école de la télévision jeunesse a engendré une relève dans plusieurs champs d'activités artistiques. Sans nous priver des talents qui ont fait les succès d'hier, nous voulons aussi mettre en valeur les nouveaux créateurs qui émergent au début de ces années 1970, aussi bien des auteurs que des réalisateurs, car il faut bien offrir de nouvelles émissions aux enfants et adolescents. *La Boîte à surprise, Jeunesse oblige, La Souris verte* seront un jour des souvenirs classés parmi les grands succès de la télévision jeunesse, tout comme, avant eux, les *D'Iberville, Domino* (avec *Cloclo le clown,* alias Claude Léveillée) et *Pépinot et Capucine.*

Rolland Guay transforme la jeunesse

En deux ans, avec un courage, une détermination et une vision bien à lui, Rolland Guay, le nouveau responsable de la télévision jeunesse, donne un souffle nouveau à la programmation jeunesse, d'où surgiront les *Picotine, Nic et Pic, Du soleil à cinq cents, la Boîte à lettres, le Fricassée, Animagerie, Téléjeans, La Course autour du monde* et combien d'autres.

En février 1971, le bal des nouveautés est ouvert par *Maigrichon et Gras double* (1971-1974) qui succède à *Fanfreluche* à l'antenne à 16 h 30. Dans un pays qui ressemble à une dictature, les deux compagnons du titre s'enrôlent dans une milice et combattent des injustices en alliant l'intelligence de l'un et la force de l'autre, tout en s'aidant d'un médaillon magique. Réalisée par Hubert Blais, la série est écrite par Paul Legault et Luan Aslani, et met en scène des comédiens déjà connus de notre auditoire : Daniel Gadouas et Claude Michaud dans les rôles-titres ainsi que Louis de Santis, Gilles Renaud, Yvon Thiboutot, Monique Rioux, Louise Gamache...

La tempête du siècle

En mars, un événement hors de notre contrôle nous force à modifier notre rythme d'activités : la « tempête du siècle ». Les archives de Radio-Canada nous parlent de cette tempête du 4 mars 1971 comme de la plus spectaculaire que Montréal et le sud du Québec aient connue. Cinquante centimètres de neige (en Suisse, où l'on connaît pourtant la neige, un journal parle à la une d'un mètre d'accumulation !) et des vents qui soufflent jusqu'à 110 km/h. Les bancs de neige s'élèvent jusqu'à l'étage des maisons. Seuls les motoneigistes, ou, plus braves encore, les amateurs de ski de fond ou de raquette s'aventurent dans les rues. Il faut être comme Richard Garneau, l'annonceur au Service des sports, dans la force de l'âge et en pleine forme physique, pour réussir comme lui à se rendre au travail. Prisonnier des neiges à Boucherville, je décide que la meilleure façon de travailler est d'utiliser le téléphone. C'est comme ça que j'apprends qu'une de nos équipes de production s'est rendue tôt le matin au Centre international de radiotélévision, Cité du Havre, mais le camion qui doit livrer une partie du décor n'a jamais réussi à couvrir la distance depuis les entrepôts montréalais. Après la tempête, le soleil reprend ses droits dans un ciel très pur, mais les automobilistes ne retrouvent plus leurs voitures, enfouies sous les passants. On se rappelle aussi que c'est en ce 4 mars 1971 que Pierre Elliott Trudeau a pris pour épouse la jeune Margaret Sinclair sur les trottoirs bien secs de Vancouver. Il faudra attendre janvier 1998 et la tempête de verglas pour connaître une autre catastrophe de cette ampleur (je parle de la tempête, pas du mariage).

Les primitifs

Un nouveau coup d'éclat nous vient de ce producteur indépendant venu de France et installé à Montréal depuis 1967, Daniel Bertolino, de Via le monde, nous présente le premier volet de sa série sur les « Primitifs », *Me no savey*. Un documentaire fascinant tourné chez les Papous de la Nouvelle-Guinée et gagnant d'une médaille d'argent au Festival du film de New York : ce n'est pas rien ! Ce film est diffusé aux *Beaux Dimanches* de Radio-Canada le 28 mars 1971, et sera suivi de cinq autres documentaires d'une heure. Le cinéaste dit avoir capté les « dernières images des peuples traditionnels ». Nous serons les témoins, pendant cette heure, de la menace que fait peser la civilisation des Blancs sur les primitifs, et de l'attitude des Papous face à cette menace.

Les personnages de notre Service jeunesse font la joie des petits quand, comme par magie, ils sortent des écrans et se manifestent en chair et en os sur la place publique. En avril, les enfants sont invités à venir les rencontrer chez Morgan (aujourd'hui La Baie, en face du square Phillips) ; le troisième étage est envahi par les clowns, magiciens, jongleurs, comédiens et, bien sûr, les enfants, qui peuvent voir, parler et toucher à la Souris verte (Louisette Dussault) et à Bobino (Guy Sanche). Un souvenir impérissable pour ceux qui ont posé leur petites mains tremblantes dans celles de leurs idoles, et qui sont repartis avec leur précieuse autographe.

Marshall McLuhan et les enfants

Quelques jours plus tard, mise à l'antenne d'une nouvelle série issue de notre collaboration avec les pédagogues du ministère de l'Éducation du Québec : *Le Franbécois.* Aux commandes, le réalisateur James Dormeyer qui décidément ne craint pas d'innover à la télévision jeunesse ou ailleurs. Cette émission est diffusée à 10 heures le matin et relayée dans les classes d'école, aux élèves de 11 à 13 ans. L'objectif, selon le réalisateur, est de « permettre aux jeunes de s'exprimer librement à partir d'un thème donné ; les décomplexer, les libérer de toute forme d'inhibition ». Le jeune Dormeyer, venu de France après avoir tourné déjà pas mal de films en Afrique, est tout imprégné des théories du Canadien Marshall McLuhan sur les médias chauds, comme le film, et froids, comme la vidéo. Dans *Le Francébois,* il veut mettre ces théories en pratique : « Mon concept reposerait donc sur ces deux pôles que j'avais hâte de mettre en interaction. Comme les attentes du Ministère étaient de provoquer les jeunes à s'exprimer, il y aurait, en studio, la présentation de divers documents élaborés sur FILM, de manière à susciter des réactions, en direct, devant les caméras VIDÉO du studio, c'est-à-dire en temps réel, réactions non susceptibles d'avoir été transformées par le montage, ou comme on dit "arrangées avec le gars des vues" et donc les plus crédibles possibles. Le résultat fut vraiment intéressant, chaque médium jouant parfaitement son rôle. »

L'équipe est allée porter l'expérience aux confins du Québec et du Labrador, à Blanc-Sablon, où, cette fois, les jeunes se voient pour la première fois sur un écran de télé, alimentant à vif leur « autoéducation par médium interposé ». Un choc ! Dormeyer s'enflamme, emporté par les bonheurs de son aventure : « Doté de ce puissant instrument qu'est la télévision, je me suis promis que ses ondes miraculeuses, en autant que je le pourrais, et qu'on me le permettrait, seraient aussi ces nouveaux cordons de vie et d'amitié pour rejoindre des enfants tellement plus seuls que les enfants des villes. Les émissions jeunesse de Radio-Canada, et leur chef toujours à l'écoute, et à qui je rends hommage, m'ont permis bien souvent de tenir cette promesse, et je les en remercie. »

À mes fonctions de chef adjoint des émissions jeunesse, de qui relèvent aussi les émissions « scolaires », le grand patron Raymond David ajoute celles de « coordonnateur de toutes les communications touchant les consultations et pourparlers des services français avec les autorités et les organismes compétents dans le domaine de l'éducation ». Ces organismes sont le Conseil canadien des ministres de l'Éducation, le ministre de l'Éducation au Québec, le Conseil des universités de langue française et, à l'occasion, Radio-Québec.

Des émissions scolaires

À l'automne 1971, les émissions scolaires se suivent sur notre grille horaire, à l'intention des enfants du préscolaire jusqu'à la cinquième secondaire. Du lundi au vendredi, nous diffusons :

Les Oraliens (préscolaire et première année) de 9 h 15 à 9 h 30. Une production de Radio-Québec avec Laurent Lachance comme consultant pédagogique au ministère de l'Éducation. Dans cette émission, les personnages s'expriment dans un français parfait pour encourager les enfants à bien articuler et à employer le mot juste. Les rôles sont tenus par Serge L'Italien, Lisette Anfousse et Hubert Gagnon. Sur la promotion du bon usage du français, on retrouve aussi *Les 100 tours de Centour*, de 10 h 00 à 10 h 15, production de Radio-Québec à l'intention des élèves de l'élémentaire II ; le conseiller pédagogique est André Chamberland, Yves Massicotte interprète le rôle de Centour. *Éducation physique* (conseiller pédagogique, Paul Larue), une réalisation de René Verne en alternance avec *Arts plastiques,* dont le conseiller pédagogique est Claude Létourneau et la réalisatrice Lucille Baril. *Verso,* cours de français à caractère dramatique, est réalisé par René Boissay avec le conseiller pédagogique Pierre Chénier. *L'École chez vous* est constitué de films sur divers sujets, une réalisation de l'Office du film du Québec avec l'appui de la conseillère Louise Joubert. *Le Franbécois,* réalisé par James Dormeyer, avec les conseillers Geneviève Chabot et Gilles Gassé. *Plein air,* destiné aux élèves de l'élémentaire avec Paul Larue comme conseiller et Louis Philippe Beaudoin à la réalisation. Enfin, *Les examens,* à l'intention des élèves de la cinquième secondaire avec le conseiller Claude Létourneau, une production de Radio-Québec.

À l'été 1971, mon fils Patrick, déjà expert ès télévision du haut de ses cinq ans, apprécie en fin connaisseur une nouvelle émission diffusée le matin à 10 h 30, trois fois par semaine. Il est seulement étonné qu'elle soit en noir et blanc ; ce qu'il ignore, c'est que *Pépinot et Capucine* n'est pas une nouvelle émission, mais le grand succès des débuts de la télévision. Dans les années 1970, *Pépinot* poursuit ainsi sa longue carrière et continue de plaire aux nouvelles générations d'enfants.

En Tchécoslovaquie

Je n'avais pas traversé l'océan depuis mon séjour à Paris en 1955-1956. En 1971, je retourne en Europe pour la première fois. Je suis délégué en Tchécoslovaquie par le directeur des programmes au Festival international de télévision Praha : La Prague dorée. La barrière linguistique me joue un petit tour dès mon premier déjeuner avec mes camarades du jury international : quand mon voisin scandinave me demande ce que je veux manger, je réponds, en anglais, que tout me convient sauf, peut-être, le porc. La réponse fait le tour de la table en diverses langues, et quand je reçois mon plat... c'est du porc ! Du « téléphone arabe » dans sa plus belle expression ! Plus sérieusement, ma place dans le jury me permet de voir des œuvres très intéressantes en compétition. Mais cette cité millénaire, dont les « églises, palais, remparts, clochers, tourelles, arcades, cours et pignons » avaient tant séduit Hector Berlioz, exprimait plutôt, en 1971, la grisaille du régime communiste. Ses célèbres monuments romans et gothiques n'avaient pas été nettoyés depuis des lustres. Mais les visiteurs occidentaux pouvaient encore admirer son château royal et réentendre en pensée le poème symphonique que Smetana avait consacré à son fleuve, la Vltava...

Je repense avec une certaine tristesse à une rencontre en particulier, qui ne me rend guère sympathique le régime communiste. Lors de ce premier voyage à Prague, je loge à l'hôtel Esplanade, situé au cœur de la ville, rue Washingtonova. Curieux de se retrouver dans la « rue Washington » dans une capitale d'Europe de l'Est, en pleine guerre froide... Un soir, le concierge de l'hôtel, un homme un peu plus âgé que moi, m'interpelle du fond du lobby, après s'être assuré qu'il n'y avait personne autour. Nous causons un moment ; cet homme cultivé, certainement issu d'une famille bourgeoise, sinon aristocratique, qui semble beaucoup trop qualifié pour son humble fonction, sort discrètement de sa poche une lettre qu'il me demande de passer à son frère, médecin à Montréal, dans le quartier Côte-des-Neiges, ce que, bien sûr, j'accepte. Désolant de voir quelles tâches peu valorisantes sont dévolues à des femmes et des hommes intelligents qui ne soutiennent pas le régime. Lors d'un autre séjour en Tchécoslovaquie, j'ai cherché à retrouver, sans succès, un patron de la télé avec qui j'avais eu d'excellents rapports. Apprenant l'objet de mes recherches, un homme s'approche de moi dans la rue, jette un coup d'œil à gauche, puis à droite pour se protéger des oreilles indiscrètes, et m'apprend que ce grand patron travaille maintenant dans la rue... avec un balai.

Attentat au Maroc

Profitant de mon séjour en Europe, j'ai fait un crochet par le Maroc pour y passer trois semaines de vacances avec ma femme Claudette et ma sœur Diane. Un voyage inoubliable. Nous avons parcouru le pays dans tous les sens. Le 10 juillet, veille de notre départ vers Paris, nous décidons d'aller voir un film au cinéma à côté de notre hôtel. Alors que le générique de fin n'a pas commencé à se dérouler, des hommes font irruption dans la salle et nous ordonnent de l'évacuer. Nous croyons qu'un incendie s'est déclaré. Tous les spectateurs sortent dans la rue. En rentrant à notre hôtel, le Mansour, on apprend qu'il y a eu attentat contre le roi. C'est partout la panique ; on parle de fusillade, d'insurrection, de révolution. La ville est éclairée, mais aucune voiture ne roule sur le boulevard. C'est comme un couvre-feu. Une fois dans notre chambre, nous entendons l'annonce que des insurgés ont tué le roi et pris le pouvoir. Nous croyons entendre citer le nom de Kadhafi ; la radio nationale marocaine, qui fait cette annonce, serait-elle déjà aux mains des insurgés ? Nous descendons à la salle à manger pour en savoir plus. C'est la confusion totale : on sent très rapidement que les employés sont partagés entre les fidèles du roi et ceux qui sont en faveur d'un changement de régime. Et ça discute fort. Retour dans notre chambre où nous syntonisons France Inter pour entendre que le roi est vivant. L'attentat a eu lieu au palais d'été de Skirat lors d'une réception pour le 42e anniversaire d'Hassan II.

Le lendemain matin, jour du départ, on nous confirme que notre avion d'Air France doit décoller comme prévu. Pas facile de ramasser les bagages, d'aller à pied vers la gare d'autobus pour nous rendre à l'aéroport. Les étrangers ne se sentent pas tellement en sécurité. Nous montons dans le bus sous escorte armée. Un autre Québécois présent dans le bus vocifère contre les Marocains ; heureusement que personne d'autre ne peut comprendre ces gros mots bien québécois. À l'aéroport, je m'entretiens avec des journalistes de l'ORTF qui arrivent de Paris. Ils veulent entendre un confrère de la télévision canadienne sur les événements de la veille. Cette conversation est surprise par des militaires qui me retiennent quand j'allais rejoindre ma femme et ma sœur dans la zone réglementée de l'embarquement. Pendant un bon moment, les officiers marocains me questionnent, voulant savoir à quel titre je causais avec les journalistes de la télévision française. Quand je leur dis que je suis le directeur de la télévision jeunesse à Radio-Canada, mes interrogateurs s'excusent poliment, puis m'autorisent à traverser et à rejoindre les deux femmes inquiètes. Une fois bien assis dans l'avion d'Air France, nous apprenons avec soulagement que l'armée marocaine a repris le contrôle, et que le roi est indemne. La suite, c'est de l'Histoire.

À l'automne, nous lançons une nouvelle aventure qui s'adresse aux grands adolescents, le samedi à 18 h. Notre auditoire visé pour *Caméra moto* est le groupe des 14-20 ans. Je dis « une aventure » parce que ce public est difficile à retenir à la télévision jeunesse et, peut-être avec témérité, nous croyons pouvoir modifier ce comportement. Dans l'émission, deux jeunes touristes de l'information sillonnent le Québec à la recherche de sites, de personnalités, de projets, de sujets de reportages susceptibles d'intéresser le public cible. Les animateurs sont Serge L'Italien et une nouvelle venue qui fera plus tard carrière d'écrivaine, Arlette Cousture. L'ex-chef adjoint du Service jeunesse, Pierre Duceppe, est recherchiste et scripteur. L'émission a deux réalisateurs : Jacques Demers et Pierre-Jean Cuillerier. À l'hiver, j'assiste à un tournage (film) à l'extérieur. C'est mon baptême. Ce jour-là, j'apprends qu'il faut des heures pour mettre quelques minutes de film sur la pellicule. Et l'on ne sait pas combien de ces minutes se retrouveront au montage final. Nous avons lancé un filet à l'eau : cette série filmée va durer une année.

Jean Bissonnette, champion des variétés

Quelques œuvres ont marqué cette année 1971 ; évidemment, c'est un choix personnel, 40 ans après les faits.

L'année 1971 a débuté à minuit pile avec la fin du *Bye-Bye 70* de Jean Bissonnette, réalisateur au Service des variétés. L'année commence ainsi sur les derniers éclats de rire du public, encore secoué par la performance tordante d'Olivier Guimond en soldat ivrogne qui monte la garde devant la maison d'un dignitaire de Westmount ; nous avions bien besoin de rire un peu après l'épisode douloureux de la crise d'Octobre. Un classique de la télévision chez nous. Merci Jean Bissonnette.

Jean a réalisé plusieurs grands succès à l'antenne de la télé publique des années 1950 aux années 2000 : *Music-Hall* avec Michelle Tisseyre ; *Au p'tit café* avec Dominique Michel, Normand Hudon et Pierre Thériault, l'ancêtre des *Bye-Bye ; Les Couche-tard* avec Roger Baulu et Jacques Normand, où l'actualité est croquée par les caricaturistes Normand Hudon et Frédéric Back, et dont l'indicatif musical est l'œuvre d'un jeune auteur-compositeur, Jean-Pierre Ferland ; *Moi et l'autre* qui dure cinq saisons, de 1966 à 1971, un succès incontestable écrit par Gilles Richer, avec Dominique Michel, Denise Filiatrault,

Roger Joubert, Réal Béland et Roger Garand; *Appelez-moi Lise,* avec Lise Payette et son assistant Jacques Fauteux, nous tiendra éveillés 1972 à 1976; c'est dans ce *talk show* qu'une fois l'an on procédait au *Concours du plus bel homme du Canada,* parodie féministe des concours de beauté pour femmes. Après son départ de Radio-Canada, Jean Bissonnette produit encore dans le privé les 130 épisodes de la série *Un gars, une fille,* créée par Guy A. Lepage et diffusée à notre antenne. Ces courtes tranches de vie humoristiques de nos deux trentenaires amoureux Sylvie (Léonard) et Guy (A. Lepage), ont été adaptés dans une vingtaine de pays. Un autre grand succès de la télévision publique québécoise.

Les téléthéâtres aux Beaux Dimanches

Radio-Canada se distingue encore, en 1971, dans un genre qu'elle a pratiquement inventé: le téléthéâtre. Dans le cadre des *Beaux Dimanches*, on peut voir des œuvres raffinées et parfois exigeantes, signées par des auteurs d'ici ou d'ailleurs:

Des Souris et des hommes, adapté de l'Américain John Steinbeck par Guy Dufresne et interprété par Hubert Loiselle, Jacques Godin, Luce Guilbeault, Gérard Poirier, Benoît Girard, René Gagnon et Edmond Grignon. Une magnifique histoire d'amitié entre des itinérants à la recherche d'emplois, là où la pauvreté ne limite pas les rêves. Une réalisation de Paul Blouin, un grand classique de notre télévision. *Au retour des oies blanches*, une œuvre de Marcel Dubé, sa meilleure, a-t-on dit, la plus grave, la plus tragique aussi; un jeu de la vérité. Une réalisation de Louis-Georges Carrier ave Marjolaine Hébert, Louise Marleau, Guy Boucher, Marthe Thiéry, Georges Groulx, Serge Turgeon, Catherine Bégin, Suzanne Marier.

En pièces détachées, de Michel Tremblay, qui avait remporté le Concours des jeunes auteurs de Radio-Canada en 1964, avec *Le train*. Une de ses premières œuvres, *En pièces détachées,* est réalisée pour la télévision par Paul Blouin avec Sophie Clément, Luce Guilbeault, Hélène Loiselle, Claude Gai, Christine Olivier, Micheline Pomrenski.

Encore cinq minutes, une création de Françoise Loranger, est réalisée par Louis-Georges Carrier. Ce conflit des générations, ce portrait d'un couple qui se déchire, cette révolte des enfants contre les parents parce qu'ils veulent vivre leur vie, cet amour possessif de la mère pour son fils, sont exprimés par les Marjolaine Hébert, Jean Duceppe, Marie-Claire Nolin, Guy Boucher...

Je dois faire un crochet par la radio, une fois n'est pas coutume, pour signaler un monument de chez nous. L'année 1971 marque la naissance d'une longue aventure avec un homme qui a été, tour à tour, animateur d'émissions d'affaires publiques et disc-jockey. J'ai lu quelque part qu'il avait été choisi en 1970 pour aller *Par quatre chemins*, du lundi au vendredi, « du fait de son éclectisme ». À quarante ans, Jacques Languirand s'engage sur un très long chemin. Il a déjà beaucoup vécu : avec Charles Dullin à Paris, homme de théâtre, de communications, de télévision, tantôt comédien tantôt auteur, animateur. Je le retrouverai au début des années 1980, dans une série pour la télé. Sa démarche à *Par quatre chemins*, il la décrit comme suit : « Notre époque exige une grande adaptabilité au changement. Mais c'est aussi l'époque la plus créatrice de l'histoire de l'humanité. Il s'agit de communiquer une démarche, une passion afin de comprendre mieux le monde et de se comprendre mieux soi-même. Cette démarche est tout à fait subjective, elle n'est pas scientifique, plutôt circulaire, au sens originaire de mettre le savoir en circulation. » Jacques Languirand ira *Par quatre chemins* pendant plus de 40 ans.

Radio-Canada, championne mondiale de la jeunesse

Pour terminer cette première année au service de l'enfant, je cite ici Guy Lessonini, chroniqueur à TV Hebdo qui écrivait : « Aucune télévision au monde ne présente autant d'émissions pour enfants que la télévision de Radio-Canada. Le réseau français de Radio-Canada produit dix-neuf heures d'émissions pour enfants par semaine et en diffuse vingt-quatre. » Je ne me rappelle pas s'il exagérait un peu. Mais je lui répondrai : « Les enfants de 3 à 12 ans, passent de 25 à 30 heures par semaine devant leur écran de télévision... C'est ainsi depuis la naissance de la télévision publique, Radio-Canada a choisi de consacrer une part importante de ses moyens – budget et matière grise – aux programmes pour enfants ». En somme, en cette année 1971, nous

nous adressons aux enfants de 9 h à 11 h et de 16 h à 18 h du lundi au vendredi, plus les matinées du samedi et du dimanche, plus quelques autres créneaux en fin d'après-midi et en début de soirée. En 1970, selon les chiffres que je retrouve aux archives, 50 % des enfants regardent à 16 h 30 une des trois émissions qui leur sont offertes par Radio-Canada, TVA ou CFCF (CTV). Nous sommes encore bien loin des ordinateurs et des tablettes numériques qui vont ouvrir de nouveaux horizons aux enfants et adolescents aux doigts agiles. Un pédagogue, à l'époque, a dit que la télévision était l'horloge des enfants : « Je me suis couché après le *Donald Lautrec Chaud;* j'ai dû étudier pendant *Sol et Gobelet...* »

14

RADIO-CANADA, GARDERIE NATIONALE

Voici une année qui débute avec une flopée de nouvelles émissions pour la jeunesse développées en 1971. Notre équipe d'auteurs et de réalisateurs, dont plusieurs ont récemment été affectés au Service jeunesse, a conçu quatre émissions pour occuper le créneau tenu pendant plusieurs années par *La Souris verte.* Il s'agit aussi de respecter l'orientation qui prévalait avec *La Souris verte*, née en 1964, qui a connu plusieurs transformations pendant ses sept années de production. Cette orientation, qui restera prioritaire dans l'avenir, continue de favoriser le divertissement tout en permettant, dans la mesure du possible, d'apprendre quelque chose à l'enfant et particulièrement au tout-petit. Une sorte de maternelle publique ou même une garderie télévisée, avant la loi.

De la jeunesse tous les matins

Ces émissions qui prennent l'affiche dès la première semaine de janvier 1972, sont : *Les Chiboukis,* née de l'imagination de l'auteure Pierrette Beaudoin, qui avait déjà contribué à *La Souris verte.* Ces Chiboukis sont des extraterrestres qui possèdent le pouvoir de se transformer à volonté et qui entraînent les enfants dans des aventures inspirées par des objets qui leur sont familiers. Cette série invite les tout-petits à prendre conscience d'eux-mêmes et de leur environnement, plus particulièrement des phénomènes physiques qui les entourent. On y retrouve Christiane Pasquier dans le rôle de Pragma et Benoît Marleau dans celui du rêveur ; une réalisation de Guy Comeau.

Le Sac à malice est diffusé le mardi et le jeudi. On y invite quatre ou cinq enfants en studio. Il ne s'agit donc pas pour eux de venir en spectateurs mais bien de jouer, bricoler, chanter, manipuler des marionnettes. Deux personnages, Louisette et Bouboule, les accueillent. Les interprètes sont Louisette Dussault qui, de *La Souris verte,* redevient Louisette, et Alain Gélinas qui fait Bouboule... (Alain est le fils de Gratien et le père de Mitsou). Cette série est écrite par Henriette Major, connue déjà comme écrivaine (avec, entre autres, *Un drôle de petit cheval*) et qui demeure une des grandes auteures de littérature jeunesse du Québec, honorée par plusieurs prix nationaux et internationaux. *Le Sac à malice* est une réalisation de Renault Gariépy.

Le mercredi, c'est *Clak*, émission composée de trois modules : Coco-Soleil, la psychomotricité et les Touffus. Les Touffus, comme Coco-Soleil, constituent, sous une forme dramatisée, une sorte d'introduction à la pensée logique. Définition étonnante quand l'émission est destinée aux tout-petits. Il s'agit de traiter des concepts grand-petit, épais-mince, devant-derrière de manière amusante. Quant au module sur la psychomotricité, on y invite les enfants, dont certains sont présents en studio, à prendre conscience de leur schéma corporel par des exercices de coordination, de dissociation et d'équilibre. L'équipe de comédiens et leur façon d'illustrer ces thèmes font toujours le bonheur des tout-petits. On verra dans *Clak,* sous la direction du réalisateur Guy Comeau, les comédiens Jacqueline Barrette (auteure et aussi interprète de Carotte), Jocelyne Goyette (Tomate), Micheline Deslauriers (Piment), André Richard (cueilleur de son) et Jean-Pierre Ménard (Coco-Soleil), Vanessa Solioz (à la psychomotricité) et Ginette Bellavance (trame musicale).

Enfin, le vendredi, c'est *Au Jardin de Pierrot.* Pierrette Boucher, en Pierrot, enseigne aux enfants présents en studio une chanson tirée du folklore québécois. Cette chanson est tantôt chantée, tantôt mimée, parfois dansée ; la répétition, comme le jeu, permet d'enseigner tout en amusant.

À l'été, ces nouvelles émissions cèdent la place aux reprises de *La Souris verte* qui, depuis des années, vaut à la Société des commentaires élogieux, entre autres de la part des enseignants qui l'utilisent pour aider leurs élèves à enrichir leur vocabulaire.

Une autre série, filmée celle-là, est diffusée le vendredi à 10 h 15 ; il s'agit de *Tribulle*, qui met en scène un mage et le ouaouaron gardien de l'étang d'Iris. Ces deux marionnettes vivent au pays fantaisiste de Nébulie. Le mage possède toute la connaissance du monde. Il initie les enfants aux us et coutumes de leurs animaux préférés. Cette information, il la communique à son auditoire de tout-petits sous forme de devinettes ; chaque jeu est introduit soit par le téléphone, soit par le disque, soit par la télévision, ce qui permet également aux enfants de se familiariser avec les moyens de communication... de l'époque. *Tribulle* est une production de la société Via le Monde, que dirige Daniel Bertolino, avec les textes de Pierre Sarrazin, réalisation de Robert DesRosiers et Yves André.

Samedi matin, parents reconnaissants

Le samedi matin est toujours le royaume de la télévision jeunesse à Radio-Canada. Notre chaîne de télévision permet à une majorité de parents de faire la grasse matinée : nous nous occupons de leurs enfants. Ouf! Parmi les séries étrangères de dessins animés, il y a une émission qui fait carrière depuis longtemps et qui mérite d'être signalée à nouveau. Elle a d'ailleurs été distribuée dans plusieurs pays et a récemment mérité un hommage au premier Festival international de programmes de télévision pour les enfants et les jeunes de Bratislava : il s'agit de *Tour de terre*. Cette série de 225 demi-heures est l'encyclopédie des jeunes téléspectateurs canadiens francophones de 7 à 77 ans. On y parle de fleurs, de microbes, des métiers de la construction ou des oiseaux de proie, des pompiers ou des épices, de la mythologie grecque aussi bien que de la peur. Chansons, dramatisations, reportages illustrent le sujet choisi.

Des souris qui voyagent, des pays qui achètent

Mais le bloc le plus considérable d'émissions destinées aux enfants et adolescents occupe la grille des programmes de 16 h à 18 h. *Bobino*, grand frère attentif et attachant de l'espiègle Bobinette, est toujours là à 16 h, du lundi au vendredi, et pour longtemps encore. Pour son émission, nous faisons l'acquisition de dessins animés qui proviennent tantôt de notre voisin du Sud, tantôt d'Europe de l'Ouest et de plus en plus d'Europe de l'Est, un réservoir où nous trouvons beaucoup de qualité et d'originalité. En plus de présenter des dessins animés, Bobino fait aussi honneur aux petits artistes de son auditoire, en présentant chaque vendredi des dessins d'enfants reçus par la poste. Nous en recevons chaque semaine des milliers en provenance des quatre coins du Québec et d'ailleurs.

Cette année, nous faisons quelques expériences dans le créneau de 16 h 30, traditionnellement occupé par les personnages issus de *La Boîte à surprise.* Dès le 5 janvier, les enfants découvrent deux souris, *Nic et Pic*, qui voyagent en montgolfière à travers le monde, dans l'espace mais aussi dans le temps. Un beau divertissement hebdomadaire. Les auteurs initient leurs petits téléspectateurs à l'histoire, à la culture et, évidemment, à la géographie puisque les souris visitent des endroits inconnus des enfants de chez nous. Les comédiennes Jocelyne Goyette et Louise Matteau font parler les deux marionnettes conçues et manipulées par deux éminents marionnettistes, Nicole Lapointe et Pierre Régimbald. J'ai appris plus tard que les noms de Nic et Pic sont d'ailleurs dérivés de Nicole et de Pierre. Cette série durera cinq ans, de 1972 à 1977. Les premiers épisodes sont écrits par Gaétan Gladu et Roland Lepage ; à la fin de 1972, Michel Cailloux leur succède (il écrira 64 épisodes). La réalisatrice Hélène Roberge consacre à cette série un bon moment de sa vie et tout son talent. Plusieurs comédiens accompagnent Nic et Pic : Dorothée Berryman, Yvan Canuel, Louis de Santis, Michèle Deslauriers, Marie-Lou Dion, Ronald France, Hubert Gagnon, Jacques Lavallée, Normand Lévesque, Benoît Marleau, Claude Préfontaine. À la musique, toujours le meilleur, Herbert Ruff.

À l'instar de nos deux souris, la série fait elle aussi le tour du monde, un exploit encore assez rare à l'époque ; d'abord au sein de la Communauté des télévisions francophones, où les petits Belges sont les premiers à faire leur connaissance ; les Suisses achètent vingt-six épisodes et les Français emboîtent le pas à l'automne. On lance aussi en France des disques et des jeux de *Nic et Pic.*

Les souris voyageuses vont aussi séduire les petits Canadiens anglais via la CBC, grâce à l'intervention de notre vice-président et ancien responsable des émissions jeunesse, Pierre DesRoches, auprès de nos collègues à Toronto. L'adaptation en anglais de 29 épisodes pour le Canada anglais nous permet de doter la série d'une bande internationale ; elle devient donc disponible dans toutes les langues selon les besoins des pays acquéreurs. Notre service des relations internationales, dirigé avec talent par Laurier Hébert, conclut des ententes entre autres avec le Maroc et la Tunisie. *Nic et Pic* est la première sélection de l'IRTE (Institut de radiotélévision pour enfants) au palmarès des meilleures productions pour enfants au Canada.

Grand-père Caillou et Picotine

Pour les professionnels, André Cailloux, homme de théâtre et de télévision, est le grand frère de Michel Cailloux. Pour les enfants, André est ce « grand-père Cailloux », qui leur a raconté tant d'histoires dans différentes émissions. Pendant l'été 1972, André Cailloux est à nouveau Ulysse dans *Ulysse et Oscar*, qui remplace *Bobino* dans la grille d'été depuis plusieurs années. Aux enfants, Ulysse raconte ses voyages. Il a pour compagnie son lion Oscar, souvenir vivant d'un safari en Afrique, qui parle par la voix de Robert Rivard. Il y a aussi la souris Hortense, avec la voix de Claude Brabant, qui se glorifie d'être née à la bibliothèque d'Alexandrie au Caire. Ainsi, même l'été, nos émissions continuent d'explorer les chemins de la culture et de la connaissance, thèmes chers au grand-père Cailloux.

On m'appelle Picotine parce que j'ai une drôle de mine, des picots plein la figure et de drôles d'aventures, avec mon ami Fantoche, du soleil plein la caboche, et aussi mon petit chien, Poil de peluche que j'aime bien. *Picotine* (Linda Wilscam) vit dans un arbre avec son chien Poil de peluche (voix de Guy L'Écuyer) ; participent à ses aventures son grand frère Fantoche (Michel Dumont), le clown Naimport Tequoi (François Tassé), le Prince des vents (Marcel Sabourin), Raminat Grosgros (Lionel Villeneuve), Jujube (Louisette Dussault), Farfelu (Jean-Pierre Chartrand), Monsieur Simon (Luc Durand), Madame Jean Tilledam (Huguette Uguay). Picotine est une petite fille romantique et aussi espiègle ; sa joie est contagieuse. Toutefois, ses sautes d'humeur et ses moments de tristesse rendent tristes aussi les amis qui partagent ses aventures. Mais il faut savoir que chez Picotine l'imagination a tous les droits. *Picotine* avait été créée pour un théâtre d'été ; de la rencontre de sa créatrice, Linda Wilscam, avec le réalisateur Maurice Falardeau est née cette série télé qui prend l'affiche à l'automne 1972 et qui connaîtra une belle carrière jusqu'au printemps 1975, carrière émaillée de reprises, de disques et de DVD... Les textes sont de Linda Wilscam et Michel Dumont, la musique d'Herbert Ruff et la réalisation de Maurice Falardeau et Michel Gréco.

Stéphane Laporte, expert à 10 ans

Psst Psst Aïe là !, une création du dynamique Gilles Sénécal et de son équipe, prend l'affiche le samedi matin de 10 h 30 à 11 h 30, du 9 septembre au 9 décembre 1972. C'est une encyclopédie destinée aux jeunes de tous les âges. On y trouve des mini-émissions sur une foule de sujets : les mathématiques, le corps humain, la physique, le hockey, l'histoire de la guitare, le mot, l'Atlantide, l'électricité... La distribution est exceptionnelle : Benoît Girard, Lise LaSalle, Jean Besré, Denyse Chartier, André Cartier, Christiane Pasquier, Michel Dumont, Gilles Renaud, Louise Laprade, Robert Gravel, François Tassé... Aux textes, Réjane Charpentier et plusieurs autres, notamment Ronald Prégent, qui signe la dernière émission du 9 décembre : une invitation à visiter un musée des horreurs mathématiques, évidemment avec beaucoup d'humour.

Ici je me permets de faire un saut au XXIe siècle pour aller retrouver le chroniqueur Stéphane Laporte qui, chaque dimanche, dans *La Presse*, nous offre un souvenir d'enfance. Le 26 novembre 2006, sa chronique s'intitule « Émissions pour enfants ». Il se rappelle être venu dans les locaux de Radio-Canada pour visionner, en compagnie d'une centaine d'autres enfants de la région de Montréal, l'émission pilote de *Psst Psst Aïe là !*, la nouvelle série hebdomadaire qui doit remplacer *Tour de terre*. On comprendra que Stéphane Laporte aimait beaucoup *Tour de terre*, animée par Lise LaSalle et Jean Besré. Interrogé après le visionnement, Laporte fait ce commentaire : « Je pense que ça *va pas* avoir du succès. » Comparant *Psst Psst Aïe là !* à *Tour de terre*, il dit : « Ce n'était pas mauvais. C'était juste pas ça. » Et il ajoute, toujours dans sa chronique de *La Presse:* « Faut dire que la barre était haute. Remplacer *Tour de terre,* c'était comme remplacer *Bobino*. Pas évident. »

Toutefois, Radio-Canada n'abandonne pas tout de suite la série préférée de Stéphane Laporte. Il est important de souligner ici que l'opinion d'un jeune écolier montréalais est aussi importante pour Radio-Canada que celle de n'importe quel autre téléspectateur. S'il n'y croit pas, il peut fermer le poste, voir ailleurs, aller jouer dehors ; ou bien il peut exprimer son opinion. Quand j'ai dirigé le Service jeunesse, le point de vue des enfants et adolescents, notre auditoire, était toujours très apprécié de nos auteurs et réalisateurs.

Dormeyer frappe encore

Le vendredi 7 janvier, entre 16 h 30 et 17 h, une formule tout à fait nouvelle prend l'affiche à Radio-Canada : *Téléchrome.* Cette émission s'intéresse au besoin de communiquer de jeunes Québécois de 7 à 16 ans, par le biais d'une création picturale collective ; le but est d'encourager les jeunes à s'exprimer le plus clairement possible. Voici comment : trois adolescents, délégués par leur école, doivent exécuter en studio une œuvre picturale sur un thème choisi en suivant les instructions des téléspectateurs qui les appellent au téléphone. C'est une animatrice de onze ans, en studio elle aussi, qui fait le lien entre l'idéateur à la maison et l'illustrateur en studio. Pendant la demi-heure d'antenne, des intervenants au téléphone se suivent pour faire des propositions qui s'ajoutent à l'œuvre en cours. Il faut donc que le jeune téléspectateur au téléphone soit clair et précis dans ses instructions pour que l'illustrateur sache quoi dessiner. D'une semaine à l'autre, les artistes et les téléspectateurs doivent corriger la trajectoire de la création pour cerner davantage le but recherché. On reconnaît là la démarche innovante du réalisateur James Dormeyer qui nous avait donné quelques années plus tôt *Le Franbécois*.

À la première émission, nous avons couvert tous les angles et nous pensons bien avoir là une entreprise fort originale. Mais le lundi suivant, je reçois un appel d'une agente de relations publiques de la compagnie Bell ; celle-ci, cachant mal son irritation, m'informe que nous avons accaparé leurs circuits à un tel point que d'autres usagers ont été empêchés de s'appeler ; une seule émission a fait sauter les circuits de Bell Canada ! Nous sommes en 1972. Dans la revue hebdomadaire de la Société, *Ici Radio-Canada*, on trouve ce commentaire : « Les jeunes répondent avec tant d'enthousiasme aux appels de l'animatrice que les circuits téléphoniques sont débordés. S'il y avait à nouveau surcharge, cela pourrait compromettre l'existence de *Téléchrome.* » Nous devons donc découper notre auditoire et n'accepter chaque vendredi que les appels provenant des téléspectateurs dont le nom commence par A, B et C... la semaine suivante ce sera au tour de D, E, F... et ainsi de suite. La compagnie Bell semble satisfaite de cet arrangement : elle ne nous a plus appelés pour se plaindre. La première saison de *Téléchrome* se termine en juin.

Uderzo, Bretecher et les autres à Téléchrome

L'émission revient en fin d'année pour une deuxième saison, avec quelques modifications. D'abord, d'une demi-heure le vendredi après-midi, *Téléchrome* passe à une heure le samedi matin, où elle succède à *Psst Psst Aïe là !* de 10 h 30 à 11 h 30. C'est l'animatrice chevronnée Lise LaSalle qui prend les commandes. Il s'agit maintenant de créer une bande dessinée, toujours à partir de thèmes chers aux adolescents. Trois jeunes scénaristes et six dessinateurs ont été recrutés dans diverses écoles et créent l'amorce d'une histoire en collaboration avec un recherchiste et un graphiste affectés à l'émission. Le projet de scénario est exposé aux téléspectateurs au début de l'émission ; l'animatrice appelle alors au téléphone trois téléspectateurs à leur domicile, choisis parmi ceux qui ont fait parvenir une carte postale à *Téléchrome*, pour qu'ils dictent la suite de l'histoire... Puis Lise appelle trois autres participants... et ainsi de suite. À la fin de l'émission, les jeunes à la maison sont invités à faire parvenir au Service jeunesse de Radio-Canada leurs idées pour terminer l'histoire et ainsi ils pourront remporter des prix. C'est dans cette émission que Nathalie Petrowski fait ses débuts à la télévision : c'est elle qui supervise le développement du scénario, en interaction téléphonique avec les téléspectateurs.

Des invités de marque font à l'occasion leur apparition dans l'émission; profitant d'une tournée de promotion au Canada, les dessinateurs vedettes de la maison Dargaud envahissent le studio; prenant la place habituelle des artistes ados, Uderzo, le dessinateur d'Astérix, Fred, le dessinateur de Philémon, Tabary, le dessinateur d'Iznogoud, Philippe Druillet, le bédéiste de science-fiction, Gottlib des Dingodossiers et Claire Bretecher apportent leur propre contribution à l'œuvre en cours. Rien de moins! Le décorateur Pierre Major a conçu un module à six places pour permettre aux énormes caméras de studio de filmer chaque dessinateur sous plusieurs angles, et d'aller chercher en très gros plan le crayon sur le papier. James Dormeyer se souvient que les dessinateurs européens se sont amusés comme des enfants avec la couleur en «spray», innovation américaine qu'ils n'avaient jamais encore utilisée. Il se souvient aussi d'une habitude de l'animatrice qu'il a intégrée peu à peu dans la trame de l'émission: «Lise LaSalle arrivait toujours en studio avec une magnifique pomme qu'elle croquait petit à petit, durant l'heure, dès qu'elle n'était pas dans le champ d'une caméra. Elle posait cette pomme devant elle sur une assiette à dessert… Alors, de temps à autre, les caméramen facétieux commencèrent à m'envoyer l'image de la pomme qui peu à peu devenait trognon… si bien que finalement, comme un leitmotiv, je mis cette image à l'antenne pour indiquer que l'heure avançait… et qu'il était bon de manger des fruits!»

La télévision, pour le réalisateur James Dormeyer, est un appel à l'imagination et à la créativité; nous entrons dans l'ère du médium de participation. J'aurai l'occasion de décrire plus tard d'autres concepts que développera ce réalisateur brillant et tenace qui a fait bien des expériences inusitées avec chaque fois des objectifs très précis. Il fera carrière non seulement aux émissions scolaires et jeunesse mais aussi avec brio aux émissions dramatiques et musicales.

Une autre production interne, filmée celle-là, prend l'affiche au tout début de l'année 1973; elle s'adresse aux 10-12 ans et veut mettre en relief les activités personnelles et les passe-temps des pré-adolescents qui représentent soit un effort particulier, soit une bonne dose d'imagination, mais toujours un attrait exceptionnel. On y rencontre notamment Sylvie, qui nous fait part de sa passion pour les animaux et la nature, Martin amateur d'astronomie, Alain le chef cuisinier de onze ans, Robert l'entomologiste et plusieurs autres. Cette émission intitulée *Pour passer le temps* est une réalisation de Claude Désorcy.

CBC et Radio-Canada ne se fréquentent guère

Pendant qu'au Service de télévision jeunesse nous nous préoccupons de nouvelles émissions à mettre à l'antenne pour notre jeune public, il se passe plein de choses autour de nous.

Du 14 au 18 mai 1972, le CCCY (Conseil canadien pour l'enfance et la jeunesse) organise une rencontre internationale au réputé Guild Inn à Scarborough près de Toronto. C'est une consultation sur la télévision et l'enfance à laquelle sont conviées Radio-Canada et CBC; les deux sœurs, je dois l'avouer, ne se fréquentent guère, encore moins pour échanger sur le contenu de leurs émissions. Deux cultures qui s'ignorent, mais nous n'avons pas inventé au Canada les deux solitudes.

Notre hôtesse, l'initiatrice de cette rencontre, Margery King du CCCY, a aussi invité des représentants européens: Molly Cox de la BBC (Londres), une grande réalisatrice, une dame de cœur et d'esprit qui sera une bonne amie pendant des années, jusqu'à sa mort survenue hélas trop tôt; Gertrud Simmerding de la Fondation Prix Jeunesse (Munich); Pierre Mathieu de l'ORTF (Paris), un homme charmant lui aussi qui nous quittera bien avant son temps; et Tamas Scecsko de la Radio Télévision Magyare (Budapest). Radio-Canada m'y a délégué avec trois réalisateurs des émissions jeunesse, Guy Comeau, James Dormeyer et Renault Gariépy, afin de dresser le portrait de notre télévision jeunesse francophone à l'intention de nos collègues anglophones. Du côté anglophone canadien, John Twomey de l'Institut Ryerson de Toronto a hérité de la même mission. Je ne sais pas pourquoi on n'a pas plutôt confié cette mission au responsable de la télévision jeunesse de la CBC, John Kennedy.

Pendant ces quatre jours, nous pouvons non seulement partager nos connaissances et nos questionnements, mais aussi nous interroger sur les suites à donner à cette première rencontre. Ces suites, on en connaîtra les couleurs et, plus important, les objectifs en 1974 lorsque Margery King réussira à mettre sur pied un organisme dont le but, clairement affirmé, est la promotion de l'excellence dans la diffusion d'émissions de télévision destinées aux enfants du Canada.

L'Acadie, l'Acadie en ondes

Du côté de la télévision tous publics, il y a un événement dont j'ai envie de dire quelques mots pour des raisons à la fois personnelles et professionnelles. C'est la diffusion, le 8 janvier à 20 h, du dernier film du tandem Michel Brault et Pierre Perreault, produit par l'ONF : *L'Acadie, l'Acadie*. S'il me revient à la mémoire, c'est qu'il y est question du pays de ma très jeune enfance. Il traite du réveil acadien chez les jeunes francophones de l'Université de Moncton au moment des manifestations de 1968 et 1969 et du combat de ceux-là en faveur de la langue et de la culture acadiennes. Aiguillonnés par les insultes et l'ironie des anglophones à leur endroit lors de leur marche sur l'hôtel de ville de Moncton, les jeunes vont déposer une tête de cochon devant la maison du maire Leonard Jones. Pas très poli sans doute mais sûrement efficace puisque ce geste est passé à l'histoire.

Affinités sélectives en Europe du Nord

En mars, je suis à Paris pour assister à ma première Commission jeunesse de la CTF (Communauté des télévisions francophones) où je retrouve mes collègues Pierre Mathieu de l'ORTF, Laurence Siegrist de la SSR (Télévision suisse romande), Pierre Deschamps et Léon Daco de la RTBF (Radio télévision belge francophone) et Jacques Antoine, le grand spécialiste européen des jeux à la télé qui ne manque pas de nous en proposer à chacune de nos réunions. Il réussit à nous en passer un : *La Règle d'or* est une joute physique et intellectuelle, une création de Jacques Antoine et Jacques Solness qui met en compétition six pays européens : France, Suisse, Canada, Belgique, Luxembourg et Monaco. Une coproduction de la Communauté des télévisions francophones. La série ne connaîtra qu'une courte saison d'été.

Quelques mois plus tard, je me retrouve à nouveau en Europe, à Bruxelles cette fois, à l'occasion d'une assemblée annuelle du groupe de travail (bien nommé) de l'UER (Union européenne de radiotélévision). Cet organisme regroupe les télévisions de l'Europe de l'Ouest et si Radio-Canada en fait partie, c'est à titre de membre associé, comme les États-Unis avec PBS et Israël. CBC Jeunesse viendra nous y rejoindre éventuellement. En plus de négocier les droits des grands événements sportifs pour les télévisions européennes, l'UER, fondée en 1950 et installée à Genève, met sur pied des groupes de travail, dont un qui s'intéresse spécifiquement aux émissions pour la jeunesse. Dans ces groupes, des réalisateurs et des producteurs se rencontrent chaque année pour échanger des programmes et développer des coproductions; des échanges informels souvent très riches. À ma première participation, la plupart des organismes de télévision d'Europe de l'Ouest sont présents: France, Italie, Espagne, Finlande, Suède, Danemark, Norvège, Royaume-Uni, Suisse, Portugal, Pays-Bas, Luxembourg, Irlande, Belgique, Autriche et Allemagne.

À la différence de la CTF, qui rassemble des pays partageant une même langue, le français, l'UER est cosmopolite et polyglotte. Ce qui n'empêche pas le succès des premières rencontres, animées par le très efficace directeur des programmes à la télévision danoise, Otto Ness. Avec son successeur Nic Bal, le directeur des programmes de la BRT (télévision belge flamande), j'aurai le plaisir de découvrir, quelques années plus tard, des lieux que je n'oublierai jamais: venu à Oslo pour des rencontres qui devaient débuter un lundi, j'avais eu la sagesse de quitter Montréal le vendredi soir; nous avons eu tout le dimanche pour découvrir Oslo et ses environs, et Nic nous avait préparé des visites mémorables: le parc Frogner, où s'exposent en plein air des centaines d'œuvres monumentales de Gustav Vigeland; aussi la presqu'île de Bygdøy, avec son Musée des navires vikings et surtout son Musée folklorique norvégien où ont été transférées une centaine de maisons anciennes fort bien restaurées et conservées.

À l'UER, la richesse des contacts repose aussi sur le dynamisme et une certaine parenté dans nos façons d'orienter nos choix télévisuels à l'intention des enfants et adolescents. Ce rapprochement se fait surtout avec nos collègues britanniques et scandinaves. Au sein de la CTF, nos échanges entre francophones sont polis, agréables, chaleureux même, mais mènent plus difficilement à des engagements. En revanche, avec les membres de l'UER, il y a une sorte d'affinité nordique ; nous pouvons avoir des opinions divergentes, parfois même des affrontements, mais la plupart du temps les échanges sont fort stimulants. De là aussi naissent des idées qui peuvent influencer notre programmation. Si la société Via le monde a pu produire pour nous des portraits de jeunes Esquimaux (qui préfèrent s'appeler « Inuits »), c'est que l'idée est venue aux rencontres de l'UER pendant nos échanges avec nos collègues de la télévision suédoise qui ont fait la même chose avec leurs propres indigènes, les Lapons (qui préfèrent s'appeler « Sami »).

Une série interrompue pour cause d'homosexualité

Quittons un moment l'activité jeunesse pour jeter un regard sur ce qui se passe ailleurs chez nous. *Le Paradis terrestre,* un de nos téléromans diffusé depuis 1967, connaît une fin subite après une manifestation de mécontentement de la part du public : dans un épisode, deux homosexuels se tiennent par la main. Excellente preuve, pourtant, que la société québécoise évolue. Cette série qui met en vedette Jean Lajeunesse, Gisèle Schmidt, Nicole Filion, Gérard Poirier et plusieurs autres, est écrite par Réginald Boisvert et Jean Filiatrault, et réalisée par Louis Bédard, Charles Dumas et Denys Gagnon. Ces noms évoquent beaucoup de talent et de compétence chez nos artistes et artisans. J'ignore qui a pris la décision de retirer l'émission, jusqu'à ce que je lise, fin 1972, un long article sur la télévision francophone dans le supplément magazine du journal montréalais *The Gazette*. L'article dit : « Scheduled to start its sixth full season... *Le Paradis terrestre...* was abruptly discontinued after the second program. "Normally we don't interfere with our producers", explains drama chief Gérard Robert. 'But in the first show we became uneasy when the camera dwelt too long on a skull which had just been bashed in. When the next show ended on a shot of two men holding hands in an elevator, we decided paradise was becoming a bit too earthy and cancelled the show. » (« Programmé pour une sixième saison, Le Paradis terrestre a été brusquement interrompu après le deuxième épisode, nous a expliqué le chef des émissions dramatiques, Gérard Robert. Dans le premier épisode, un malaise s'est installé quand la caméra s'est attardée un peu trop longtemps sur un crâne fracassé. Quand on a vu l'épisode suivant se terminer par l'image de deux hommes qui se tiennent par la main dans un ascenseur, nous avons pensé que le « paradis » devenait un peu trop terre à terre et nous avons décidé d'annuler la série ».)

Une trentaine d'années plus tard, j'ai évoqué cette histoire avec mon ex-collègue Rolland Guay qui m'a dit : « Je ne sais pas qui a pris la décision de mettre brusquement fin à cette émission mais cet arrêt m'a permis, avec la bénédiction de Gérard Robert, de mettre sur pied, en catastrophe, *La Petite Semaine* de l'auteur Michel Faure, pour la remplacer à l'antenne. Ce fut, en quelque sorte, mon entrée au Service des émissions dramatiques. »

Une « série du siècle »

Dans un tout autre domaine, en ces temps-là, Radio-Canada est le seul diffuseur francophone au Canada des parties de hockey de la ligue nationale. RDS viendra beaucoup plus tard. En septembre de cette année 1972, avant la saison régulière, tout le Canada est rivé à ce qu'on a appelé, un peu pompeusement, la *Série du siècle* : quatre matches de hockey opposant le Canada à l'Union soviétique, à Montréal, Toronto, Winnipeg et Vancouver, suivis de quatre matches à Moscou. Chez nous, on croit d'abord que les Russes ont accepté ce défi « pour apprendre » ; mais au premier match à Montréal, c'est le choc : l'URSS l'emporte 7-3. Au dernier match à Moscou, le but gagnant est signé Paul Henderson à trente-quatre secondes de la fin de la troisième période. La compétition entre Tretiak et Dryden a été époustouflante ; c'est la télévision qui nous a appris que le Canada n'avait plus le monopole mondial au hockey. Tretiak, Yakushev, Shadrin. Kharlamov, Petrov sont devenus des héros. Mais à la fin, nos Henderson, Esposito, Cournoyer et Brad Park nous ont assuré la victoire. Au nombre des buts, nous avons gagné… par la peau des fesses !

Nouveau président pour les 20 ans de CBC/SRC

En 1972, George Davidson, président de Radio-Canada depuis 1968, est nommé secrétaire général adjoint à l'administration et à la gestion des Nations Unies à New York. Au moment de son départ, quand la journaliste Hélène Pilotte lui demande : « Être président de Radio-Canada, c'est un peu être premier ministre ? », il répond : « Non, c'est bien pire. » Pour lui succéder, le premier ministre Pierre Elliott Trudeau nomme le francophone Laurent Picard, qui a fait des études supérieures en physique et en philosophie et qui détient un doctorat en administration des affaires de Harvard. Il occupera le poste jusqu'en 1975, formant une excellente équipe avec notre vice-président et directeur général du réseau français, Raymond David.

Le 6 septembre 1972, nous fêtons les 20 ans de ma secrétaire à la télévision jeunesse, Andrée Campeau. Coïncidence, c'est aussi le vingtième anniversaire de la télévision canadienne ! Le directeur du Service des variétés, Pierre Pétel, la consacre vedette du jour lors de la célébration en studio. Il rappelle aussi qu'avant l'inauguration officielle de la télévision, il y avait, à Radio-Canada, quatre réalisateurs : Jean-Yves Bigras, Jean Boisvert, Roger Racine et lui-même, Pierre Pétel. À l'ouverture officielle, le 6 septembre 1952, quatre de plus ont été embauchés : Gérald Renaud, Georges Groulx, Jean-Paul Ladouceur et Raymond Laplante.

Les journalistes du privé et la télé jeunesse de Radio-Canada

J'ai été embauché par Radio-Canada en 1957, comme responsable de la promotion des émissions. Les Services d'information de la Société comptaient alors sur les journalistes du privé pour informer le public de notre programmation. Ils nous faisaient de la publicité gratuite ! Nommé directeur du Service jeunesse en 1972, je veux m'assurer que les journalistes continuent à servir de relais entre les créateurs de la télévision pour enfants et le public. Ce sont les journalistes eux-mêmes qui nous tendent la main, conscients que Radio-Canada constitue, depuis les débuts de la télévision, une fenêtre sur le monde pour les enfants francophones du pays. Nos échanges seront fructueux.

À son invitation, je vais d'abord chez André Béliveau, de *La Presse*. L'article qu'il tire de la rencontre s'intitule : « La télévision et l'enfance, un défi constant ». Cet article est illustré de la photo de *La Souris verte* (Louisette Dussault) et de *Bobino* (Guy Sanche). Sous celle de la souris, il écrit : « Une des premières émissions à intégrer les valeurs éducatives et le divertissement » ; sous celle de Bobino, il ajoute : « Et Bobino donc ? » Le journaliste se préoccupe d'abord du récepteur, l'enfant, dont la logique diffère de celle du parent et s'interroge alors sur le défi auquel font face les créateurs à la télé. Son verdict : « Ils doivent cesser de raisonner et de percevoir les choses en adultes. Leur monde doit devenir celui de l'enfance. » Il fait allusion aux études de certains professeurs américains qui prônent le « Laughter and Learning » (le rire et l'apprentissage), citant la nouvelle série hebdomadaire de Bill Cosby, *Fat Albert and the Cosby Kids* et « l'importance d'amuser le jeune téléspectateur afin de le rendre plus réceptif à l'élément éducatif qu'on entend lui transmettre ».

Dans son article Béliveau relate notre discussion à propos du refus du Service jeunesse d'acquérir les droits de la série américaine *Sesame Street*, pour en faire une version canadienne : bien que je n'aie rien à redire sur la qualité de cette série destinée aux tout-petits, j'affirme que « nous croyons être en mesure de produire localement des émissions tout aussi bonnes et mieux adaptées à notre milieu ». Et André Béliveau d'ajouter : « Cela n'est pas présomptueux. Radio-Canada est en effet reconnue depuis longtemps pour l'excellence de ses émissions pour enfants. Elle a d'ailleurs été l'une des premières télévisions du monde à tenter de concilier, souvent avec succès, le divertissement et la formation dans ses émissions jeunesse ; on se souvient de cette admirable *Souris verte*. Elle a également été l'une des premières à consacrer une portion si importante de sa programmation à ce genre d'émissions. »

Il termine toutefois son article par un reproche. Il n'apprécie pas, mais pas du tout, la présentation de la publicité pendant les émissions destinées aux enfants. Il écrit : « La seule éthique en cette matière consisterait à bannir de ces heures privilégiées toute publicité relative à des produits de consommation destinés aux enfants. Tout le reste n'est qu'hypocrisie et faux-fuyant. » La suite de l'histoire finira par lui donner raison.

Le même journaliste nous consacre un deuxième article à propos d'un autre sujet qu'il a abordé avec moi : comment rejoindre le public des 15-20 ans. Le titre de l'article : « La jeunesse boude la télé jeunesse ». Béliveau se demande, tout comme nous au Service jeunesse, si le public des 15-20 ans existe comme tel. Dans le passé, on a divisé notre public en quatre groupes : les préscolaires, les 5-10 ans, les 10-15 ans et les 15-20 ans. *Caméra moto*, émission destinée à ce dernier groupe, est un échec : une désaffection du public cible, une cote d'écoute et cote d'appréciation sous les 5 %. C'est sérieux et il faut s'interroger avant de démissionner. L'émission est retirée de l'antenne même si la qualité n'est pas remise en question (*Caméra moto* a même remporté un *Wilderness Award*). La qualité, oui, mais l'auditoire visé, non ! La question demeure : cet auditoire peut-il s'intéresser aux émissions produites pour la jeunesse ? Le retrait de l'émission ne signifie pas pour le moment l'abandon du public cible ; ainsi, une étude est lancée par notre Service des recherches sur l'écoute de la télé par les 15-20 ans. Résultat de la première phase de notre enquête : l'intérêt dans cette tranche d'âge va plutôt aux dramatiques, *Rue des Pignons, Quelle famille !*, les longs-métrages ; les garçons manifestent un goût certain pour les émissions sportives. Le message est clair : les 15-20 ans regardent la même chose que les adultes. Nous voulons confirmer cette hypothèse avant d'agir. Une deuxième phase de recherche est confiée à Claude Desorcy, réalisateur d'expérience, en collaboration avec le Service des recherches de Radio-Canada ; leur étude ne se limite pas aux 15-20 ans en tant que téléspectateurs ; aussi on cherche à les mieux connaître afin de voir ce qu'on peut ou doit leur offrir.

André Béliveau souligne la démarche : « Un de nos problèmes, poursuit M. Roy, c'est de rejoindre les jeunes travailleurs. Pour les étudiants, ce n'est pas trop compliqué, parce qu'ils sont regroupés dans des cégeps, des écoles secondaires, des universités dont on peut faire le tour. Mais c'est plus difficile pour la jeunesse ouvrière qui est plus dispersée et qui, d'autre part, s'intègre peut-être encore davantage au monde adulte. Cela avait d'ailleurs été une faiblesse de *Jeunesse oblige* en son temps : elle intéressait beaucoup les jeunes étudiants, mais les jeunes travailleurs regardaient autre chose. Il faut absolument que, dans notre recherche, nous atteignions les 15-20 ans qui sont déjà engagés dans le monde du travail. »

Circuit fermé, le mensuel destiné aux employés de Radio-Canada, évoque également mon questionnement face aux 15-20 ans, quand la journaliste Hélène Pilotte cite mes propos : « Nous ramasserons des éléments sur cette jeunesse mouvante, plus difficile à intéresser, et nous trouverons quoi faire pour elle et avec elle. » Elle ajoute son commentaire personnel : « Le Service des émissions pour la jeunesse est en pleine santé. Je ne serais pas étonnée qu'il fasse souvent parler de lui dans les mois qui viennent. »

Mais au Service de télévision pour la jeunesse, nous sommes convaincus qu'il faut concentrer les efforts, pour le moment, sur les enfants et adolescents ; nous savons aussi que certaines productions futures devront convenir à la fois aux grands adolescents et aux jeunes adultes ; c'est un autre dossier intéressant qui occupera certains de nos réalisateurs pour les années à venir.

Un autre périodique s'intéresse aussi au Service jeunesse : le *TV Hebdo*, un magazine petit format qui publie chaque semaine l'horaire des émissions de télévision, et qui propose aussi des articles de journalistes ; nous aurons avec eux une belle collaboration pendant plusieurs années.

Les anglos fous de SRC Jeunesse

Nous arrivons à la fin de l'année 1972 et le journal montréalais *The Gazette,* dans son *Canadian Magazine* du 9 décembre nous consacre plusieurs pages, textes et photos, sous le titre : « Here's a whole new TV world for you ... if you speak French ». Un article signé Bill Stephenson. La page frontispice est consacrée au *Docteur Marcus Welby*, série américaine doublée en français. Un dossier de plusieurs pages sur la télévision publique francophone s'ouvre avec une magnifique photo de Jean Besré et de Lise LaSalle, au repos dans la nature, avec pour légende : « Jean Besré and his wife Lise LaSalle did the prize-winning *Tour de terre.* » Ce reportage sur la télévision francophone est publié à l'occasion de l'ouverture d'une nouvelle station de langue française à Toronto et d'un satellite de communications qui doit rejoindre les populations du Nord et de l'Ouest canadien. On y trouve ce commentaire, qui résume bien ce que la chaîne francophone apporte à la majorité canadienne : « Like Expo'67, which opened the eyes of the nation to the wealth of talent in Quebec, Radio-Canada will startle English Canadians with its artistry, imagination, flair and sheer sense of fun in programs ranging from soap opera, drama, sitcoms to panel, variety and children's shows. The only effort they need to make is to learn French – and no better incentive to do so has ever presented itself. This new TV fare will answer most questions about What is Quebec Really Like, for unlike CBC's English network – which relies heavily on the U.S. for most of its prime time attractions – French Canadian TV is mostly homemade. Montreal, producing up to 80 hours per week of original programs, outranks both New York and Los Angeles as separate production centres. » (Comme l'Expo 67, qui a révélé au monde les talents du Québec, Radio-Canada étonnera les Canadiens anglais par les qualités artistiques, l'imagination, le flair et le sens inné du plaisir que renferment ses programmes ; ceux-ci vont des téléromans aux émissions pour enfants, en passant par le drame, la comédie, les discussions en studio et les variétés. Il suffit de connaître la langue pour goûter ce plaisir ; on ne trouvera pas de meilleur incitatif pour apprendre le français. Les dernières créations de Radio-Canada répondront à tous ceux qui se demandent « Mais qu'est-ce que le Québec au juste ? », car, à la différence du réseau anglais de la CBC qui présente surtout aux heures de grande écoute des distractions venues des États-Unis, la télévision canadienne-française, elle, est un produit maison. En produisant près de 80 heures d'émissions originales par semaine, Montréal devance New York et Los Angeles comme centre de production distinct.)

De la télévision jeunesse, le journaliste de la *Gazette* dit ceci : « Children are treated with great respect on Radio-Canada : one-fifth of the total schedule and the network's best producers are set aside for shows especially made for them. For English Canadians who'd like their children to learn French, these 46 shows a week could represent the opportunity of a lifetime- almost free from cynical commercial exploitation of young minds. » (Les enfants sont traités avec beaucoup de respect à Radio-Canada : le cinquième de sa programmation et de ses ressources créatives est consacré à des émissions qui leur sont destinées. Pour les Canadiens anglais qui souhaiteraient que leurs enfants apprennent le français, ces 46 émissions hebdomadaires représentent la chance d'une vie ; les jeunes esprits n'y sont pratiquement soumis à aucune exploitation cynique et commerciale.)

L'article décrit les émissions du matin, comme *Les Chiboukis, Le Sac à malice, Clak, Minute Moumoute, Au Jardin de Pierrot*, totalement affranchis des messages commerciaux ; et celles de l'après-midi, comme *Bobino* et les dramatiques de 16 h 30, dont *Fanfreluche*, sans doute « the world's best children's program », *la meilleure émission pour enfants au monde !* On y présente Kim Yaroshevskaya qui, à partir de classiques comme *Le Petit Chaperon rouge* ou *Blanche-Neige*, crée de nouvelles situations en faisant appel à l'imagination. Me citant, l'auteur de l'article écrit : « We like to make children think a little*; but we make sure they're entertained first.* » (Nous aimons faire réfléchir un peu les enfants. Mais nous voulons surtout qu'ils s'amusent.)

15

DAZZLING

Début janvier, *Ici Radio-Canada*, sous la plume de Raymond Guay, décrète : « Soyez sans crainte ! Les jeunes téléspectateurs de Radio-Canada sont entre bonnes mains. » Le créneau du matin s'adresse aux enfants de deux à cinq ans. À l'heure du midi et à compter de 16 h, la cible est plutôt les cinq à douze ans. Puis, de 17 h à 18 h 30, le bloc horaire est partagé entre le Service jeunesse et le Service cinéma et téléfilms, susceptible de rejoindre un vaste public, enfants et adultes. Il est intéressant de signaler ici que le Service jeunesse a acquis une responsabilité morale sur ce dernier créneau horaire et se permet à l'occasion de demander à la direction des programmes de reporter plus tard en soirée une production jugée, par exemple, trop violente pour un jeune auditoire. Je me rappelle une de ces interventions auprès du directeur des programmes à propos d'un long-métrage de la série *James Bond, l'agent 007 ;* une ennemie de l'agent 007 dissimule un poignard dans sa chaussure. Nous sommes plusieurs à visionner le film, mais le directeur des programmes d'alors n'y voit rien de répréhensible pour les enfants... Faut dire qu'il a sommeillé et même ronflé pendant une bonne partie du visionnage... Parfois difficile de digérer un bon repas, bien calé dans un bon fauteuil, dans une pièce plongée dans une quasi-obscurité. Mais le directeur, qui a écouté nos doléances, accepte volontiers de reporter la diffusion en soirée.

Quelques mois après ma nomination à la direction des émissions pour la jeunesse, je profite d'une entrevue avec le rédacteur d'*Ici Radio-Canada* pour m'assurer que l'on comprenne bien que toute émission pour enfants doit d'abord les divertir. Puisqu'il s'agit de rejoindre le plus grand nombre, il faut les intéresser mais aussi les enrichir, leur apprendre un tas de choses. Ne jamais oublier que l'enfant a un grand désir d'apprendre. Et je rappelle aussi l'exceptionnelle variété de notre offre de programmes ; des achats qui viennent de partout, de nombreuses productions maison, des coproductions canadiennes ou avec des pays étrangers, des dramatiques, des documentaires, des émissions de variétés, des films d'animation, des émissions sportives ou d'information.

Notre dynamique équipe de treize réalisateurs est constamment à l'affût de nouvelles idées pour de nouvelles séries. Périodiquement, ceux qui s'adressent aux tout-petits consultent avec plaisir des spécialistes de l'enfance comme le fameux Dr Sam Rabinovitch. Invité à participer à un panel de l'Institut de radiotélévision pour enfants, ce dernier nous livre un message inspirant : « Une bonne émission est celle qui répond aux besoins socio-affectifs de l'enfant, qui contribue dans le présent à rendre l'enfant heureux et qui, plus tard, en fera un adulte puis un vieillard heureux... » Un jour, je suis allé reconduire Sam dans son quartier cosmopolite du Mile-End, à Montréal ; quand il est sorti de la voiture, des hordes d'enfants se sont précipitées sur lui. Ce sont les nouveaux visages de Montréal ; c'était il y a plus de quarante ans.

Minute Moumoute

Les enfants des années 1970 n'ont pas oublié *Minute Moumoute*. Je ne peux pas en nommer l'auteur pour la raison très simple que l'auteur est une équipe. C'est le groupe qui accepte les textes, qui travaille tant sur le plan de la conception que sur celui de la facture de l'émission. Tous les intervenants de l'équipe sont sur un pied d'égalité. Une décision, je crois, de Renaud Gariépy qui, après une année de *Sac à malice*, avait opté pour une démarche collective. Les marionnettes, créées et fabriquées par Marianne Séguin, s'adressent aux tout-petits les mardis et jeudis à 10 h. Celles-ci portent les noms de Brindille, Futaie, Trompe-l'œil, Cétacé, Boulier, Pousse-pied, Babiole, Panoplie et Boulimie ; elles traitent de sujets comme les chaises, les chapeaux, les lunettes, les gâteaux au chocolat... tout ce qui entoure les enfants évidemment ! Des textes courts et pleins d'humour. Une équipe de scénaristes composée de Jacqueline Barrette, Henriette Major, Michel Rivard, Francine Ruel, Serge Thériault, Jean-Pierre Plante, Marc F. Gélinas, Raymond Plante, entre autres.

Je me permets un court arrêt sur Raymond Plante qui a connu une carrière exceptionnelle à la télévision pour la jeunesse de Radio-Canada mais qui a aussi publié de nombreux livres pour les enfants, petits et grands. Je l'ai connu un matin, tôt, quand il était venu déposer à ma porte un roman qu'il venait de publier; je l'ai aussitôt dirigé vers nos réalisateurs créateurs qui l'ont bien accueilli, et pour longtemps.

À la réalisation de *Minute Moumoute*, Pierre-Jean Cuillerier, Jean Picard et André Bousquet; les comédiens sont Suzanne Garceau, Alain Gélinas et Gilbert Sicotte. La série est diffusée de décembre 1972 jusqu'en 1976.

Claude Lafortune, le bon génie du papier

Une autre série matinale diffusée de 1973 à 1976: *Du soleil à cinq cents,* réalisée par Pierre-Jean Cuillerier. En compagnie des acteurs Rina Cyr et Serge Thériault, l'as des bricoleurs, Claude Lafortune, découpe ses personnages tout en racontant ses histoires; pas de recette, pas d'étapes à suivre. Il s'agit, selon Lafortune, de laisser libre cours à l'imagination de l'enfant. Je le cite: « Si moi, avec un cintre, je fabrique un camion, pourquoi l'enfant libre n'en inventerait-il pas une chose qui ressemble à un éléphant ? » L'émission utilise les reliefs de la vie quotidienne: à partir de boîtes de céréales vides, de papier mouchoir, de bouts de ficelle, de morceaux de carton, il suffit de suivre son inspiration pour réaliser de nouvelles formes. C'est l'arrivée remarquée de Claude Lafortune à la télévision jeunesse de Radio-Canada. Il se tournera ensuite vers le Service des émissions religieuses pour offrir aux téléspectateurs *L'Évangile en papier* (1975-1976), *La Bible en papier* (1976-1977) et *L'Église en papier* (1977-1978). Il visite les écoles pour travailler avec les enfants. En 1988, nous le retrouverons à *Parcelles de soleil*: des jeunes se racontent pendant qu'il fabrique les décors et les personnages en papier qui servent à illustrer leurs récits. L'artiste n'a toujours besoin que d'une paire de ciseaux, quelques feuilles de papier et... un peu de colle.

Pas de Sesame Street à Radio-Canada

Pour saluer son départ, coup de chapeau à *Chez Hélène*. Malgré le titre, il ne s'agit pas d'une émission de la télé francophone, mais d'une production de la CBC : c'est une quotidienne de quinze minutes qui aide les téléspectateurs anglophones à se familiariser à la langue française. Autour d'Hélène Baillargeon qui tient le rôle principal, on retrouve Louise, interprétée par Madeleine Kronby, comédienne bilingue, et une souris marionnette qui s'exprime surtout en anglais. Près d'un demi-million de téléspectateurs ont suivi cette émission qui bientôt ne sera plus qu'un souvenir. Cette production montréalaise, entreprise en 1959, prend fin en 1973, après quatorze années de diffusion. La direction de la CBC a justifié sa décision en disant que le sujet était épuisé et que dans *Sesame Street*, la série américaine qu'elle vient d'acquérir, il y aura quelques minutes d'échanges en français. *Chez Hélène*, c'est presque un record de longévité à la télé canadienne anglophone ; encore une fois, la télé jeunesse montre une belle constance, comme ce sera le cas avec *Bobino*, qui, lui, établira un vrai record, en 1985.

En faisant son entrée à la télévision canadienne, *Sesame Street* voit les segments en langue espagnole de sa version américaine remplacés par de courts films, agréables et instructifs, produits au Canada en français. Ainsi en a décidé le responsable des émissions jeunesse de la CBC à Toronto, Dan McCarthy. Pour ma part, je choisis une autre voie, comme le relate le chroniqueur Ian MacDonald dans la *Gazette* du 10 février 1973 : « At one time they were negotiating to make a French version in Montreal », says a Radio-Canada spokesman. « But then they decided to do it in France. There were things like Marseille's accents and references to the Eiffel Tower. It was totally foreign to a French-speaking child in Quebec or anywhere else in the country. So we finally had to say no. Besides, many of the *Sesame Street* techniques are very close to what we do on some of our own children's programs. » (Des négociations ont eu lieu pour faire une version française à Montréal, a dit le représentant de Radio-Canada. Puis, ils ont décidé de la faire en France, avec des accents marseillais ou des références à la tour Eiffel qui étaient complètement étrangères à un enfant francophone du Québec ou d'ailleurs au Canada. Alors il a fallu dire non. Par ailleurs, plusieurs techniques utilisées dans Sesame Street sont très proches de ce que nous faisons dans certaines de nos propres émissions pour enfants.) La BBC (British Broadcasting Corporation), reconnue à cette époque comme la championne des émissions de qualité pour enfants, renonce elle aussi à diffuser la série, rebutée, paraît-il, par l'accent américain qui pourrait influencer les jeunes Britanniques. Quelques années plus tard, le Québec produira pour le même public une série dont on parlera longtemps, *Passe-Partout.*

Henriette Major, qui n'est jamais à court d'idées, développe avec le réalisateur Réal Gagné une première production du Service des émissions religieuses destinées à la jeunesse : *Une fleur m'a dit,* où deux marionnettes créées par Hélène Falcon, Bouton d'or et Ciboulette, invitent les jeunes à fêter avec elles la fraternité et l'amitié. S'il faut en croire la revue *Ici Radio-Canada,* cette émission, diffusée le dimanche matin, s'adresse aux petits enfants... et aux vieillards.

De la musique et des sports pour les ados

Pour un public adolescent et adulte, nous faisons quelques expériences pour le créneau de 19 h 30 à 20 h : deux séries, de quinze minutes chacune, qui occuperont l'antenne jusqu'à l'été. Un joli cadeau, peut-on croire, mais aussi un sacré défi. Nous ne reculons devant rien. Dans la première tranche qui commence à 19 h 30, *Discomanie* présente les plus récents succès de la chanson. À la première émission du 29 janvier, Renée Claude, interprète et animatrice, accueille Claude Dubois, Tex Lecor et Nicole Cloutier. La semaine suivante, Normand Gélinas présente Jacques Boulanger, Daniel Piché et Claire Syril. Dans la tranche de 19 h 45, *Décibels* est consacrée à la musique et aux groupes québécois plus avant-gardistes. Claude Dubois, déjà fort populaire, accepte le rôle d'animateur de ce quart d'heure de musique pop, réalisé tour à tour par Pierre P. Girard et Raymonde Boucher. La saison débute avec le groupe de Franck Dervieux, suivi du groupe Offenbach. C'est à *Décibels* que le nouveau groupe Ville Emard Blues Band se produit pour la première fois, avant de connaître un beau succès durable.

Aux *Beaux Dimanches,* en février, un documentaire fait le portrait d'un homme qui a donné une grande partie de sa vie aux jeunes.

C'est Daniel Bertolino, de Via le monde, qui a réalisé *20 ans Père Sablon*. Pour venir en aide aux enfants et adolescents du Montréal des années 1950, le père jésuite Marcel de la Sablonnière, un homme extraordinairement dynamique et un grand amoureux du sport, avait pris la direction du Centre Immaculée-Conception, établi au cœur du Plateau-Mont-Royal. Ce centre s'inscrivait dans la nouvelle société de l'après-guerre, qui annonçait, d'une manière un peu utopiste, l'avènement d'une prochaine « civilisation des loisirs ». Il offrait surtout à des jeunes issus de milieux défavorisés des activités et des ouvertures sur la nature. Ginette Reno, la grande star du Québec, rappelle souvent ce qu'elle doit au père Sablon, qui l'a accueillie dans son centre dans les années 1950. Après la mort du célèbre prêtre, le centre Immaculée-Conception a été rebaptisé Centre Père Sablon. En 1961, j'avais été sollicité par le père Sablon pour participer à la production d'une brochure pour fêter les dix ans du Centre ; c'est à cette occasion que j'ai rencontré une certaine jeune fille du nom de Claudette Lafortune, que je n'ai jamais quittée depuis.

« L'affaire Bobinette »

Au printemps, un changement majeur survient dans notre créneau de 16 heures ; c'est un moment dramatique pour plusieurs d'entre nous. J'ai conservé un article du *Journal des vedettes* daté du 19 mai 1973 ; il est signé Monique Mathieu et intitulé « Affrontement », avec ce sous-titre racoleur : « La vérité sur "l'affaire Bobinette" ». Dès les premières lignes, l'article nous irrite au plus haut point : « Les lecteurs exigent bien plus que des qu'en dira-t-on ou de simples hypothèses. » Il y est question du départ subit de Paule Bayard qui, depuis quatorze ans, prêtait sa voix à Bobinette. Dans son enquête, la journaliste a été accueillie plutôt froidement par Marcel Laplante, le réalisateur, puis par moi, puis par la mère et la nièce de Paule Bayard, enfin par Guy Sanche (Bobino). Elle a fini par obtenir ce commentaire laconique du relationniste de Radio-Canada, Marc Hamelin : « Paule Bayard a été remerciée de ses services... je puis affirmer qu'un grave conflit régnait depuis longtemps et la coupe a débordé... »

En quelques mots, Paule n'était plus en mesure de donner la réplique à Guy. Oui, elle était malade et, dès le mois de mai, nous n'avions plus d'autre solution que de lui trouver une remplaçante. L'enquête du *Journal des vedettes* nous pose problème, car nous voulons éviter de révéler au public de *Bobino* le drame que vit celle que l'on connaît depuis plusieurs années comme Bobinette. La décision de la remplacer a été prise conjointement avec le réalisateur, Marcel Laplante, et le comédien, Guy Sanche.

En mai, Christine Lamer succède à Paule Bayard et prend place sous le comptoir de la boutique de Bobinette. C'est dommage, on ne la voit pas, mais les enfants et même les adultes perçoivent sa bonne humeur, son espièglerie, son sourire dans les mots qu'elle échange avec son grand frère, Bobino. Mais nous ne sommes pas au bout de nos peines. Quelques jours après l'arrivée de Christine Lamer dans le rôle de Bobinette, Paule Bayard me téléphone pour dénoncer ce qu'elle perçoit comme un conflit d'intérêts : si le réalisateur Marcel Laplante lui a retiré son rôle, soutient-elle, ce n'est que pour le confier à sa propre fille. Le jour même, j'appelle Marcel pour lui demander si Christine est bien sa fille : il répond par la négative, et maintient à quelques reprises que Christine Lamer n'est pas sa fille. Or, il appert que Christine Lamer est née Lise Laplante, et qu'elle est bien la fille de Marcel. Bien que convaincu de la nécessité de remplacer Paule, je dois quand même prendre des mesures contre Marcel, qui n'a pas dit la vérité ; il faut aussi éviter de compromettre l'émission et d'inquiéter les enfants. Très discrètement, un comité décide de suspendre le réalisateur, puis de le réaffecter à une autre émission.

Dans toute cette affaire, nous avons voulu être justes, et épargner des peines à notre public d'enfants qui maintient depuis longtemps une relation affective avec Bobino et Bobinette. Nous avons réussi, croyons-nous, à préserver cette confiance ; l'émission restera encore à l'antenne pour une douzaine d'années. Quant à Paule Bayard, j'ai appris son décès le 29 novembre 1975.

Un producteur (très) indépendant...

Le Service jeunesse, en 1973, continue de recevoir les projets des producteurs indépendants. Il arrive qu'un producteur, réalisateur ou scénariste nous présente un projet destiné aux enfants ou adolescents. C'est le cas de Richard Lavoie qui cumule ces trois fonctions. Tout jeune, il a appris le maniement de la caméra avec son père, Herménégilde, un pionnier du cinéma québécois. Celui-ci meurt en 1973, à l'époque où son fils Richard nous embarque dans sa *Cabane*, le premier volet d'un triptyque dramatique. Le but de la série est de donner la parole aux enfants. Dans ce premier film, la chatte de la famille vient d'avoir une portée nombreuse, mais le père veut s'en débarrasser en noyant les chatons. Les enfants évidemment s'y opposent et le père renonce à son projet à la condition que les enfants trouvent un refuge pour les petits félins. Richard Lavoie nous livre une version longue de 42 minutes, alors que notre contrat stipule que le film doit s'insérer dans un créneau de 30 minutes, comme toutes les émissions du Service jeunesse. Mais Lavoie reste intraitable, et refuse de revoir son montage. Nous trouvons une solution à l'interne: c'est dans le cadre des *Beaux Dimanches,* un 15 juillet, que le film sera présenté, en version intégrale. Je ne suis pas très content d'apprendre un peu plus tard que pour vendre son film à la télévision scandinave, Lavoie a finalement accepté de le réduire à une version d'une demi-heure. Ce qui ne m'empêche pas d'acquérir les droits de son film suivant, *La Guitare*. Dossier classé. *La Cabane,* pour sa part, obtiendra plus tard une mention spéciale du jury au Festival international pour la jeunesse à Paris.

Deux nouveaux jeux-questionnaires

Au mois d'avril, je passe cinq jours à Ottawa avec trente-deux élèves de la quatrième et de la cinquième secondaire et une équipe de production dont font partie l'animateur Serge Arsenault, le réalisateur Denis Faulkner et le recherchiste Jean Moreau de l'Université d'Ottawa. Du sérieux! Tout ce beau monde enregistre treize émissions d'un jeu de connaissances intitulé *Génies en herbe*. Cette initiative a commencé trois ans plus tôt à la station CBOFT d'Ottawa et plusieurs régions du Canada ont emboîté le pas. Cette année, pour la première fois, *Génies en herbe* devient une émission nationale. Le jeu fait appel aux connaissances des concurrents dans les matières enseignées au secondaire mais aussi à la rapidité de leurs réflexes. Ce qui permet aux téléspectateurs de tester leurs propres connaissances et la rapidité de leur esprit. Les jeunes concurrents réunis à Ottawa, provenant de huit régions canadiennes, sont mis à rude épreuve puisqu'on enregistre deux ou trois émissions par jour. Mais il y a aussi de la détente au programme. Les jeunes visiteurs découvrent la capitale canadienne, sont reçus au Centre national des Arts, assistent à un spectacle de Renée Claude dans une boîte à chansons et prennent des repas agréables qui constituent, pour certains d'entre eux, une initiation à la gastronomie. Mais pour les trente-deux participants, cette rencontre permet aussi de créer des liens ; plusieurs d'entre eux se promettent ainsi de s'écrire et de se visiter durant l'été. Une conséquence du passage de *Génies en herbe* sur le plan national est la venue à Montréal de l'animateur Serge Arsenault qui continuera d'animer l'émission pendant quelque temps avant de se joindre au Service des sports, où il connaîtra une belle carrière d'annonceur.

Le deuxième jeu, né au sein de la Communauté des télévisions francophones, est une série intitulée *La Pince à linge* et réalisée dans les studios de Télé Monte-Carlo. C'est là que l'on réunit des jeunes de 11 et 12 ans représentant la France, la Belgique, la Suisse, Monaco et le Canada. Nos jeunes délégués canadiens ont été choisis via l'émission *Téléchrome ;* ils ont fait parvenir un dessin ou une carte postale et le tirage au sort a déterminé les gagnants. Le concept de *La Pince à linge* consiste à deviner l'identité d'une personnalité célèbre, francophone ou internationale, vivante ou décédée, réelle ou fictive, incarnée par un comédien caché derrière une porte. Chaque pays a délégué cinq représentants et nos jeunes Québécois, pour plusieurs, font avec ce voyage leur baptême de l'air. Après un court passage à Paris, nos jeunes sont envoyés sur la Côte d'Azur, à Cap d'Ail près de Monaco. Claude Morin, le chef adjoint du Service jeunesse qui les accompagne, doit faire face à quelques imprévus : tantôt un ado fait une crise d'ennui ; tantôt c'est un autre ado qui fait une laryngite ; tantôt c'est un chandail qu'il faut repriser d'urgence. Pendant une semaine, il se transforme en père-mère-bonne-d'enfants-homme-à-tout-faire, mais gardera un souvenir merveilleux de cette expérience.

La Pince à linge est diffusée les mercredis à 18 h, *Génies en herbe* les jeudis à 19 h. Je suis très content d'avoir obtenu des créneaux de début de soirée pour des émissions destinées aux jeunes ; surtout qu'à ces heures-là, les parents peuvent aussi partager avec leurs grands enfants leurs intérêts et leurs connaissances.

Ces coproductions avec les pays francophones sont pleines de surprises. Nous sommes bien différents de nos collègues européens dans la sélection des participants ; chez les jeunes d'Europe, il n'est pas rare de trouver parmi les heureux élus le fils de tel réalisateur ou la fille de tel patron de chaîne, ou de telle personnalité du monde des arts ou des lettres. Rien à voir avec les concours et les jurys que Radio-Canada met sur pied et qui nous semblent la façon la plus équitable de procéder. Un producteur européen m'a offert des places pour mes deux enfants dans une coproduction ; j'ai bien sûr refusé, selon nos principes, et je crois que mes enfants ont compris.

Il faut aussi choisir l'adulte responsable qui accompagnera ces jeunes ; normalement, nous désignons à cette tâche le chef adjoint du Service jeunesse ou encore un parent ou un éducateur. Un jour, peu de temps avant un départ, une accompagnatrice désignée tombe malade. Notre première idée est de la remplacer par une jeune femme que nous connaissons bien, en qui nous avons une confiance totale et qui accepte ce rôle de suppléante. Mais elle est aussi la fille d'un distributeur qui nous fournit des films ou séries d'émissions pour enfants, ce qui pourrait être dénoncé comme une forme de favoritisme. Avec regret, nous renonçons à embaucher cette excellente candidate, même si on ne peut pas être plus catholique que le pape, comme le dit la boutade populaire. Mais voilà bien l'esprit qui règne dans les années 1970 au sein de notre télévision publique.

Chaque année, des jeunes sont ainsi les invités d'un pays membre de la CTF. En 1973, c'est le Canada qui reçoit. Quatre garçons et quatre filles de chez nous doivent faire les honneurs de l'hospitalité québécoise à huit camarades provenant des pays européens membres de la Communauté francophone, France, Suisse, Belgique et Monaco. Le réalisateur James Dormeyer est de service, ce qui promet, pour tirer une émission de cette réunion internationale ; dès leur atterrissage à Dorval, les jeunes Européens sont emmenés par l'animateur Claude Quenneville au Centre international de radiotélévision de Terre des Hommes où la très belle Andrée Champagne les accueille. La caméra est prête. Dormeyer raconte que dans cette première rencontre entre les seize adolescents, « tout était basé sur l'impression, la spontanéité, l'émotion ».

Les jeunes prennent ensuite le train pour Québec, où ils sont attendus par le Bonhomme Carnaval en personne. Le voyage donne à tout le monde l'occasion de faire plus ample connaissance et, aux visiteurs étrangers, celle de découvrir l'hiver québécois. L'émission tournée par Dormeyer en février sera diffusée à l'automne de la même année.

Par la créatrice de Fifi Brindacier

Des séries acquises chez nos partenaires européens ouvrent de nouveaux horizons aux jeunes téléspectateurs d'ici : dans *Le monde enchanté d'Isabelle*, une coproduction entre plusieurs pays de la CTF diffusée les mardis à 16 h 30, une fillette de dix ans part en vacances avec ses parents dans un petit village. Dans *Les Enfants de l'archipel*, diffusée les mercredis à midi, une famille de citadins suédois passe ses vacances d'été dans l'île de Saltkrakan. Cette série est écrite par nulle autre que la romancière suédoise Astrid Lindgren, qui a aussi créé la légendaire *Fifi Brindacier* (*Pippi Langstrump* en suédois). *Un enfant nommé Michel* (aussi connu sous le titre de *Michel, l'enfant roi*) est un feuilleton français écrit par Estella Blain qui met en vedette son fils Michel, âgé de onze ans ; la série est diffusée tous les lundis de l'été à 11 h 30. La réalisation est assurée par Jean Boisvert, André Téchiné et quelques autres.

Les samedis à 11 h, c'est *Bagatelle*, une nouvelle émission d'une demi-heure porteuse de films d'animation en provenance d'un peu partout puisque nous avons décidé de limiter, sans les éliminer complètement, les courts films américains. Cette nouvelle aventure s'inscrit dans notre réflexion sur la future grille d'automne. À suivre.

Grand-père Cailloux fidèle au poste

Dans le créneau de 16 h, où *Bobino* fait relâche comme chaque été, André Cailloux nous revient en Monsieur Clapoutis dans *Chez Verdurette*. Ex-propriétaire de cirque devenu antiquaire, Monsieur Clapoutis est l'ami d'une jolie grenouille, sa confidente, qui parle avec la voix de Marie-Josée Regnault; c'est elle qui choisit les dessins animés qui sont présentés aux tout-petits, habitués à cette formule que le bloc de 16 h conserve tout au long de l'année.

Pour préparer cette série, j'ai réuni dans mon bureau le jeune réalisateur Jean Picard et le fameux grand-père Cailloux. Je me rappelle, comme si c'était hier, la première réaction du réalisateur: malgré son vif intérêt et ses compétences reconnues pour la mission, puisqu'il a déjà réalisé des émissions jeunesse du matin, je le trouve hésitant; tout son corps trahit une véritable angoisse devant le défi. Il finit par me confier qu'enfant, arrivant de France, il a connu grand-père Cailloux par la télévision. André est en effet très apprécié des enfants depuis les débuts de la télé avec *Le Grenier aux images*. L'idée de diriger l'idole de son enfance donne un trac imprévu au jeune réalisateur. Mais devant mon insistance, en bon Français bien discipliné, Jean Picard accepte le mandat. Je ne l'ai jamais regretté car il réalisera des séries de contes avec beaucoup de talent.

Nous profitons de l'été pour lancer un concours de chansons enfantines. Celles-ci doivent alimenter les prochaines émissions d'*Au jardin de Pierrot* qui revient à l'automne: après deux années à l'antenne, nous avons épuisé le répertoire, qu'il faut renouveler. Le concours est ouvert à tous, amateurs et professionnels; les œuvres doivent s'adresser aux enfants de deux à six ans. Un jury sélectionne les chansons gagnantes et leurs créateurs sont récompensés. La participation du public nous comble. Plus de 400 chansons nous parviennent. Les chansons gagnantes ont toutes été écrites par des femmes, qui sont invitées à Radio-Canada pour une réception en leur honneur.

Bagatelle : un festival international à la maison

À l'automne 1973, nous lançons, comme convenu, l'émission *Bagatelle,* élargie à une heure, et où l'on présente des dessins animés. L'été nous a porté conseil. L'an passé encore, le samedi entre 17 h et 18 h, nos jeunes téléspectateurs francophones se tournaient majoritairement vers les ondes de CBMT, la station anglophone de Montréal, pour regarder des dessins animés américains, au détriment de *Tour de terre,* que nous présentions à la même heure. Pour reconquérir notre auditoire égaré chez les anglos, nous commençons par déplacer les reprises de *Tour de terre* vers une autre case horaire. Place à *Bagatelle* ! Les réactions positives suscitées chez mon fils Patrick dès les premières émissions me confirment que notre stratégie est la bonne. Celle-ci est d'offrir d'abord aux enfants cinq minutes d'animation américaine, que les enfants connaissent et apprécient ; ensuite on leur passe deux fois cinq minutes de séries inconnues en provenance de pays comme la Pologne, la Tchécoslovaquie, la France, la Belgique, la Hongrie ou l'URSS, qui ont de riches traditions dans ce domaine. Puis il s'agit de répéter le même bloc trois autres fois et de clore l'heure avec un court américain. Ainsi nous gardons notre auditoire pendant une heure, au cours de laquelle des films étrangers lui ouvrent d'autres horizons avec des styles fort variés dans les contenus et dans la forme. Dans plusieurs cas, il s'agit de petits chefs-d'œuvre de poésie et de couleurs, comme son générique d'ouverture, réalisé par Frédéric Back. Avec *Bagatelle,* nous touchons un million de téléspectateurs.

Les Olympiques approchent !

À l'automne, le mercredi soir à 19 h 30, un nouveau jeu-questionnaire anticipe la venue des Jeux olympiques d'été à Montréal en 1976. Il n'est pas trop tôt pour sensibiliser notre jeune auditoire à ces jeux. *Sprint* est animé par Normand Harvey, une vedette, que nous allons chercher à Ottawa où il a travaillé pendant trois ans, entre autres à la série *Génies en herbe.* Dans *Sprint,* développé par la réalisatrice Thérèse Patry et le scripteur et recherchiste Pierre Duceppe, deux équipes s'affrontent, chacune composée d'un concurrent de moins de vingt ans et d'un adulte de son choix. Les participants font valoir leur érudition dans le domaine du sport amateur et de l'olympisme. La première émission porte sur le responsable des premiers jeux modernes, Pierre de Coubertin. Les gagnants remportent des billets pour les Jeux prochains de Montréal. Le grand gagnant se voit offrir un voyage en Grèce au mont Olympe.

Dans une autre série conçue pour les adolescents, mais aussi pour un plus large public, et diffusée le samedi à 18 h, la réalisatrice Thérèse Patry invite les téléspectateurs à découvrir les phénomènes physiques comme l'énergie, les ressources naturelles, la métallurgie, la chimie, l'alimentation, le textile. *XYZ*, c'est le titre de cette série hebdomadaire qui débute sa carrière par une émission qui couvre « l'énergie des muscles à l'énergie nucléaire et solaire ». Un beau défi lancé à l'auditoire.

À l'automne, la deuxième saison de *Psst Psst Aïe là!* invite les jeunes à enrichir leurs connaissances. On y explique le fonctionnement et les principes de base de plusieurs phénomènes physiques, avec des inventions familières aux ados comme la pompe à eau, le réfrigérateur, l'aspirateur, le filtreur ou l'aérosol. Cette initiation à la science se fait de façon humoristique. France Berger, Marcel Sabourin et Gilles Renaud jouent des personnages invraisemblables mais qui véhiculent toujours un message intelligent et éducatif.

Le Montreal Star *s'emballe pour nous*

Le 30 août 1973, je reçois d'un collègue anglophone un article signé Joan Irwin, chroniqueuse télévision au *Montreal Star*. Son article s'intitule : « French TV season looks disappointing » (La nouvelle saison à la télé française paraît décevante). Dans ces quelques colonnes, elle n'est pas tendre non plus pour la CBC, ni pour les réseaux américains. Mais dans cet article qu'il me fait parvenir, mon collègue a fortement souligné ce passage : « On the plus side, the French network carries on with its dazzling array of children's programs, and there are a good many promissing imports scheduled here and there through the schedule and troughout the year. » (Le côté positif vient du réseau français qui continue de nous offrir des émissions éblouissantes pour les enfants; avec, notamment, de prometteuses émissions importées qui sont réparties sur la grille horaire pendant toute l'année.) Joan Irwin est réputée chez les anglophones pour son franc-parler et l'équipe jeunesse, qui est créatrice et innovatrice, mérite bien les éloges de la chroniqueuse.

Du côté des adultes, je pense spontanément à une émission que tout le monde regarde le dimanche en début de soirée depuis 1969 et qui en est à sa dernière année: *Quelle famille!*. Ce téléroman, écrit et interprété par Janette Bertrand et Jean Lajeunesse, présente une famille de la classe moyenne où tout le monde a droit à ses problèmes: conflits de génération, contestation, alcoolisme... Les parents dirigent du mieux qu'ils le peuvent les destinées de leur progéniture. La famille est composée de cinq enfants, du chien Macaire, en plus des grands-parents et de l'aïeule qui ajoutent leur grain de sel au débat. La Révolution tranquille s'est opérée et la série reflète aussi la rapide évolution dans les mœurs au Québec. Il était temps! Aux commandes de ce feuilleton très populaire, Aimé Forget. Parmi les comédiens, autour de Jean et Janette, on retrouve Isabelle et Martin Lajeunesse, Ghislaine Paradis, Robert Toupin, Nana de Varennes, Ovila Légaré, Michel Noël, Clémence DesRochers et plusieurs autres.

Un court arrêt cinéma: signalons que *Mon oncle Antoine* de Claude Jutra, diffusé sur les ondes de Radio-Canada, a été vu par 2 569 000 téléspectateurs, soit 60 % de l'auditoire francophone. C'est un record d'audience pour un long-métrage. *Mon oncle Antoine* est souvent considéré par les critiques comme le meilleur film québécois de tous les temps. Jean Duceppe y tient le rôle-titre, entouré de Monique Mercure, Héléne Loiselle, Lionel Villeneuve, Olivette Thibault...

Trudeau ne met pas la clé dans Radio-Canada

Le 5 décembre 1973, le premier ministre du Canada, Pierre Elliott Trudeau inaugure la Maison de Radio-Canada, un investissement de 60 millions de dollars dans ce qu'on appelle «le Faubourg à m'lasse». Le lieu aménagé fait 100 000 mètres carrés: plusieurs centaines de maisons et de commerces ont du être expropriés pour faire place au nouveau siège. Les travaux d'excavation avaient été entrepris en octobre 1966. À ce moment-là, Radio-Canada occupait des locaux répartis dans une vingtaine d'immeubles dans l'Ouest montréalais. Les premiers occupants de la nouvelle tour y sont installés depuis octobre 1971 : ce sont les membres de la direction.

Dans son allocution, le premier ministre rend hommage aux pionniers de Radio-Canada; il nomme Augustin Frigon pour la radio et Alphonse Ouimet pour la télévision. Il rappelle que les Canadiens français, absents de la grande histoire des chemins de fer et des voies de communications qui ont scellé l'unité canadienne, ont bien pris leur place dans le développement de la radio et de la télévision nationales, puissants outils de promotion de la culture au Québec. Rappelant l'appui constant et décisif du gouvernement canadien à la radio et la télévision publiques, il ajoute, avec humour, qu'il faut passer par-dessus les critiques et quolibets qu'on se lance mutuellement, du gouvernement à Radio-Canada et de Radio-Canada au gouvernement.

Sans doute le premier ministre fait-il allusion aux invectives qu'il a lui-même proférées contre Radio-Canada à l'occasion d'un dîner-bénéfice avec des supporteurs libéraux. À cette occasion, il a dénoncé la Société comme un nid de séparatistes et suggéré de mettre la clé dans la boite; la télévision nationale pourrait alors se contenter, selon lui, de montrer à l'écran des vases chinois. Il a du style notre premier ministre! Le lendemain de cette soirée-bénéfice j'ai appris du vice-président à Montréal que le président Picard avait, à la blague, offert à Pierre Trudeau de lui rendre la clé, mais que ce dernier avait refusé... La boutade de PET n'aura servi, pour le moment, qu'à dérider son auditoire aux dépens de la Société publique.

Sur le site des archives de la Société, on lit qu'en ce 5 décembre 1973, «la Maison de Radio-Canada trône fièrement au pied du pont Jacques-Cartier». Un texte gravé sur la plaque de bronze dévoilée ce jour-là se lit comme suit: «La Maison de Radio-Canada a été inaugurée le 5 décembre 1973 par le premier ministre du Canada, le Très Honorable Pierre Elliott Trudeau en présence de Laurent Picard et des précédents présidents, Davidson Dunton de l'Université Carleton à Ottawa, Alphonse Ouimet, président de Télésat et George Davidson, sous-secrétaire aux Nations Unies.» Sont également présents: le premier ministre du Québec, Robert Bourassa, et le maire de Montréal, Jean

Drapeau. Il ne manque plus que la touche du Service jeunesse : pour rendre l'événement encore plus solennel, une hôtesse de la Maison a remis ce jour-là au premier ministre Trudeau les marionnettes de *Nic et Pic*, destinées à son fils Justin.

Ah ! ces communistes...

En 1973, je fais de nouveau un séjour de travail en zone communiste. De Vienne, Claudette, ma sœur et moi prenons le train pour Bratislava ; nous mettons plus de trois heures pour franchir la distance de... 60 kilomètres. Faut dire qu'on nous arrête à plusieurs reprises pour contrôler passagers, passeports, visas et bagages, et vérifier sous le train au cas où... Pour moi, c'est une première ! À la gare ferroviaire, nous attendons le taxi pendant une heure ; pourtant il est là, sous nos yeux, mais lui semble ne pas nous voir. Il faut se rappeler que cette ville a été fermée aux visiteurs de l'Ouest pendant plus de vingt-cinq ans et rouverte au début de 1973 à l'occasion des Championnats du monde de patinage artistique. C'est d'ailleurs une Canadienne, Karen Magnussen, qui a remporté la médaille d'or chez les dames.

Nous logeons à l'hôtel Kiyev, d'apparence très moderne, construit tout récemment pour ce premier championnat de patinage. Les Prix Danube, événement auquel je suis convié pour participer au jury des journalistes, est le deuxième événement international pour ce nouvel hôtel. L'unique ascenseur qui fonctionne est très lent puisque nous sommes nombreux à l'utiliser du 15e au rez-de-chaussée ; dans la plupart des restaurants, il faut parfois attendre deux heures pour être servi, mais les employés sont chaleureux et font de leur mieux pour nous rendre la vie agréable.

Les Prix Danube en sont à leur deuxième édition ; c'est un festival de films documentaires, dramatiques et d'animation pour la jeunesse, qui se tient tous les deux ans. Nous sommes en septembre et le temps est pluvieux ; Claudette et ma sœur supportent mal l'humidité glaçante de la chambre ; de mon côté, je visionne chaque jour des films dans les locaux de la télévision, qui sont plutôt confortables. Sur le plateau d'une émission de télévision où nous sommes réunis pour parler du festival, nos collègues du jury qui viennent du Caire et d'Amman éclatent de rire quand on leur demande si tout va bien : ce temps maussade et cette humidité les pétrifient. Le lendemain matin, le gouvernement vient à notre secours ; en tirant les rideaux de la fenêtre de notre chambre, nous apercevons pour la première fois de la fumée s'échapper des cheminées avoisinantes. C'est que les Slovaques doivent attendre le 1er octobre pour chauffer leurs appartements ; la même règle s'applique normalement à l'hôtel Kiyev. Mais après à l'intervention de nos collègues de la télé, le chauffage est autorisé quelques jours avant le 1er octobre.

Notre jury met un bon moment à procéder à la sélection des émissions finalistes. Les jurés de l'Est sont soumis à une pression qui nous est inconnue. Nous sommes sept, quatre de l'Est et trois de l'Ouest. Une émission de l'URSS qui a fait son chemin jusqu'aux sélections finales à travers plusieurs jours de délibérations quotidiennes est échappée par erreur dans un vote de quatre à trois. Au final, le Grand Prix du documentaire est attribué à *Papier*, un film d'Allemagne de l'Ouest. Un docu plutôt bien réalisé et instructif pour les adolescents ; il décrit la transformation de l'arbre jusqu'à la feuille de papier. Pour un collègue journaliste de l'Est, ce résultat est catastrophique et signifie la fin de sa carrière ; avant de rentrer dans son pays, il décide de noyer sa peine en vidant plusieurs verres... Je ne l'ai pas revu à la remise des prix le lendemain et je n'ai jamais vécu pareille expérience par la suite. Mais je me souviens que la télévision, qui couvre la cérémonie, la diffuse avec un léger décalage pour éviter des surprises désagréables de la part de l'un ou l'autre des invités étrangers.

Je garde toutefois un excellent souvenir de cette première visite à Bratislava et j'aurai l'occasion d'y retourner à quelques reprises jusqu'à la fin des années 1990.

Monsieur Cap, chargé des ventes à la télévision, nous accueille à Prague au lendemain de la remise des prix et du spectacle offert par les enfants. Nous sommes attendus dans la capitale tchécoslovaque pour deux jours de visionnage. Une des séries que nous allons acquérir est l'œuvre du célèbre animateur Jiri Trnka, *Micha la boule*. Trnka est aussi cinéaste, peintre, illustrateur et créateur de décors pour le théâtre et le cinéma.

Je suis sans aucun doute encore fort naïf à propos du communisme. Mon interlocutrice aux ventes et aux coproductions est bien évidemment membre du régime en place. Lors d'une conversation en tête-à-tête, elle m'apprend qu'elle a accès à une datcha (résidence secondaire à la campagne) et à un appartement de fonction à Prague, où elle peut disposer, à sa grande fierté, d'un chandelier avec pendeloques en verre. Voilà les avantages que le pouvoir réserve à ses fidèles serviteurs dans l'univers communiste. Oui, désormais je serai moins naïf...

En Tchécoslovaquie, je prends aussi conscience d'une autre réalité: ma liberté. Liberté de parole, de mouvement, de choix. La plupart des gens que je rencontre dans ce pays sont aimables et accueillants mais il faut être membre du Parti pour occuper leurs fonctions. Un faux pas, une dénonciation et voilà le directeur de la télévision rétrogradé au poste de balayeur de rue à Prague ou en province. Voici quelques faits vécus:

En sortant du Carlton, le portier me demande si le repas était bon; devant ma réponse affirmative, il ajoute: «C'est compréhensible quand on a de l'argent.»

Avec un jeune journaliste, j'ai une conversation privée difficile puisque j'utilise l'anglais qu'il connaît très peu et il me répond en allemand, que je ne pratique pas; on y met le temps et on finit par se comprendre. À ma visite suivante en Tchécoslovaquie, je demande de ses nouvelles; j'apprends qu'il a perdu son emploi à la suite d'une dénonciation, compromis par notre conversation privée.

Il y a aussi cette vieille femme toute courbée sous son fagot qui ramasse ici et là, le soir, des bouts de bois sec tombés dans la rue, seul combustible pour se chauffer. Ces images, je les croyais d'une autre époque, du Moyen Âge ou du temps de la guerre, mais c'est la vie dure pour ceux qui n'ont rien. Communisme...

À mon retour de voyage, je reste marqué par l'effet qu'un régime totalitaire exerce sur ses citoyens. Il y a chez nous une grande diversité dans les points de vue et les échanges peuvent être virulents. Mais je fais mon travail en étant très conscient de cette liberté d'expression qui nous permet de réaliser nos rêves sans être écrasé par la hiérarchie. C'est une question de liberté, mais aussi de respect de l'autre.

Merci à Raymond Guay, rédacteur à *Ici Radio-Canada,* dont les textes m'aident à reconstituer tous ces souvenirs. Dans un article qu'il m'avait consacré, je disais ceci: «Si la télévision entre dans les foyers, il ne faut pas oublier qu'elle pénètre aussi dans les têtes et les cœurs des enfants. C'est ainsi qu'à travers le monde, il se développe une conscience dans les émissions jeunesse ; les réunions internationales auxquelles j'ai eu la chance de participer encouragent fortement cet état de choses. Le voyage, qui est une immersion culturelle, ne peut que m'aider à mieux assumer ma responsabilité face à l'enfant. Il me permet aussi d'entrevoir des projets intéressants avec les télévisions étrangères. » Le rédacteur concluait son article en citant notre propre slogan, bien en vue sur les murs de nos bureaux : « C'est ça, voyez-vous, lorsqu'on dit qu'aux émissions jeunesse de Radio-Canada, l'enfant, c'est important. »

16

LES JEUNES PARLENT AUX JEUNES

À la fin de l'année 1973, l'animatrice Lise LaSalle lance un cri d'alarme aux quatre cent mille jeunes téléspectateurs de *Téléchrome*: elle leur demande de faire une contribution de quelques sous, à même leurs économies, pour venir en aide aux Éthiopiens. La sécheresse et la famine ravagent l'Éthiopie où l'on meurt par centaines de milliers. À coups de pièces de 5, 10 ou 25 cents, les jeunes font ainsi parvenir plus de 3000 $ à *Téléchrome*, qui les redirige vers Oxfam.

L'année 1974 qui débute sera très importante pour James Dormeyer et pour l'émission vedette du samedi matin, *Téléchrome*. Ce réalisateur ne chôme pas et sa démarche, qui consiste à donner la parole aux jeunes, évolue sans cesse d'une semaine à l'autre.

En 1974, *Téléchrome* est toujours diffusée le samedi à 11 h. Voilà l'inépuisable réalisateur entiché d'une nouvelle cause: l'égalité des sexes. C'est dans ce but que pour deux mois, fille ou garçon prendra la parole, *chacun son tour*. En janvier, seules les filles sont invitées à donner leurs idées par téléphone, et à participer ainsi à la création collective d'une œuvre ayant pour thème « le gars de ma vie ». En février, c'est le tour des garçons de donner des idées pour bâtir une histoire autour de « la fille de ma vie », qui leur sœur, leur mère, leur institutrice ou leur blonde... J'ignore pourquoi il faut fournir autant d'explications aux garçons. En mars, le thème annoncé par le réalisateur est *ad lib;* en avril, c'est la solitude.

Miracle boulevard Dorchester

C'est alors que la réalité a rattrapé la fiction à *Téléchrome;* sous la plume de Réjean Legault, TV HEBDO annonce que « ... la télévision fit UN MIRACLE ». Je n'oublierai jamais ce titre... Nous sommes le samedi 19 avril, il est 11 h et le chroniqueur écrit que « l'émission ne pouvait fonctionner comme à l'habitude en raison de la grève des postiers qui ne pouvaient apporter à Radio-Canada les bandes dessinées des enfants, éléments essentiels au roulement habituel de l'émission... Ou l'on ne faisait pas l'émission, ou l'on trouvait une solution de dernière minute. James Dormeyer, débrouillard comme pas un, fit alors appel au musicien François Cousineau, à l'humoriste Raoul Duguay et au bruiteur Georges Legendre. De la formule traditionnelle, on conserva les enfants en studio qui, chacun à leur tour, exécutait un dessin que leur demandait par téléphone un autre enfant quelque part en province. Fascinante aventure que cet accouchement naturel, que de voir naître une image, une histoire, une musique, des sons. Que d'entendre un Duguay jouer avec les mots, et les associer pour inventer son récit. Puis Legendre lui dit : « Si tu disais telle chose, je pourrais faire tel bruit. » Et de l'exécuter ! Cousineau fait : « Là, ça vous prend une musique de printemps ! » Il pose les doigts sur le clavier et invente une musique de printemps.

Le texte de Réjean Legault est une ode à la création. Et cette émission diffusée en direct nous montre ces figures illuminées d'adultes en train de retomber en pleine jeunesse.

D'un syndicat à l'autre

La grève de la Poste a fourni à Dormeyer l'occasion d'expérimenter un principe qu'il rêve déjà d'appliquer à un « *Téléchrome* par satellite » qui serait diffusé à travers l'Europe et le Canada grâce à notre association à la CTF. Toujours à la recherche de nouvelles voies, Dormeyer décrit en mai ce à quoi pourrait ressembler l'émission à l'automne : la création d'une œuvre dramatique qui entraînerait les téléspectateurs de tous les âges dans le monde de l'enfant ; rêve non seulement autorisé, mais aussi encouragé par le Service jeunesse de Radio-Canada !

Le 31 août commence la saison automne-hiver où le rêve est sur le point de passer à la réalité. Pour sa quatrième année, *Téléchrome* invite les jeunes, joints au téléphone par l'animateur, à réfléchir sur les personnages, décors, costumes, maquillages et mise en scène d'une nouvelle histoire ; ils seront secondés, promet la formule, par des professionnels de la télévision. À mon grand désespoir, qui me restera encore sur le cœur 40 ans plus tard, ce rêve ne passe pas la rampe. Par une émission mensuelle, nous voulions mettre au service des enfants tous les artisans de la télévision. Voilà pour le rêve. Mais la réalité, ce sont les 26 conventions collectives de Radio-Canada qui englobent tous les artisans de notre télévision. Et notre chef des relations avec les artistes, Paul Rousseau, doit nous rappeler que ces ententes permettent certaines choses, mais pas d'autres. Dans le *TV HEBDO*, Réjean Legault annonce qu'il n'y aura « pas de *Téléchrome* », en expliquant très clairement la situation : « Ces artisans qui généralement travaillent dans les coulisses apparaissaient soudainement à l'écran. Ils devenaient des personnages de l'émission. Ils étaient rémunérés pour leur travail, qui de maquillage, qui de décoration, etc., mais sans plus. Or une clause de la convention qui lie Radio-Canada et l'Union des artistes stipule que toute apparition à l'écran, si elle n'est pas fortuite, doit être rémunérée. » Les négociations sur ces conventions sont toujours très laborieuses ; nous voilà obligés de sacrifier le rêve et d'accepter des limites à la création. Le réalisateur en sort puni, défait, la mort dans l'âme. Je ne peux que partager sa souffrance. C'est aussi ça, notre métier.

C'est ici que se termine l'exceptionnelle aventure de *Téléchrome*. Mais en ce début d'année, le 20 janvier, Dormeyer peut quand même se consoler avec la diffusion aux *Beaux Dimanches* d'une autre de ses créations : c'est *Le Grand Rendez-Vous à Québec,* qui raconte la réunion, l'année précédente, des seize adolescents d'ici et d'Europe à l'occasion du Carnaval de Québec, autour de l'animateur Claude Quenneville. Sur une musique du pays jouée par Ti-Jean Carignan au violon, Richard Bergeron à la gigue et Noël Talarico à la guimbarde, des images du Bonhomme Carnaval, de la glissoire au Château Frontenac, du défilé de nuit, de la grande finale du tournoi de hockey pee-wee au Colisée de Québec et surtout de la fraternité qui règne entre ces jeunes dans l'atmosphère de fête et de féerie du Carnaval sont les ingrédients qui assurent le succès de ce film.

Musiques et décors du futur

Nous poursuivrons cette année encore le développement et la production de nouvelles émissions. Les tout-petits, d'abord, sont interpelés par le réalisateur Guy Comeau avec l'émission *You Hou*. La formule est bien de son temps puisqu'il n'est pas question ici de décor traditionnel ; on a supprimé le plancher et les comédiens évoluent sur un fond graphique non figuratif donnant ainsi l'impression qu'ils sont suspendus en l'air. L'important n'est plus le haut ni le bas mais plutôt l'intérieur et l'extérieur. Comme le cosmonaute qui, sorti de sa capsule, flotte dans l'espace. Les comédiens André Cartier, Pierre Curzi et Vanessa Soulioz s'exprimeront sur des thèmes comme les rires, les pleurs, la voix, les cinq sens, la pensée, l'imagination...

Pour le créneau de 16 h 30, l'auteur Paul Legault et le réalisateur Hubert Blais nous font plonger dans le monde de l'insolite des *Égrégores*. Dès ses débuts, cette télésérie nous montre une confrontation entre deux mondes : celui de la science exacte et celui de la fiction pure, de l'irréel, des mutants. Quelques mois plus tard, *Les Égrégores* font peau neuve. L'idée de base, qui repose sur la possession et la transmission d'information par une technologie avancée, continue de nous montrer le très vif intérêt manifesté par une certaine population d'extraterrestres pour le développement scientifique et intellectuel des terriens. Parmi les comédiens, Marc Grégoire, Maryse Pelletier, Diane Bouchard, Daniel Simard et Jean-Pierre Chartrand. Herbert Ruff, qui a déjà composé les musiques de plus de 2000 émissions de télévision, explore ici la musique électronique, encore méconnue. Avec sept notes seulement, l'oncle Herbert, comme l'appellent affectueusement les artisans et artistes de la télévision jeunesse, est capable de produire une infinité de mélodies. Il est prêt à tout, comme il le révèle lui-même : « Si je me réveille dans la nuit avec une mélodie en tête, je la fredonne et je l'enregistre sur le magnétophone... près de mon lit. »

Productions étrangères, producteurs indépendants

Le samedi après-midi, la plage horaire de 15 h à 18 h 30 est à nous avec *Cinéma, Bagatelle* et *XYZ*. Nous pouvons enfin présenter un Cinéma jeunesse avec diffusion de longs-métrages français, polonais, roumain, hongrois, yougoslaves... Les pays d'Europe de l'Est nous fournissent beaucoup de matériel, ce qui signifie aussi beaucoup de contrats intéressants pour nos maisons de doublage à Montréal. Nos jeunes téléspectateurs peuvent ainsi voir, en cette première saison, des films comme *Heidi, Pierrot et compagnie, Ciril le débrouillard, Astérix et Cléopâtre, Les voleurs de lune*... Mais cette offre cinématographique est interrompue en mai par le retour du baseball qui reprend ses droits et son créneau.

La politique du Service jeunesse de Radio-Canada est aussi d'offrir du temps d'antenne aux producteurs et réalisateurs indépendants. Richard Lavoie nous a déjà livré *La Cabane*. Avec la collaboration de Rock Demers (Faroun Films), il nous propose un nouveau long-métrage intitulé *La Guitare*, un drame où des adolescents rencontrent un vieillard solitaire qui chante avec sa guitare l'amour de son île, avant de mourir doucement. Un sujet grave mais qui permet aux enfants d'apprivoiser la mort.

André Melançon s'inscrit rapidement, lui aussi, parmi nos scénaristes et réalisateurs favoris. Ce très grand cinéaste de l'enfance a aussi été psychoéducateur. Bien avant d'inaugurer la série des *Contes pour tous* avec le producteur Rock Demers dans les années 1980, il a réalisé deux courts portraits d'enfants que nous diffusons cette année : *Les Tacots* met en scène une bande de garçons qui refusent de partager un secret avec des filles ; *Le Violon de Gaston* raconte le dilemme d'un jeune joueur de hockey qui doit donner un récital de violon en même temps qu'il doit jouer un match décisif. Ces deux productions nous viennent de l'Office national du film du Canada.

Une acquisition importante, que nous diffusons aussi à l'été, nous vient de la Télévision suisse romande : *L'œil apprivoisé*. Cette série de treize demi-heures est une production de Pierre Gisling qui dirige le Service Art et Éducation de la TSR et qui déjà, en 1964, avait créé le premier camp de dessin et d'expression artistique en Suisse. Dans *L'œil apprivoisé*, un groupe d'adolescents encadré par des éducateurs prennent connaissance de leur potentiel créatif à travers le dessin, la peinture, la sculpture, la photographie, les collages, le maquillage… Jean-Luc Paquette, futur réalisateur au Service jeunesse, est le rédacteur d'*Ici Radio-Canada* qui nous donne cette définition de l'expérience tentée par *L'œil apprivoisé :* « Chacune des émissions est conçue en fonction d'une technique différente. On débute par le fusain. Puis on ajoute la couleur. Plus tard, on tentera de fixer le mouvement sur papier. De l'aquarelle, on filera vers l'abstraction. » Cela me rappelle les mots d'Hokousai sur la nécessité de saisir la vie : « C'est à l'âge de soixante-treize ans que j'ai compris à peu près la structure de la nature vraie, des animaux, des herbes, des arbres, des oiseaux, des poissons et des insectes… à cent ans, je serai décidément parvenu à un degré de merveille. » Et ceux de Karl Marx sur l'art « la plus haute joie que l'homme se donne à lui-même » ; et ceux de Renoir sur l'importance de l'œil : « La palette d'un peintre ne signifie rien. C'est son œil qui fait tout. »

Après acquisition et diffusion de cette série en 1974, Claude Morin, chef adjoint aux émissions jeunesse, s'envole vers la Suisse en compagnie de six jeunes Québécois, trois filles et trois garçons de dix à quinze ans ; ceux-ci ont été choisis pour aller faire le camp de dessin dans le cadre d'une coproduction entre Radio-Canada et la TSR. Cette deuxième série de treize émissions, réalisée à Dieulefit pendant les étés 1974 et 1975, sera plus tard diffusée sous le titre *L'Imagination au galop*.

La TSR publiera *L'œil apprivoisé* en coffret. Cet ouvrage veut inciter les lecteurs à développer leur sens de la vision, à découvrir la beauté dans les choses les plus simples et à avoir confiance dans leurs propres talents créateurs. On doit cette initiative au créateur et animateur du camp de dessin, Pierre Gisling, dit Kim.

L'événement de l'été : la « Superfrancofête »

Pour plusieurs, moi inclus, le grand événement jeunesse de l'été est la « Superfrancofête » de Québec, avec son Festival international de la jeunesse francophone qui a lieu du 13 au 24 août. C'est à cette occasion que Félix Leclerc, Gilles Vigneault et Robert Charlebois chantent ensemble, sur les plaines d'Abraham, l'hymne à la paix et à l'amitié universelles de Raymond Lévesque, *Quand les hommes vivront d'amour*, devant plus de cent mille personnes en transe.

C'est Guy Latraverse qui a eu l'idée de cet événement grandiose et inoubliable. Robert Charlebois en dira, plusieurs années plus tard : « Cette grande fête du 13 août rassemblait aussi sur les plaines, Bourassa, Lévesque, Trudeau ; ce n'était pas un événement politique mais une fête de famille, une fenêtre d'amour. » La couverture de cette longue semaine de célébrations de la francophonie est confiée à la télévision jeunesse de Radio-Canada. Francine Ruel et Robert Gagnon sont nos présentateurs. Cette affectation permet aux équipes de James Dormeyer (oui, encore lui), Renaud Gariépy et Pierre-Jean Cuillerier de filmer chaque jour des événements différents sur les plaines d'Abraham, au village des arts près de la Petite Bastille, sur la terrasse Dufferin au pied du Château Frontenac, mais aussi dans quelques petites villes hors de la capitale où l'accueil est partout généreux et enthousiaste. Cette fête rassemble aussi deux mille jeunes athlètes, artistes et artisans provenant de 25 pays francophones d'Afrique, d'Asie, d'Europe et des Amériques : des musiciens, acteurs, échassiers, danseurs, coureurs, lutteurs, potiers, sculpteurs, cinéastes... même des parachutistes ! Il faut se déplacer d'un lieu à l'autre pour rendre compte, dans notre couverture quotidienne, de toute l'effervescence qui anime alors Québec et sa région, heureuses d'accueillir tous ces talents. Grâce à notre Service jeunesse, appuyé par l'équipe locale de CBVT avec le réalisateur Jacques Vermette, les jeunes et les moins jeunes qui n'ont pas la chance d'être sur place peuvent faire la fête avec les gens de la vieille capitale, par le truchement de la télévision.

Quelques semaines après la fête, la Société d'accueil du Festival fait parvenir ce message à nos services : « Si on a parlé de la *Superfrancofête*, si on en parle encore, c'est à cause de vous. De vous que nous voulons aujourd'hui remercier d'avoir *fait* le Festival. » Et le signataire de cette lettre ajoute : « Le Superfranco Drink fut mis au point à la suite 627 du *Concorde* par l'équipe de Radio-Canada International. Il est sûr que le danger pour la santé croît avec l'usage, mais ce n'est toujours pas nos affaires... Tout ce qu'on peut dire, c'est que ça vaut le coup d'être essayé. C'est comme la *Superfrancofête*, d'ailleurs ; on est venu, on a bu, on a survécu. » Je n'ai pas retrouvé dans mes classeurs la recette de ce « Superfranco Drink », mais je crois bien qu'il a coulé à flots lors de notre dernière nuit à Québec ; nous avons dû en dissiper les effets sur une piste de danse improvisée dans le bar dû Château Frontenac ; il y eut aussi quelques torrents de champagne. Mais après ces journées de dur labeur, on était bien content de célébrer. Heureusement, je n'avais que 41 ans.

Témoin privilégié et partenaire enthousiaste de ces journées exceptionnelles de l'été 1974, James Dormeyer en a fait un film que *Les Beaux Dimanches* diffuse huit mois plus tard, le 6 avril. Le film, habilement monté par Jacques Clairoux, est une véritable fête en soi. Il sera distribué à tous les pays membres de la Communauté des télévisions francophones.

En 1974, *Bobino* fête son dix-huitième anniversaire. C'est l'occasion de produire une émission spéciale en présence d'une cinquantaine d'enfants de milieux défavorisés, que ravissent les folies de Bobinette. Les enfants émerveillés se régalent du goûter qui leur est servi, et ils repartiront les bras chargés de cadeaux. Le grand patron, Raymond David, exprime le souhait que cette émission dure encore longtemps ; en fait, elle sera encore là quand Raymond David prendra sa retraite en 1983. *Bobino* ne prendra fin qu'en 1985, après plus de 5000 émissions.

En cet automne de 1974, de nouvelles séries étrangères sont programmées par nos services. *Graine d'ortie* est l'histoire d'un enfant de sept ans (interprété par Yves Coudray) élevé par l'assistance publique. C'est un feuilleton de treize demi-heures réalisé par Yves Allégret (l'ex-mari de Simone Signoret) et produit par Albert Barillé chez Procidis. *Prince noir* est une production britannique de 52 épisodes qui raconte l'amour passionné de deux enfants pour un jeune étalon. Dans une autre série britannique, *Temporel* est un sorcier, sorti tout droit du Moyen-Âge et transplanté en plein XXe siècle, qui se retrouve au centre de plusieurs situations hilarantes. Enfin, le vendredi à 17 h, la série *Pour tous* propose à la famille des films puisés au répertoire mondial, où les personnages principaux sont souvent des enfants. C'est dans ce créneau qu'on peut voir, notamment, *Tintin et le temple du soleil, Il était un petit navire, Jo Limonade et le Grand Ours.*

En 1974, Margery King met sur pied, avec la collaboration de Pierre Juneau, président du CRTC, l'Institut de radio télédiffusion pour enfants – un organisme dont le but est de promouvoir l'excellence dans la diffusion d'émissions de télévision destinées aux enfants du Canada. Dès sa fondation, cet organisme réunit des individus et des sociétés préoccupés par la qualité du contenu télévisuel qui pénètre quotidiennement dans nos foyers, et dans l'esprit et le cœur de nos enfants. Ses membres proviennent des secteurs privé et public, des associations commerciales, des radiodiffuseurs, des agences de publicité... et même de *TV HEBDO*, dont les journalistes servent souvent de courroie de transmission entre l'Institut et les parents et éducateurs. En feront évidemment partie les délégués de Radio-Canada, CBC, TVA et CTV.

Coup de cœur africain au Festival de Munich

Je suis à Munich pour le dixième anniversaire de son Prix Jeunesse International, en compagnie de centaines de délégués venus d'une quarantaine de pays. Lors de cet événement biennal, on peut visionner des émissions de tous les continents et discuter de leur contenu dans des équipes où idées et cultures se confrontent. Bien au-delà du divertissement ou de la forme, on y parle surtout de l'enrichissement psychologique et moral de l'enfant par la télévision. Oui, à Munich, chacun a l'occasion de réagir selon sa culture et son éducation ; les débats sont très animés.

Une émission venue du continent africain se distingue particulièrement pendant cette semaine. Un comédien, grand et fort, raconte une histoire à des enfants, en toute simplicité. Le talent exceptionnel du conteur, le regard attentif de ses auditeurs suspendus à ses lèvres nous font réaliser que l'excellence d'une émission n'est pas le résultat d'un investissement financier : cela relève d'abord de la qualité de la parole, de l'écoute, du regard, du message et du messager, de la pertinence de la caméra... Un prix international salue la réussite de cette belle production.

Pendant mon séjour à Munich, je prends aussi connaissance d'un article publié dans la prestigieuse revue *Télérama,* où la journaliste et critique Mireille Chalvon dénonce le retard de l'ORTF (Office de la radiotélévision française) sur la télévision canadienne en matière de programmation jeunesse. Elle écrit qu'à Jacqueline Joubert, responsable de la programmation jeunesse à la télé française, « on octroie, du bout des doigts, tranches horaires et budget comme à une parente pauvre qu'on aime bien, mais qu'on ne prend pas au sérieux ». *A contrario,* « la télévision canadienne fabrique cent dramatiques par an. Trois studios fonctionnent à temps complet pour les émissions enfantines (...). Les Canadiens voulant ouvrir les yeux du public sur le monde extérieur ont imaginé deux petites souris qui parcourent le globe à la recherche des spécialités locales (...). Au Canada on a recours au téléphone. Un groupe d'enfants illustre en bandes dessinées des histoires communiquées au téléphone par d'autres. » Mireille Chalvon sera plus tard nommée responsable du Service jeunesse à FR3, née du morcellement de l'ORTF.

Pour la troisième fois, Radio-Canada organise un concours de dessins pour les enfants de ses employés. Je fais partie du jury en compagnie du réalisateur James Dormeyer, du graphiste Roger Paré, de l'animatrice Claudia Lamarche du réseau FM de la SRC et de Monique Michaud, vice-présidente de Dargaud (Canada) qui édite entre autres les albums d'Astérix, de Lucky Luke et d'Achille Talon. Beaucoup plus de filles que de garçons participent au concours : cela n'étonne pas James Dormeyer et Roger Paré qui ont observé le même phénomène à *Téléchrome ;* 218 dessins exécutés par 72 enfants de deux à quatorze ans nous sont soumis. Il y a bien sûr un cadeau pour chaque enfant participant et les dessins seront exposés dans le foyer de la Maison à Montréal. Marie-Annick Viatour, 9 ans, est primée... pour l'ensemble de son œuvre. Une œuvre qui n'a pourtant pas fini de s'épanouir. Cinq ans plus tard, en 1979, le Canada imprimera un timbre intitulé *L'arbre de vie* à l'occasion de l'Année internationale de l'enfant. Le dessin au crayon-feutre qui y figure a remporté le prix international de l'UNICEF et c'est l'œuvre d'une adolescente de Longueuil du nom de Marie-Annick Viatour. Internet est bien utile pour apprendre ce que cette jeune fille est devenue trente ans plus tard. Le site web de Marc Gauthier est dédié à l'art. Son communiqué de presse du 23 octobre 2009 annonce que « L'exposition *Au pays des sculptures jouets*, présentée au Centre Materia du 6 novembre au 13 décembre 2009, met en scène une trentaine de sculptures-jouets en bois. Les œuvres présentées illustrent le travail des dix dernières années du tandem formé de Marie-Annick Viatour et de Gaétan Berthiaume, des artisans peintres et sculpteurs. »

Reprises qu'il faut (re)voir

Dans le *TV Hebdo*, Pierre Sheridan se demande pourquoi Télé-Métropole et Radio-Canada diffusent autant de reprises de leurs émissions jeunesse. Je me fais un plaisir de lui répondre. D'abord il est évident que la raison financière joue un rôle mais ce n'est pas la seule. Les émissions ne sont plus produites en direct et elles sont presque toutes conservées sur bande magnétoscopique. Résultat, on fignole davantage nos productions, ce qui en accroît la qualité, mais en diminue aussi le nombre. La preuve de cette qualité accrue se vérifie aisément dans l'augmentation des ventes à l'étranger de nos émissions jeunesse.

Il ne faut pas oublier que la télévision publique propose un menu de quarante-cinq émissions jeunesse par semaine, productions canadiennes et étrangères, ce qui à notre connaissance est à peu près unique au monde. Et notre expérience de la télé jeunesse mondiale nous indique que les reprises sont le lot de toutes les chaînes que nous connaissons.

Le point le plus important, ce n'est pas seulement que l'auditoire des enfants se renouvelle rapidement mais aussi que ces derniers « apprécient revoir une émission qu'ils ont déjà vue et qu'ils ont aimée tout comme ils aiment relire *Tintin, Astérix* ou *La comtesse de Ségur*. »

Pierre Sheridan cite mon argument final : « Ce n'est donc pas seulement pour des considérations financières ou de facilité qu'on présente des émissions jeunesse en reprise, mais c'est également pour une utilisation rationnelle d'un produit de valeur. » J'ajouterai que si *Fanfreluche* ou *Sol et Gobelet* reviennent un jour à l'antenne, ce ne sera pas faute de nouvelles émissions à présenter, mais bien parce que ce sont là des petits chefs-d'œuvre qui méritent d'être revus.

Nos productions maison, nos acquisitions au pays et à l'étranger, notre présence accrue sur la place publique, nos interventions remarquées dans les forums nationaux et internationaux en faveur de l'enfant, et le nombre croissant de nos coproductions avec les producteurs indépendants et les télévisions étrangères constituent autant de précieux atouts pour la direction du Service jeunesse. À l'été de 1974, la nomination de Georges-Noël Fortin au poste d'adjoint à la direction du service s'ajoute à cette liste. GNF n'arrive pas les mains vides: il détient une maîtrise ès sciences, un diplôme en musique et il est membre de la Corporation des agronomes. Depuis 1955, il est réalisateur au Service des émissions agricoles et aux émissions éducatives et d'affaires publiques. Il sera notre délégué auprès des producteurs indépendants et des distributeurs au pays et à l'étranger pour tout ce qui touche aux acquisitions et aux coproductions. Cet homme chaleureux, compétent et aimé de tous, loin de prendre sa retraite, apporte ainsi au service jeunesse un bagage exceptionnel. Parmi ses multiples qualités, on lui reconnaît aussi une grande discrétion. De Cannes, où il assiste au Marché international des programmes (MIP-TV), il me fait un jour parvenir son rapport de mission, avec sa description des séries visionnées. À côté de certains titres, il inscrit les lettres « NFG », donnant à penser qu'il s'agit de ses propres initiales. Mais je connais ce code secret, qui m'est destiné: NFG signifie « No Fucking Good », et la série ainsi marquée ne sera pas acquise par le Service jeunesse de Radio-Canada, le meilleur du monde. En plus de tous ses diplômes, Georges-Noël a aussi le sens de l'humour.

Le 30 novembre, après l'arrêt subit de *Téléchrome*, James Dormeyer, qui décidément ne chôme jamais, lance *Connexion,* une émission du samedi matin destinée aux adolescents. Animée par Geneviève Guérin et François Blain, cette nouvelle émission, avec son côté interactif si caractéristique de Dormeyer, permet d'établir des rapports directs entre les jeunes. Pour les jeunes de 13 à 17 ans, Radio-Canada est toujours en mode recherche et développement.

Connexion est un magazine, un laboratoire d'expériences, un lieu d'échanges qui reflète l'enthousiasme, l'inventivité et la créativité de la jeunesse. Les jeunes ont droit de parole, et James Dormeyer, encore une fois, la leur donne avec *Connexion :* « Je voulais tellement prôner l'expérience personnelle, et particulièrement celle de l'échec comme facteur de développement et d'apprentissage que j'avais choisi les deux animateurs, Geneviève Guérin et François Blain, précisément parce qu'ils n'avaient jamais fait de télévision. François avait un grave problème de diction: non seulement il mâchait ses mots, mais il lui arrivait aussi de les avaler ! Qu'à cela ne tienne, Henri Bergeron, l'annonceur vedette des *Beaux Dimanches*, venait chaque semaine sur notre plateau mettre un crayon dans la bouche de notre animateur pour qu'il améliore son articulation. »

Le succès de cette initiative repose donc entièrement sur la participation des jeunes et tous sont invités à entrer en relation. Ils peuvent même communiquer directement avec le recherchiste, Raymond Plante, et peuvent proposer leur sujet par téléphone ou par courrier. Non, nous ne sommes pas encore à l'ère d'Internet, mais les jeunes savent déjà comment communiquer entre eux ; ils sont à l'avant-garde. *Connexion* aborde une variété d'activités comme la photographie, le cinéma, le théâtre, l'astronomie, les voyages, l'astrologie, le journalisme, les inventions... James se souvient d'un jeune qui lui a été présenté par Raymond Plante, et qui souhaitait visiter l'Europe. L'équipe lui fournit tout le matériel pour tourner chaque semaine un petit reportage qui serait diffusé à l'émission. « Avions-nous, sans le savoir, posé les premiers jalons de ce qui deviendrait plus tard *La Course autour du Monde* ? » Pourquoi pas !

Comme nous, le Service des émissions dramatiques travaille aussi, parfois, pour la famille. Le réalisateur Florent Forget entreprend en juillet les tournages extérieurs de *La Petite Patrie* (1974-1976), une télésérie basée sur un récit autobiographique de Claude Jasmin. Ce dernier est décorateur à Radio-Canada mais il s'affirme de plus en plus comme écrivain et chroniqueur. Malgré cette plume remarquable qui assurera sa célébrité, Claude rêve pourtant d'autre chose : il voudrait devenir réalisateur. Pendant des années, il a bien frappé à toutes les portes pour qu'on lui donne sa chance, mais l'occasion ne s'est jamais présentée. J'ai un intérêt personnel dans cette nouvelle émission puisqu'elle se déroule dans le quartier montréalais voisin de celui où j'ai passé mes jeunes années et fréquenté l'école primaire : Villeray. Cette fiction commence en 1945, à la fin de la guerre, et nous rappelle qu'à cette époque, le Québec ignore encore la contestation. L'autorité, qu'elle soit civile, familiale ou religieuse, prime tout et partout. Monsieur le premier ministre, Monsieur le maire, Monsieur le curé, le papa, conservent jalousement leur pouvoir dans cette société très hiérarchisée ; devant eux, aucun autre choix que de s'incliner. C'était avant la Révolution tranquille, et le vent de liberté qu'elle a répandu sur toutes les couches de la population. Mes chaleureuses salutations à Jasmin, l'écrivain polémiste que j'ai connu, il y a cinquante ans, à la taverne Royal, rue Guy, près Burnside (aujourd'hui de Maisonneuve). On y mangeait fort bien, on y conversait encore mieux ; des discussions enflammées qui seront un jour offertes en librairie dans une œuvre collective intitulée *Les Écrits de la taverne Royal*. Jasmin figure en bonne place parmi les auteurs.

Je ne parle pas souvent de sport, mais il y a un événement que je ne peux pas ignorer, ce sont les Championnats du monde de cyclisme de Montréal. Bien sûr, les cyclistes ont toute notre admiration, mais ce qui m'impressionne le plus dans la circonstance, c'est le talent de nos artisans qui ont créé une voiture capable de filmer les concurrents sur les pentes abruptes du mont Royal. Nous sommes en 1974 et c'est la première fois que Montréal organise cette compétition ; en fait, c'est la première fois que cette compétition se déroule en Amérique du Nord. Des athlètes d'une cinquantaine de pays se disputent plusieurs épreuves : course de vitesse, tandem, 1000 m, contre la montre, poursuite individuelle, poursuite par équipe, demi-fond, 100 km... Les commentateurs Lionel Duval, Georges Seltzer et Guy Ferron et les réalisateurs Jacques Viau et Jacques Primeau suivent les champions pendant douze jours : c'est aussi un travail d'athlète ! Au dernier jour de l'événement, le 25 août, les grands noms de ce sport, très populaire en Europe, participent à la course de 262 km sur route. Les Merckx, Poulidor, Thèvenet, Maertens et une soixantaine d'autres seront les premiers à tester le circuit du mont Royal, qui devront aussi affronter les athlètes olympiques aux prochains jeux de 1976. Nous vivons une époque magnifique. « Y a rien de trop beau pour la classe ouvrière », dit la sagesse populaire ; c'est aussi ce que je me dis quand je pense aux années 1970. Y a rien de trop cher non plus : les Jeux olympiques de Montréal s'en viennent à grands pas !

17

PAR ICI LES ADOS !

J'entreprends ma cinquième année au Service jeunesse. Nous sommes maintenant en mesure de donner une suite fort intéressante à nos questionnements et recherches commencés en 1972. Cette démarche concerne les ados et, pourquoi pas, les adultes qui s'intéressent à la réalité des jeunes.

Avec le temps

En couverture du *Télé Presse* du 4 janvier 1975, une photo de Normand Gélinas et de Louise Matteau dit déjà toute la dynamique d'un nouveau feuilleton jeunesse qui entre en ondes le vendredi 3 janvier à 20 h 30 : *Avec le temps* (1975-1977). La petite histoire de cette nouvelle création n'est pas banale, en fait il s'agit d'une première. Pierre Pétel n'est plus directeur du Service des variétés ; on l'a nommé récemment adjoint à la direction des programmes où il accueille les projets de l'extérieur. C'est à ce titre qu'il rencontre Normand Gélinas et Louise Matteau, qui lui présentent un projet d'émission quotidienne composé de trente-cinq épisodes de quinze minutes. Pétel les invite à rédiger plutôt une émission hebdomadaire de trente minutes et les dirige vers le Service jeunesse. Les scénarios nous enchantent. Avec le réalisateur Maurice Falardeau, nous demandons seulement aux auteurs d'éliminer les parents qui sont contraignants et de les remplacer par des personnes âgées avec qui les jeunes pourront échanger sans être soumis à une pression parentale.

Pour nous, il est clair que ce nouveau téléroman deviendra l'émission préférée des 16-20 ans. C'est l'histoire d'un projet communautaire, la « Boîte à tout l'monde » où des jeunes font ce qu'ils aiment tout en aidant la communauté; un lieu de rencontre où les gens du quartier viennent combattre leur solitude. Ces grands ados sont aussi à l'écoute des personnes âgées.

Ce nouveau feuilleton est écrit par des jeunes, interprété par des jeunes et destiné aux jeunes. Les personnages vivent selon les idées, les modes, les conceptions de leur époque. Ils portent le jean, les cheveux longs, ils méprisent l'argent, mais ils s'arrangent pour en gagner. Au moment du casting, les réalisateurs Maurice Falardeau, Jean Picard, puis Jean-Yves Laforce, respectent l'esprit du téléroman en recrutant des comédiens fraîchement émoulus des écoles de théâtre. On retrouve ainsi Robert Maltais, l'intello du groupe; Mario Lirette, l'amateur de musique; Jean-Pierre Bergeron, le fils de millionnaire; Véronique le Flaguais, la diététicienne; Marc Messier, l'artiste peintre, et Carole Chatel, la danseuse à gogo. Gilles Pelletier et Marthe Nadeau font les deux personnes âgées; les deux auteurs, Normand Gélinas et Louise Matteau, complètent la distribution.

La direction des programmes nous a confié un créneau qui convient parfaitement à l'auditoire que nous voulons atteindre. L'émission rallie très vite les jeunes et les plus âgés; une troisième place au palmarès de la chaîne française avec près de deux millions de téléspectateurs, dont beaucoup de parents qui suivent la série avec leurs adolescents, ce qui nous procure, au Service jeunesse, la plus grande satisfaction: «Quand les jeunes s'unissent pour réaliser un idéal, écrit Raymond Guay dans *Ici Radio-Canada,* ils donnent un souffle nouveau à la télévision.»

Pour les tout-petits, une nouvelle réalisation de Pierre-Jean Cuillerier, *La Boîte à lettres* (1975-1977), diffusée le matin. Raymond Plante a contribué aux canevas de cette création avec de talentueux collaborateurs/comédiens comme Dorothée Berryman, Francine Ruel et Robert Gravel. Les vingt-six lettres de l'alphabet sont en vedette dans cette émission, et elles se donnent en spectacle avec les dessins du graphiste Roger Paré. Elles sont invitées sur les planches, quinze minutes par semaine, le jeudi à 10 h, pour le bonheur des enfants et de leurs parents. Cette émission offre jeux, bricolages, contes, sketches, charades, chansons, mimes qui font appel aussi bien à l'intelligence qu'à l'émotivité. Un divertissement mais beaucoup de tendresse, d'humour, de poésie et d'imagination. Le dessin animé qui illustre la chanson thème de la série est l'œuvre de Karine Melbye et Pierre Girard. En somme, *La Boîte à lettres*, c'est la sensibilisation des enfants aux sons du langage. Tout ça à partir des vingt-six lettres de notre alphabet.

Le monde en docus

Au menu des nouvelles émissions de l'été, Via le monde propose aux adolescents la série *Défi* qui est présentée le lundi à 19 h 30. François Floquet, Anik Dousseau, Daniel Bertolino et Diane Renaud en sont les réalisateurs. C'est une collection de portraits de six filles et huit gars, dans la jeune vingtaine, qui poursuivent des expériences nouvelles et plutôt originales, au Québec et à l'étranger. Des défis motivés par leur esprit de solidarité, par le désir de se dépasser. On y voit, par exemple, une jeune technicienne en aérologie, qui vit seule dans un poste de météorologie isolé à l'extrême nord du Québec ; dans le sud du Vietnam, une physiothérapeute travaille avec des handicapés de guerre, comme ce livreur de 10 ans ou ce pompiste de 11 ans. Claude Saint-Jean, atteint depuis 1972 de ce qu'on appelle alors l'ataxie de Friedreich, mène un combat énergique pour faire avancer la science. Après le décès de sa femme, Marc Papatie se résigne à voir partir ses enfants pour aller étudier en ville, mais avant, il tient à leur enseigner le mode de vie de son peuple : chez les Algonquins le contact avec l'environnement vaut toutes les règles de grammaire. Via le monde nous élève avec ses images saisissantes de ces jeunes héros méconnus qui vivent dans des environnements très particuliers. Cette série de 39 films est un reflet intelligent de la jeunesse québécoise des années 1970.

Le samedi à 18 h, nous diffusons une collection de documents exceptionnels intitulée *Une fenêtre sur le monde*. Voilà une mission qui connaîtra une longue vie. On y présente bien sûr des créations québécoises, mais c'est aussi la vitrine de nos acquisitions et coproductions par lesquelles nous cherchons à élargir les horizons de nos enfants et adolescents, en leur proposant un regard qui n'est pas toujours celui des productions américaines. On trouve dans ce créneau des productions de la Belgique, du Danemark, du Brésil, de la

Suisse, du Chili, de la Finlande et de courts documentaires produits par le Service jeunesse de la chaîne anglaise de la CBC pour le compte de l'Unicef. Aussi des dessins animés, comme ceux de la célèbre réalisatrice allemande Lotte Reiniger qui réalise des chefs-d'œuvre depuis les années 1920 avec ses silhouettes de papier découpé. Nous faisons ici preuve d'une belle ouverture aux autres cultures, puisque nous sommes certainement considérés dans le monde comme les champions de l'animation avec les créations de l'ONF et aussi avec notre propre service d'animation dirigé par Hubert Tison. Nos enfants peuvent s'ouvrir aux talents des créateurs d'ici et d'ailleurs. Cette série hebdomadaire est animée par Jacques Lemieux, qu'on retrouvera quelques années plus tard à la barre de *Téléjeans. Une fenêtre sur le monde* est une production de Michel Gréco ; c'est aussi la nouvelle devise du Service jeunesse, bien en vue sur les murs de nos bureaux au 7e étage de la Maison !

Faits maison

À l'automne, du lundi au vendredi, les dix créneaux du matin réservés aux tout-petits sont tous occupés par des productions maison réalisées dans nos studios. À 10 h : *Du soleil à cinq cents,* le lundi ; *Les Chiboukis* suivie de *La Boîte à lettres,* les mardi et jeudi ; *You-hou,* le mercredi ; et *Clak,* le vendredi. À 10 h 15, les lundi et vendredi, *Au jardin de Pierrot;* les mardi, mercredi et jeudi, *Minute Moumoute.* Derrière ce menu qui représente, sur une saison de 39 semaines, 390 émissions, on retrouve la formidable concentration de talents et decompétences de nos comédiens, scripteurs, techniciens et réalisateurs.

Bobino est de retour dès septembre, avec une nouvelle réalisatrice, Thérèse Dubhé, qui a été la scripte de l'émission pendant des années. Le décor aussi est nouveau : Bobino et Bobinette ont ouvert un magasin de matériel sportif ! Les Jeux olympiques seront à Montréal l'an prochain et l'auteur Michel Cailloux prépare déjà les tout-petits à l'événement. Dans *Bobino,* on voit aussi neuf nouvelles séries de films d'animation provenant entre autres d'Italie, de France, d'Angleterre, d'Allemagne et des États-Unis, en plus d'une série d'ici, *Les Inuits.*

Celle-ci est une première canadienne puisqu'elle intègre à la fois de l'animation et des marionnettes. Les enfants y découvrent des légendes qui illustrent les liens très étroits qui unissent les Inuits à leur environnement.

Fifi Brindacier et Sesame Street expurgé

Et le samedi matin, nous présentons une production suédoise qui s'adresse certainement autant aux adultes à la recherche de leur propre enfance qu'aux jeunes Québécois épris de liberté. Les Scandinaves la connaissent depuis longtemps sous le nom de *Pippi Langstrump* (« Pippi longues chaussettes ») ; au Québec, on l'appelle *Fifi Brindacier*. Petite fille aux longs cheveux roux attachés en nattes serrées, elle arrive en ville sur le dos d'oncle Alfred, son vieux cheval débonnaire, pour prendre possession de la villa Drôlederepos. Elle a comme compagnon un petit singe nommé Monsieur Dupont. Ses comportements pour le moins désinvoltes ont d'abord étonné les parents mais la grande majorité des enfants des années 1970 sont carrément fous d'elle. Cette héroïne, née dans les romans de l'auteure suédoise Astrid Lindgren, vit dans un monde de grande permissivité qui fait certainement l'envie des petits Québécois.

J'ai déjà raconté (1973) pourquoi nous avions refusé d'acquérir les droits d'une version internationale de *Sesame Street.* En 1975, quelques années encore avant le phénomène *Passe-Partout,* des distributeurs new-yorkais nous proposent un bloc de soixante-cinq demi-heures qu'ils ont nommé *Open Sesame.* C'est un remontage de segments tirés de *Sesame Street* qui ne traitent que de l'alphabet et des chiffres. Tous les éléments touchant la culture américaine ont été évacués ; l'offre devient donc plus alléchante. Il faut non seulement le dire, mais plusieurs années plus tard, il faut encore l'écrire, cette série est la réponse positive à une demande répétée de parents francophones ; avec son contenu épuré, nous ne craignons plus ce que nous considérions, dans des versions précédentes, comme une forme d'impérialisme culturel de nos voisins du Sud. Cette série est diffusée les samedis et dimanches d'automne à 9 h avec un doublage exécuté chez Sonolab sous la direction d'Ulric Guttinger.

« Rassurez-vous bonnes gens, vous ne verrez pas *François* »

C'est sous ce titre que Louise Cousineau, dans *La Presse* du 16 décembre, révèle au public que tout n'est pas toujours rose à la télévision publique. Dans mon souvenir, Louise s'intéresse peu ou pas à la télévision jeunesse, sauf, peut-être, à l'occasion, quand ça va mal.

Réalisée par Gilles Sénécal et écrite par Réjane Carpentier, *François* est une comédie musicale interprétée par Denis Mercier (François) et Denyse Chartier (Isabelle). Bien que produite par le Service jeunesse, et créée par l'éminent réalisateur de *Tour de terre* et *Psst Psst Aïe là !*, l'émission est programmée aux *Beaux Dimanches*, car elle s'adresse davantage à un auditoire adulte ; ses thèmes expriment surtout la contestation du système : les élites, la grande industrie, l'église et les politiciens en prennent pour leur rhume. Après l'avoir vue, la brasserie Molson retire sa commandite. Et Louise Cousineau croit qu'une « comédie musicale de gauche », c'est encore trop hot pour le public. La direction des programmes renonce momentanément à la diffuser, et la remplace aux *Beaux Dimanches* par une émission spéciale avec Diane Dufresne. Le public ne perd pas au change. *François* restera donc sur les tablettes... jusqu'au 2 mai 1976 à 19 h 30 aux *Beaux Dimanches*... ce dont Madame Cousineau, bien entendu, n'a rien dit !

Moins de pub, plus de temps

Un changement important survient en cours d'année qui modifie le contenu des émissions destinées aux enfants de 13 ans et moins. Déjà, dans les émissions pour les enfants d'âge préscolaire, la publicité n'existe pas, du moins à Radio-Canada. D'autre part, depuis l'automne 1974, on a décidé au siège social d'abolir toute publicité extérieure dans les radios AM, anglophone et francophone. Cette année, après consultation entre le président Laurent Picard et le vice-président et directeur général des réseaux français Raymond David, il est convenu qu'à compter du 1er octobre, aucune publicité ne sera diffusée dans les émissions destinées aux 13 ans et moins. Raymond David me demande à ce sujet l'avis du Service jeunesse : notre accord est inconditionnel. Mais je souligne l'impact financier que cette décision implique et son attitude est très conciliante. Il nous faudra des compléments de programme pour remplir les quatre ou cinq minutes qu'occupaient jusqu'alors les messages publicitaires dans chaque tranche de trente minutes, surtout dans les acquisitions, mais aussi dans nos productions en reprise, toutes formatées avec des pauses. La direction comprend le manque à gagner et un budget spécifique nous est accordé à cet effet. Voilà comment vont les choses en ce temps-là. Notre équipe est attentive au bien-être de l'auditoire et l'économie du pays nous permet d'abandonner cette source de revenus.

À Ottawa, du 14 au 16 octobre, l'Institut de radiotélévision pour enfants convoque les professionnels du métier à un premier « festival atelier » dont j'ai accepté de présider le comité organisateur. On y vient du Canada anglais, des USA et du Québec : Harry Boyle et Patrick Gossage du CRTC, Michel Cailloux (*Bobino*), André Caron (Université de Montréal), Rod Coneybeare (*Friendly Giant*), Bob Keeshan (*Captain Kangaroo*), Nan-b de Gaspé Beaubien (psychologue), Robert Liebert (Stanford University), Sam Rabinovitch (psychologue, Montreal Children's Hospital), Chris Sarson (réalisateur de *Zoom*, PBS, Boston), Arthur Weinthal (CTV), Jean-Paul Ladouceur (Télé-Métrople), Michele Landsberg (*Globe & Mail* et CBC) et Jack Ruttle (CJOH-TV) qui nous a fourni offert l'aide technique et qui a publié le rapport de ce premier atelier de l'IRTE. Pendant ces journées, nous aborderons plusieurs thèmes :

- Qu'est-ce qu'une bonne émission pour enfants ? ;
- Réalité ou fantaisie ? ;
- La télévision en direct (*Téléchrome* avec James Dormeyer) ;
- Qui regarde et pourquoi ? ;
- Travailler avec les enfants ;
- Construire à partir de rien ;
- Priorités à établir pour la recherche.

Les professionnels réunis à ces ateliers profitent de rares moments à réfléchir plutôt qu'à produire, au bénéfice des auditoires jeunesse. Il faut comprendre l'influence que la télévision exerce sur les enfants et sur la société ; l'IRTE s'en charge.

Chapeau à Via le monde ! *Les Beaux Dimanches* présente *Ahô au cœur du monde primitif*, un long-métrage documentaire réalisé par

Daniel Bertolino et François Floquet, avec un commentaire écrit par George Perec. Des Cintas Largas du Brésil aux Papous de Nouvelle-Guinée, des Pygmées Baka du Cameroun aux Oran Kubu de Sumatra, le film nous montre quatre communautés humaines vivant dans les profondeurs des dernières forêts tropicales, complètement coupées du monde moderne. Avant d'être présenté aux *Beaux Dimanches,* le film a tenu l'affiche pendant quelques semaines au cinéma Parisien, exploit assez rare à l'époque pour un documentaire. Je conserve une photo de la soirée de première : Daniel Bertolino et François Floquet posent fièrement sous la marquise qui annonce leur film. Sur la photo, Floquet a écrit : « Regarde ma montre, il est 9 h 20. Tout allait commencer... Et tu étais là pour me dire que ça allait marcher. » Et Bertolino ajoute, de sa fine écriture tordue : « Au fond tout est toujours possible, à condition d'avoir vraiment quelque chose à dire. » C'est sans doute la raison pour laquelle j'ai travaillé avec Via le monde pendant vingt ans. *Ahô* a remporté le prix du meilleur long-métrage de non-fiction au Festival du film canadien de 1976.

Un autre long-métrage, une fiction cette fois, signé Claude Jutra : *Kamouraska,* adapté du roman d'Anne Hébert. Le film connaît un succès exceptionnel lors de sa diffusion à la télévision de Radio-Canada le samedi 4 octobre à 20 h. Au Canada anglais, il avait battu tous les records en salle pour un film étranger sous-titré et il avait tenu l'affiche pendant plus de quinze semaines à Washington ; John Dunning et André Link, de Cinépix, l'ont distribué dans pas moins de quinze pays. Geneviève Bujold, qui partage l'affiche avec l'Américain Richard Jordan, le Français Philippe Léotard et une belle brochette d'acteurs québécois, a remporté avec ce film le prix du meilleur premier rôle au Festival du film canadien.

Pour citer encore une production qui m'a marqué, je dois rappeler *Vivre en prison*, un triptyque du réalisateur Jean-Paul Fugère, réalisé avec la collaboration de travailleurs sociaux, de détenus et de huit comédiens, six hommes et deux femmes. Ces comédiens incarnent les prisonniers dont les confidences ont été enregistrées par les travailleurs sociaux. Sur les bandes magnétiques, ils racontent leur enfance, ils racontent l'avenir qu'ils s'imaginent. Ils parlent de leurs familles, de la rupture avec la société, de leurs délits, de leur condamnation. Le réalisateur a demandé aux comédiens de s'imprégner des mots et du ton des détenus. Ainsi, tout ce que les comédiens diront dans les trois émissions de la série est l'exacte reproduction des propos tenus par les prisonniers. Ce n'est pas tant son rôle de détenue qui a impressionné la comédienne Sophie Clément, comme la réelle confrontation avec une personne privée de liberté. C'est précisément l'effet que Jean-Paul Fugère a voulu produire sur le public.

Mon voyage au pays du Shah

Début septembre, je rejoins le groupe jeunesse de l'UER qui se réunit à Bruxelles, après quoi je rentre à Montréal. Mais l'année n'est pas terminée que je dois m'envoler à nouveau, cette fois vers Amsterdam, puis Cologne, où je suis attendu pour des échanges à trois sur des projets futurs. Avec l'Irlandaise Molly Cox, de la BBC, je me présente devant la ZDF, la deuxième chaîne publique allemande où nous attend notre collège Siegfried Morhof. Au gardien armé qui nous demande de nous identifier, nous répondons : IRA et FLQ, avant de corriger : BBC et CBC. Il faut être gamin !

À Cologne, je reçois un message du ministère des Affaires extérieures du Canada qui me demande d'aller dans un festival en Iran, où Frédéric Back doit recevoir un prix. On me trouve un vol pour Téhéran. Arrivé à l'hôtel où loge le festival, impossible d'avoir une chambre : bien naïvement, j'ignore qu'il faut payer un bakchich. Je me rabats sur un autre hôtel qu'un Américain m'a recommandé pendant le vol Cologne-Téhéran, ayant toujours l'habitude de réserver des chambres dans deux hôtels, au cas où... Je m'inscris donc à cet hôtel sous le nom de l'Américain, sachant que sa chambre est disponible, avant de réaliser que c'est un hôtel de passe. Il est tard, c'est presque la nuit. Je bloque la porte de la chambre avec ma valise, je dors d'un œil et je me lève très tôt pour retourner à l'hôtel de la veille, où je m'adresse au secrétariat du festival, pour apprendre que mon nom n'apparaît pas sur leurs listes. On me trouve toutefois un lit (de camp) pour partager la chambre d'un Canadien de Winnipeg, délégué de l'ONF. J'apprends aussi que Frédéric Back n'est candidat à aucun prix, mais on m'invite gentiment au concert du samedi soir et à la réception qui suit, en présence du shah et de son épouse l'impératrice

Farah Diba, la shahbanou, présidente d'honneur du Festival. On prend place dans la salle de concert, mais chaque invité est couplé à un inconnu très baraqué. À l'arrivée du shah, la salle se met debout et chaque inconnu porte la main droite sur sa poche-revolver, prêt à dégainer à la moindre menace. Souverain bien-aimé sans doute, pour mériter de telles précautions. Après le concert, nous sommes tous fouillés avant d'être admis dans la salle de réception.

Dès le lendemain matin, je décide de quitter Téhéran pour Montréal. Celui qui m'a hébergé pendant deux nuits sur un lit de camp doit assister à la soirée de remise des prix en présence de la shahbanou. Il a commandé le costume approprié chez un tailleur mais il lui manque encore les souliers noirs. Je lui cède volontiers les miens. Je n'entendrai plus jamais parler de ce cinéaste manitobain ni de mes souliers abandonnés en Iran ; comme ceux de Félix Leclerc, ils ont sans doute continué de voyager. Le chauffeur de taxi qui arbore un fanion officiel roule de l'hôtel à l'aérogare à une vitesse dangereuse, ne s'arrêtant que pour permettre illégalement à d'autres passagers de monter, mais je décolle enfin. Première escale dans une salle minuscule de l'aéroport de Bagdad où l'on ne peut même pas s'asseoir. Deuxième escale à Londres puis, après une longue attente, destination New York. Enfin un quatrième vol à destination finale de Montréal ; une petite heure celui-là, mais avec une telle turbulence que mon café s'est retrouvé moitié au plafond, moitié sur mon pantalon.

Si j'ai dû rentrer à Montréal aussi précipitamment, c'est que mon patron, Jean-Marie Dugas, a convoqué les chefs de service pour une réunion importante. À mon arrivée, j'ai droit à un : « Je vous attendais plus tôt. » J'avais passé les 24 dernières heures dans les aéroports et dans le ciel. Et dire que certains de mes collègues envient mes voyages à l'étranger. Peut-être est-il exact que les voyages forment la jeunesse. Heureusement, la réunion plénière de la Communauté des télévisions francophones en décembre aura lieu... à Montréal.

J'aime bien citer des témoins qui portent un regard extérieur sur notre télévision pour enfants, et je ne m'en prive pas. Surtout lorsqu'il s'agit d'une journaliste aussi éminente qu'Hélène Pelletier Baillargeon. Celle-ci écrivait, à la fin de 1975 : « Pour un *Sol* passé à la notoriété adulte, combien de *Fanfreluche*, de *Paillasson*, de *Nic et Pic*, de *Bidule*, de *Picotine* auxquels nous négligeons peut-être de rendre régulièrement hommage parce qu'ils défraient moins volontiers la chronique quotidienne des milieux artistiques ? Et pourtant, leur travail consciencieux, leur merveilleuse intuition de l'univers enfantin, leur bon goût et leur inlassable invention ne cessent d'enchanter, bien au-delà de leur premier auditoire, des milliers de parents sensibilisés à l'importance de la création culturelle pour la jeunesse. » Beau cadeau de fin d'année !

18

DES JEUX OLYMPIQUES ET AUTRES DISTRACTIONS

Pour 1976, le Service jeunesse voulait se renouveler. Son vœu est exaucé par trois nouvelles séries dramatiques dans le créneau de 16 h 30 qui ne passeront pas inaperçues. Les trois démarrent la même semaine : le mardi 6 janvier, c'est *Le grenier* ; mercredi 7, *La fricassée,* jeudi 8, *Le Gutenberg.* Quelle semaine !

La semaine folle des 16 h 30

Dans *Le grenier,* nos jeunes téléspectateurs découvrent une vieille maison québécoise dans le village de Saint-Odilon-du-Petit-Ruisseau. Elle appartient à Dollard (Yvon Bouchard), un homme désœuvré qui ne vit que pour sa collection de cartes postales. Son ami Étienne (Robert Duparc) lui suggère de louer son grenier, ce qui lui assurera un revenu et de la compagnie. Trois locataires se présentent : Sâdhu Bidishâh (Gérard Poirier), Antoinette Orthographe (Hélène Loiselle) et Frimousse (Marielle Bernard) ; de beaux conflits de civilisations en vue ! On imagine le proprio, au seuil de la dépression nerveuse, aux prises avec ces trois hurluberlus. Les enfants adoptent immédiatement cette nouvelle série qui se hisse au premier rang des dramatiques de 16 h 30 quelques semaines après son apparition ; ils apprécient particulièrement le comique de Sahdu, qui a de la langue française et de la réalité québécoise une compréhension décidément rudimentaire... Une belle performance de Gérard Poirier. *Le grenier* est écrit par Pierre Guénette, et réalisé par Maurice Falardeau et Claude Poulin.

La fricassée n'est pas qu'une recette de cuisine; ici, c'est une suite de sketches d'une à cinq minutes, qui marquent certainement l'avènement de l'humour absurde à la télévision. Dans une entrevue à *Télé-Presse*, Serge Thériault déclare: « Notre but est de faire rire les enfants... d'exploiter l'aspect visuel de façon à ce que les enfants de six, sept ou huit ans puissent comprendre, et les adultes sourire, s'amuser aussi. » Le réalisateur André Bousquet dirige une équipe de sept scripteurs: Raymond Plante, Serge Thériault, Jacqueline Barrette, Jean-Pierre Plante, Isabelle Doré, Jacques Grisé et Claude Meunier. Pour les servir, huit comédiens: Claude Maher, Michèle Deslauriers, Denis Mercier, Lorraine Pintal, Murielle Dutil, Serge Thériault, Marc Messier et Pierre Curzi; Mario Bruneau dirige les musiciens. Selon l'auteur Jean-Pierre Plante, qui a poursuivi sa carrière à la télévision pour adultes, « *La fricassée* aurait coïncidé avec la fin de l'âge d'or de la télévision jeunesse. » Cette série de 20 épisodes est diffusée jusqu'au début de juin. L'humour étant un genre très difficile, nous devons remettre la partie; l'expérience demeure pour nous comme une sorte de long pilote auquel nous voudrons donner suite, et profiter encore des talents de Jean-Pierre Plante.

Le Gutenberg est un journal. Nous sommes dans les années 1920 et tous les intérêts de la société s'y reflètent, du sport à la littérature en passant par la nécrologie. Les seuls noms des personnages nous donnent déjà une idée de ce qu'ils vont vivre: Madame Hyperpression (Monique Mercure), Hyperviolon (Claude Gai), Hypermétrope, chroniqueur scientifique (Gilles Renaud), Hypercocktail, chroniqueuse mondaine (Louisette Dussault) et son chien-saucisse Hot Dog, Hyperallergie (Jean-Pierre Chartrand), Hyperfarceur (Gilbert Sicotte), Hyperfleur (Rita Lafontaine) et Hyperimprimeur (Claude Préfontaine). Les émissions sont enregistrées devant les jeunes téléspectateurs qui sont aussi invités à participer à la fabrication du journal par leurs textes et leurs dessins. Les réalisateurs se rendent aussi dans les écoles pour connaître les réactions de leur jeune auditoire. Les 56 épisodes sont écrits par Pierre Duceppe, réalisés par Hubert Blais et Pierre-Jean Cuillerier et mis en musique par Herbert Ruff. La première diffusion se poursuit jusqu'en 1979.

Un symposium international des 8-10 ans

Le samedi à 18 h, mise à l'antenne de *L'imagination au galop*, une importante coproduction avec nos partenaires francophones : treize demi-heures tournées entièrement dans les décors naturels du « Rossignol des Plattes » à Dieulefit, petit village provençal. C'est une émission de création artistique inspirée des quatre éléments de base : l'eau, la terre, le feu et l'air. On y voit 51 œuvres réalisées avec 75 techniques artistiques différentes, alliant la peinture, le dessin, la sculpture, le cinéma, la littérature et la musique. On y apprend l'art de la table, la construction d'un four à pain, la fabrication de cerfs volants, de montgolfières ; ou comment créer une œuvre à partir de la mer et du sable. On explore l'art épistolaire avec la « Lettre de Dieulefit », un message d'amitié qui remplace la carte postale et où l'on cherche de belles manières de décrire un environnement.

L'imagination au galop présente trente-cinq participants âgés de huit à dix-huit ans, provenant de Suisse, du Canada, d'Espagne, des États-Unis et de la France. Les jeunes Québécois délégués par Radio-Canada sont Alain Isabelle, France Malo, Martine Gamache, Dominique Major, François Picard et Serge Marcil. Claude Morin les accompagne avec le réalisateur Louis Barby. L'initiateur de cette considérable aventure est Pierre Gisling, qui assume également le rôle d'animateur. Signalons ici le parcours de la participante France Malo, qui commence une belle carrière dans ce petit village provençal. Après ses études universitaires au Québec, elle poursuivra ses expériences à New York, en Californie, au Mexique ; artiste en résidence à Murano, en Italie, elle obtiendra des bourses d'études, elle remportera des prix, elle participera à des expositions au Québec, au Canada, aux États-Unis, en France, à Venise, Amsterdam... Aujourd'hui, artiste peintre, sculpteur, elle dit : « Ma recherche artistique m'oblige à ce continuel va-et-vient entre la ville et la campagne, entre la peinture et la céramique, entre l'abstraction et le réalisme, entre l'homme et son environnement... Les éléments de mes créations, qu'ils soient personnages, animaux ou formes architecturales sont les mémoires de mon vécu et de mes aspirations profondes sur l'humanité. » Content d'avoir contribué à lancer un tel talent !

Via le monde nous rapporte dans ses *Défis* une nouvelle production fort intéressante, réalisée par Daniel Bertolino, avec Diane

Renaud. C'est l'histoire de deux enfants à la poursuite de leur rêve, dans un environnement très peu connu de nos jeunes téléspectateurs. Tamusie et Markosie, âgés de douze et onze ans, habitent Povungnituk, sur les bords de la baie d'Hudson, à 1900 kilomètres de Montréal. En bons Inuits, ils pratiquent la chasse et sculptent la pierre à savon, le bel art propre à ce peuple du grand Nord. Ce travail leur permet d'aider leur famille, mais leur Grand rêve est d'échanger une de leurs œuvres contre un fusil. C'est Tamusie qui dit : « Dans la pierre, il y a une âme. C'est elle qui décide du sujet de ma sculpture. » L'arrivée de l'été signale le début de la chasse, et ils espèrent y suivre les plus vieux. La caméra de Bertolino montre habilement la fabrication de ces sculptures et les scènes de chasse et de pêche. Ce film de la série *Défi* connaîtra une grande popularité à l'étranger ; de nombreux pays européens en ont acquis les droits de diffusion.

Enfin, un autre film, produit celui-là par la télévision suisse romande, suggère une grande leçon de courage : *Jean-Luc, infirme moteur cérébral,* qui déjoue les pronostics les plus sombres au prix d'efforts inouïs : il marche, nage et fait de la bicyclette. Nous le diffusons à 21 h à l'intention des ados et de leurs parents.

À partir de la fin de mai, la première partie des *Beaux Dimanches* à 19 h 30 est mise à la disposition du Service jeunesse : nous présentons une série de huit émissions intitulée : *Qu'est-ce que t'en penses, toi ?* Trois ans de travail de recherches et de mûrissement, diront le réalisateur Gilles Sénécal et l'auteure Réjane Charpentier. Cette émission s'adresse aux ados, mais aussi à tous ceux et celles qui le sont restés dans le cœur et dans la tête. Chaque épisode fait appel à cinq comédiens qui jouent, chantent et dansent sur un thème psychologique : la vie, les habitudes, l'ennui, la liberté, l'imagination, l'obéissance, la curiosité et la créativité. Les créateurs de la série invitent avec humour le téléspectateur à réfléchir sur sa vie. Les comédiens sont Dorothée Berryman, Denyse Chartier, Marie-Louise Dion, Francine Tougas, Marthe Turgeon, Maryse Pelletier, Jean Besré, Jacques Lavallée, Robert Gravel et André Cartier.

Pause olympique

En cet été 1976, il faut accepter un temps d'arrêt dans la production et la diffusion des émissions jeunesse puisqu'on doit laisser la place aux Jeux olympiques. Et pas n'importe lesquels : ceux de Jean Drapeau, maire de Montréal. J'ai atteint ma 43ᵉ année le 17 juillet, jour de l'ouverture des Jeux, dans un stade qu'on n'a pas fini de construire. Je ne suis pas au stade pour la cérémonie puisque le Père Sablon nous a invités au P'tit Bonheur, son auberge du lac Quenouille. Au lieu de faire du sport avec les jeunes, je suis rivé au téléviseur du chalet. Les Jeux de Montréal seront surtout marqués par « la petite fille qui ne sourit jamais », la gymnaste roumaine Nadia Comaneci, âgée de 14 ans. Elle devient la première gymnaste à mériter une note parfaite de 10, exploit qu'elle réalise à sept reprises, ce qui lui vaut cinq médailles, dont trois d'or. Elle devient l'héroïne de la jeunesse. Quatre ans plus tôt, les jeux de 1972 avaient été assombris par l'attentat contre les athlètes d'Israël. Ceux de 1976 marquent le début de boycottages qui toucheront aussi ceux de 1980 à Moscou et ceux de 1984 à Los Angeles ; à Montréal ce sont des pays africain qui nous boudent. La politique est dans les Jeux.

Depuis 1960 à Rome, notre télévision publique est le diffuseur des Jeux olympiques en sol canadien. En 1976, pour la première fois, les Jeux ont lieu dans une ville canadienne, grâce aux efforts du maire Jean Drapeau auprès du CIO (Comité international olympique). Le Comité organisateur des jeux (COJO) et l'ORTO (Organisation de radio et télédiffusion olympique) vont permettre à Radio-Canada et à son Service des sports de s'illustrer à travers le monde pendant toute la durée des Jeux, du 17 juillet au 1ᵉʳ août. On se souvient qu'à l'été 1974, Montréal a accueilli les Championnats du monde du cyclisme et la SRC, pour l'occasion, avait conçu un véhicule spécial pour filmer les courses sur les pentes du mont Royal. Fort de cette expérience, aguerri par la couverture de quatre olympiades successives, notre Service des sports peut relever le formidable défi de couvrir les Jeux et diffuser chaque jour une douzaine d'heures de reportages en direct et en différé. René Lecavalier est l'impeccable chef d'antenne qui assure le lien entre les reporters et les analystes déployés sur les sites mêmes des compétitions.

Je vis les Jeux en touriste avec mes enfants qui ne sont pas encore des ados ; mon aînée, Annick, est au seuil de son douzième anniversaire. Nous visitons le village olympique et le stade olympique, rue Sherbrooke dans l'Est. En grandissant, mes enfants verront se construire et décrépir l'œuvre de l'architecte français Tallibert, l'éléphant blanc de leur génération. Nous assistons aux compétitions, fiers comme tous les Québécois du saut en hauteur du Canadien Greg Joy qui lui vaut la médaille d'argent. Ma fille Annick m'a rappelé récemment que j'avais perdu mon portefeuille au milieu de la liesse. J'avais oublié cet incident. Il a été retrouvé par une honnête femme qui m'a téléphoné pour me le rendre le lendemain. Ouf!

Une fois encore, notre télévision a aboli les distances pour que des millions de personnes, d'un océan à l'autre, soient réunis en un même lieu, pour célébrer en direct le même événement. Pendant deux semaines de l'été 1976, nous avons porté le message et les images de l'olympisme au-delà des mers, du nord au sud, de l'est à l'ouest. L'album souvenir, le film officiel des Jeux olympiques de Montréal 1976 sera diffusé à la fin du mois de mars 1977 dans le cadre des *Beaux Dimanches*: cette production de l'Office national du film intitulée *Jeux de la XXIe Olympiade* est une réalisation de Jean-Claude Labrecque.

Septembre 1976. La vie normale reprend ses droits. Elle est embellie par une nouvelle série du matin intitulée *Virginie*. Pas celle de Fabienne Larouche, qui viendra beaucoup plus tard, et pour un autre auditoire ; notre Virginie à nous est la petite grenouille marionnette installée dans la maison du grand-père Cailloux où elle passera désormais l'hiver. Elle a une copine, Chantale, qui a conçu et fabriqué pour elle un vivarium. Bien sûr, le grand-père leur rend visite, question de manifester ses talents de conteur. *Virginie* prend l'affiche le 8 septembre à 10 h 15. La série est réalisée par Raymond Pesant, écrite par André Cailloux, le grand-père ; Louise Gamache manipule la marionnette et lui prête sa voix, et Danielle Schneider incarne Chantale.

En 1973, nous avons commencé à diffuser la série *Déclic*, acquise de la BBC qui la diffusait sous le titre de *Vision On*. Avec le temps, nous en sommes devenus partenaires, avec la CTF. Beaucoup de musique, mais pas de paroles : l'émission a été conçue à l'intention des enfants sourds et malentendants, et c'est une merveilleuse fête pour les yeux, où le monde qui nous entoure est décrit de manière fort originale, mêlant le mime et la création plastique instantanée, sur un rythme très rapide. BBC1 a diffusé *Vision On* de mars 1964 à mai 1976 ; 260 demi-heures. Cette production de Patrick Dowling, a remporté plusieurs prix dont celui de l'Unicef, le Prix Jeunesse de Munich et le BAFTA pour programme spécialisé. C'est la première fois qu'une émission pour enfants est honorée dans une section pour adulte du BAFTA (British Academy of Film and Television Arts).

D'où vient Bobino ?

En 1976, j'apprends d'où vient *Bobino*... grâce à mes collègues du Service de publicité, qui publient une entrevue avec Guy Sanche dans la revue *Ici Radio-Canada*. L'acteur nous raconte qu'il s'est inspiré d'un homme, René Shea, qui vivait à Hull dans les années 1940. Il le décrit comme fantaisiste, bohème, amoureux perpétuel qui jouait du violon et racontait des histoires inlassablement. Guy avait sept ans quand il l'a connu. Le nom de Bobino, apparu en 1956, dérive du mot « bobine », à cause du grand nombre de courts films diffusés dans l'émission. C'est Claude Caron, futur chef du Service jeunesse et futur directeur des programmes, qui a trouvé le nom.

Le personnage créé par Guy Sanche connaît une popularité constante auprès de nos jeunes téléspectateurs, popularité assurée par les très hauts standards de qualité de l'émission de même que par sa quotidienneté. On sait que les enfants aiment bien la répétition ; ils aiment retrouver les mêmes personnages, « de la même façon qu'ils étreignent leur nounours avant de dormir ».

C'est Guy Sanche lui-même qui fabriquait chez lui les premiers décors de l'émission et qui écrivait les textes. Il a maintenu ce régime pendant deux années, quand l'émission passait en direct. Lorsque Michel Cailloux s'est joint à l'équipe en 1959, il a suggéré d'intégrer un deuxième personnage à l'émission. C'est alors qu'est apparue Bobinette, dessinée par Michel Cailloux et façonnée par Edmondo Chiodini, un créateur de marionnettes qui faisait partie de nos artistes les plus brillants et les plus respectés. C'est lui qui avait réalisé les personnages de *Pépinot et Capucine*, au début de la télévision, à partir des dessins de Jean-Paul Ladouceur.

Durand fils et père

J'avais connu Michel Gréco en 1955 à Paris, où il était étudiant comme moi. Depuis l'automne 1972, il partageait avec Maurice Falardeau la réalisation de la série *Picotine,* qui a fait une belle carrière à notre antenne; les enfants apprécient son romantisme et son espièglerie. Après plus de soixante-dix émissions, les auteurs Linda Wilscam et Michel Dumont désirent maintenant écrire une nouvelle série et Michel Gréco décide alors de prolonger son séjour à la télévision jeunesse. Je suis bien heureux qu'après avoir fait les Beaux-Arts et travaillé à l'Information, il décide de rester encore avec nous à la Jeunesse, car il doit aussi être impatient de retrouver un auditoire adulte. Sa nouvelle affectation le rapproche un peu plus de cet objectif, puisqu'elle s'adresse à un auditoire un peu plus vieux, celui des adolescents. Avec Michel Dumont et Linda Wilscam à la scénarisation, *Alexandre et le roi* (1976-1978), qui débute le 8 novembre, propose une démarche dramatique inédite où l'enfant est invité à apporter ses propres valeurs aux personnages du grand échiquier. Fasciné par les pièces du jeu d'échec de son père (Yvan Canuel), Alexandre (Antoine Durand) va se coucher en emportant avec lui le roi blanc. La nuit, il rêve qu'il se retrouve à la cour de Sa Majesté Ulric, le roi des Noirs (Luc Durand). Ravi d'avoir pu capturer son ennemi, le roi des Noirs se lie d'amitié avec Alexandre. Dans cet univers empreint d'un climat de compétition, Alexandre remet en question les valeurs du roi et leur oppose une conception de la vie dépouillée d'agressivité.

Dans les costumes de Solange Legendre et les décors impressionnants créés par Hubert Poirier, on retrouve des comédiens de grande valeur. Autour de Canuel et des Durand père et fils, évoluent Micheline Guérin, Huguette Oligny, Yves Létourneau, Serge Turgeon, Claude Préfontaine, Jean-Louis Paris, Claudie Verdant, Jacques Piperni et Béatrice Picard. Sans oublier la musique du très apprécié Herbert Ruff.

Je suis très heureux du retour de Luc Durand à la télévision pour la jeunesse, car j'apprécie autant son talent que sa grande simplicité. Quand nous avons dû mettre fin à *Sol et Gobelet,* il m'avait demandé du travail. Je lui avais conseillé de s'adresser aux réalisateurs de la Section jeunesse, qui connaissaient bien son talent. Il n'avait pas donné suite et j'avais cru comprendre qu'il aurait peut-être préféré se faire offrir un rôle plutôt que d'avoir à le quémander. Pour cette raison sans doute, il a attendu plusieurs années avant de faire son retour à la télé jeunesse. Un retour pour le père, un début pour le fils, car Antoine, à 14 ans, tient son premier rôle à la télévision.

Pour conserver à 16 h 30 ce public un peu plus âgé, nous poursuivons la diffusion des émissions *Le Grenier* et *Le Gutenberg*. Pour les deux autres journées de la semaine, nous rappelons les plus jeunes à ce créneau avec *Picolo* et *Nic et Pic*.

James Dormeyer est toujours tout feu tout flamme quand il s'agit de se lancer dans une nouvelle aventure. Le voici dans une courte évasion qui porte le titre de *Scaramaca,* à partir d'un conte écrit par un auteur italien, G. Zucconi. Cette œuvre a inspiré à la comédienne Marthe Mercure une expérience avec le théâtre d'ombres. Comme nous avons besoin de mini-programmes pour remplacer la réclame publicitaire désormais interdite pendant les heures d'antenne consacrées à la jeunesse, Dormeyer a trouvé là une occasion d'en faire une adaptation pour la télévision. Il réalise dix séquences de trois minutes trente secondes où évoluent quatre comédiens dirigés par Marthe Mercure : Lorraine Desmarais, Yvan Leclerc, Jean-Claude Meunier et Normand Carrière. Edmondo Chiodini a conçu les décors de la version télévisée et Sylvie Melançon a réalisé les costumes. Hélène Falcon a créé une marionnette manipulée par Pierrette Côté-Deslierre.

Marcel Laplante a longtemps réalisé *Bobino*, mais sa marotte, c'est la musique, une passion qui lui inspire la dernière création de l'année du Service jeunesse. Ça s'appelle : *Es-tu d'accord*? Un titre énigmatique, que les enfants sauront décoder dès décembre 1976, le samedi à 11 h 30. C'est une invitation à faire de la musique avec des élèves de l'école Le Plateau, dont c'est la spécialité. Le guide principal est Herbert Ruff, notre cher « oncle Herbert », notre meilleur musicien. Depuis le début de la télévision chez nous, soit depuis presque 25 ans, il compose dans l'ombre des musiques inoubliables pour les émissions jeunesse de Radio-Canada. Pour la première fois, il apparaît à l'écran. Il est accompagné de Pierrette Boucher, du *Jardin de Pierrot*, et de Claude Lafortune, le magicien du bricolage qui crée devant nos yeux des instruments inusités comme le « bouteillophone ». Nos jeunes téléspectateurs sont invités dès le début à trouver par concours les mots magiques de la chanson thème; par la suite, ils sont invités à répondre aux questions d'un quiz musical qui fait appel à leur attention auditive. C'est un temps pour l'oreille dans notre monde où il n'y en a que pour les yeux... Pierrot les aide aussi à chanter, tandis que l'oncle Herbert compose des musiques en se servant du piano, mais aussi d'un escalier musical. Raymond Plante, qui a écrit plusieurs séries pour les enfants, est responsable des canevas, des textes et de plusieurs chansons de l'émission. Si vous visitez aujourd'hui la Maison de Radio-Canada, vous y verrez une murale géante qui orne depuis 1976 l'un des deux foyers de l'entrée principale: elle a été peinte en trois heures par des enfants de 10 ans, élèves de l'école Le Plateau.

Au mois d'août, le *Télé-Presse* nous fait cadeau d'un article de Jean Forest généreusement illustré de photos tirées des séries que nous avons programmées pour la saison d'automne-hiver 1976-1977. Son premier commentaire a un effet thérapeutique... comme si nous en avons besoin au Service jeunesse. Il écrit: «Évidemment, le réseau français de Radio-Canada constitue en quelque sorte une boîte à images assez rassurante pour l'ensemble des téléspectateurs francophones... chacun sait depuis longtemps déjà que le Service des émissions jeunesse est un des meilleurs de la maison, que la Société d'État (sic) y consacre une importante partie de son budget et que ses productions et acquisitions sont régies par un souci pédagogique constant et une philosophie qui fait de l'enfant un être à part entière et digne du plus grand respect. C'est tout cela et plus encore que l'on a voulu résumer dans la phrase bien connue: À Radio-Canada, pour nous, l'enfant c'est important.»

Le journaliste Forest informe aussi le public que chaque semaine, nous produisons cinq séries dans nos studios: *Bobino, Alexandre et le roi, le Grenier, le Gutenberg* et *Avec le temps*. Il souligne notre présence remarquée à l'international: festivals d'animation et marchés du film, où non seulement nous faisons l'acquisition d'émissions étrangères, mais où nous offrons aussi des émissions écrites et réalisées par nos artisans et artistes. Il annonce aussi qu'à compter de cette année «un grand spécialiste de la communication, André Caron, est dorénavant à l'emploi du Service des recherches. Professeur à l'Université de Montréal, il a pour mission de mettre sur pied à l'intérieur de la maison un service d'évaluation scientifique des émissions. Il s'agit d'un outil fort important pour les réalisateurs qui pourront l'utiliser à volonté afin d'obtenir une certaine forme de rétroaction très précise avant même de lancer une émission. »

Deux géants : Maillet et Dubé

Chaque année, quand je dois choisir des productions destinées au large public de notre télévision, j'ai toujours un coup de cœur quand je tombe sur une émission qui évoque l'Acadie, le pays de mon enfance. Au début de janvier 1976, *La Sagouine* s'installe sur nos ondes à 22 h pour seize semaines, jusqu'au 22 avril. Cette création qui a nécessité six mois de travail intense vaut certes des remerciements et des félicitations au réalisateur Jean-Paul Fugère et à son équipe. Avant de passer à la télé, Viola Léger a longtemps incarné la Sagouine sur scène et à la radio ; sa vie vient maintenant de basculer : « J'ai joué la Sagouine 900 fois, mais je ne l'avais encore jamais vue quand je l'ai découverte au visionnement. Un choc, un choc heureux grâce à 45 personnes qui ont travaillé pour faire vivre *La Sagouine* au petit écran. » Ce personnage est né de la plume d'Antonine Maillet, romancière et dramaturge originaire de Bouctouche, au Nouveau-Brunswick, certainement la meilleure ambassadrice d'une langue, d'un peuple et d'un pays sans contours fixes, l'Acadie, la terre de ses ancêtres et des miens. La Sagouine lui aurait été inspirée par une femme de chez elle, Sarah Cormier. Voilà comment Antonine Maillet décrit son personnage : « C'est une laveuse de planchers. Elle a les mêmes problèmes que nous, qui sommes les gens d'en haut de la clôture et qui la regardons laver ses planchers. Mais elle les voit de son point de vue. Celui d'une femme qui est à quatre pattes. Lavant son plancher, elle ramasse la crasse des autres : symboliquement, ça revient à ça et c'est ce qu'elle voit qu'elle raconte. »

Il y a un autre auteur à qui je veux aussi lever mon chapeau. Il est là depuis un moment déjà et contribuera encore longtemps à enrichir la culture québécoise. Marcel Dubé compte parmi les auteurs québécois les plus prolifiques. Journaliste littéraire, romancier, dramaturge, il a signé des centaines de textes pour le théâtre, la radio, la télévision.

En 1973, il est le premier auteur dramatique depuis 1922 à recevoir le Prix David, remis par le gouvernement du Québec. Le réalisateur Claude Roussel, de l'ONF, consacre une émission spéciale à cet auteur, « tel qu'il est, tel qu'il se voit, tel qu'il se perçoit par les gens du métier. » Déjà, au Collège Sainte-Marie il était connu comme auteur, poète, chanteur... Et il n'a jamais cessé d'écrire. Parmi ses œuvres pour la télévision : *Zone* (avec Monique Miller et Guy Godin), *Chambre à louer* (avec Jean Duceppe, Monique Miller et Jean Lajeunesse), *Florence* (avec Monique Miller), *Le Temps des lilas* (avec Denise Pelletier et Yves Létourneau), *Un simple soldat* (avec Gilles Pelletier), *Bilan* (avec Jean Duceppe, Monique Miller et Janine Sutto) et *Au retour des oies blanches* (Louise Marleau). Il signe aussi les téléromans *Côte de sable*, réalisé par Louis-Georges Carrier et *De 9 à 5*, réalisé par Louis Bédard. Il semble que tout le Québec, à un moment charnière de son histoire, ait été embarqué dans « Le monde de Marcel Dubé », comme on désigne son vaste répertoire. Jean Duceppe, l'un de ses principaux interprètes, a dit qu'il est « toujours avant tout un observateur... ses personnages, il les a inventés à partir de la réalité. Les pièces de Dubé c'est l'homme québécois... c'est l'monde qu'on rencontre dans la rue. » Oui, Marcel Dubé mérite un beau coup de chapeau pour sa contribution exceptionnelle à la télévision, dès les années 1950.

Nous sommes vers la fin du mois de décembre, quelques jours avant Noël, et je reçois une lettre que j'ai toujours conservée. Sans doute parce qu'il est rare de recevoir des excuses du milieu journalistique. La raison pour laquelle je la cite, trente-quatre ans plus tard, c'est qu'elle est signée par le directeur de la revue hebdomadaire *TV Hebdo*. Cette revue publiait l'horaire de la télévision, mais également consacrait plusieurs pages à des reportages sur des émissions. Je l'ai déjà écrit : le Service jeunesse obtenait une part signifiante de ces reportages et maintenait un contact constant avec les journalistes. Si nous étions sensibles à la critique, nous savions l'accepter même si nous ne partagions pas toujours le point de vue exprimé ; mais cette fois c'était le directeur lui-même qui refusait le point de vue de son journaliste.

Cette lettre exprimait les regrets de ce directeur après avoir pris connaissance d'un reportage publié dans sa revue et consacré à l'émission *Avec le temps*. Il considérait cet article « indigne de notre réputation et surtout malhonnête face à toute l'équipe de création et de production de l'émission. » Il ajoutait que « son intention était de rendre hommage à Normand Gélinas et Louise Matteau... et de souligner le travail exceptionnel de toute l'équipe de jeunes comédiens qui m'émerveillent et me fascinent semaine après semaine par leur présence et leur talent. »

Si je fais état de cette lettre, c'est qu'elle est unique dans mes archives. Je veux saluer ce directeur, aujourd'hui producteur indépendant, d'avoir eu le courage d'exprimer ses regrets et de s'engager à ce que pareille bévue ne se reproduise plus dans sa publication. Merci Jacques.

La fin d'année 1976 approche et je dois débourser une somme relativement importante à la télévision tchécoslovaque pour acquitter quelques acquisitions. J'en informe mon homologue à Prague, qui m'envoie ce message par retour de courrier : « S.V.P. ne me payez pas maintenant... plutôt l'an prochain. Cette année nous avons atteint notre quota. » Je comprends que si je dois effectuer maintenant un versement, la somme sera imputée aux revenus de l'année en cours, ce qui aurait un impact sur le calcul des prévisions de recettes pour la prochaine année. Cela signifie qu'il faudra travailler davantage au service des ventes de la télévision tchèque ! J'ai obtempéré. C'est la différence entre le régime capitaliste et l'autre. Je me rappelle maintenant que la première fois que je suis allé là-bas, invité à siéger sur le jury de la Prague dorée, je devais réclamer mon allocation de séjour. Il y avait deux guichets : un pour les socialistes, un pour les capitalistes. Je me présentai au guichet socialiste, ce qui convenait à mes opinions politiques de l'époque. Avec un large sourire, on me dirigea poliment vers l'autre guichet. J'étais capitaliste sans le savoir.

19

PASSE-PARTOUT ET LES 25 ANS DE LA TÉLÉVISION

Les nouveautés du matin

La première nouveauté de l'année à l'intention des tout-petits est en ondes dès le premier vendredi de janvier : c'est la série *Tam Tam*, réalisée par Guy Comeau. Son objectif consiste à amener l'enfant à prendre conscience des mécanismes logiques de sa pensée en utilisant la musique, des chansons, des pantomimes, des jeux dramatiques, des dessins ou des films d'animation. Le réalisateur et son équipe cherchent à lui faire exécuter des opérations intellectuelles qui sont aussi indispensables à son développement que l'exercice de son corps. Avec des rythmes, des formes, des couleurs, du mouvement, de l'humour, et des mots comme pareil, plus, moins... *Tam Tam* initie les enfants à de nouvelles dimensions de leur univers intellectuel. Les séquences sont courtes, de dix secondes à trois minutes, ce qui respecte la capacité de concentration du tout jeune enfant. La série porte sur quatre thèmes : le classement, la sériation, la correspondance terme à terme et les mots cycliques. Non, il ne s'agit pas d'un cours universitaire, même si la compagne de Guy Comeau est une pédagogue de haut niveau. Cette nouvelle émission s'efforce d'atteindre son objectif savant à l'aide de situations que l'enfant de deux à six ans vit chaque jour.

La distribution comprend les Mimes électriques (Patrick Harbour et Bernard Carez), Louise Laprade et Jean-Pierre Chartrand. Les textes sont de Marie-Francine Hébert, Ronald Prégent, Dominique de Pasquale, Louise Lahaie et les Mimes électriques.

Quelques semaines plus tard, le 27 janvier, commence une deuxième nouveauté du matin: *Une fenêtre dans ma tête* (1977-1979), réalisée par Pierre-Jean Cuillerier sur des textes de Raymond Plante et une musique de Céline Prévost; c'est, en quelque sorte, une petite encyclopédie télévisée, une invitation à découvrir chaque semaine des réalités qui nous entourent dès la naissance, à partir des thèmes élémentaires: air, eau, terre, feu. L'enfant établit une relation entre deux objets familiers, comme un verre d'eau et la pluie. Cette année, on parlera des meubles, de la photographie, des bateaux, des oiseaux... Certaines émissions traitent de la vie affective, du monde des sentiments et des émotions, des rires et des pleurs. Cette encyclopédie, deux comédiens l'inventent continuellement. Ils s'amusent tout en amusant les moins de six ans, ils font des expériences et redécouvrent des choses. Pauline Martin et Yvan Ponton font ici leur entrée remarquée en télévision en montrant leurs talents dans une grande variété de disciplines du spectacle. Parfois, ils invitent à leur *Fenêtre* leurs camarades des autres émissions du matin, comme Dorothée, Francine et Robert de *La Boîte à lettres* ou Rina et Serge chez *Du soleil à 5 cents.*

Ces nouvelles séries s'ajoutent à une belle collection d'émissions destinées aux tout-petits: *You-Hou, Clak, La Boîte à lettres, Du Soleil à 5 cents, Au Jardin de Pierrot, Minute Moumoute* et *Les Chiboukis.*

Une visite d'Hergé

Pour les enfants plus âgés, dès le 1er janvier, le *Cinéma jeunesse* propose des films inédits. La programmation débute par un festival Hergé où les aventures de Tintin, déjà fort appréciées des lecteurs, se font maintenant connaître des téléspectateurs; en dessins animés, on peut voir ainsi *Le Secret de la licorne, L'Étoile mystérieuse, L'Île noire, Le Trésor de Rackham le rouge, Objectif lune* et *Le Crabe aux pinces d'or.* Hergé lui-même, qui, nous a-t-on dit, se fait toujours très rare à la télévision, nous fait l'honneur de présenter ses œuvres à nos adolescents. Il nous raconte la naissance de Tintin, le fonctionnement des bandes dessinées et la composition de son équipe technique.

Je fais rarement état de la cote d'écoute de nos émissions, mais je souligne quand même qu'en janvier et février, ce festival Tintin a fait un malheur puisqu'il a rejoint plus de trois quarts de million de téléspectateurs les samedis en après-midi. Les enfants et les adolescents composent les deux tiers de cet auditoire. Plus tard dans l'année, nous présenterons des films comme *Le Magicien d'Oz* (États-Unis), *Pierrot et compagnie* (Yougoslavie), *Astérix le Gaulois* (France, Belgique), *La Montagne et l'aigle* (Grande Bretagne – Henry Geddes) et un court-métrage d'André Melançon, produit à l'ONF : « *Les Oreilles » mène l'enquête*. C'est l'histoire d'une bande de gamins de la Petite-Bourgogne ; fraîche, vive, pleine de naturel et de spontanéité, cette comédie enfantine est vraiment délicieuse.

Un voyage en famille grâce à Guy Sanche

Difficile de ne pas parler de *Bobino*, inamovible depuis les années 1950 ; c'est en quelque sorte l'épine dorsale de notre programmation pour la jeunesse. Je me rappelle ce commentaire de Daniel Pinard dans *Le Devoir*, à l'occasion de la 3000e de *Bobino*. « Ceux qui pour soigner leur angoisse font appel aux psychiatres feraient mieux d'écouter *Bobino*. C'est amusant, efficace et gratuit. » Et il ajoutait, plein de gratitude pour le bon docteur Cailloux : « Je le sais, j'en abuse moi-même. »

Mes enfants ne doivent pas seulement à Guy Sanche le plaisir quotidien de le voir en Bobino. Ils lui doivent aussi le beau voyage que nous allons faire en famille en 1977. C'est Guy qui m'a convaincu de l'entreprendre, car mes enfants sont mûrs, d'après lui, pour voir le monde, pour s'ouvrir aux autres réalités, pour acquérir le goût des voyages ; ils en ont l'âge idéal. Annick aura bientôt 13 ans et Patrick, 12. Il ne faut pas attendre. Quand ils seront plus grands, croit Guy, ils ne voudront pas faire en voyage la même chose que leurs parents. Moi qui suis pourtant habitué à planifier mes déplacements, je décide de sauter sur l'occasion ; pas besoin d'attendre qu'il faille demander leur avis à deux adolescents revêches. Nous allons donc vivre en famille une expérience unique, un long voyage de six semaines ; au programme : la France, l'Espagne et la Suisse. Si nous décidons de partir au début de juillet, c'est que le moment coïncide avec le tournage de notre coproduction Suisse-France-Canada, *Un regard s'arrête*. Ce n'est pas parce qu'on part en vacances qu'il faut cesser de travailler.

Dans cette nouvelle aventure, des jeunes de Suisse, de France, de Belgique et du Québec font la route du Lac Leman, en Suisse, jusqu'à Saint-Jacques-de-Compostelle en Espagne. Ce projet qui fait suite à *L'imagination au galop* est une fois de plus initié par l'artiste et pédagogue Pierre Gisling, que nous retrouvons à Pampelune, à l'occasion des Fêtes de la San Fermin, avec nos amis de la télévision suisse. Nous passons une semaine avec l'équipe et avec les adolescents qui travaillent fort sous la direction de Kim. Un soir, nous accompagnons tout le monde à la corrida ; pendant que la famille Roy se détend, nos jeunes artistes en herbe croquent frénétiquement sur papier tout ce qui les interpelle. Le jour suivant, je suis au volant d'une auto tamponneuse et mon passager est un participant qui vient tout juste de célébrer son 13e anniversaire : il s'appelle Vincent Perez. S'il sort indemne de l'auto-tamponneuse, je prédis un bel avenir à ce beau garçon. Le soir du 14 juillet, nous fêtons la France jusqu'à ce que le grand chef envoie les enfants au lit. Et cette consigne s'applique aussi bien à Annick et Patrick. Cela signifie qu'ils font partie de l'équipe, bien qu'à ce moment précis, ils auraient préféré en être exclus. Nous quittons le groupe au Pays Basque, à San Miguel de Aralar. J'emprunte à Pierre Gisling un extrait du journal de route de Danuta Rozmuska[1] (qui, avec son frère Stani, fait partie en 1977 des animateurs de ce camp d'expression artistique) :

Les jours se sont suivis dans la fête, la chaleur,
La découverte.
Une fête en rouge et blanc,
Une fête de cadences et de chants,
Une fête de défoulement
Où se mesurent le courage et l'endurance.
Une fête où vibrent les couleurs,
Une fête où tout bouge puis tout s'arrête
Quand le soleil frappe au zénith.
Une fête où l'on essaie de chanter la liberté,
Une fête où se mêlent les odeurs de friture

1 *Un regard s'arrête,* de Pierre Gisling, avec les photographies de Claude Hubert, Éditions Hachette Réalités, 1979, p.134

Et de parfum ; de sueur et de vin.
Sons de cloches et de trompettes,
Puis le soir, c'est la corrida...

La télévision publique a 25 ans !

Nous sommes le 6 septembre 1977 : Radio-Canada fête les 25 ans de la télévision publique. Quel chemin parcouru depuis *La Famille Plouffe* qu'on regardait en famille, quand on avait la chance de disposer d'un poste de télé ! C'était le Québec de 1952, comme on pouvait d'ailleurs le voir d'un océan à l'autre, puisque *The Plouffe Family* bénéficiait aussi d'une diffusion pancanadienne. Et aussi le hockey, en ce temps-là, nous soulevait de nos chaises parce que le Canadien comptait et gagnait des coupes Stanley.

Le Service jeunesse marque cet anniversaire le samedi 10 septembre à 19 h 30, avec *La Machine à images.* En nous offrant ce créneau, nos patrons ont certainement voulu permettre aux enfants de se coucher un peu plus tard. Mais pour célébrer notre quart de siècle, nous avons aussi besoin des parents, qui ont grandi avec nos émissions. Hubert Blais réalise cette émission spéciale, où *Bobino* mène le bal ; Raymond Plante et Pierre Duceppe ont écrit la partition.

Ce soir-là, le studio-théâtre de Radio-Canada réunit une cinquantaine de personnages des émissions jeunesse des vingt-cinq dernières années ; le studio accueille aussi un millier d'enfants plus ou moins jeunes. Plusieurs auteurs participent à la fête et l'on a formé un orchestre sous la direction du célèbre et toujours chaleureux Herbert Ruff. « Une fête exceptionnelle », me télexe ma blonde à Versailles, réunion de la CTF oblige. « 25e extraordinaire, inoubliable. Millier d'enfants te disent merci. »

Du 6 au 18 septembre, la célébration des 25 ans génère 17 émissions spéciales en soirée. Radio-Canada a joué un rôle de précurseur autant dans le domaine culturel que dans celui de l'information, des variétés, des sports et bien évidemment de la jeunesse. Notre vice-président Raymond David déclare que « nous sommes la seule télévision au monde à consacrer autant de temps à la jeunesse. Un effort de création est maintenu tant au niveau de la qualité qu'au niveau de la quantité de ces émissions. »

Aux frontières du connu

Après les fêtes d'anniversaire, la vie continue. Le dimanche à 18 h, *Aux frontières du connu* parle aux ados comme le fera *Découvertes* au XXIe siècle. Une réalisation de Jean Martinet qui est notre grand spécialiste du scientifique. Le narrateur est Marc Filion et l'intervieweur, Paul-Émile Tremblay. J'aime bien la description de la série par notre rédacteur maison : « Le connu est à la porte du mystère. Et plus on connaît de choses, plus on est fasciné par tout ce qu'on ne connaît pas. C'est à ce moment-là qu'apprendre devient un plaisir. » *Aux Frontières du connu* fait le tour des principaux enjeux technologiques et scientifiques de notre époque : l'aéronautique, les origines de l'homme, la mer, l'archéologie, les transports, la parapsychologie, l'ethnologie. Des 39 émissions de la série, 13 font directement référence à son ancêtre, *Atome et galaxies,* pour vérifier si les prédictions formulées 15 ans plus tôt se sont réalisées. Comme l'indique si bien le rédacteur de notre revue sur la télé : « Bien qu'elle fasse partie des émissions jeunesse, cette série s'adresse à tous ceux qui ont conservé la jeunesse de l'esprit et la curiosité. Des jeunes d'une quinzaine d'années participeront aux émissions, soit en donnant leur avis sur les problèmes traités, soit en résumant leurs connaissances sur la question. Pour le simple plaisir de se rendre, comme les téléspectateurs, aux frontières du connu. »

Et Passe-Partout fut

Une nouvelle émission fera l'objet d'un tel culte qu'il serait sacrilège de ne pas en parler. *Passe-Partout* est une création de Laurent Lachance, du ministère de l'Éducation du Québec, produite par JPL Productions. Elle prend l'antenne les mardi et jeudi à 9 h 15, à compter du 15 novembre. À partir de l'automne 1978, la diffusion aura lieu en début de matinée, les samedis et dimanches à 8 h 30 à et du lundi au vendredi à 9 h 30. Conçue pour les 3 à 5 ans, la série porte une attention spéciale aux enfants de milieux défavorisés. L'émission est divisée en trois volets.

Dans le premier volet, on retrouve quatre marionnettes qui forment une famille: Perlin, le père (Robert Maltais), Perline, la mère (Louise Rémy), Pruneau, le garçon (Mireille Lachance) et Cannelle, la fille (Ève Gagnier). C'est là que les enfants découvrent des événements et situations semblables à ce qu'ils vivent dans leurs familles.

Le deuxième groupe est composé de personnages fantaisistes: Passe-Partout (Marie Eyckel), Passe-Montagne (Jacques L'Heureux) et Passe-Carreau (Claire Pimparé), qui deviendront des superstars au Québec. Ces trois personnages explorent la musique, les sciences mathématiques, les arts visuels et leur propre motricité: c'est le volet de l'émission consacré aux apprentissages moteurs et cognitifs. Chacun de ces trois personnages a ses caractéristiques: Passe-Partout est toute en émotions, en joie, en inquiétude ou en tristesse; Passe-Carreau est très consciente du corps et a une grande capacité de déduction; Passe-Montagne est le spécialiste de l'élocution. Des personnages additionnels les rejoignent à l'occasion: Fardoche (Pierre Dufresne), Grand-mère (Kim Yaroshevskaya) et une foule d'autres, joués par André Cartier, Jocelyne Goyette, Jani Pascal, Denis Mercier, Linda Sorgini, et j'en passe. Leurs voix résonnent encore dans le cœur des enfants d'hier. Derrière la caméra, deux personnes importantes: d'abord la productrice émérite, Carmen Bourassa, à qui l'on devra aussi *À Plein temps*, *Pin Pon*, *Cornemuse*, *Mademoiselle C*, *Toc Toc Toc* et j'en oublie sans doute. Pionnière de la télévision jeunesse au Québec, Carmen a reçu en 2009 le Grand Prix de l'Académie canadienne du cinéma et de la télévision. Et puis il y a François Côté, le réalisateur, qui est aussi le compagnon de Carmen à la ville. Après *Passe-Partout*, il reviendra à Radio-Canada Jeunesse pour réaliser *Téléjeans* et *Pop Citrouille*. Puis, après plusieurs séries dramatiques pour l'auditoire adulte, il reviendra encore à la Jeunesse, cette fois pour réaliser *Cornemuse*. François a aussi consacré des années à la négociation d'une convention collective au profit de ses collègues de l'Association des réalisateurs.

Nous n'avons pas eu besoin d'acheter *Passe-Partout*: le ministère de l'Éducation nous en a fait cadeau. Nous décidons tout de même, par délicatesse, de faire une contribution non sollicitée, quoique symbolique, de 1000 dollars par émission dès la signature de notre entente. Ce n'est pas avec le Service jeunesse de Radio-Canada que les ayants droit de *Passe-Partout* feront fortune.

Cette fortune leur viendra 30 ans plus tard, quand un jeune distributeur d'Alliance du nom de Patrick Roy aura la bonne idée de commander un premier coffret DVD des épisodes 1 à 25 de la série. Une opération commerciale qui a fait un malheur dès sa sortie. Quatre autres coffrets seront mis sur le marché à courte échéance et constitueront un beau succès financier avec 300 000 DVD vendus ! Bien joué, mon fils.

Aux *Beaux Dimanches* du 25 décembre, à 19 h 30, Fernand Gignac, Jacques Boulanger et Véronique Béliveau fêtent *Noël au soir* (très québécois comme titre) ; à ces trois vedettes des variétés se joignent d'autres vedettes, lesquelles, sans être tout à fait humaines, n'en sont pas moins très appréciées de leur public, des enfants surtout, puisqu'il s'agit des marionnettes de *Minoute Moumoute*, créées par Marianne Séguin. Pour ce spécial, d'autres marionnettes ont aussi été créées par sa collègue Hélène Falcon. Et l'émission, réalisée par Lise Chayer, s'adresse à tous les publics, Variété et Jeunesse...

Un mot sur *Bagatelle*, toujours diffusé le samedi de 17 h à 18 h. Quand nous avons programmé cette émission en 1973, nous avions clairement énoncé notre objectif : ramener à la SRC les enfants francophones débauchés par la CBC avec son *Road Runner Show.* Résultat : à 17 h, le samedi, les rues se vident comme avant, mais *Bagatelle* est redevenue numéro un et les anglophones ont retiré leur émission américaine. En plus de ce succès d'écoute, nous avons la satisfaction d'offrir à l'enfant la meilleure qualité disponible, choisie avec soins dans les festivals d'Annecy, de Zagreb ou d'Ottawa et aux Prix Jeunesse de Munich ou de Bratislava. C'est comme le bio : c'est plus dur à cultiver, mais c'est meilleur pour la santé.

Les bons mots de TV Hebdo

TV Hebdo a encore des bons mots pour nous, dans un article de Normand Cusson intitulé *Sur un air d'autonomie et de créativité,* où il est question des nouvelles émissions comme *Alexandre et le roi, Le grenier, Tam Tam* et des nouvelles techniques utilisées par notre Service jeunesse, comme la pré-recherche et le feedback. Cusson souligne qu'une équipe de pédagogues suit la démarche d'*Alexandre et le roi* auprès des enfants, tandis que *Tam Tam* est le résultat d'une recherche préalable et que *Le Grenier* est bien l'exemple que désormais, « on s'efforce de faire vivre aux personnages des interrelations vraisemblables. » Ce qui s'applique également au personnage d'Alexandre, qui se retrouve dans une position de médiation entre les noirs et les blancs du jeu d'échecs.

Dans un autre numéro de *TV Hebdo*, le même Cusson parle d'un sondage sur la télévision réalisé par CROP (Centre de recherches sur l'opinion publique) auprès des 8-15 ans. L'hebdomadaire a commandé ce sondage à l'occasion de la Semaine des parents, organisée par l'IRTE, qui veut « sensibiliser davantage les parents aux valeurs positives que peut et doit avoir le petit écran sur l'éducation des enfants. On entend atteindre cet objectif en invitant les parents à partager leurs réactions et à les aider à faire en sorte que la télévision soit pour eux non seulement un moyen de divertissement, mais aussi un lieu privilégié d'apprentissage aux valeurs de la vie, de la science, de l'art et de la culture. » Le sondage indique que c'est à Radio-Canada qu'on regarde le plus souvent les émissions pour les jeunes, dans une proportion de 71 % chez les garçons, 75 % chez les filles ; sans doute parce que l'offre n'est pas très forte ailleurs. L'émission préférée est *Avec le temps*, suivie de *Rue des pignons*, *Les Berger, Chère Isabelle*. Le constat le plus surprenant, c'est que les jeunes préfèrent le même type d'émissions que leurs parents.

Un dernier article dans *TV Hebdo*, signé Johanne Mercier, s'intéresse cette fois au rôle des parents dans l'écoute de la télévision. La journaliste me demande : « Les parents peuvent-ils abandonner leurs enfants à la télévision ou doivent-ils leur interdire de regarder certaines émissions ? » Ma réponse est directe : « Les parents ne doivent pas interdire mais éduquer. » Et j'ajoute : « Il ne faut pas se contenter de fermer le téléviseur, mais il faut plutôt parler avec l'enfant, échanger des idées sur le contenu de l'émission regardée, assumer pleinement son rôle d'éducateur. La télévision ne doit pas jouer le rôle de gardienne d'enfants. »

Des voyageurs récompensés

Cette année, Via le Monde a été honoré plus souvent qu'à son tour, signe évident de la qualité de ses productions, destinées aussi bien à notre auditoire jeunesse qu'adulte. Pour ce qui est de la jeunesse, trois documentaires sont récompensés : *Tamusie et Markosie* reçoit la Cocotte d'or, grand prix du Festival du film jeunesse de Paris. Avec humour, François Floquet accepte le prix au nom de son associé, Daniel Bertolino, qui a réalisé le film : « Nous nous sommes spécialisés dans des films tournés hors du Canada, et pour une fois que nous recevons un prix, c'est pour un court-métrage réalisé au Canada. » Une autre Cocotte d'or est attribuée à *Wapistan et les oiseaux d'été*, une fiction tournée au Québec, sur la Côte Nord, avec la participation des Indiens montagnais. Enfin, le portrait de la jeune handicapée *Rosanne Laflamme,* une autre émission de la série *Défi,* reçoit un prix au Festival du film de la Croix-Rouge de Munich.

Les marionnettes *Nic et Pic* ne travaillent pas à Via le monde, mais elles voyagent tout autant. La réalisatrice Hélène Roberge est à Montréal à l'occasion de la deuxième Biennale de l'IRTE, l'Institut de radiotélévision pour enfants, pour recevoir le prix de la meilleure émission pour enfants d'âge préscolaire, décerné par des spécialistes venus des quatre coins du pays. Bravo, les marionnettes !

20

LES PREMIÈRES COUPURES

Trou de mémoire...

Il y a des souvenirs qui se sont évanouis dans ma mémoire, et si j'en retrouve quelques traces dans mes recherches aux archives de Radio-Canada, parfois ça ne réussit pas à me satisfaire. *Le Pont* fait partie de mes oublis, et j'ignore pourquoi il est enfoui quelque part où je ne peux le rejoindre. Et pourtant, j'ai essayé de contacter Michel Gréco, son auteur, mais sans succès. C'est en fait la deuxième production dramatique jeunesse qui date de mon séjour à la direction de ce service dont je ne peux dire que je me souvienne. Dans le cas de *Flip et compagnie*, Roland Guay m'a confirmé, lui aussi, qu'il n'en garde aucun souvenir. Allons-y pour *Le Pont.*

Il est question de cette nouvelle série dans l'horaire d'automne de 1977, mais le premier épisode est mis à l'antenne le 9 janvier 1978. Cette dramatique fait « le pont » entre les parents et leurs adolescents. Un résumé du premier épisode se lit comme suit : « L'avenir, c'est quoi ? Marc a l'idée d'écrire un article sur des jeunes travailleurs. Isabelle pense à un ancien copain de collège qui a laissé ses études. » Voilà ! Ce téléroman a eu la vie courte puisque la dernière est diffusée le 13 février ; six épisodes en tout... À la réalisation, en alternance, François Jobin et Jean-Yves Laforce. Parmi les comédiens, Anne Létourneau, Pierre Beaudry, Pierre Claveau, Jacques Galipeau, Denis Larocque, Robert Desrochers, Marguerite Lemire, Jean-René Ouellet, Monique Miller, Pierre Gobeil, Guy L'Écuyer, Lise Charbonneau, René Caron, Aubert Pallascio, Yvon Leroux.... Puis, surprise ! La revue *Ici Radio-Canada* annonce la reprise de la série dans l'horaire de l'été

1978 avec dix nouveaux épisodes, diffusés le mardi à 21 h, du 20 juin au 12 septembre.

J'ai trouvé dans un dossier préparé à l'intention de mes collègues de la Francophonie, la description suivante du projet: «Avec *Le Pont*, il s'agit d'une nouvelle piste puisque ce n'est pas un téléroman ou un feuilleton à proprement parler. Le thème de la série: les reporters d'un journal de collège, deux garçons, une fille, entreprennent de soumettre à leurs lecteurs des portraits d'étudiants. Ils cherchent à découvrir la personnalité et surtout l'environnement extrascolaire de leurs sujets. L'objectif: jeter un pont entre l'idéal proposé par l'école et la vérité de la vie quotidienne.»

Mon magazine rêvé

Le samedi 4 février, à 11 h 30 du matin, commence le magazine jeunesse dont je rêve depuis un bon moment. À l'occasion d'une visite à la BBC, je m'étais attardé sur le plateau d'un bulletin de nouvelles destiné aux enfants: *John Craven's Newsround.* Cette quotidienne exceptionnelle occupait une place de choix, en fin d'après-midi, dans la grille des émissions jeunesse de la BBC. Un jour, ce magazine a diffusé un reportage qui dénonçait la fessée; les débats en Chambre en ont fait écho, qui a été répercuté jusqu'au bulletin de nouvelles destiné aux adultes. C'était donc une tribune qui donnait la parole aux jeunes; depuis j'avais essayé de convaincre mes collègues du Service de l'information que nous pourrions imiter la BBC, mais sans succès. Le verdict était sans appel: les nouvelles appartiennent à l'Info et non à la Jeunesse ou qui que ce soit d'autre. Point final.

Dans l'émission *Téléjeans* (1978-1982) l'objectif est toujours de donner la parole aux jeunes, mais il s'agit d'un magazine hebdomadaire et non plus d'un bulletin quotidien de nouvelles. C'est leur tribune, pour traiter des sujets qui les préoccupent, pour satisfaire leur curiosité et pour témoigner de leurs expériences. *Téléjeans* informe les jeunes sur ce que font d'autres jeunes. Il faut que les adolescents se sentent concernés et que cette émission soit ce qu'ils en font. Occasionnellement, on fait appel à des spécialistes quand ils ont besoin d'une compétence professionnelle.

Chaque émission comprend un reportage sur des jeunes dans leur milieu et des chroniques disques, livres, cinéma, carrière, famille, politique, réalité sociale... Les jeunes sont aussi invités à écrire ou à téléphoner à l'émission pour soumettre des projets ou faire part d'initiatives locales.

L'animateur Jacques Lemieux participe à l'élaboration des contenus et apporte des suggestions à l'équipe de production ; Dominique Arel tient la chronique musique. Les premières recherchistes sont Louise Pelletier et Johanne Léveillée, auxquelles s'ajoutent, à l'automne, Élizabeth Gagnon et Diane England, qui ont d'excellentes antennes dans le milieu étudiant, qui grouille toujours d'idées et d'activités. À la réalisation, Max Cacopardo, qui a déjà fait un bon bout de chemin à l'Information ; et un nouveau venu, Jean-Luc Paquette, qui connaît un excellent départ avec *Téléjeans*. Il poursuivra sa carrière à l'Information. En quelques mois seulement notre nouveau magazine devient un véhicule important de la parole des jeunes. Et la journaliste Hélène Fecteau écrit : « Cette émission a relevé le défi difficile de savoir témoigner de la vie des adolescents. »

Depuis ma rencontre avec André Béliveau de *La Presse* en 1972, nous avons beaucoup travaillé pour les adolescents, en cherchant d'abord à refléter ce qu'ils sont (*Avec le temps*), avant de les inviter à s'investir eux-mêmes (*Téléjeans*).

À l'occasion de l'Année internationale de l'enfant (1979), dont je parlerai plus loin, l'IRTE procède à la deuxième remise de son beau trophée qui reproduit son logo ; nous sommes très fiers de voir *Téléjeans* reconnu par son jury comme la meilleure émission francophone dans la catégorie des 6-12 ans.

Dans *Les Antipodes*, une nouvelle dramatique de 16 h 30 qui débute le mardi 21 février, la jeunesse et la vieillesse sont deux mondes détachés que l'on cherche à réunir dans des projets communs. Trois enfants veulent construire une cabane. Ils essaient d'intéresser à leur projet trois retraités, un ancien ingénieur, un ancien peintre et un ancien menuisier. Mais ceux-ci ont mauvais caractère et se fâchent pour un rien. Les enfants conservent leur bonne humeur et finissent par gagner l'affection des trois petits vieux. Les enfants s'attachent tout particulièrement à Casimir qui fait des tours de magie, qui raconte des histoires et qui parle d'une manière bizarre.

Hélène Roberge a eu l'idée de cette série, qu'elle réalise. Les textes sont de Violaine Gauthier-Furlotte et Éliane Jasmin-Barrière ; Michel Cailloux est leur conseiller à l'écriture ; à la musique, on retrouve notre vaillant Herbert Ruff. La distribution comprend Claude Grisé, Normand Lévesque, Louis de Santis et André Montmorency ; chez les enfants on retrouve Chantal Labelle, François Lamothe et Éric Paul-Hus.

Les contes selon Bruno Bettelheim

Le jeudi 2 mars à 16 h 30, nous invitons les jeunes à la découverte des contes slaves, où le merveilleux renferme beaucoup de sagesse pour aider à comprendre la vie et ses difficultés. *Les Contes du tsar* (1978-1979) ont été recueillis et réécrits par Maria T. Daoust, originaire de Tchécoslovaquie. Dans ces contes, des héros vivent des aventures qui renseignent beaucoup sur les habitudes de ces peuples. Un patrimoine qui nous est d'autant plus méconnu en raison du rideau de fer qui entoure les pays communistes. Mais en fouillant, le réalisateur et son auteure-recherchiste ont déniché des richesses culturelles qui nous nous font aimer des pays comme la Lettonie, la Lituanie, la Russie, l'Ukraine, la Géorgie, l'Arménie...

Selon le psychologue, éducateur et psychanalyste américain d'origine autrichienne Bruno Bettelheim, ces contes populaires sont à la fois la meilleure des méthodes d'éducation, une thérapeutique et un moyen de bonheur : « Ce n'est pas du tout parce que les contes de fées sont irréels. C'est absolument l'inverse : ils présentent aux enfants la réalité telle qu'elle est. L'amour mélangé à la haine, l'angoisse, la souffrance, la peur d'être abandonné, le vieillissement, la mort, le monde où l'on vit et que l'on essaie beaucoup trop de nos jours de cacher aux enfants. Comme s'ils n'étaient pas dedans. Les contes de fées apprennent à l'enfant à aller vers le monde extérieur sans crainte de s'y perdre, en comptant sur ses propres forces pour s'en sortir et c'est la chose la plus importante à apprendre aux enfants... »

C'est Léo Ilial, dans le rôle du tsar (et que je retrouverai des années plus tard dans *Lance et compte*) qui présente ces contes, joués par des comédiens magnifiquement vêtus. Dans le premier épisode, les rôles sont tenus par Jean-Louis Millette, Louise Dufresne, Yvon Dufour, Francine Vézina, Diane Miljour, Jean-Claude Meunier, Denis Gagnon, Jean-Claude Tremblay et Robert Séguin. À la réalisation, Jean Picard, qui nous livrera une collection de haute tenue aussi bien au niveau du contenu que de sa qualité artistique.

Pop Citrouille n'est pas encore inscrit à la grille, mais on y travaille déjà depuis mars ; une quinzaine d'auteurs sont très engagés à trouver les ingrédients (chansons, marionnettes, humour) qui en feront un succès. On se souvient de l'arrêt de *La Fricassée* en 1976 après seulement vingt épisodes. Parmi les auteurs de *Pop Citrouille,* Jacqueline Barrette, Yves Arnau, Isabelle Doré, Francine Ruel, Jean-Pierre Plante, Jean-Yves Soucy, François Tassé et Raymond Plante. Déjà, on cite des vedettes qui seront à l'antenne : Denise Chartier, Suzanne Garceau, Reynald Bouchard, André Cartier. Et le réalisateur qui coordonne toute cette entreprise, Renaud Gariépy.

Un regard s'arrête… une série recommence

En cet été 1978, une petite équipe fait son grand départ pour le camp itinérant de dessin et d'expression artistique initié par le Suisse Pierre Gisling. Plusieurs émissions de la série *Un regard s'arrête* ont été tournées l'an passé et l'équipe poursuit cette année sa démarche de création. Ce qu'il y a de nouveau cette fois, c'est l'implication de *Téléjeans* qui avait lancé un appel aux ados de 14 à 16 ans à soumettre leur candidature : 260 lettres ont été reçues, accompagnées de multiples œuvres d'art. Pour sélectionner les participants québécois à cette aventure internationale, nous avions formé un jury constitué de Claude Morin, Max Cacopardo, Jean-Luc Paquette, Louise Pelletier et moi-même ; la tâche n'a pas été pas facile pour choisir, parmi 10 excellents finalistes, ceux qui se mériteront les quatre places disponibles. Les candidats choisis sont Lyne Renaud et Bernar Hébert (16 ans), Élaine Legault et Jean-Evrard Bilodeau (14 ans). Nos jeunes artistes s'envolent le 8 juillet vers l'Europe en compagnie de François Picard, un vétéran de *l'Imagination au galop.* Diffusion prévue en 1979.

Des jeunes de là-bas pour les jeunes d'ici

À compter du samedi 10 juin à 20 h, une série venue de nos amis anglos, *Les héritiers,* fruit de notre collaboration avec un nouveau partenaire producteur / réalisateur indépendant, de Toronto cette fois. Paul Saltzman a déjà fait des films un peu partout sur la planète: c'est un documentariste qui s'intéresse particulièrement à l'ethnographie. Sa maison de production s'appelle Sunrise Films. Avec sa femme Deepa Mehta, qu'il a connue en Inde, il nous envoie souvent des messages comme celui-ci, adressé à Georges-Noël Fortin et moi: « *Greetings. What a great world we all live in. We're in Nairobi en route to Lesotho and the plants, birds, weather and people are all magnificent! We'll be filming for 6-7 weeks in Lesotho, Botswana, Malawi, Kenya + Tanzania. A great time in store for all. Deepa and I send you our regards and trust all is well with you both.* » (Salutations. Quel monde merveilleux que celui où nous vivons. Nous sommes à Nairobi, en route pour le Lesotho et les plantes, les oiseaux, le temps et les gens sont tous magnifiques! Nous serons en tournage pour 6 ou 7 semaines au Lesotho, Botswana, Malawi, Kenya et Tanzanie. De beaux moments en perspective. Deepa et moi vous envoyons nos meilleures pensées et nous espérons que vous allez bien tous les deux.) Ce mot de Paul décrit bien l'esprit qui anime ce couple; c'est dans cet esprit qu'ils tournent des portraits d'enfants.

Paul est le fils de Percy Saltzman, qui a présenté le premier bulletin météorologique à la CBC, dès 1952. Ceux qui s'en rappellent le voient encore dessiner son bulletin sur le tableau noir et, en guise d'au revoir, lancer sa craie en l'air et l'attraper au vol.

Deepa Mehta, pour sa part, est une réalisatrice, scénariste et productrice très importante au Canada anglais et à l'étranger. Un jour, au début des années 1980, elle débarque dans mon bureau avec Paul et son bébé, Devyani Saltzman, aujourd'hui écrivaine et journaliste. Mais Devyani est alors nourrie au sein et maman doit changer sa couche. Deepa n'hésite pas à la nourrir et à la changer sur ma table de travail, avec ma permission évidemment, tout en poursuivant la conversation sur la série en cours: *Spread your wings*, qui deviendra en français *Les Héritiers.*

Nous diffusons les six premiers épisodes à l'été 1978. Dans chacun des cas, il s'agit de jeunes artisans dans différents pays du monde qui se préparent à succéder à leurs parents, dont ils ont appris leur métier : dans *Le violon de Steve*, Stéphane Keller, âgé de 16 ans, est luthier en Allemagne de l'Ouest ; dans *Les mosaïques bleues de Jafar*, un jeune garçon de 14 ans apprend, pendant l'été, à fabriquer des tuiles d'un bleu particulier nécessaires à la restauration du dôme du mausolée Olejeitu à Jafar en Iran ; dans *Le vitrail de Valérie*, Valérie Foucault, 16 ans, vit à Chartres où pour la première fois, elle entreprend seule la création d'un vitrail ; *Hassan le tapissier* est Hassan Gulan Dhar, qui vit dans un village riverain du Cachemire, au nord de l'Inde. Il se destine à devenir maître tapissier. L'essentiel de son inspiration lui vient des couleurs et des formes dont regorge la nature autour de lui. Dans *L'enfant de l'or*, Gopal Dyal, 10 ans, de Jaipur en Inde, apprend l'art antique du minakari ou de l'émaillage d'or et d'argent qui remonte à son arrière-arrière-grand-père, joaillier à la cour du roi de Jaipur. *Le cadeau de Francesco* est une poterie que Francesco Leminos, 14 ans, qui habite l'île grecque de Siknos veut fabriquer, à la manière de son père.

Vingt autres épisodes réalisés par Paul sur tous les continents, feront, dans le cœur des jeunes d'ici, un peu plus de place aux jeunes d'ailleurs.

En attendant, le 26 août, toujours dans le créneau du samedi à 20 heures, commence la série *Les amis de mes amis*, de Via le monde, réalisée par Daniel Bertolino. Après avoir vu le pilote du premier film, j'ai tout de suite signé pour une série de 13. Ces documentaires présentent des enfants des pays du Sud qui doivent travailler pour aider leur famille. Des enfants qui démontrent une maturité et un sens de la solidarité impressionnants pour leur jeune âge. Ce sont des reportages en direct, sans interview : la dramatisation naît de l'enchaînement normal des activités quotidiennes des enfants : le travail, la recherche du gîte et de la nourriture dans des environnements étonnants, parfois doux, souvent cruels, toujours émouvants. Cette série s'adresse à des enfants habitués à un certain confort, à une vie facile et exempte de responsabilités ; elle incite les jeunes téléspectateurs à réfléchir sur l'importance de l'initiative ; elle se propose de les dépayser en les exposant aux coutumes, à la culture et à la manière de vivre et de penser des autres enfants du monde. *Les amis de mes amis* reprendra l'antenne au mois de mars 1979. Cette fois, les films auront été tournés aux îles Comores, en Afghanistan, au Mexique, en Thaïlande, en Nouvelle-Guinée, au Mali, au Maroc, au Mozambique, au Québec et au Brésil.

Les Héritiers et *Les Amis de mes amis* ouvrent des fenêtres exceptionnelles sur le monde pour nos jeunes téléspectateurs. Dans générique du début des *Amis,* Daniel Bertolino dit : « Toutes les soixante secondes, environ 250 enfants naissent sur la terre. Les quatre cinquièmes de ces enfants devront, pour subsister, se débrouiller seuls. Dès l'âge de 10 ans, ils seront responsables d'eux-mêmes. » Diane Renaud est assistante à la production et recherchiste, Carle Delaroche-Vernet est directeur de la photographie et Vincent Davy lit les textes de Bertolino.

À Cœur battant en co-diffusion

La société Via le monde est extraordinairement productive et ses projets sont irrésistibles. Au moins d'août, on signe un contrat pour une nouvelle série ; les questions administratives sont pratiquement réglées quand je reçois une lettre du producteur Bertolino, qui me dit :

« Inutile de te dire combien j'ai été heureux des résultats de notre négociation entre Radio-Canada, Radio-Québec et Via le Monde. Même si j'ai tenté par mon travail de faire le mieux possible afin que toi et Radio-Québec aient envie de donner suite à *À Cœur battant,* tu as, toi, par ta merveilleuse disponibilité, permis que cette chose puisse exister. Un film qui reste sur les tablettes n'est pas un film, c'est une matière morte et inerte, même si son contenu a du pep. Nous autres cinéastes avons besoin d'hommes comme toi, capables d'injecter cette étincelle vitale aux autres hommes. Cette communication-là n'a pas de prix et te permettra et permettra à tous ceux qui travailleront avec toi de se dépasser, d'aller au-delà de leur propre limite. C'est le secret pour que les grandes choses se réalisent. » Et c'est signé : Daniel.

Quand un producteur indépendant m'offre de m'associer à un projet, j'ai le pouvoir de décider à quel prix et à quelles conditions Radio-Canada sera partenaire. Ce pouvoir est certes limité par les capacités financières de mon service ou par les impératifs de la mise en ondes, mais il m'est tout de même possible de négocier des conditions avantageuses pour le producteur si celles-ci ne limitent pas nos droits. Je ne regrette donc pas d'avoir permis à Bertolino de négocier une codiffusion avec Radio-Québec, fait inhabituel ; le producteur dispose ainsi d'un budget plus confortable pour faire face à des frais de déplacement considérables, pour un tournage d'une durée exceptionnellement longue. Nous savons que l'auditoire de Radio-Québec ne gênera pas celui de Radio-Canada.

À Cœur battant est donc ce feuilleton de 10 demi-heures, réalisé par Daniel Bertolino, qui l'a co-écrit avec Jean-Pierre Liccioni, et qui sera diffusé en 1980 à compter du vendredi 18 avril à 20 h. La production s'est étirée de 1977 à 1980, avec des tournages en Afghanistan, au Pakistan, en Grèce, au Maroc et au Canada. Les comédiens sont Ghislaine Paradis dans le rôle d'Hélène et Robert Toupin dans celui de Jean-Pierre. Ce jeune couple québécois quitte le Canada pour faire un voyage autour du monde afin de retrouver une motivation, un idéal de vie, un paradis perdu. Chaque émission est aussi un prétexte pour découvrir les traditions, les mœurs, le mode de vie des pays visités. Ils arrivent en Afghanistan quatre mois avant le coup d'État prosoviétique et quittent le pays deux semaines avant les sanglantes batailles de rues qui éclatent à Kaboul. L'Afghanistan venait de s'installer, il y a plus de trente ans de cela, dans son cauchemar permanent.

Le premier long métrage d'André Melançon

André Melançon est déjà connu pour ses rôles dans des films comme *Réjeanne Padovani* de Denys Arcand ou *Taureau* de Clément Perron. Nous le connaissons aussi comme réalisateur de *« Les Oreilles » mène l'enquête, Le Violon de Gaston* et *Les Tacots,* des films courts qui ont été très remarqués à notre antenne. Voici qu'il nous propose, par l'entremise des Productions Prisma, dirigées par Claude Godbout et Marcia Couëlle, son premier long métrage. Au Service jeunesse, nous n'avons pas l'habitude de nous impliquer dans la production des longs métrages indépendants. Nous nous limitons à acheter les droits de diffusion des longs métrages déjà réalisés si nous disposons d'un créneau de 90 minutes le samedi après-midi. Le projet de Melançon nous intéresse, à la condition qu'il nous soit livré en trois demi-heures, en version télévision. Avec beaucoup de réticence, le producteur finit par accepter. J'apprends alors à négocier avec des producteurs indépendants selon nos besoins : cela me servira plus tard, quand je serai nommé responsable des productions extérieures. Mais pour le moment, j'apprends à la dure.

Et le film de Melançon est devenu un classique. Dans ce premier long métrage, le grand André continue de s'amuser avec une bande d'enfants ; au départ, la bande compte cinq amis, mais comme un sixième veut en faire partie, on le soumet à une série d'épreuves, à l'issue desquelles les six amis seront soudés comme... les six doigts de la main.

Comme les six doigts de la main remporte le prix du meilleur film québécois décerné par l'Association québécoise des critiques de cinéma en 1978. André Melançon est aussi l'auteur du scénario et des dialogues.

Il était une fois... Albert Barillé

Il était une fois... l'homme, raconte, en dessins animés de 26 demi-heures, l'histoire de notre espèce, depuis ses origines. Cette création originale française prend l'affiche le vendredi, 22 décembre à 19 h, un créneau où tout le monde, enfants, ados et parents peuvent regarder la même chose. L'auteur, Albert Barillé avait créé l'ours Colargol dans les années 1960. À ce concept d'*Il était une fois...* , il va consacrer des décennies, comme producteur, scénariste, réalisateur et distributeur sur toute la planète. Son histoire de l'humanité respecte les faits, qu'il rend faciles à comprendre, amusants et même franchement drôles à l'occasion. C'est à travers le destin d'une famille que nous traversons l'histoire, de siècle en siècle, en nous attardant à la vie quotidienne. On apprend maints détails sur la manière de vivre de l'homme primitif, sur l'époque romaine, sur le siècle de Louis XIV... en apportant des réponses simples mais vraies aux questions que les jeunes se posent. En somme, *Il était une fois... l'homme* fait comprendre aux enfants et adolescents comment le monde s'est lentement transformé depuis l'homme de Néandertal. Il a fallu six ans à Albert Barillé pour réaliser son rêve. À regarder la série de cet habile créateur, l'enfant aussi réalise un vieux rêve : apprendre en s'amusant. Une fois lancé, Barillé ne peut plus s'arrêter : *Il était une fois... l'espace... la vie... les Amériques... les découvreurs... les explorateurs...* avec, chaque fois, une série 26 demi-heures d'animation pour la télévision.

Albert Barillé a aussi adapté en français une série polonaise que nous diffusons 1979, le vendredi à 20 heures : *Deux enfants en Afrique*. Ce sont les aventures de deux enfants blancs en Afrique à la fin du XIXe siècle, adaptées du roman de Henryk Sienkiewicz, l'auteur polonais de *Quo vadis*, lauréat du prix Nobel en 1905. La série, tournée en Égypte et au Soudan, montre le courage et la ténacité des enfants dans des paysages grandioses.

En avril 2007, j'ai eu le plaisir de revoir Albert à l'occasion d'un dîner dans un grand restaurant de Paris où il nous a régalés, Claudette et moi, habitué qu'il est à toujours faire les choses en grand ; ce soir-là, nous avons évoqué nos rencontres cordiales à Montréal, à Paris et à Cannes, où il était si fier de nous trimballer dans sa Porsche sur la Croisette. En ce soir d'avril 2007, ses genoux le faisaient beaucoup souffrir, conséquence de ses exploits en ski à l'Alpe d'Huez, cinquante ans plus tôt. Quand je lui ai parlé d'opération, il m'a répondu qu'il n'avait pas le temps, trop occupé à compléter sa dernière série, *Il était une fois... notre terre*, qui serait son testament ; après avoir tant célébré les progrès humains dans ses séries précédentes, c'était un peu comme une facture à payer : nous voilà maintenant aux prises avec la pollution et le réchauffement de la planète qui font fondre les glaciers. Notre monde pourrait disparaître sous les pieds de nos petits-enfants. Albert est décédé deux ans après cette ultime rencontre, le 11 février 2009, à 88 ans.

Je me souviens d'Albert comme d'un créateur extrêmement soucieux de l'excellence de ses œuvres ; il surveillait de près toutes les phases de la production. C'était un passionné de la rigueur qui avait le plus grand respect pour l'enfant téléspectateur. Et c'est bien pour ces raisons que nous étions toujours heureux d'acquérir ses séries.

Pas de Goldorak à la SRC

Il y a une série d'émissions que nous n'avons pas diffusée, mais sur laquelle il y a au moins quelques mots à écrire : *Goldorak,* qui a marqué la plupart des enfants dans les années 1970 et 1980. C'est un manga de l'auteur japonais Go Nagai qui est à l'origine de ce dessin animé produit au Japon par les Studios Toei Animation. Au Québec, la série est importée par le distributeur Richard Moranville, un ancien du Centre d'art Élysée et du ciné-club Les compagnons de la bobine, avec Rock Demers, le futur père des *Contes pour tous.* Moranville nous propose d'acquérir les droits de *Goldorak*, mais son offre ne nous intéresse pas : nous avons déjà en banque bien assez de séries de qualité. Notre refus fait aussitôt la joie de Télé-Métropole, où la série aura le succès que l'on sait. Après avoir conclu sa vente avec le diffuseur privé, Moranville m'envoie une caisse de vingt-quatre petits pots de moutarde forte, chacun à l'effigie d'un héros de la série *Goldorak*. Un pot de moutarde n'est pas un pot de vin, et j'ai déjà refusé sa série ; peut-être pense-t-il que son cadeau me montera au nez, pour me punir d'avoir raté ma chance. Peut-être veut-il vraiment me remercier d'avoir fait sa fortune et celle de notre compétiteur...

Les premières grandes coupures budgétaires

Le gouvernement libéral majoritaire de Pierre Elliot Trudeau se prononce en faveur d'un programme d'austérité fiscale ; Jean Chrétien est ministre des Finances et Jeanne Sauvé, autrefois journaliste à la radio et la télévision de Radio-Canada, est ministre des Communications. Au mois de septembre, notre président Johnson nous annonce un « retranchement budgétaire ». L'heure est grave. « Nos prévisions budgétaires pour l'année financière 1979-1980 ont été sévèrement coupées. Une ponction de 71 millions de dollars sur le budget annuel de la Société qui vont affecter nos projets de programmation... Cette amputation budgétaire représente pour la Société un recul sérieux dans nos efforts pour augmenter la quantité et la qualité du contenu canadien de notre programme... Je constate que ce retranchement de notre budget laisse supposer que le gouvernement consent, consciemment ou inconsciemment, à ce que persiste cette tendance vers un colonialisme culturel de la radiodiffusion canadienne... » Le président, en bon capitaine, s'accroche dignement à son navire en perdition, et garde le cap : « Les priorités seront de comprimer les dépenses d'équipement plutôt que celles des émissions. On examinera certaines activités accessoires, puis les dépenses administratives avant de toucher aux programmes. »

Le président s'inquiète de ce que cette compression compromette « la "canadianisation" de la télévision anglaise, l'amplification des services français de télévision, l'augmentation de notre programmation régionale... » et il déplore le fait que « plus de 500 postes seront supprimés par voie de perdition naturelle »... Le vice-président du réseau français, Raymond David, ajoute : « Nous entendons exercer sur les besoins en personnel un contrôle rigoureux et pratiquer des coupures aux endroits les moins vulnérables. »

Au réseau français de télévision, la direction convoque les chefs de services. Pendant une longue journée, chacun doit évaluer les coupures qu'il peut contribuer sans diminuer, dans la mesure du possible, la qualité de la programmation. Dans l'exercice, tout le monde participe aux décisions à prendre. Nous sommes collectivement responsables de la solution.

La télé jeunesse prise au sérieux

Fin 1978, un magazine que je ne connaissais pas atterrit sur mon bureau, *TVO Plus,* qui se décrit comme « un magazine télé pour les gens qui pensent »... On y pose la question suivante : « La télévision pour enfants fait-elle bon marché de la recherche ? » Réponse : « Pas la nôtre ».

Depuis des années, nous travaillons étroitement avec André Caron, directeur du groupe de recherche sur les jeunes et les médias de l'Université de Montréal, qui a pour objectif de sensibiliser le milieu de la télévision au monde de la recherche. Il défend la thèse que la recherche préalable, ce qu'il appelle l'*input*, qui vient avant la mise en ondes d'une émission, permet d'améliorer le produit en cours de développement. C'est le processus choisi à New York par l'équipe de *Sesame Street.*

Depuis quelques années, à Radio-Canada, nous avons adopté cette thèse comme en témoigne la collaboration entre notre Service des recherches et l'Université de Montréal sur des séries comme *Alexandre et le roi, Es-tu d'accord?* et *Téléjeans.* Cette dernière création a été suivie dès sa conception et jusqu'à la fin de la première saison (juin 1978) par le groupe de travail d'André Caron, qui analyse la perception de jeunes de 10 à 15 ans de tous les milieux. Les résultats de ces analyses ont été très bien accueillis non seulement par la direction du Service jeunesse, mais aussi par l'équipe de production de *Téléjeans.*

Sur un autre registre, un journaliste torontois, Sid Adilman, chroniqueur au Toronto Star (*Eye on Entertainment*) s'est amusé à comparer les réseaux anglais et français de la télévision publique canadienne. Il écrit que la CBC importe ses émissions pour enfants de la BBC, n'ayant pas les ressources financières pour les produire: «*It's much cheaper.*» Il semblerait que John Kennedy, le chef du Service jeunesse, soit à couteaux tirés avec Jack Craine et Bill Morgan, de la direction des programmes, pour obtenir un créneau en début ce soirée, ce qu'on lui refuse. Le journaliste utilise le réseau français pour enfoncer le clou de la CBC: «*The opposite holds true for Radio-Canada, CBC'S French-language network, where children's TV chief Robert Roy has veto power on early evening scheduling. At Radio-Canada, children's shows aren't automatically shunted to the after 4 ghetto.*» (Le contraire est pourtant vrai à Radio-Canada, le pendant francophone de la CBC, où le chef de la jeunesse, Robert Roy, a droit de veto sur la programmation de début de soirée. À Radio-Canada, les émissions pour enfants ne sont pas confinées au ghetto de 16 h.) Pas très gentil pour mes collègues anglophones, pas très nuancé non plus. Une façon d'apprécier ce que l'on appelle le «quatrième pouvoir».

Et je réfléchis...

Alors que les années 1970 tirent à leur fin, après avoir consacré le plus gros de la décennie au Service jeunesse, je recommence à réfléchir à mon avenir.

En 1975, j'avais eu le culot de penser que je pouvais succéder à Claude Caron comme directeur des programmes-TV. Je m'en étais confié à Jean-Marie Dugas qui m'invitait à la patience, car il venait de nommer Jean-Claude Rinfret à ce poste. Ma témérité avait alors peu de limites. À la fin de 1978, j'ai encore envie de changement – pas tellement pour l'avancement, mais pour les nouveaux défis. Après une cession de la CTF à Québec, je passe une longue soirée avec Jean-Marie Dugas au resto L'Aquarium, à parler de mes options ; cela fait déjà 21 ans que je navigue à la télé.

Je suis conscient que le milieu de la télévision évolue, je sens bien la pression des producteurs indépendants. Ceux-ci sont souvent caricaturés comme des barbus aux cheveux dans le dos. Leur lobby, l'Association des producteurs de films du Québec, l'APFQ, les réunit chaque année dans les Laurentides pour faire le point sur leur industrie. On les entend alors récriminer contre nous, et clamer que leur talent pourrait très bien s'exprimer à moindre coût que ne le font ces fonctionnaires de la chaîne publique.

Je propose donc à mon patron de prendre quelques mois d'arrêt pour analyser le nouveau paysage de la production ; mon but est de revenir dans un poste qui ouvrirait une porte plus large aux créateurs de l'extérieur. La soirée, bien arrosée, se prolonge jusqu'à la fermeture du restaurant. Treize ans après m'avoir rappelé d'Ottawa, Jean-Marie Dugas comprend que je suis mûr pour un nouveau défi. Lequel ? On verra.

La réponse ne tarde pas à venir, même si l'annonce n'en sera faite qu'au mois de mars 1979. René Boissay, responsable du Service cinéma-téléfilms, veut retourner à la réalisation ; on m'offre sa place. Cela permettrait de rappeler d'Ottawa Pierre Monette, autrefois réalisateur jeunesse, à Montréal, pour me remplacer à la jeunesse. La décision est prise, effective à compter du 1er juin.

Je peux l'avouer 30 ans plus tard, c'est difficile de quitter le confort du Service jeunesse – la « petite direction des programmes » comme je l'appelais –, où j'avais tout le support du directeur de la télévision, et beaucoup d'autonomie. Maintenant, il faut faire mon deuil, tout en faisant le saut : je vais désormais me frotter à la vraie vie, à de nouveaux collègues, à de nouveaux supérieurs immédiats, Fernand Quirion et Jean-Claude Rinfret. Habitué à travailler avec la création, je devrai désormais travailler avec les acquisitions et la diffusion.

Il me reste toutefois quelques dossier à boucler au Service jeunesse: tout d'abord celui de l'Année internationale de l'enfant, dont je suis commissaire. Je dois encore me rendre au pavillon de Radio-Canada à Terre des Hommes, à la rencontre Europe-Amériques à Québec, au Congrès canadien sur l'enfant à Ottawa, au premier festival international de films pour la télévision à Banff et au Festival Prix Danube de Bratislava, où je suis attendu en septembre comme membre du jury. J'aurai quelques heures de train et de vol pour me familiariser avec mes nouveaux dossiers.

J'aime Duplessis!

Même si mon cœur est aux émissions jeunesse, il bat très fort en cette année 1978 pour une émission destinée aux adultes, *Duplessis,* une série dramatique en sept épisodes diffusée les mercredis à 21h en février et mars. Maurice Duplessis, élu premier ministre du Québec en 1936, puis réélu de 1944 à sa mort en 1959, nous était resté sur le cœur; les historiens ont nommé son règne la « Grande noirceur ». C'est la complexité de l'être humain comme celle de l'homme politique qui nous est révélée dans cette série, qui contient une mine de renseignements historiques.

Cette œuvre constitue un gigantesque travail d'équipe. C'est Marc Blandford qui en a eu l'idée et qui en assume la réalisation. Il est soutenu par Claude Desorcy, réalisateur-coordonnateur, que Marc appelle « mon second regard ». Jacques Lacoursière, historien bien connu, a été chargé de la recherche et Denys Arcand signe les scénarios.

Jean Lapointe incarne Duplessis de façon magistrale; il a cherché surtout à vivre son personnage. Il a prédit avant le tournage que « Duplessis sortirait de cette série-là plus populaire dans le public »... Il ne s'est pas trompé. À moins que les téléspectateurs n'aient confondu leur amour pour l'acteur avec une caution du personnage.

Blandford a fait appel à plus de deux cents comédiens, parmi lesquels Gabriel Arcand, Roger Blay, Yvan Canuel, Camille Ducharme, Gilles Renaud, Patricia Nolin, Hélène Loiselle, Jean-Louis Roux, Georges Groulx, Jean-Pierre Masson, Roger Garand, Yves Létourneau, Marcel Sabourin, Donald Pilon...

C'est l'événement de l'année 1978 à la télévision publique et cette œuvre marquera l'histoire de notre télévision. Je dois souligner cependant que tout le monde ne l'a pas aimée. Il est évident que les admirateurs de Duplessis n'ont pas apprécié le portrait qu'ils jugent antipathique. Certains y trouvent une sympathie séparatiste qui n'aurait rien à voir avec Maurice Duplessis. D'autres sont choqués par ce qu'ils considèrent comme une atteinte à l'Église catholique. On ira même jusqu'à porter plainte au CRTC pour empêcher sa rediffusion. Grande noirceur, quand tu nous tiens !

21

LA COURSE AUTOUR DU MONDE

Lorsque la Cinémathèque québécoise m'a attribué son Prix Reconnaissance en 2006, il a beaucoup été question du rôle que j'avais joué dans la mise en ondes de *La Course autour du monde* en 1978. Pour mémoire, voici ma version courte de la petite histoire de cette émission qui allait durer plus de vingt ans.

La Communauté des télévisions francophones qui, à cette époque, regroupe des chaînes de France, Suisse, Belgique, Luxembourg, Monaco et Canada (Québec) se réunit régulièrement en Europe ou au Québec pour échanger, développer des initiatives communes, coproduire à l'occasion. À la fin des assemblées, qui regroupent les délégués selon leur mandat (variétés, dramatiques, information, jeunesse...), chaque chef de délégation convoque ses chefs de service pour faire le point sur les décisions à confirmer officiellement à la plénière. C'est donc l'heure du bilan, des suites à donner et, à l'occasion, des projets à réaliser en partenariat.

Nous sommes à Aix-en-Provence en novembre 1977. Le président en exercice de la CTF, notre directeur de la télévision, Jean-Marie Dugas, nous informe qu'à la commission des émissions de variétés, Antenne 2 a lancé l'idée d'une série qui serait coproduite par la France, la Suisse, le Luxembourg et le Canada. Le projet d'Antenne 2 consiste à sélectionner deux candidats par chaîne, à les équiper d'un matériel léger de tournage, et à les envoyer faire de courts reportages à travers le monde. Ces reportages seraient diffusés chaque semaine sur toutes les chaînes. Un jury international, basé à Paris, noterait chacun de leur film, et le cinéaste en herbe qui aurait les meilleures notes gagnerait cette « course autour du monde ». La production et toute la logistique seraient assumées par Télé Union sous la direction de Jacques Antoine.

Jacques Antoine, M. Jeux Télévisés

Un mot sur ce Jacques Antoine, qui dit de lui-même : « Je n'étais pas doué pour les études ; puis on s'est aperçu que j'avais des idées, on s'en est servi avant que je me persuade que c'était vrai. »

Jacques est mon aîné de dix ans ; il a longtemps été directeur des programmes de Télé Monte-Carlo. Il est recyclé à vie dans les jeux télévisés, où il est imbattable : c'est lui qui a lancé les émissions *La tête et les jambes, Le Francophonissime, Le Shmilblic, La chasse aux trésors, Le grand raid* et *Fort Boyard.* Je me rappelle que ce cher Jacques, qui participait aussi bien à la Commission Variétés qu'à celle de la Jeunesse, avait toujours une nouvelle idée à proposer, un projet à réaliser, une coproduction francophone à mettre en chantier ; chaque fois, il travaillait d'arrache-pied pour nous convaincre qu'il y avait là une idée à programmer à nos antennes, pour le plus grand bonheur des ados et même des adultes, semaine après semaine, en Europe aussi bien qu'en Amérique.

Le projet de Jacques Antoine est d'abord soumis, en ce début de novembre 1977, à mon collègue des Variétés à Radio-Canada, Jacques Blouin, qui n'est pas intéressé ; ses émissions font surtout place au milieu artistique, elles s'adressent à un auditoire adulte et obtiennent tout le succès qu'il désire. Il ne voit vraiment pas comment un jeu avec des jeunes à la caméra pourrait plaire à son auditoire.

Notre directeur de la télévision, cependant, aime bien l'idée et s'adresse à moi en ma qualité de responsable des émissions jeunesse. Ma réponse est instantanée. Aucun problème pour dégager un créneau d'une heure d'antenne hebdomadaire. Cependant, il faudra y allouer des sommes pour les frais directs – voyages des jeunes autour de la planète, juge canadien qui siégera sur le plateau à Paris, etc... Jean-Marie Dugas confirme son accord, on avise le producteur et Antenne 2... SRC sera de *La Course...* par l'entremise de son Service jeunesse. Quand l'occasion se présente, il ne faut pas tergiverser, il faut la saisir !

Les objectifs de La Course

À cette époque, les programmes du Service jeunesse s'adressent presque exclusivement aux enfants et adolescents. *La Course* sera donc une incursion chez les jeunes adultes, le groupe auquel appartiennent les participants avec, bien sûr, un auditoire cible large public. Si j'ai spontanément accepté le mandat, je devais clairement définir nos objectifs, que j'ai arrêtés comme suit :

- *donner* la parole aux jeunes, et *l'écouter*... s'intéresser à *leur* vision du monde ;
- soumettre leur travail à l'évaluation de nos journalistes professionnels *politically correct*, gardiens de la sacro-sainte objectivité qui est au cœur des principes qui gouvernent la politique des programmes d'information de Radio-Canada (dans ces années 1970, à tout le moins) ;
- identifier une relève. On verra qu'avec le temps, nombre de candidats de *La Course* ont trouvé leur place à la télé ou au cinéma. Faire le tour du monde à vingt ans, ça forme le caractère et ça donne des idées.

Avant que Radio-Canada, la Télévision suisse romande et Télé-Luxembourg n'entrent dans *La Course* en 1978, celle-ci est déjà diffusée depuis deux ans en France, sur Antenne 2. Notre première *Course* à nous commence par la sélection de nos représentants, un processus bien inscrit dans la démarche francophone. L'ensemble des stations reçoit environ mille cinq cents candidatures (dont environ six cents à Radio-Canada) ; chaque station doit sélectionner quinze candidats dont les films sont acheminés à un jury qui choisit les cinq finalistes. Ceux-ci sont envoyés à Paris, où ils doivent faire un film sur un sujet imposé. Chaque semaine, un candidat par pays est éliminé jusqu'à ce qu'il n'en reste que deux. Ce sont ces deux cinéastes amateurs qui représenteront leur pays dans *La Course autour du monde* : pendant six mois, ils auront pour mission de filmer les sujets de leur choix et de les faire parvenir, chaque semaine, au jury qui les évalue et qui les note. Notre première émission est diffusée le 16 septembre. La série continue tous les samedis à 13 h.

Claude Morin, l'irremplaçable

Mais avant d'aller plus loin, je dois rendre hommage à celui qui, au Service jeunesse de Radio-Canada, a porté *La Course* pendant plus d'une décennie sur ses épaules, tout d'abord à titre de chef adjoint, puis, après son départ à la retraite, comme contractuel. Pendant toutes ces années, Claude Morin a été, pour les jeunes qui partaient faire *La Course,* le professionnel de référence, fort de ses expériences avec les séries francophones *Pourquoi ?*, *L'imagination au galop* et *Un regard s'arrête,* où des adolescents partaient aussi en voyage, mais encadrés par des adultes. Toutes ces coproductions, mises en chantier sous ma gouverne, ont été diffusées sans pépin grâce à Claude.

Quelques faits saillants à La Course

Dans son format original, *La Course autour du monde* a duré chez nous cinq ans, de 1978 à 1983. En 1978-1979, les participants sont Michèle Renaud Molnar et Claude Charest ; l'année suivante, Paul Dauphinais et Daniel Brousseau. En 1980-1981, Jean Lavallée et Jean-Louis Boudou. Jean Lavallée tombe malade et ne termine pas *La Course.* Mais Jean-Louis fera carrière à la télévision de Radio-Canada, notamment à titre de réalisateur de *La Course.* En 1981-1982, Jacques Robert et François d'Auteuil sont choisis. Cette année-là, George Amar a posé sa candidature, mais son dossier est arrivé un jour trop tard. Il se présente à nouveau l'année suivante, et il est choisi, en même temps que Mario Bonenfant, lequel terminera deuxième derrière le candidat du Luxembourg (1396 points contre 1391). Une année riche ! Évoquant son expérience dans *La Presse* du 14 mars 1989, George Amar dira : « On revient très riche, plus mûr qu'en partant. Si j'avais l'air triste à la dernière émission, ce n'était pas à cause du classement, mais parce que c'était la fin. Tu roules à 100 milles à l'heure, puis tu t'arrêtes d'un coup. » Georges Amar a aussi fait carrière comme réalisateur à l'Information de Radio-Canada. Quant à Mario Bonenfant, on se souvient qu'il a amassé 106 points d'un seul coup pour son reportage en Chine, *Tayschan, la montagne sacrée.* « Pour moi, a dit Bonenfant au *Journal de Montréal* du 21 mars 1983, *La Course autour du monde*, ça été 22 pays. Comme 22 livres dont je n'aurais lu que la préface. » Il a consacré la suite de sa carrière à l'art du court-métrage... et à l'érablière urbaine, avec un souci pédagogique qui permet aux jeunes de connaître l'acériculture. En 2009, Mario Bonenfant, alias « Capitaine Sirop », a ainsi installé son érablière urbaine dans le parc Molson, en face du cinéma Beaubien, pour célébrer avec la foule le 25e anniversaire de *La Guerre des tuques* d'André Melançon, produit par Rock Demers.

Pendant la première phase de *La Course autour du monde* sur nos ondes, les animateurs ont été Alain Stanké (1978-1979), Jean-Pierre Masse (1979-1980) et Reine Malo (1980-1983). Nos réalisateurs à la mise en ondes canadienne de *La Course* ont été Henri Parizeau, Marcel Laplante, Jean Picard et Jean-Paul Leclerc.

La Course fait relâche en 1983-1984... mais, pas pour longtemps. Elle est remplacée en 1985 par *Le Grand Raid / Le Cap-Terre de Feu.* Un tour du monde en 4x4, chaque pays participant étant représenté par une équipe de deux concurrents qui partent tantôt d'Europe vers le sud de l'Afrique, d'autres de l'Amérique du Nord vers la Terre de Feu. On abandonne le Super 8 pour la caméra vidéo VHS. Cette nouvelle formule ne dure qu'une année : problèmes de voitures, accidents, vivre à deux pendant six mois... Une expérience parfois douloureuse et, de plus, onéreuse. Ce sera la fin de cette première mouture en partenariat avec les chaînes européennes francophones.

Chez nous, la suite, c'est mon successeur à la direction des émissions jeunesse, Pierre Monette qui s'en charge, avec l'aide de son bras droit, notre toujours aussi dévoué (les anglophones disent *dedicated*) Claude Morin. Comme responsable de l'encadrement des jeunes voyageurs, Claude s'occupe aussi bien des questions techniques que des relations humaines, en bon père..., rôle difficile et plutôt épuisant moralement. Le moment le plus stressant, selon Claude, c'est la sélection des candidats ; c'est de voir un rêve s'effondrer pour le 9e candidat de la présélection, et pour le 3e candidat de la sélection finale, parfois pour un ou deux points de différence ; difficile, très difficile, aussi bien pour Claude que pour le candidat défait. Il faut être hautement professionnel dans ces moments pénibles. Et Claude a la vocation.

En 1987, la direction jeunesse croyait toujours qu'il est dans son mandat d'offrir aux jeunes cette fenêtre sur le monde, et cette possibilité d'exprimer leur voix et leur vision, dans toute leur originalité. On a cherché, sans succès, à s'associer à la CBC. C'est l'ONF qui a finalement accepté ce rôle de partenaire, en accord avec sa vocation documentaire, sous l'égide de mon collègue et ami Jean-Marc Garand, qui y dirige ce secteur. De cette collaboration est née une nouvelle *Course* qui débutera en 1988, avec mon assentiment: je serai alors directeur général des programmes de la SRC. Dans son édition du 6 février 1989, la revue spécialisée *Playback* annonçait cette nouvelle aventure.

« Race of the Americas »

« Radio-Canada and the French Service of the NFB have joined forces to produce a unique TV series called La Course des Amériques (Race of the Americas). *And in the process, they've created an opportunity for unparalleled adventure for 8 young Quebecers, aged 18-24 years old, who left last October on a 182-day+ voyage which will take them from Canada's Artic to South America.*

Their mission is to log the journey – completed in short legs by airplane – on videotape. The short documentary films are then sent back to Canada. Jean Louis Boudou, the show's director, says the adventurers/filmakers are about two-thirds through the trip.

Initially, Radio-Canada pitched the series to English language Canadian broadcasters with the hope of sending out both English and French teams. With no takers, La Course des Amériques *almost didn't pass the planning stage. But in a last minute effort to salvage the series, Roy turned to the NFB.*

Each week, the eight adventurers send videotapes and commentary by plane to Montreal, where the footage is edited and prepared for broadcast Saturdays at 5PM. Michel Desautels hosts the hour-long program. The 26-part series runs until late April. »

(« Radio-Canada et le Service français de l'ONF ont uni leurs forces pour produire une série unique pour la télévision intitulée *La Course des Amériques*. En l'occurrence, expérience exceptionnelle pour huit jeunes Québécois de 18 à 24 ans, partis en octobre dernier pour un voyage de plus de 180 jours, qui les conduira de l'Arctique canadien jusqu'en Amérique du Sud.

Leur mission est de consigner chaque segment de leur voyage, entre deux vols, sur vidéocassette. Les courts documentaires sont alors réexpédiés vers le Canada. Jean-Louis Boudou, réalisateur de la série, nous dit que les cinéastes-aventuriers ont déjà complété environ les deux tiers de leur périple.

Au départ, Radio-Canada avait proposé, en vain, la série aux diffuseurs canadiens-anglais, dans l'espoir d'envoyer à la fois des équipes anglaises et françaises. Sans partenaire, La Course des Amériques a failli s'arrêter dès la phase de planification. Mais dans un effort de dernière minute pour sauver la série, Roy s'est tourné vers l'ONF.

Chaque semaine, les huit aventuriers envoient par avion leurs cassettes avec leur commentaire à Montréal, où le matériel est monté et préparé pour la diffusion du samedi à 17 h. Michel Désautels anime l'émission d'une heure.)

Après Michel Desautels, c'est Pierre Thérien qui prend l'animation en mains. Je n'ai pas suivi avec assiduité l'évolution de *La Course* après avoir laissé la direction du Service jeunesse à l'automne 1979. En 1989, après avoir quitté la SRC, j'ai participé au jury qui allait consacrer Catherine Fol grande gagnante de *La Course des Amériques*; la série est alors réalisée par Jean-Louis Boudou, l'ancien de *La Course autour du monde*. Je me souviens d'un court-métrage scientifique et très poétique intitulé *L'Éternel Retour*, signé par Étienne Robert de Massy, qui a terminé cette année-là en deuxième place. Du sanctuaire des papillons au Michoacán, il nous invitait à vivre quelques minutes au royaume des monarques, partis du Nord avec un aller simple pour le Sud. Leur progéniture, à leur tour, prend un aller simple vers le Canada… 3500 km plus haut ! Et le cycle se répète ainsi chaque année. Étienne, grâce à *La Course*, a pu effectuer un stage à la télévision française ; il a fait aussi des études à l'Université de New York pour devenir directeur photo. Un soir, en regardant *Les Beaux Jardins* à TV5, j'ai pu admirer les magnifiques images du jardin du chemin de croix de l'oratoire Saint-Joseph. La qualité de la photo donnait envie d'y être. Elle était signée : Étienne Robert de Massy.

Pendant la semaine 18 de *La Course,* nous voyons le film de Catherine Fol sur un bidonville de Lima où s'entassent 350 000 personnes aux portes du désert. Puis... surprise! Catherine Fol débarque en personne sur le plateau. De passage à Montréal, tendue, grillant cigarette sur cigarette, elle nous dit: « Le pointage, c'est ben dur... » Et l'animateur, Michel Désautels – devenu depuis homme de radio et romancier – lui répond que nous venons de vivre à *La Course* une semaine de fort haut niveau. Une opinion partagée par les trois membres du jury, Jean-Pierre Masse, Jean-Pierre Laurendeau et moi-même.

Le premier prix de *La Course des Amériques,* 1989, remporté par Catherine Fol, est un contrat de réalisation d'une année à l'ONF... année qu'elle prolongera jusqu'en 2005! Elle y a signé plusieurs œuvres documentaires: *Terre à taire, Au-delà du 6 décembre, Tant qu'il y aura des jeunes, Toutatis, Le Lien cosmique / Collision cosmique, Ceci n'est pas Einstein.*

Par goût et non plus par obligation professionnelle, il m'est arrivé de m'arrêter un samedi ou un dimanche sur les images de *La Course.* L'aventure a duré vingt ans et a porté plusieurs titres: *...autour du monde, ...des Amériques, ...Europe-Asie, ...Amérique-Afrique.* En 1991, *La Course* est devenue *Destination monde,* en renouant avec le concept des origines: un vrai tour du monde, avec des escales sur les cinq continents.

J'ai appris, il y a très peu de temps, longtemps après la fin de *La Course* à Radio-Canada, que cette *Course destination monde* lancée en 1991 avait offensé des Français. Un jour, à l'occasion d'une réception à l'Académie, j'ai rencontré un ancien concurrent. Apprenant le rôle que j'avais joué au début de cette aventure, il me laisse entendre que celle-ci s'est mal terminée, ce que j'ignorais. Je me suis donc renseigné.

La controverse portait sur la question des droits, la série, on s'en souvient, ayant été initiée par la France. En 1991, le chef du Service jeunesse était convaincu que *La Course* n'appartenait à personne, puisque Radio-Canada avait, dans les années 1960, diffusé une émission semblable sous le titre *Images en tête.* Bien avant cette émission encore, Daniel Bertolino, à vingt ans, avait fait la série *Caméra stop* avec sa femme Nicole Duchêne, et l'avait présentée à notre antenne.

Claude Lambert, de Télé Union, la société à l'origine du projet dans les années 1970, voit un jour *La Course* sur TV5 en Europe.

Revendiquant la propriété du concept, il met la SRC en demeure de lui verser des droits. J'ignore la fin de l'histoire, qui s'est dénouée à la fin du siècle dernier, alors que la plupart des partenaires qui étaient à l'origine de la série n'étaient plus en fonction. J'avais quitté la Société à l'été 1988.

Pendant toutes ces années, les jeunes reporters ont nourri la vision que j'avais eue en lançant cette aventure à Radio-Canada ; des films poétiques, politiques, sociaux, tantôt très sérieux, tantôt au second degré, parfois avec un large sourire, grinçant ou tendre, souvent franchement comiques, films qui ne laissent personne indifférent et qui ne ressemblent en rien au style parfois constipé de leurs aînés. Ce n'était pour moi qu'une question d'équilibre sur une chaîne télé, mais ça faisait du bien à l'ego… et ça faisait aussi plaisir au public, à qui les jeunes en ont mis plein la vue.

Mais là où je crois pouvoir dire que la décision prise lors de notre réunion de la CTF à Aix-en-Provence, en décembre 1977, a été la bonne et qu'elle a porté ses plus beaux fruits, c'est au niveau de la relève. Je n'ai compris que longtemps après la dimension réelle du pouvoir que j'avais alors. À 45 ans, j'ignorais qu'avec une décision spontanée et des objectifs ainsi définis, j'allais contribuer à former une telle relève. Non, *La Course* ce n'est pas un accident. C'est un choix réfléchi, des objectifs clairs. Ma chance, c'est que mon collègue des Variétés n'ait pas voulu de ce projet. C'est la Jeunesse qui en a profité.

La Course, pépinière de grands cinéastes

Au tournant du millénaire, une nouvelle vague de jeunes cinéastes brillants et techniquement très compétents a déferlé sur le Québec. Parmi eux, plusieurs ont fait *La Course :* Hugo Latulippe, Marie-Julie Dallaire, Bruno Bouliane, Patrick Masbourian, Karina Goma, Denis Villeneuve, Manuel Foglia, Ricardo Trogi, Marie-Claude Harvey, Robin Aubert, Jennifer Alleyn, Philippe Falardeau… Selon Denis Gatelier, monteur émérite de *La Course,* plus de 70 % des jeunes qui y ont participé ont embrassé les métiers du cinéma ou de la télé sous diverses formes : producteur, réalisateur, scénariste, chroniqueur, journaliste, monteur... Ils sont la relève, formés par cette école unique, qui aura duré une vingtaine d'années.

D'autres vétérans de cette épopée ont choisi de poursuivre leurs études, sont devenus architectes, ingénieurs, médecins... Dans quelque champ d'activité qu'ils ont choisi de poursuivre leur carrière, tous, j'en suis convaincu, ont gardé au fond d'eux-mêmes l'esprit de cette aventure. Partis à 20 ans, à la recherche de l'autre, à la recherche d'eux-mêmes, ils en sont revenus changés à jamais, et certainement meilleurs.

Dans sa préface à *Nos Courses autour du monde*, publiée en août 2012, Philippe Falardeau a écrit : « ...il y avait dans *La Course* quelque chose de noble, pas seulement dans l'acte de tourner son regard vers l'autre, mais aussi dans l'immense confiance qu'une société témoignait à sa jeunesse ».

22

L'ANNÉE INTERNATIONALE DE L'ENFANT

En septembre 1978, la sociologue Monique Bégin, ministre la Santé nationale et du Bien-être social à Ottawa, doit choisir les membres de la commission canadienne de l'Année internationale de l'enfant. Je suis nommé commissaire et membre du comité des communications. 1979 marque le vingtième anniversaire de la Déclaration des droits de l'enfant par l'Assemblée générale de l'Organisation des Nations unies.

La commission canadienne est formée d'une quarantaine de représentants des gouvernements fédéral et provinciaux, du monde du travail, du monde des affaires ainsi que d'organismes communautaires ; sa tâche est de promouvoir l'Année internationale au Canada.

Très vite, j'informe mes collègues de la commission des nombreux projets à l'étude ou en cours de réalisation au Service jeunesse de Radio-Canada : émissions spéciales, séries et films documentaires conçus tout spécialement pour les jeunes.

Radio-Canada n'a pas attendu les Nations unies pour s'intéresser aux enfants. Mais nous allons quand même faire un effort supplémentaire pour souligner le thème de cette Année internationale, aussi bien auprès des adultes que des enfants. Il y aura donc un certain nombre de primeurs à cet effet, mais aussi des aménagements particuliers au sein des émissions régulières.

Des productions pour l'Année de l'enfant

Ainsi, la nouvelle série *Bonjour, comment mangez-vous?*, présentée les vendredis à 19 h 30 à compter du 16 janvier, propose aux jeunes de soigner leur alimentation avec des conseils amusants et des informations précieuses sur le corps et son besoin d'activités physiques. Émission éducative qui couvre environ 130 sujets en 13 épisodes, et qui nous met aussi en appétit en nous présentant les cuisines d'ailleurs. *Bonjour, comment mangez-vous?* est une émission fort originale et tout à fait captivante. Produite par Gilles Sainte-Marie et associés, la série a été conçue en collaboration avec le ministère de la Santé et la Société Radio-Canada. La ministre Bégin citera d'ailleurs cette série qui fait partie des initiatives de son ministère à l'occasion de l'Année internationale de l'enfant. Les concepteurs sont Max Cacopardo, Louise Pelletier, Christiane Duchesne et Gilles Sainte-Marie; les réalisateurs sont Alain Godon et Pierre Rose, Ronald France et Véronique LeFlaguais en font la narration.

Le samedi matin, période de grande écoute pour les enfants, le Service des émissions jeunesse propose quatre nouvelles productions québécoises illustrant la vie des enfants de chez nous. Comme le Québec accueille de plus en plus d'immigrants, à Montréal surtout, la série *Au coin de ma rue,* réalisée par Anik Dousseau de Via le Monde avec la collaboration de Marie-Francine Hébert à la recherche, nous fait aimer ces enfants venus d'ailleurs qui s'intègrent avec bonheur à notre communauté. Les enfants d'ici y découvrent une diversité d'ethnies, une multiplicité de cultures, une variété de langues, de religions, de coutumes et de façons de manger et de se divertir qui les étonnent et les ravissent. Ces nouveaux petits Québécois communiquent le goût de la découverte et nous donnent envie de les fréquenter.

Dans *Mordicus,* série documentaire réalisée par Louis Ricard avec Louise Spickler à la recherche, c'est la débrouillardise et l'esprit d'initiative des adolescents qui sont mis en valeur. Ces émissions nous font découvrir différents clubs de jeunes dans plusieurs régions du Québec, comme ces 4A qui s'intéressent à l'astronomie: des enfants, chacun muni de son télescope, ont investi un local qu'ils ont décoré à leur goût; leur club est devenu membre de la Société d'astronomie de

Montréal. Chaque semaine *Mordicus* nous fait découvrir un club différent : de cyclo-cross, de rouli-roulant, de gymnastique ou de musique. Une production des Films Cénatos, dirigés par Pauline Geoffrion et Guy Simoneau.

Une autre production québécoise, *Les deux promesses,* raconte l'histoire d'amour entre un petit garçon et son cheval. La famille d'Élie quitte la ville pour s'installer à la ferme ; le cheval Prince est alors le seul ami de l'enfant. Mais le père veut vendre le cheval pour se procurer un équipement moderne et faire fonctionner son érablière. Dans la relation entre le père et le fils, on apprend une foule de choses sur les animaux et le fonctionnement d'une ferme. Un film produit par Cinébec, écrit par Jean Lepage et réalisé pas Peter Svatek.

J'ai évoqué *Comme les six doigts de la main,* le long-métrage d'André Melançon produit en 1978. C'est en mars 1979 que cette courte série, version télévision, est diffusée à notre antenne. Elle ne manque pas de séduire les jeunes qui s'identifient aux six héros du film. Les enfants s'attachent à cette série où le langage utilisé est le leur et dont les personnages pensent et agissent comme eux. Filmée à Montréal, avec des jeunes Québécois, cette œuvre d'André Melançon a le rare mérite de projeter aux enfants une image réaliste d'eux-mêmes.

Cette année, André Melançon donne encore *La parole aux enfants* : une collection de courts films où les enfants s'expriment sur toutes sortes de sujets existentiels : l'amour, la souffrance, la naissance, la guerre, la vieillesse, la famille, la pauvreté, la maladie, le travail, le divorce... Le réalisateur-intervieweur aborde une quarantaine de thèmes dans ses échanges avec les jeunes. Dans la revue *Éducation Québec* (novembre-décembre 1979), Micheline Drouin raconte qu'avant une projection de 130 minutes de *La parole aux enfants* à la Bibliothèque nationale, rue Saint-Denis, André Melançon s'adressait ainsi à l'auditoire : « Si vos parents trouvent le temps long, vous leur permettrez de circuler dans les allées. S'ils s'ennuient, vous les consolerez en leur disant qu'il y a un petit goûter entre les deux projections. » Effet de surprise, raconte la rédactrice, « Jusque-là, je n'avais pas réalisé qu'André Melançon, cinéaste, s'adressait à la vingtaine d'enfants de l'auditoire, et non pas à leurs parents. Raison de la méprise ? Rien dans son attitude, son regard et surtout son ton ne reflétait la bienveillante condescendance de l'adulte qui parle à des enfants. » La même revue disait aussi : « Selon André Caron, communicologue, la quantité et la qualité des programmes pour enfants produits par CBC et Radio-Canada placent le Canada au rang des plus importants producteurs de programmes-jeunesse au monde. Il note toutefois qu'au Canada les enfants francophones et anglophones sont soumis à des images très différentes. Les francophones sont en contact avec une culture internationale, ils écoutent des émissions en provenance de divers pays, tandis que les anglophones se confinent presque exclusivement aux émissions canadiennes et américaines. En se basant sur des cotes d'écoute, il fait la démonstration de cet étonnant clivage culturel. »

Une grande enquête à Téléjeans

À l'intérieur des émissions régulières, on souligne aussi l'Année internationale de l'enfant. *Téléjeans,* qui garde l'antenne tout l'été, est réalisé sur notre site de Terre des hommes, devenu pour une courte saison « Terre des jeunes » ; nous continuons d'inviter les ados à participer, surtout ceux et celles qui sont engagés dans des projets en lien avec l'Année internationale. Conçue d'abord pour informer les jeunes, l'émission devient de plus en plus leur tribune. Ce magazine nous informe aussi des activités spéciales qui se déroulent au Canada et à l'étranger. L'émission est réalisée, pendant l'été, par Cacopardo et Paquette, auxquels s'ajoutent Michel Gréco et Jean Savard ; à la fin de l'année, François Côté rejoint l'équipe. Michel Mongeau se joint à Jacques Lemieux pour l'animation d'été. Au programme, également, une grande enquête est lancée auprès des jeunes pour connaître leurs valeurs, savoir comment ils perçoivent la société, et comment ils voudraient qu'elle soit en l'an 2000... L'enquête est menée par notre Service des recherches, que dirige Gérard Malo ; Nicole Beaulac est responsable du projet, avec la collaboration de Max Cacopardo. Des enfants de 12 et 15 ans, provenant des quatre coins du Québec, sont invités à Radio-Canada pour répondre au questionnaire. En septembre, alors que *Téléjeans* entreprend la saison d'automne dans son nouveau créneau du mercredi soir à 19 h, les résultats de l'enquête estivale sont dévoilés en deux temps ; le 5, c'est le volet famille, avec les réponses aux questions sur leurs relations avec leurs parents, sur leur vécu familial, sur l'autorité, sur l'affectivité, sur la communication. Le 12 septembre, l'émission présente les réponses aux questions touchant l'école.

Il y a encore beaucoup de choses à dire sur *Téléjeans*. Félix Leclerc est venu s'y faire bombarder de questions par les ados ; Stéphane Bureau avait 14 ans quand il est apparu à l'émission le 22 avril 1978, à titre de coordonnateur de la Journée des enfants au festival de la bande dessinée ; Denis Coderre en avait 16 et rêvait de devenir astronome... Le 1er décembre 1981, Mario Lirette demandait à un membre des Échassiers de Baie-Saint-Paul comment se portait le budget de sa troupe ; la réponse de son invité a été : « Ah ! il est pas mal cassé. » Il semblerait que ce saltimbanque du nom de Guy Laliberté ait appris depuis à redresser ses affaires ; devenu milliardaire, son Cirque du Soleil, fondé en 1984 à l'occasion du 450e anniversaire de la découverte du Canada par Jacques Cartier est l'une des plus importantes entreprises culturelles au monde.

Bobino, toujours diffusé du lundi au vendredi à 16 heures, fait également écho à l'Année de l'enfant et Bobinette entreprend des échanges par correspondance avec des enfants de différents pays du monde. Elle enseigne ainsi une foule de choses aux tout-petits et leur fait prendre conscience des réalités que vivent ailleurs d'autres enfants de leur âge.

Pourquoi m'en faire ?

En 1979, on évalue à six millions le nombre d'enfants au Canada. C'est pour eux que le spécial *Pourquoi m'en faire ?* a été préparé par Radio-Canada et la CBC, en collaboration avec l'Unicef et la Croix-Rouge. L'émission est diffusée le 22 octobre en prévision du 24, proclamé Journée des Nations unies par le Conseil des ministres de l'Éducation du Canada. Dans cette émission, des jeunes d'un océan à l'autre répondent aux questions de Michel Mongeau à Montréal, Claude Rivard à Vancouver et Ginette Lamarche à Moncton, sur le tiers-monde, l'énergie et le gaspillage, l'éducation, la famille, l'école, la santé, l'alimentation, l'environnement, l'amitié, l'amour familial...

On aurait pu intituler cette émission *Ce n'est pas mon problème...* si des enfants sous-alimentés ne mourraient de faim, si des enfants n'étaient martyrisés, si des tonnes d'aliments n'étaient jetés à la poubelle. Ce moment de réflexion vise à sensibiliser les enfants canadiens à la réalité et aux besoins vitaux des enfants de pays moins favorisés que le nôtre. *Pourquoi m'en faire?* Parce que tous les enfants du monde n'ont pas droit au même traitement. Cette émission est reprise deux jours plus tard et diffusée dans toutes les écoles du pays. Ce sont là quelques-unes des émissions préparées à l'occasion de cette année de l'enfant. Nous avons ouvert encore un peu plus notre fenêtre sur le monde.

De l'absurde et des contes

Mais comme les enfants, à Radio-Canada, c'est l'affaire de toutes les années, nous continuons de travailler pour eux, et dans la bonne humeur. Des collaborateurs ne se gênaient pas pour se plaindre de la fin abrupte de *La Fricassée*, quelques années plus tôt. Au début de 1979, les adolescents auront dans leur assiette non plus une fricassée, mais de la *Pop Citrouille,* composée de sketches et de chansons originales inspirés du quotidien des ados: la vie à l'école, la difficulté de communiquer, les parents, la publicité envahissante... Notre télévision jeunesse, avec cette nouvelle émission, mise sur l'absurde, avec des scénaristes qui nous ont déjà donné beaucoup: Jacqueline Barrette, Raymond Plante, Francine Ruel, André Cartier, Isabelle Doré, Jean-Pierre Plante (oui, celui qui avait décrété en 1976 « la fin de l'âge d'or de la télévision jeunesse »), Marc Drouin, Robert Gravel, Jacques Grisé, Michel Rivard, Joanne Arseneau. Ils sont servis par une équipe de comédiens exceptionnels qui feront longtemps encore leur marque dans la fantaisie: Normand Brathwaite, André Cartier, Denis Bouchard, Denyse Chartier, Michèle Deslauriers, Suzanne Garceau, Ghyslain Tremblay, Francine Tougas, Angela Laurier, Reynald Bouchard. À l'origine, c'est le réalisateur Renaud Gariépy qui tient la barre; François Côté le rejoint un peu plus tard; une équipe du tonnerre, qui gardera *Pop Citrouille* à l'antenne de 1979 à 1985. Pierre Monette, mon successeur à la direction du Service jeunesse, changera éventuellement *Pop Citrouille* pour *Court Circuit* qui sera diffusé le jeudi à 19 h 30 afin de rejoindre davantage les adolescents.

Jean Picard, qui a réalisé *Les contes du tsar* la saison précédente, poursuit sa démarche avec *Les contes orientaux*, recherches et textes de Marie T. Daoust. Notre collègue d'origine tchèque est décidément bien douée pour les langues : elle connaît le japonais, le chinois et le vietnamien, et nous donne sept contes japonais, six contes chinois et un conte du Vietnam. Christiane Delisle fait la narration et Pierre Leduc assure la direction musicale. Ces contes sont offerts à notre jeune auditoire à compter du mardi 16 janvier à 16 h 30.

Le Secteur jeunesse a droit, encore une fois, à une place dans les *Beaux Dimanches* avec un film qui s'adresse à toute la famille, même s'il est diffusé un peu tard en ce 29 avril, à 21 h 30. *Wapistan et les oiseaux d'été*, qui débute par de magnifiques prises de vue aériennes, nous montre un vieux Montagnais qui raconte une légende à des enfants ; puis, le monde magique du conte, narré par Vincent Davy, reprend peu à peu le dessus sur la réalité. Le conte est joué par les Indiens montagnais eux-mêmes, dans leur pays de Natashquan, berceau du grand Gilles Vigneault. Pour cette production de Via le monde, réalisée par Daniel Bertolino avec Diane Renaud, toute la communauté locale des Montagnais a été mise à contribution. Ce film constitue le pilote des *Légendes indiennes* qui seront diffusées plus tard.

Paul Buissonneau est de retour à notre antenne, mais cette fois, dans la peau de Popol, un joyeux drille qui a le don de se mettre les pieds dans les plats. On retrouve son Popol d'une semaine à l'autre à la confiserie, à la garderie, à la ferme, chez les scouts, à une partie de pêche... où il entraîne avec lui d'autres comédiens comme Yvon Leroux, Janine Sutto ou Guy L'Écuyer. *Popol* est une réalisation du producteur indépendant Yves Hébert de Ciné-Mundo.

Royaumes des arts, royaume des rêves

À l'automne, le samedi à 16 h 30, les ados reprennent la route des arts avec *Un regard s'arrête.* C'est le troisième volet du triptyque que nous avons coproduit avec la Suisse (TSR), la France (FR3) et la

Belgique (RTBF), qui ont toutes fourni des jeunes de 8 à 25 ans pour ce pèlerinage artistique à travers les décors naturels de Suisse, de France et d'Espagne. Quatorze émissions qui nous font découvrir les possibilités créatrices qui sommeillent en chacun de nous. Pour la troisième saison, notre petite troupe francophone internationale multiplie les contacts avec d'autres gens, d'autres pays, d'autres coutumes ; le voyage a mené tous ces jeunes sur la route de Saint-Jacques-de-Compostelle ; en chemin, ils ont découvert le Moyen Âge, l'art roman, les pèlerinages, les vitraux, les abbayes... Cette coproduction est réalisée par Louis Barby, sous la direction du Suisse Pierre Gisling.

Une série de 16 h 30 a pris forme en 1978, mais n'atteindra son jeune public qu'après mon départ du Service jeunesse : elle porte le titre de *Siocnarf*, auquel j'ai toujours préféré son anacyclique *François*. De toute façon, l'auteur et la réalisatrice n'ont pas demandé mon avis pour le choix de ce titre. Ce qui d'ailleurs, en fin de mandat, me rappelle combien le pouvoir créatif est une prérogative des auteurs et réalisateurs au Service jeunesse. Ils ont tellement d'idées à négocier ensemble, pourquoi le chef de service s'en mêlerait-il ? *Siocnarf* est une idée d'André Montmorency, qui en est aussi le scripteur ; selon sa réalisatrice Hélène Roberge « il a voulu démontrer aux jeunes esprits qu'on peut toujours aller au bout de ses rêves et qu'avec beaucoup de courage et de ténacité, on peut arriver à les réaliser. »

François (Siocnarf) est le petit prince qui tente par tous les moyens de reconquérir son royaume, la quatrième dimension. Chez lui, deux mondes s'opposent : d'un côté le monde terrestre et matériel, de l'autre, la quatrième dimension ou le monde du rêve. Pour donner vie à ces mondes Hélène Roberge a fait appel à plusieurs artisans de *Nic et Pic :* le décorateur Norbert Poulin, la costumière Christiane Chartier, le concepteur visuel et maquettiste Claude Leblanc, le maquilleur Jacques Lafleur. Pour interpréter François, après auditions où des centaines d'enfants se sont présentés, Olivier Chantraine a été choisi ; il a onze ans, c'est son premier rôle à la télévision. Il est entouré de comédiens chevronnés comme Louise Rémy (Evelyna), Gilles Renaud (Théodore), Diane Arcand, Marc Béland, Pauline Martin, Jean-Guy Viau et Benoît Dagenais. Les enfants ont rendez-vous avec *Siocnarf* dès l'automne, le lundi 17 septembre à 16 h 30.

Robert Gravel est Don Quichotte à 16 h 30

Au moment de mon départ, Pierre-Jean Cuillerier crée une nouvelle série inspirée d'un personnage de la littérature espagnole fort connu depuis quatre siècles : *L'ingénieux hidalgo Don Quichotte de la Manche*. Son projet est une adaptation assez libre du roman de Miguel de Cervantès. L'écriture est confiée à un fidèle du réalisateur, Raymond Plante, qui dira : « Ça fait trois ou quatre ans que je prépare ce projet avec Pierre-Jean. J'ai relu l'œuvre de Cervantès. On donne habituellement une version romantique du personnage, alors que le roman ne laisse aucun doute sur l'état mental déplorable du personnage. Nous avons donc retenu son côté trouble-fête. Bref, notre héros est une casse-pieds sympathique qui amusera les jeunes et les moins jeunes. » Robert Gravel est Don Quichotte et Jean-Pierre Chartrand est Sancho Pança. Ils ont pour partenaires Normand Chouinard, Louise Portal, Gaston Lepage, Pauline Lapointe, Normand Lévesque, Évelyne Régimbald et Ghislain Tremblay. Les 49 épisodes sont diffusés les mardis à 16 h 30.

Les vrais perdants d'André Melançon

André Melançon est bien présent au programme jeunesse de l'année de l'enfance. Je trouve qu'il mérite bien son titre de cinéaste psychologue de l'enfance quand je visionne *Les vrais perdants,* sur la relation parents-enfants, que nous diffusons aux *Beaux Dimanches* le 18 novembre, à 20h30. On se rappelle qu'il a d'abord été psychoéducateur. *Les vrais perdants*, une production de l'ONF (programme Société nouvelle), est un long-métrage documentaire qui analyse un vrai problème de société: la compétition. C'est un esprit pas toujours bienveillant qui anime les parents entraîneurs de leurs enfants ; en somme, André nous invite à faire notre autocritique sur nos valeurs et attitudes éducatives et à écouter plus attentivement ce que les enfants ont à nous dire. Comme le dit une des adolescentes au début du film : « Les parents décident pour nous, des fois ça ne fait pas notre affaire. » En 2008, invité à la radio de Radio-Canada pour parler de son film *L'âge de passion*, André a fait un retour sur *Les vrais perdants*, dans lequel il exprime clairement son parti pris pour les enfants : « L'enfant peut apprendre pour son plaisir, mais il y a un détournement quand le plaisir des parents ou des professeurs prend le dessus, avec leur désir de les voir réussir une performance. » Il ajoutera, parlant des *Vrais perdants*, que ce film de 1978 est « davantage un cri qu'un film, dans un cri il y a des choses excessives, des choses maladroites, mais aussi des choses incontournables... » En somme, la vraie question pourrait être : quel est le prix que les enfants paient pour satisfaire l'obsession parentale de la performance ?

Le dimanche 16 décembre à 9 h 30, les plus petits ont rendez-vous avec Klimbo, de son vrai nom Kliment Dentchev. Cet artiste de grand talent n'est pas encore très connu au Québec, où il ne réside que depuis deux ans, mais dans son pays d'origine, la Bulgarie, il est très apprécié comme comédien et dessinateur. Kliment n'a appris le français qu'à son arrivée chez nous ; ce barbu au large sourire est d'un talent rare, et c'est aussi un merveilleux conteur avec son accent comique. Son habileté est d'illustrer ses histoires tout en les racontant, en dessinant aussi vite qu'il parle. C'est sur une vitre placée face à la caméra que Dentchev trace à grands traits ses personnages. Cette nouvelle émission est réalisée par Guy Comeau sur un texte de Marie-Francine Hébert. Kliment Dentchev en est le concepteur. *Klimbo* remportera le premier prix Festimages 1980 au Festival international des films pour enfants de Paris et le Prix de la Meilleure émission jeunesse francophone (2 à 6 ans) décerné par l'Alliance pour l'enfant et la télévision en 1981.

En cette année de l'enfant, j'ai accepté un autre projet audacieux : *Une naissance apprivoisée*. La première diffusion de ce documentaire a lieu en fin d'année et suscite bien des controverses. Au départ, cette émission n'était pas destinée aux enfants : Guillaume, neuf ans, est invité par ses parents, la psychologue Édith Fournier et le cinéaste Michel Moreau, à découvrir les mystères qui entourent la grossesse de sa maman. Les médecins sont également mis à contribution pour répondre à toutes les questions de cet enfant curieux de ce qui se vit autour de lui. *Une naissance apprivoisée* rompt avec tous les tabous, toutes les interdictions, tous les préjugés sur le droit de l'enfant de vivre le moment où sa mère lui apporte un petit frère ou une petite sœur.

Autrefois, l'enfant qui posait des questions à propos de la grossesse se faisait répondre n'importe quoi. Les temps ont changé. Les mœurs ont aussi, heureusement, évolué. Mais de là à permettre au petit d'assister à l'accouchement... Cette ligne, peu de parents consentent à la franchir. Michel Moreau, le cinéaste, l'a dépassée; Édith aussi. Les épisodes s'intitulent: *Dans le ventre de ma mère*; *Le neuvième mois*; *Je la vois, je la vois*; *Le dur métier de frère*; *Premières pages du journal d'Isabelle.* Ce film de Michel Moreau, produit par Educfilms, a été réalisé avec la collaboration de Jean-Claude Labrecque et de Guy Dufaux.

Mes années à la Jeunesse s'achèvent en beauté par un grand voyage onirique: *Le Noël de Bobinette à travers le monde.*

Alors que l'Année internationale de l'enfant tire à sa fin, et pour en prolonger le plaisir, Bobino invite les tout petits à une grande fête de Noël le mardi 25 décembre de 16 h à 17 h. Dans cette émission spéciale, Bobinette rêve qu'elle voyage du pôle Nord jusqu'en Afrique, en passant par le Mexique, le Japon et le Vietnam. Partout il y a une fête qui ressemble beaucoup à notre Noël, à cause de la joie qu'elle suscite. C'est une réalisation de Thérèse Dubhé, sur un texte de Michel Cailloux, avec Guy Sanche et Christine Lamer.

Québec 79: colloque international sur la télévision jeunesse

En 1976, en participant à un atelier pour jeunes producteurs à Remscheid, en Allemagne, j'ai eu l'idée de réunir au Québec les responsables des télévisions jeunesse d'Europe de l'Ouest et des deux Amériques. Quelques mois plus tard, à l'occasion de l'assemblée annuelle de l'Union européenne de radiodiffusion (UER) à Dubrovnik (Yougoslavie, aujourd'hui Croatie), j'en ai parlé au groupe de travail pour la jeunesse. Nos collègues de PBS, tout comme nous membres associés de l'UER, avaient déjà proposé à leurs homologues européens de tenir leur assemblée aux États-Unis. L'UER avait refusé, ses statuts stipulant que ses assemblées devaient toujours se réunir en Europe. Il fallait donc trouver un autre prétexte pour les attirer chez nous. Pourquoi pas un colloque, pour réfléchir ensemble à la télévision pour enfants à l'aube des années 1980 ? Mon rêve est devenu réalité en mai 1979. Ce sera « Québec 79 ».

Du 5 au 11 mai de cette année, une soixantaine de confrères du Royaume-Uni, de la République fédérale d'Allemagne, de la Belgique, du Danemark, des États-Unis, de la France, d'Israël, du Japon, des Pays-Bas, de la Norvège, d'Italie, d'Islande, de la Suède, du Mexique, de la Finlande, de la Suisse et du Canada sont conviés au Château Frontenac, avec sa belle vue sur le fleuve. Ils représentent plus de trente-cinq organismes, publics ou privés, télévisions généralistes ou éducatives.

La rencontre est présidée par notre directeur de la télévision, Jean-Marie Dugas. Quand celui-ci me passe le micro pour souhaiter la bienvenue à mes collègues, c'est avec une certaine satisfaction que je peux leur dire : « Si, dans plusieurs pays, on connaît aujourd'hui Frédéric Back en tant qu'animateur, c'est parce qu'on a créé à l'UER l'échange de films d'animation ; s'il y a eu chez nous *Tamusie et Markosie*, la famille Papatie et *Wapistan et les oiseaux de l'été*, c'est parce qu'Ole Frostrup du Danemark nous a indiqué la voie ; si nous avons mis à l'antenne *Téléjeans*, le magazine des adolescents, c'est en bonne partie parce qu'en 1976, il y a eu l'atelier UER de Remscheid. »

Avant le grand rendez-vous, notre Service des recherches avait fait parvenir un questionnaire aux délégués pour connaître les objectifs, la nature, la fréquence et les budgets des émissions jeunesse des différents pays. La synthèse des réponses nous montre que les objectifs sont d'informer l'enfant, de le divertir, de stimuler son imagination, de l'inviter à la participation, en somme de lui permettre de s'enrichir, de s'épanouir dans la communauté. Mais les réponses révèlent aussi une multitude d'obstacles : restrictions budgétaires, apathie et désintérêt des autres services pour les émissions pour enfants, insuffisance de temps d'antenne, faiblesse de l'infrastructure technique et, parfois, difficulté de trouver des producteurs compétents et intéressés à œuvrer dans le domaine de la télévision pour enfants. Quand on se compare, on se console, ai-je pensé. Cette synthèse fort éloquente, remise à chacun des délégués, a permis des échanges très intéressants.

D'éminents conférenciers sont au programme : la chaleureuse Barbara Chisholm, professeure à l'école de service social de l'Université de Toronto, grande spécialiste de l'enfance au Canada, fait un exposé magistral sur la place de l'enfant dans la société ; exposé qui nous habitera longtemps. Selon elle, les médias, la télévision surtout, doivent :

- éclairer les enfants sur le monde réel dans lequel ils sont appelés à vivre ;
- éclairer les enfants sur l'existence de valeurs et de motivation. Les médias peuvent agir positivement quand les parents ont démissionné ;
- éclairer les enfants qui sont et seront des consommateurs, sur les pièges du commercialisme ;
- éclairer les enfants sur les différences qui existent dans le monde et les préparer à les affronter.

« Jusqu'à quel point l'école et la télévision peuvent-elles se compléter ? » est la question posée à la deuxième conférence. Deux intervenantes y répondent : Mireille Chalvon, directrice de la télévision jeunesse à France 3 et ancienne critique de télévision, et Debbi Wasserman Bilowit de PBS à New York.

Fred Rainsberry évoque la nature réaliste ou fantaisiste des émissions pour enfants. Professeur d'histoire et de sciences sociales, docteur en philosophie et en anglais, Fred a dirigé la télévision jeunesse et scolaire de la CBC pendant treize ans. Il a écrit plusieurs livres sur l'enfant, la créativité et la télé.

Enfin le dernier thème traité est la télévision de la prochaine décennie et le droit de parole de l'enfant. C'est moi qui ai suggéré cette réflexion.

À la dernière journée d'échanges, Patrick Watson, de la CBC, revient sur les grands thèmes de la rencontre et nous livre ses réflexions sur le pouvoir de la télévision dans la société et sur les technologies du futur.

L'allocution de clôture est prononcée par le président de Radio-Canada, A. W. Johnson ; Nic Bal, président du groupe de travail des émissions jeunesse de l'UER et Jean-Marie Dugas y vont aussi de leurs félicitations et de leurs remerciements à tous ces délégués qui ont consacré une semaine à réfléchir et échanger sur le droit de l'enfant à une télévision de qualité, avec un dernier mot de gratitude à ceux et celles qui ont contribué à l'organisation de cette rencontre : Frank

Naef (UER), Denise Prézeau (SRC), John Kennedy, Dodi Robb (CBC) et le représentant de la SRC jeunesse.

Radio-Canada a publié les actes du colloque Québec 79 dans une brochure où l'on raconte, avec humour parfois, les conférences, les ateliers et les autres activités de cette rencontre.

Un nouveau festival à Banff

La première édition du Festival de films pour la télévision a lieu à Banff (Alberta) du 23 août au 1er septembre.

Quelques mots sur l'origine de cet événement. En 1975, mon bon ami, le très rusé Serge Losique, avait constaté que l'Alberta supportait financièrement les arts au moment où il cherchait lui-même un appui financier pour le Festival des films du monde qu'il songeait à créer à Montréal. Il a fait cette proposition au ministre albertain de la Culture, Horst Schmid : si l'Alberta l'aide à mettre sur pied le FFM, il s'engage à créer un événement à Banff. C'est au cinéaste Fil Fraser, originaire de Montréal et établi dans l'Ouest, que le ministre fait connaître sa réponse : « Pourquoi faire affaire avec quelqu'un de l'Est ? Faisons-le nous-mêmes. » Schmid engage la province financièrement et Fraser part à la recherche de fonds nationaux. Il réussit entre autres à ramasser 15 000 $ chez Jean Lefebvre, directeur du bureau des festivals de film au Secrétariat d'État ; puis il crée une fondation, avec à sa tête Jeanne Lougheed, épouse du premier ministre albertain. C'est Lefebvre qui a suggéré l'idée d'un festival de films pour la télévision qui ne serait pas en compétition avec les festivals de cinéma de Toronto et de Montréal ; j'ignore combien de dollars viendront d'Ottawa à la suite de ce virage. Mais c'est ainsi que Fil Fraser a fondé le Festival de Banff.

J'ai toujours aimé les histoires de Fil, sur la part que prenait le gouvernement albertain aux arts et à la culture dans les années 1970 et 1980. Les décisions peuvent se prendre sur un coup de tête ou, mieux encore, sur un coup de cœur. Quand Fil Fraser a voulu engager Jerry Ezekiel pour son festival, ce dernier travaillait pour Schmid au Ministère de la culture. Fil envoie donc un courrier au ministre Schmid pour lui demander de lui détacher Ezekiel. Mais c'est Ezekiel qui reçoit la demande et qui rédige la réponse favorable du ministre ;

celui-ci la signe, et voilà Ezekiel nommé responsable du jury et de la sélection du premier festival de films pour la télévision de Banff. Il restera en poste pendant 27 ans, pendant lesquels ses collègues du Québec, de l'Ontario et de l'Alberta auront le privilège de passer avec lui, chaque année, deux semaines passionnantes à visionner les films en vue de la compétition.

Le premier panel du premier festival est consacré à la jeunesse, puisque c'est l'année internationale de l'enfant. Le nouveau festival se veut accueillant pour des étudiants en cinéma d'un peu partout au pays, et ils sont nombreux à assister à ce panel. Grâce à André Lamy, vice-président aux affaires publiques, Radio-Canada est un grand supporteur du festival et lui fournit de l'aide technique depuis ses studios à Calgary et Edmonton : tout le système de visionnement en circuit fermé, le contrôle de la qualité par nos techniciens et l'entretien de tout l'équipement prêté. Sans cette aide, il est évident que cette première n'aurait pas connu le succès remporté.

Depuis juin, je suis en poste au Service cinéma-téléfilms, mais je participe tout de même au panel jeunesse avec une communication sur Québec 79, la rencontre Europe-Amériques de Québec. Les autres membres du panel sont André Melançon, dont le film *Comme les six doigts de la main* a été retenu pour la compétition ; Beverley Schaeffer, cinéaste à l'ONF, dont le film *I'll Find a Way* (« Je trouverai un moyen ») avait remporté l'oscar du court-métrage en 1977 ; et enfin Dodi Robb, responsable du Service jeunesse à la chaîne anglaise de Radio-Canada.

Notre panel, devant cet auditoire majoritairement composé de futurs réalisateurs, a beaucoup de succès grâce au talent de ses membres. André Melançon avait commencé sa première intervention en disant : « *I…not speak… english…* », lorsqu'un est étudiant venu à son secours, en lui offrant de traduire ses paroles. À la fin de ce festival, j'ai l'honneur de recevoir le prix remis au meilleur programme jeunesse au nom d'André Melançon, rappelé à Montréal.

Ma femme est venue me rejoindra à Banff par le vol de nuit que les voyageurs appellent le « *Red Eye* »… Peu après son arrivée, malgré sa fatigue, nous allons saluer Jean-Marie Dugas, le chef de notre délégation, qui loge au Banff Park Lodge comme tous les patrons et les invités d'honneur du festival ; sa suite communique avec celle du patron de la CBC, Don McPherson. Celui-ci est retourné à Toronto pour le week-end. L'épouse de Jean-Marie, Lise, offre gentiment à Claudette de se rafraîchir dans le superbe jacuzzi de la suite de Don, ce que Claudette accepte. Pendant que la baignoire se remplit, les deux dames reviennent dans la suite de Jean-Marie, en oubliant les clefs dans la suite de Don. Quand elle s'en rend compte, Lise saisit le téléphone et dans la panique, dit au réceptionniste : « *I need a man, badly...* » avant d'ajouter : « *Water is running, the door is locked, it's urgent.* » Notre sauveur est arrivé à temps pour empêcher la catastrophe.

Quelques années plus tard, je serai membre du CA du festival, puis membre du petit groupe chargé de la présélection des finalistes. Ce travail, qui nous prend quinze heures par jour pendant deux semaines, a été l'une de mes expériences professionnelles les plus enrichissantes. Tellement que je l'ai poursuivie jusqu'en 2006, l'année du départ de Jerry Ezekiel.

James Dormeyer persiste et signe

Avant de quitter le Service jeunesse, je veux saluer un réalisateur qui m'a particulièrement impressionné. James Dormeyer est un innovateur qui a passé près d'une décennie avec nous. Après un passage aux émissions dramatiques, on le retrouve à la fin des années 1970 à la réalisation d'une œuvre unique, *Prévert rose ou bleu ?,* qui tente de répondre à une fameuse question posée par le poète : « Naître ou ne pas naître ? » ; sur une musique de François Cousineau, Dyne Mousseau, Albert Millaire et Jean Belzil Gascon lisent des poèmes de Prévert. Avec cette production, James remporte le Prix Anik 1979, dans la catégorie Émissions dramatiques. Dans sa décision, le jury a souligné la démarche caractéristique du réalisateur : « Il a réussi une expérience télévisuelle totale en associant poésie, musique, interprétation et montage. Il s'agit d'une réalisation originale aux effets surréalistes étonnants. » Ce film lui vaudra aussi le Golden Award au Festival du film de New York et une mention d'honneur à l'American Film Festival. Il sera également sélectionné pour l'INPUT 1980 à Washington.

Quatre années plus tard, James remporte à nouveau le Prix Anik avec *Le conte de l'oiseau* qu'il a conçu et réalisé sur un poème symphonique d'André Prévost et Paule Tardif Delorme. Il conçoit et réalise aussi, en 1987, *Menuhin-Prévost*, une aventure créatrice qui lui vaut une mention d'honneur au Prix Italia, un des trois festivals les plus prestigieux au monde. En 1992, sa *Suite montréalaise*, émission spéciale produite à l'occasion du 350e anniversaire de Montréal remporte trois Prix Gémeaux, dont la meilleure émission « Spécial des arts ». Enfin, Dormeyer consacrera dix années au *Journal d'une création* (1996-2006), son projet le plus ambitieux, où il raconte les étapes de la création par André Prévost de son *Concerto pour violon et orchestre* dédié à Chantal Juillet et dirigé par Charles Dutoit de l'OSM. Un réalisateur inimitable, une œuvre inoubliable.

En quittant la Jeunesse

J'ai consacré neuf années de ma vie au Service jeunesse, où je n'ai pas eu le temps de m'ennuyer. Ce n'était pas tous les jours fête, mais je garde un excellent souvenir de ceux et celles avec qui j'ai travaillé tous les jours au service des jeunes. À compter du 1er juin , je dois assumer une nouvelle mission. Maintenant que cette responsabilité est derrière moi, je jette encore un dernier regard sur la télé jeunesse telle qu'elle était au moment de mon départ. Je cite l'article publié au début de l'année 1978-1979 dans la revue *Ici Radio-Canada* où nous faisions le point sur nos objectifs et nos réalisations. Je n'étais que le porte-parole d'une équipe exceptionnelle de réalisateurs, assistantes et administrateurs, une quarantaine de personnes dont j'ai toujours apprécié la compétence, le dévouement, le souci d'excellence.

> « Avec l'année 78-79, nous arrivons à une grille d'émissions si diversifiées qu'il nous est permis de dire que Radio-Canada offre un service complet pour l'enfant en lui accordant 20 % de son temps d'antenne. Cela équivaut à 25 heures et plus de cinquante créneaux consacrés aux émissions jeunesse par semaine ; ou encore à plus de 1200 heures et 2500 émissions par année. Tout ce temps pour informer, distraire, développer,

cultiver et éduquer l'enfant. Si les chiffres sont impressionnants, le contenu des émissions l'est bien davantage. Il est relativement facile de lancer de gros chiffres, mais il est moins facile de justifier tant d'heures d'antenne. Et pourtant lorsqu'on s'attarde à étudier la grille des programmes de ce service, ce n'est pas la matière qui nous manque. »

« Pour l'enfant plus que pour l'adulte, cette intrusion de la télévision dans la vie quotidienne représente une profonde modification de sa perception du monde. Il y a vingt ou vingt-cinq ans, peu d'enfants savaient ce qui se passait ailleurs, comment vivaient les petits Indiens ou les petits Africains ou comment vivaient les jeunes Pakistanais. Aujourd'hui, plusieurs le savent. De plus, l'enfant est maintenant assailli et envahi par une foule d'images et de mots qui n'ont pas été conçus à son intention. C'est un monde de violence, de conflits, de guerres et de consommation à outrance qui peut entrer dans sa maison par la télévision. À cause de tout cela, la télévision qui est faite pour l'enfant, et toutes les émissions qui lui sont consacrées, deviennent plus importantes que jamais. »

« Notre télévision ne transige pas avec les besoins de l'enfant et nous élaborons un ensemble d'émissions susceptibles d'élever son niveau de conscience, tout en l'amusant et l'informant. Une télévision pour l'enfant doit avant tout se faire l'expression des expériences qu'il vit dans son quotidien, témoigner d'un univers qui lui est familier et le guider dans sa prise de conscience de la réalité. S'il faut souvent passer par les routes de l'imagination pour répondre aux besoins de ce public, il faut également se soucier des valeurs que l'on véhicule, des modèles que l'on propose et des comportements que l'on donne en exemple. »

« Nos émissions fournissent à l'enfant des éléments essentiels pour mieux saisir la réalité, éveiller la curiosité et apprendre à avoir l'amour des autres et le respect des différences. Derrière les jeux, les chants, les danses et les dessins, on introduit des notions qui aident l'enfant à augmenter son vocabulaire, qui le poussent à agir et qui stimulent sa créativité. »

Enfin un dernier mot en souvenir de mes « années jeunesse ». La télévision destinée à l'enfant doit toucher son cœur, respecter son intelligence, stimuler sa créativité, exprimer sa culture et son environnement et lui ouvrir une fenêtre sur le monde. Elle doit faire appel aux meilleurs artisans et artistes qui ont à cœur le bien-être de l'enfant.

23

UN MOMENT DE RÉFLEXION

En mai 1979, à l'occasion de l'Année internationale de l'enfant, j'avais écrit le texte qui suit, une réflexion sur le monde de l'enfant et de la télévision :

Vingt-cinq ans après l'avènement de la télévision chez nous, il apparaît difficile de réconcilier les défenseurs du petit écran qui croient que le programme est source de connaissances et ses détracteurs qui voient surtout une influence néfaste dans la surconsommation d'images électroniques. Tout récemment, deux chercheurs de l'Université Yale (New Haven, Connecticut, États-Unis) publiaient une étude dont les conclusions sont que les enfants de 3 et 4 ans sont d'autant plus agressifs qu'ils regardent longtemps les programmes de télévision.

On sait que la consommation de télévision par la plupart des enfants – et aussi bon nombre d'adultes – se situe autour de 4 heures par jour ; on constate que beaucoup de parents s'en remettent aux programmateurs pour divertir leurs enfants et que la boîte à images est devenue la gardienne d'enfants par excellence. On peut difficilement contester que l'appareil de télé est pour plusieurs le professeur, le camarade de jeu… Ce qui me rappelle un entrefilet dans un quotidien qui, il y a quelques années, m'avait fait frissonner : une adolescente japonaise avait laissé une note avant de se suicider et ce mot était adressé « à son seul ami, son poste de télé. »

Pour nous qui sommes nés avant la télévision, celle-ci peut apparaître tout simplement comme un autre médium. Et pourtant ! Avons-nous déjà pensé que ce petit rectangle bourré d'images est là dans les quartiers pauvres aussi bien que dans les immeubles luxueux, de la garderie à l'hospice ou du berceau à la tombe; il transmet les mêmes images, les mêmes messages à tous ses spectateurs, il ne requiert pas d'instruction contrairement à la lecture, il n'oblige pas à sortir de chez soi comme pour le théâtre ou le cinéma. Voilà pour le médium.

Et le message? Pour la plupart il doit d'abord avant tout être divertissement, détente, oubli de ses propres problèmes. Comme le disaient deux sociologues de l'Université Laval dans une analyse du téléroman québécois: « Les fonctions individuelles remplies par la fiction sont sans doute à peu près les mêmes pour tous: la libération momentanée des contraintes de la vie réelle par le recours au rêve et à l'imaginaire[2]*. » Le message est aussi bien sûr source de connaissance – les enfants d'aujourd'hui en savent beaucoup plus sur le monde à leur entrée à l'école que les enfants d'hier; il est aussi véhicule de valeurs, par exemple la résolution des conflits par la force ou par coopération, le respect ou non de l'autre qu'il soit de couleur, de race ou de sexe différent... Il faut bien dire également que le message télévisé est souvent très peu conforme au monde réel: émission après émission, la boîte à images présente souvent un monde où tout est simple, où l'on distribue rapidement les récompenses aux bons et les punitions aux mauvais, les problèmes sont résolus dans un très court laps de temps et la justice ou l'autorité a toujours gain de cause*[3]*.*

Et l'enfant face à ce médium? Cet être en voie de formation qui, à la différence de l'adulte, n'est pas autonome, mais dépend étroitement de son milieu, comment réagit-il? On sait qu'il possède une parfaite connaissance des programmes qui le concernent directement, mais aussi de ceux qui s'adressent aux adultes. On sait qu'il n'éteint jamais ou presque la TV. Et les parents, pour qui la TV est un bon moyen de tenir les enfants tranquilles, admettent souvent que si elle peut les accrocher davantage, c'est autant de soucis en moins pour eux.

C'est pourquoi, de plus en plus, des organismes comme l'Institut de radiotélévision pour enfants conçoivent à l'intention des

---

2. Line Ross et Hélène Tardif, *Le Téléroman québécois, 1960-71*
3. D'après George Gerbner, chercheur à l'Université de Pennsylvanie

parents et éducateurs des campagnes de sensibilisation à la télévision que les enfants regardent. De plus en plus, les chercheurs ne condamnent pas la télévision, mais invitent les parents à jouer leur rôle d'éducateur. Les deux universitaires de Yale cités plus haut disent que seul un contrôle rigoureux de la part des parents peut réduire l'influence de la télévision sur les petits-enfants. Le docteur Rouleau, orthopédagogue à l'hôpital Sainte-Justine, dit : « C'est aux parents de récupérer l'enfant, c'est-à-dire de lui parler de ce qu'il regarde[4]. » Et le Dr Gregory Fouts, professeur de psychologie du développement à l'Université de Calgary, à qui on demandait : « Que suggérez-vous aux parents ? », déclarait : « De suivre de très près ce que regardent leurs enfants. D'établir des critères pour ce que les enfants peuvent regarder ou non et de les appliquer strictement, mais en expliquant toujours pourquoi. Et quand un enfant regarde une émission qui contient de la violence, il faut être assez responsable pour causer avec lui, s'enquérir dans quelle mesure il comprend et retient ce qu'il voit et mettre les faits dans une juste perspective... » Et il ajoutait : « Ce n'est pas le message que diffuse la télévision qui compte, mais l'usage qu'en fait la famille... Les parents qui veulent que leurs enfants regardent moins de télévision doivent eux aussi être capables de la fermer de temps à autre[5]. »

À tous ces parents qui nous demandent ce qu'ils peuvent faire à l'occasion de l'année internationale de l'enfant, j'ai envie de dire ceci : que la télévision ne soit pas seulement pour eux source de divertissement mais aussi d'enrichissement. Alors, peut-être nos enfants apprendront-ils à gérer leur temps face à la télé, à s'interroger sur la qualité des émissions, à reconnaître les messages qu'elle diffuse et éventuellement à en analyser les effets sur eux-mêmes, l'objectif étant d'utiliser la télé et non pas d'être manipulé par elle.

« Si nous n'éduquons pas nos enfants de manière raisonnable, notre société n'est plus qu'à vingt ans de la sauvagerie. Mais peut-être sommes-nous à la même distance – une génération – d'un monde

---

4. Cité dans *TV Hebdo*, 1978.
5. Entrevue accordée à Suzanne Zwarun et publiée dans *L'Actualité*, février 1978.

civilisé. La télévision peut contribuer à nous projeter dans l'une ou l'autre de ces directions[6]. »

Ces mots, Liebert et Poulos, les écrivaient en 1972, il y a quarante ans. Aujourd'hui, sommes-nous dans un monde civilisé ou de sauvagerie ?

6. Robert Liebert et Rita W. Poulos, dans *Psychologie,* 1972.

24

DU CINÉMA À LA TÉLÉVISION

Au moment où je reçois mon affectation au Service cinéma-téléfilms en mars 1979, donc avant même d'être initié au passé et au présent de ce service dont je ne connais que les grandes orientations, j'ai déjà en tête mes objectifs pour les prochaines années. Pendant mon séjour au Service jeunesse, j'ai développé beaucoup de relations avec les producteurs indépendants et je sais que mes prédécesseurs à cinéma-téléfilms ont fait de même en acquérant les droits de longs-métrages québécois. Ils ont participé à quelques séries, documentaires surtout, qui sont rarement diffusées en heure de pointe.

Objectif: moins d'américain, plus de québécois

Mon premier objectif est de diminuer progressivement l'acquisition de séries dramatiques américaines ; celles-ci sont généralement offertes au Canada anglais, aussi bien à la CBC qu'à CTV. Mon deuxième objectif est de trouver les moyens de financer la production indépendante d'ici qui coûte davantage que les acquisitions étrangères. Un beau défi pour les prochaines années. Mais pour le moment je dois m'imprégner de la réalité du service que je serai bientôt appelé à diriger.

Nous sommes au début du mois de juin 1979 ; j'ai quitté officiellement la télé jeunesse. René Boissay, qui dirigeait le Service cinéma-téléfilms depuis le départ de Guy Joussemet, est retourné, à sa demande, à la réalisation.

Le Service cinéma-téléfilms occupe, comme le Service jeunesse, une partie importante de la grille d'émissions de la télévision publique.

En 1979, il remplit 25 % de notre grille de diffusion. Il est donc le premier fournisseur de la programmation si l'on tient compte du temps d'antenne qui lui est imparti. On comprend toutefois, en lisant les chapitres précédents, que le Service jeunesse est le premier en termes de créneaux ; mais ce sont des cases de quinze ou trente minutes, alors que la programmation de cinéma-téléfilms dispose surtout de cases d'une demi-heure, d'une heure ou d'une heure trente minutes.

Un coup d'œil sur la programmation de 1979-1980. Nous diffusons des longs-métrages dans plusieurs créneaux d'après-midi, d'heure de grande écoute et de fin de soirée : en vertu de notre mandat, le secteur cinéma doit s'adresser à un large public, et les longs métrages constituent une part importante de notre offre à cet effet. Quelques titres suffisent à illustrer le menu en heure de pointe, au tournant des années 1980. Au moment de mon arrivée, le créneau des *Grands films*, le jeudi à 20 h 30, propose des titres comme *Playtime*, l'œuvre la plus ambitieuse de Jacques Tati (France) ; *Casanova, un adolescent à Venise* de Luigi Comencini (Italie) ; *Carrie* adapté du roman de Stephen King et porté à l'écran par Brian de Palma (USA) ; ou encore *La panthère rose s'en mêle*, une réalisation de Blake Edwards (Angleterre) et *Un pont trop loin*, d'après le livre de Cornelius Ryan, une réalisation de Richard Attenborough (Angleterre et USA). Les cases horaires de l'après-midi et de la fin de soirée présentent des centaines de longs-métrages par année dont la plupart sont d'origine américaine ou française.

Ciné-club pour cinéphiles endurcis

Ça, c'est pour le grand public, en heures de grande écoute. Il y a aussi une programmation très sélective dans une autre case horaire de la télévision publique qui demande une attention particulière. Peu de temps après mon arrivée, André Mongeon, responsable cinéma, m'initie au *Ciné-club* qui existait déjà dans les années 1960. Cinquante années plus tard, certains se souviennent encore du thème musical de cette émission diffusée en fin de soirée à l'antenne de Radio-Canada, *A True Blue Heart*. Le *Ciné-club* diffuse des classiques de la cinématographie mondiale. En 1979, cette émission est diffusée le dimanche soir, en alternance avec le *Ciné magazine.* Dans la première année de mon mandat au Service cinéma, *Ciné-club* aligne des titres tels que *Jour de fête* de Jacques Tati (France, 1949), *Naissance d'une nation* de D. W. Griffith (États-Unis, 1915), *La Marquise d'O* d'Éric Rohmer (France, 1976), *César* de Marcel Pagnol (France, 1936), *Persona* d'Ingmar Bergman (Suède, 1966), *Cria Cuervos* de Carlos Saura (Espagne, 1976), *Andrei Roublev* d'Andrei Tarkovsky (Russie, 1965), *Hiroshima mon amour* d'Alain Resnais (France, 1958), *Le Bidon* de Federico Fellini (Italie, 1955). Mais André Mongeon veut alimenter le réservoir des œuvres destinées au *Ciné-club,* et nous nous mettrons rapidement au travail sur ce dossier. Nous consultons des spécialistes qui ont analysé de grandes œuvres cinématographiques et qui en ont publié les résultats. Fort de cette documentation nous partons à la recherche des droits des cent cinquante premiers titres du classement. Nous fixons des paramètres très précis pour ces acquisitions : droits de diffusions illimitées pendant dix ans minimum et un maximum de vingt mille dollars par titre. Bien sûr, il y a des titres qui nous coûteront pas mal moins cher. Le représentant de la maison Pathé Cinéma à Paris, Yves Mounier, a d'excellentes relations avec Radio-Canada et il nous offre les productions de ses studios à un prix fort raisonnable ; nous faisons volontiers affaire avec lui, bien sûr à cause de la qualité de ses œuvres, qui ont d'ailleurs souvent été diffusées aux *Beaux Dimanches.* Cette bonne relation entre nos deux sociétés, allais-je apprendre plus tard, est née des années auparavant quand Radio-Canada a soutenu Pathé dans un passage financier difficile, et Pathé ne l'a pas oublié.

Voici comment procède André Mongeon, le responsable cinéma, pour approvisionner son *Ciné-club.* Il crée d'abord une feuille de pointage sur laquelle les longs-métrages sont notés selon leur présence au palmarès historique de diverses revues. Les références sont solides : *Revue du cinéma* en 1958, les *Cahiers du cinéma* de la même année, le prestigieux magazine britannique *Sight and Sound* en 1962 (aussi par la voie d'un sondage auprès de ses lecteurs en 1972), l'hebdomadaire *Film français* en 1978... Puis consultation de livres de référence, dictionnaires, histoire du cinéma à la bibliothèque de Radio-Canada, à la Cinémathèque québécoise, les listes dressées par de célèbres critiques et historiens du cinéma comme Marcel Martin ou George Sadoul… Cette première liste nous donne 72 films. Mais nous n'avons pas accordé une attention suffisante aux classiques du cinéma américain. Nous décidons alors de lancer une recherche spécifique à partir de dix-neuf sources d'information : *Cahiers du cinéma*, listes du Director's Guild, de l'American Film Institute, du *Los Angeles Times*, du *Daily Variety* puis le Palmarès des Oscars, des New York Film Critics Awards, des British Awards… Choisir les cent cinquante films que nous considérons les meilleurs pour notre auditoire très raffiné du dimanche en fin de soirée, ce n'est pas une mince tâche, mais enfin, nous avons constitué la liste idéale de titres à présenter au *Ciné-club*.

Avant de partir à la recherche des films en question, il est important de s'assurer que tous les genres cinématographiques sont représentés de même que les principales écoles nationales. Nous révisons donc les listes : cinéma d'animation, drames, westerns, classiques japonais et russes, les films de guerre, les comédies musicales…

Il faut évidemment du temps pour négocier l'acquisition des droits de diffusion de ces titres : nous en obtenons un bon nombre. Il ne faut pas oublier non plus la qualité des copies et obtenir, si possible, des versions originales. Un coup qui a particulièrement réjoui André Mongeon, c'est quand nous avons pu mettre la main sur une magnifique copie de la *Jeanne d'Arc* de Dreyer.

Charest, Weinberg et Charlie Chaplin

Parfois les droits d'un film sont difficiles à acquérir. Par exemple, nous avons l'œil sur une collection des onze titres de Charlie Chaplin, décédé quelques années plus tôt. Parmi ceux-ci : *Le Dictateur, Monsieur Verdoux, Les Temps modernes, Le Kid, La Ruée vers l'or, Un roi à New York…* Notre intérêt connu pour cette collection nous vaut la visite d'un distributeur européen qui dit en détenir les droits. Nous lui ouvrons notre porte avec plaisir, mais un plaisir de courte durée puisque ses prix sont non négociables : cinquante mille dollars par film. Nous avons beau lui expliquer que ces longs-métrages seront diffusés le dimanche en fin de soirée, sans messages commerciaux et à l'intention de quelques passionnés couche-tard, il ne veut rien entendre. Le temps passe et je rencontre deux jeunes mordus du cinéma qui vivent à New York: Micheline Charest et Ronald Weinberg, qui allaient fonder Cinar en 1984. Je leur expose notre intérêt pour les films de Chaplin, le budget dont je dispose et l'usage que je compte en faire: 20 000 $ par film, droits limités au Canada francophone, diffusions illimitées pour dix ans. Quelques mois plus tard, le contrat est signé. J'apprends qu'en plus d'obtenir les droits pour Radio-Canada, ils ont réussi à négocier des droits pour le circuit non commercial; ainsi, non seulement touchent-ils l'argent de la vente à Radio-Canada, mais ils en touchent aussi en vendant les films aux écoles, par exemple. Ces deux jeunes ont le sens des affaires. On connaît la suite... Quant à nous, notre *Ciné-club* s'est enrichi d'une collection que nous souhaitions offrir à nos cinéphiles depuis un bon moment. Trente ans plus tard, je suis toujours reconnaissant à André Mongeon pour sa détermination et sa patience et pour les bons résultats obtenus par sa petite équipe d'évaluateurs composée de Mireilla Gagnon, Yvan Provencher et Claude Hébert.

On m'a souvent demandé si les films diffusés à *Ciné-club* ont déjà fait l'objet d'une censure. Pour mémoire, je rappelle qu'au Québec, le Bureau de la censure (eh oui, on a connu ça!), est devenu en 1967 le Bureau de surveillance du cinéma, puis la Régie du cinéma. Personne n'a oublié l'interdiction qui a frappé *Les enfants du paradis* au Québec dans les années 1940, jugé «obscène» par les censeurs de l'époque. Selon les archives du Bureau de la censure, le premier ministre du Québec, Maurice Duplessis, serait intervenu lui-même dans cette décision (j'avais eu le bonheur de découvrir ce chef-d'œuvre de Marcel Carné au cinéma Champollion pendant mon année d'études à Paris). Et pourtant, la censure poursuit son œuvre jusque dans les années 1960 avec *Hiroshima mon amour* d'Alain Resnais; ce film n'a pu être programmé en salle qu'après avoir été amputé de ses scènes adultères, ce qui a provoqué, à Montréal, la montée aux barricades de plusieurs cinéphiles. La censure a pris fin officiellement avec la nomination d'André Guérin au Bureau de la censure, qui en a fait le Bureau de surveillance du cinéma. Mais la censure n'est pas tout à fait morte, elle survit pour des questions politiques; un cas célèbre, *On est au coton* de Denys Arcand, dont une copie expurgée dormira sur les tablettes de l'ONF pendant six ans, interdite de diffusion. Quant à la version originale, elle n'est rendue publique que trente-cinq années plus tard. Il faut croire que ce cinéaste est un homme patient.

Dans le cas de notre *Ciné-club*, je reprends un mot de mes prédécesseurs : ces films ne sont jamais censurés. Nous les programmons en fin de soirée à l'intention d'un auditoire adulte. D'ailleurs, qui sommes-nous pour décider ce que les cinéphiles peuvent visionner ou pas ?

Toujours au sujet de la censure, la chronique de Louise Cousineau, dans *La Presse* du 6 juin 1979, fait état « des films que l'on passe à la télévision » et rappelle « la levée de boucliers provoquée par la diffusion de *Je suis loin de toi mignonne* » réalisé par Claude Fournier en 1976. Elle nous apprend qu'une quarantaine de longs-métrages dorment sur les tablettes, considérés « pour adultes seulement ». Elle annonce que je me suis engagé à modifier les critères d'admissibilité de ces films en *prime time*. Je peux avouer aujourd'hui que plusieurs films québécois ont continué de « dormir sur les tablettes » ; notre direction les jugeant indignes d'être diffusés à la télévision publique pour des raisons morales. J'avais d'autres chats à fouetter ; j'ai abandonné le dossier après une rencontre avec la haute direction !

Cinéma, c'est aussi des séries

Le Service cinéma-téléfilms ne s'intéresse pas qu'aux longs-métrages tous genres, du mélo à la comédie, en passant par la dramatique, le documentaire, les grandes productions littéraires ou historiques. La section que dirige André Séguin doit remplir plusieurs créneaux à toute heure du jour et du soir ; la grande majorité des émissions sont des séries filmées. En cette année 1979, *Hors Série* occupe la case du vendredi à 20 h 30. On y trouve surtout des séries dramatiques étrangères comme *QB-VII* tirée du roman de Leon Uris, *King* qui raconte les luttes du célèbre pasteur noir américain Martin Luther King ou encore *La Couronne du diable*, une fresque historique relatant la dynastie des Plantagenêt en Angleterre. Il y a aussi, à l'intention d'un large public, *L'Histoire du chevalier Des Grieux et de Manon Lescaut*, production française tirée du roman de l'abbé

Prévost dans une réalisation de Jean Delannoy. Enfin, une œuvre que l'on ne peut oublier, *Moi, Claude, Empereur*, série britannique en treize épisodes, inspirée par les œuvres de Robert Graves. Important de se rappeler que du règne de cet empereur, successeur de Caligula, date le début de la décadence de l'empire romain.

Nous avons aussi, à l'occasion, une place dans le créneau des *Beaux Dimanches* pour y programmer de grandes séries documentaires. La maison Pathé Cinéma nous fournit des séries de grande valeur comme *L'Histoire de l'aviation*, illustrée par des archives exceptionnelles, avec de vieux avions et les témoignages des derniers survivants des début héroïques; l'histoire commence par un rêve vieux comme l'humanité, et se conclut avec le décollage du Concorde. Cette série de sept épisodes, écrite par Henri de Turenne, est réalisée par le documentariste Daniel Costelle.

Au moment où j'évoque ces vieux souvenirs, Daniel Costelle est toujours très actif: je viens de voir sa série de six heures, qu'il a réalisée en 2009 avec Isabelle Clarke: *Apocalypse, la 2e guerre mondiale.* J'ai grandi en écoutant, à la radio, la montée du nazisme et la capitulation du Japon. Tous les adolescents devraient voir la série de Costelle et Clarke.

Nos amis de l'ONF

Le 40e anniversaire de l'ONF est célébré sur nos ondes, avec des hommages à quelques cinéastes issus de la grande fabrique canadienne. Au programme: *Le château de sable* de Co Hoedeman qui, en plus de l'oscar du meilleur film d'animation, a remporté dix-neuf prix et mentions à travers le monde. Co avait déjà réalisé *Tchou-tchou* (1972), que nous avions diffusé au Service jeunesse en 1977. On présente également *Le Paysagiste*, le film le plus connu de Jacques Drouin, un curieux créateur qui a consacré trente ans de sa vie à créer des animations sur l'écran d'épingles d'Alexandre Alexeïeff, qu'il avait découvert à New York en 1966. On lui doit aussi *L'heure des anges* (1986, en collaboration avec le cinéaste tchèque Břetislav Poyar), *Ex-enfant* (1994) et plusieurs autres. Ses films ont été acclamés en Amérique, en Europe, jusqu'au Japon.

Pour compléter cet hommage à l'ONF, nous diffusons *L'Âge de la machine* (1978), un court de Gilles Carle avec Gabriel Arcand, Sylvie Lachance et Willie Lamothe, qui cumule déjà six trophées Etrog (prédécesseur des Prix Génie) ; et *Le Discours de l'armoire* (1978), un documentaire d'une heure de Bernard Gosselin, aussi connu comme directeur photo, monteur, et acteur dans plusieurs films de Denys Arcand : *La Maudite galette* (1972), *Réjeanne Padovani* (1973) et *Joyeux calvaire* (1996).

Jean-Paul Fugère est un réalisateur brillant qui a réussi de belles expériences dans le docudrame. Il avait réalisé *Vivre en prison*, il nous revient avec un autre drame social, *Les jeunes délinquants* : cinq épisodes d'un réalisme saisissant tirés d'un roman de Robert Gurik que diffusent les *Beaux Dimanches*. Cette production explore les différentes facettes de la délinquance. Fugère nous montre le pourquoi et le comment de la délinquance. Tout a été conçu à partir d'enquêtes minutieuses qui ont duré des mois auprès de personnes concernées par ce grave problème social. Les auteurs ne proposent pas de remède miracle, mais plutôt un constat criant de vérité. Au générique : Marc Béland, Yves Desgagnés, Johanne Fontaine, Gilles Pelletier, Hélène Loiselle, Frédérique Collin, Victor Désy, Robert Marien, Gilles Renaud, Lothaire Bluteau, Amulette Garneau, Charlotte Boisjoli, Normand Lévesque, Gilbert Lepage.

Une production musicale mérite un nouveau coup de chapeau, même si elle en a reçu pas mal dans les années 1980 : elle raconte les amours impossibles entre un homme et une femme-oiseau. C'est *L'Oiseau de feu* de Stravinski, réalisé par Jean-Yves Landry, avec l'Orchestre symphonique de Montréal et son chef attitré Charles Dutoit, les danseurs Claudia Moore du Toronto Dance Theatre, et Jean-Marc Lebeau et Louis Robitaille de la Compagnie de danse Eddy Toussaint, dans une chorégraphie d'Hugo Romero. Frédéric Back a réalisé quatre minutes d'animation pour illustrer, avec son énorme talent, les métamorphoses successives de l'oiseau. Cette œuvre, diffusée aux *Beaux Dimanches* le 13 janvier 1980, a remporté la Prague d'or 1980 dans la catégorie des œuvres musicales à l'occasion de XVIIe festival international de télévision de Tchécoslovaquie. Avec les Prix Italia et les Emmy Award (USA), les Prague d'or sont les prix les plus prestigieux de la planète pour des œuvres télévisuelles. C'est la première fois qu'une télévision des Amériques le remporte. Un autre réalisateur de nos émissions musicales, Pierre Morin, avait reçu l'Emmy Award en 1965 pour son *Barbier de Séville* de Rossini, mis en scène par Paul Buissonneau.

1980 est aussi marqué par la diffusion, le 20 octobre, du premier épisode de la série *Le Temps d'une paix*. Pendant six ans, le scénariste Pierre Gauvreau et le réalisateur Yvon Trudel nous en fourniront au moins 160 autres. *Le Temps d'une paix*, c'est l'entre-deux-guerres, de 1918 à 1938. C'est l'histoire, au jour le jour, de familles rurales et urbaines qui vivent ensemble les mêmes événements dans le magnifique comté de Charlevoix. La distribution est de très haut niveau : Yvon Dufour, Pierre Dufresne, Jean Besré, Nicole Leblanc, Katerine Mousseau, Daniel Gadouas, Gérard Poirier, Andrée Lachapelle, Jean-Marie Ouellet, Monique Aubry, Paul Hébert, Yvan Canuel, Denise Proulx, Rémi Girard, Gilbert Sicotte et tellement d'autres... Cette production sera récompensée par le Métrostar du meilleur téléroman en 1986 et par trois prix Gémeaux en 1987 : meilleure série dramatique, meilleur texte et meilleure réalisation.

ARTV attendra

Nous commençons les années 1980 avec un projet d'expansion : Radio-Canada envisage la création d'une nouvelle chaîne en français et en anglais pour offrir à nos téléspectateurs un plus grand choix d'émissions, alors que le câble et les satellites permettent d'accéder à de nombreuses stations de notre voisin du sud. Notre deuxième chaîne aurait une vocation culturelle avec le souci de renseigner et d'éclairer plutôt que de divertir, sans aucune publicité. Radio-Canada / CBC dépose donc une demande de licence pour deux chaînes qui seront diffusées par câble et qui doivent s'appeler, si elles reçoivent l'autorisation du CRTC, Télé 2 en français et CBC 2 en anglais. La décision du CRTC consterne le président A. W. Johnson, qui la communique au personnel de la Société dans les termes suivants : « Le CRTC n'est pas prêt à faire le grand bond vers une programmation réellement canadienne que représenterait l'octroi immédiat d'un permis d'exploitation pour Télé 2 et CBC 2. Le Conseil propose plutôt un petit pas dans cette direction. Il déclare que la 2e chaîne doit attendre un engagement financier du gouvernement. Pour le moment, le CRTC traiterait favorablement une demande qui offrirait des reprises d'émissions de Radio-Canada sans productions originales.» Et Johnson d'ajouter: «Il incombe au CRTC d'être audacieux sinon l'américanisation de la télévision au Canada se poursuivra.»

Dans le rapport annuel de 1980-1981, le président cite des chiffres intéressants. «La programmation de la télévision de langue anglaise au Canada n'est canadienne qu'à 33% (diffuseurs privés et CBC). Quant à la télévision de langue française, dans son ensemble, sa programmation canadienne est de 64%.»

Un jour viendra où ce projet se réalisera, avec la création d'ARTV, après beaucoup de temps et bien d'autres refus. Plusieurs partenaires seront à l'origine d'ARTV en 2001. Cette nouvelle chaîne prendra la relève de Radio-Canada en ce qui a trait aux émissions culturelles.

Place au cinéma québécois

Les rencontres avec les journalistes ou les producteurs privés ne sont pas toujours de tout repos. Luc Perreault, critique de cinéma à *La Presse*, et pour lequel j'ai toujours eu un grand respect, s'interroge sur le rôle de la télévision à l'occasion de la Semaine du cinéma québécois. Nous sommes en octobre 1980. Il écrit: «Du côté cinéma, tout le monde ou presque est unanime: le cinéma est la vache à lait de la télévision.» Et il ajoute: «Depuis un an, Radio-Canada et Radio-Québec ont participé financièrement à la production de la plupart des longs-métrages québécois. Le film de Gilles Carle, *Les Plouffe*, défonce à cet égard tous les plafonds: sur un budget évalué à 5 millions de dollars, Radio-Canada a investi 1,7 million de dollars.»

Je dois ajouter, de mémoire, quelques titres dont nous avons acquis les droits de diffusion à la télé ces derniers mois: *Les bons débarras* et *Les beaux souvenirs* de Francis Mankiewicz, *Cordelia* de Jean Beaudin, *L'homme à tout faire* de Micheline Lanctôt, *Fantastica* de Gilles Carle, *Ça peut pas être l'hiver, on n'a même pas eu d'été* de Louise Carré, *L'Affaire Coffin* de Jean-Claude Labrecque... Et nous avons diffusé à l'été

1980, le samedi soir à 20 heures, plusieurs films québécois dont nous avions acquis les droits dans les années 1970. Parmi ceux-ci : *Le soleil se lève en retard* d'André Brassard (1977), *Réjeanne Padovani* de Denys Arcand (1973), *Mon Oncle Antoine* (1971) et *Kamouraska* (1972) de Claude Jutra, *Quelques arpents de neige* (1972) et *J'ai mon voyage* (1973) de Denis Héroux, *J. A. Martin photographe* (1977) de Jean Beaudin, *Éclair au chocolat* (1979) de Jean-Claude Lord. Radio-Canada est certainement la principale vitrine du cinéma québécois.

25

LA FORMULE PLOUFFE

« Après plusieurs mois de méditation et de jeûne, des producteurs et des réalisateurs eurent une vision. »

Cette vision, proclamée avec humour par le journaliste Maurie Alioff, est une œuvre dramatique qui évoque à la fois un retour aux origines de la télévision canadienne et l'ouverture d'une nouvelle voie entre la télévision et le cinéma québécois. Le mercredi 28 octobre 1981, à 20 h 30, commence la diffusion d'une minisérie de six heures tirée d'un long-métrage qui a battu des records de box-office en métropole et en province ; ce long métrage est lui-même tiré d'un télé-roman qui a fait les belles heures de la télévision à ses débuts ; ce télé-roman est lui-même tiré d'un radioroman qui a fait les belles heures de la radio juste avant l'apparition de la télé ; ce radio roman est lui-même tiré d'un roman à succès de Roger Lemelin. Aujourd'hui, la minisérie *Les Plouffe* est l'aboutissement d'une grande aventure pilotée par Denis Héroux, Gilles Carle et... Roger Lemelin.

Le roman de Lemelin avait connu un grand succès à la fin des années 1940 ; la radio de l'époque, qui rassemblait beaucoup d'auditeurs avec ses séries dramatiques comme *Rue principale* de Paul Gury et *Un homme et son péché* de Claude-Henri Grignon, était le véhicule parfait pour cette chronique d'une famille ouvrière dans un quartier populaire de Québec après la Deuxième Guerre mondiale. Guy Beaulne a réalisé *La Famille Plouffe* sur les ondes de la radio nationale, du lundi au vendredi en début de soirée. Puis, une année après la naissance de la télévision de Radio-Canada, en novembre 1953, Lemelin adapte encore son roman pour ce nouveau médium. L'émission en noir et blanc est diffusée en direct en français, puis en anglais sur CBC, avec les mêmes comédiens qui se débrouillent autant que faire se peut dans la langue de Shakespeare. Cette série est le premier grand succès de la télévision, qui dispute la faveur des téléspectateurs aux joueurs de hockey et aux lutteurs, les autres héros du petit écran. La série est en ondes pendant six ans, mais les enregistrements sont presque tous détruits, ce que déplore Roger Lemelin : « C'est un peu comme détruire des vieux films de Chaplin, parce que ces émissions appartenaient aux archives de l'histoire de la télévision canadienne. »

Le retour des Plouffe

On pourrait croire que *Les Plouffe* ont vécu. Mais au début des années 1980, la direction de la télévision de Radio-Canada ouvre grandes ses portes aux projets audacieux de nos partenaires privés. En voici un, initié par Denis Héroux et Gilles Carle : relancer *Les Plouffe* en mini-série, et en extraire un long métrage pour les salles ; ce croisement des formats est une grande première chez nous, voire, un événement aux proportions historiques : « *The Minee-Feechie experiment. Birth of a monster, or brave new film world* » (L'expérience « minis-long métrage ». Naissance d'un monstre ou le meilleur des nouveaux mondes du film). Le titre de cet article de Maurie Alioff, dans le numéro de septembre 1988 de *Cinema Canada,* en dit long sur l'impact de cette démarche.

Un objectif commun de Radio-Canada et de CBC à cette époque est de remplacer progressivement les productions étrangères, américaines surtout, par du contenu canadien. Mais une série américaine comme *Dallas* représente alors un déboursé de 25 000 $ l'heure pour la SRC. La même émission en coûte le double à la CBC, mais celle-ci en obtient, en retour, d'excellentes recettes commerciales. Il est clair que notre contribution à une heure de production dramatique québécoise serait beaucoup plus élevée. Pour cela, il faut embarquer nos collègues anglophones pour qu'ils participent financièrement à l'opération, au nom de l'unité canadienne... Mais nos collègues anglophones ne sont pas du tout convaincus qu'une série dramatique *made in Canada* garantira un succès d'écoute et des revenus commerciaux, surtout une production *made in Québec*. On se souvient pourtant que *La Famille Plouffe,* version années 1950, demeure le seul succès biculturel diffusé d'un océan à l'autre et produit au Canada. Quand le président de Radio-Canada a rencontré les producteurs privés le

26 novembre 1979, le vice-président général, Pierre DesRoches, a fait état du besoin de créer des partenariats entre les cinéastes, producteurs indépendants et les deux chaînes publiques de télévision. Au final, la CBC monte à bord.

Denis Héroux et Gilles Carle doivent encore convaincre Roger Lemelin de revenir à ses anciennes amours. Il faut du temps avant que l'auteur, toujours président et éditeur du journal *La Presse*, ne consente à faire revivre sa célèbre famille Plouffe. Lemelin a des doutes sur la possibilité de financer une telle opération, dont le budget est évalué à plus de 5 millions de dollars.

J'interviens moi-même auprès de Lemelin à l'occasion d'un voyage à Québec. Nous passons de longues heures à échanger. Roger est toujours amer du fait que Radio-Canada n'ait pas su conserver sur pellicule son œuvre des années 1950. Mais je lui fais comprendre que les responsables actuels de la télévision publique n'ont rien à voir avec la destruction de ces émissions, qui étaient diffusées en direct et enregistrées au moment de la diffusion sur une pellicule qui ne supportait pas une longue conservation. Les bandes magnétoscopiques sont venues bien plus tard, trop tard pour sauver le gros de *La Famille Plouffe*. Tout en compatissant à sa peine, je lui propose cette nouvelle chance de réunir les francophones et anglophones dans une même création, certainement promise à un grand succès. Quand il me dédicacera la réédition de son livre publié à *La Presse*, il écrira « À Robert Roy en souvenir de certaines nuits blanches ».

Mais Radio-Canada avait pourtant conservé quelques-unes des bandes originales sur cinégrammes. Roger nous avait quitté depuis un bon moment déjà quand Imavision a mis sur le marché deux DVD contenant huit épisodes de la série originale en noir et blanc dans une qualité acceptable, cinquante ans après leur production.

Une fois obtenu l'accord de Roger, il reste à écrire le scénario, une lourde tâche à laquelle il s'attelle avec Gilles Carle. Alors que les lieux de tournage sont déjà choisis et que le coscénariste Carle s'apprête à mettre ses habits de réalisateur, Roger Lemelin a encore des doutes, et les coscénaristes se remettent à l'ouvrage.

J'ai connu Gilles Carle comme artiste graphique à Radio-Canada pendant mes premières années à la télévision publique, de 1957 à 1960 ; il a ensuite émigré à l'ONF, comme scénariste d'abord. Il réalise en 1965 son premier film de fiction : *La vie heureuse de Léopold Z*, un moyen-métrage qui lui vaut un prix au Festival international du film de Montréal, que dirige alors Rock Demers. Un premier succès. Il quitte l'ONF dans les années 1970, et réalisera dans le privé plusieurs longs-métrages, dont *Red* (1970), *Les Mâles* (1971), *La Vraie nature de Bernadette* (1972), *La Mort d'un bûcheron* (1973) et *La Tête de Normande St-Onge* (1976). Quand nos routes se croisent à nouveau, nous avons vieilli de vingt ans ; il vient nous offrir son *Fantastica* qui est choisi pour ouvrir le Festival de Cannes le 9 mai 1980. Interprétée par Carole Laure, Louis Furey, Serge Reggiani, Denise Filiatrault, cette comédie musicale coproduite avec la France n'a pas eu beaucoup de succès auprès des critiques.

Mais Gilles prend sa revanche l'année suivante avec la sortie en salles du film *Les Plouffe*. La première a lieu le 7 avril 1981 au Capitole de Québec, en présence du premier ministre Trudeau ; le lendemain, nous voyons la première montréalaise au cinéma Le Parisien. Six mois après le lancement du long métrage en salles, Radio-Canada présente l'œuvre en version intégrale de six épisodes d'une heure. Le long-métrage, qui a connu une fort belle carrière, a été tiré de la version télévisée ; les Américains et les Italiens utilisent déjà ce modèle avec un certain succès. Le texte intégral a été écrit pour la télévision et Radio-Canada est l'un des principaux investisseurs de cette production, avec une contribution de 1 700 000 $, soit environ 30 % du budget. C'est la première fois que la télévision publique canadienne investit autant d'argent dans une coproduction avec un producteur privé.

La SRC a fait une bonne affaire puisque nous rejoignons un auditoire moyen par épisode de 1 811 000 téléspectateurs ; toutefois, l'échec anticipé auprès du public anglophone par mes collègues de la CBC s'est confirmé : avec un auditoire potentiellement trois fois plus élevé que le nôtre, ils ont dû se contenter de 723 000 téléspectateurs. Une autre leçon importante de cette première expérience, c'est que la diffusion de la minisérie a beaucoup profité du succès du long-métrage. Inutile, donc, de précipiter cette diffusion à la télévision. Cette leçon nous servira lors de la négociation du contrat des *Tisserands du pouvoir*.

Un élément important du cinéma, né avec la télévision en 1952, c'est le *star-system* québécois francophone. Un jour, je discutais avec le cinéaste torontois Atom Egoyan de la difficulté pour le cinéma anglophone canadien de rejoindre son auditoire, que ce soit en Ontario, dans l'Ouest ou dans les provinces maritimes. Nous sommes d'accord sur une chose : les vedettes canadiennes-anglaises sont rares, aussi bien à la télé qu'au cinéma. La dynamique nord-sud, entre Canada anglais et USA, et le fait que la majorité des œuvres dramatiques préférées des Canadiens sont des productions américaines ont empêché le développement d'un *star-system* « *Canadian* » qui pourrait attirer les spectateurs canadiens vers les longs-métrages canadiens. Les artistes canadiens qui se démarquent sont aspirés par la machine américaine, qui renvoie aux Canadiens une culture américaine. Les Québécois n'ont pas ce problème : ils ont des vedettes bien à eux, qu'ils suivent sur les deux écrans, le petit comme le grand.

Languirand à la télé

De Lemelin à Languirand, il n'y a qu'un pas que je n'hésite pas à franchir en cette année 1981. J'ai toujours été convaincu que la série de treize demi-heures *Vivre ici maintenant* constituait une aventure spirituelle pour son auteur. J'ai connu Jacques à la fin des années 1950 en allant, comme lui, profiter pendant quelques jours du silence de l'abbaye de Saint-Benoît-du-lac. Au hasard d'une longue marche, seuls dans la nature, nous avons rompu le silence, ce qui est presque sacrilège en ces lieux. Je n'oublierai jamais ce que Languirand a dit à ce moment-là : « Les principes, il faut s'asseoir dessus jusqu'à ce qu'ils cèdent. » Puis, s'arrêtant au bord d'un champ où paissaient des vaches, très sérieux, il s'était exclamé : « Y a-t-il de plus beaux yeux que ceux d'une vache ? » C'est à l'abbaye de Saint-Benoît-du-Lac que les moines bénédictins ont créé le premier fromage bleu au Québec, L'Ermite. Et c'est Jacques Languirand qui a trouvé le slogan pour leur fromage, comme il l'annonce un jour fièrement à un moine. « Quel est-il ? » demande le moine. Et Languirand de répondre : « Aujourd'hui, on ne mange plus du curé, on mange de L'Ermite. »

J'ai retrouvé Jacques Languirand une vingtaine d'années après l'avoir connu à Saint-Benoît. Depuis les années 1940, il est dramaturge, comédien, journaliste, écrivain, metteur en scène, philosophe, professeur, et j'en passe. En 1981, il anime *Par quatre chemins* à la radio. Mais c'est à titre de producteur indépendant que ce brillant et chaleureux touche-à-tout m'apporte *Vivre ici maintenant*, une série qui n'a rien de commun avec nos fictions et nos documentaires habituels. Il s'agit plutôt d'une aventure spirituelle où, pendant treize émissions d'une demi-heure, Languirand aborde des thèmes comme le bonheur, l'angoisse, la ville, la solitude, la famille, le travail, la fatigue, le temps, l'utopie... Une série qu'il a conçue, qu'il anime et qu'il réalise en collaboration avec son fils Pascal, créateur d'une musique originale qui convient totalement à l'esprit de la série. En vulgarisateur, Languirand s'interroge sur la remise en question de notre monde et sur l'avènement d'un âge nouveau : « Ces recherches sur la solitude, la fatigue, la famille ou la vie urbaine, je les entreprends d'abord pour moi-même. Si je m'intéresse à l'angoisse, c'est qu'elle a déjà été un réel problème dans ma vie. Un problème dont j'ai dû prendre conscience. La clé se situe d'ailleurs là. Je crois qu'un problème, particulièrement un de ceux qui sont liés à la vie moderne, est déjà en voie de solution si l'individu en prend conscience. »

La série *Vivre ici maintenant* est diffusée le lundi soir à 22 h. Le livre *Vivre ici maintenant*, publié par les Éditions Minos en collaboration avec Radio-Canada, reprend les thèmes de son émission ; l'ouvrage plonge ou replonge le lecteur dans ces pensées sociales, spirituelles et métaphysiques dont Languirand est devenu l'explorateur inlassable à la curiosité insatiable. Le disque *Vivre ici maintenant* compile les musiques de la série, signées par Pascal Languirand. Au dos de la pochette, on peut lire : « Les pièces de ce disque ont été composées spécialement pour créer un état de relaxation qui favorise la concentration et la méditation... Des mélodies et des rythmes incantatoires ponctués de petits instruments de percussion qui relaxent les tensions du corps en éveillant l'esprit. » Je croirais entendre la voix de Jacques !

Le viol, crime politique

Au début de l'année, nous consacrons une plage importante des *Beaux Dimanches* à une œuvre remarquable de la cinéaste Anne-Claire Poirier de l'ONF. *Mourir à tue-tête*, film choc d'une grande actualité, traite avec rigueur et passion de la violence infligée aux femmes à travers l'histoire d'un viol. La réalisatrice définit ainsi son film : « Les hommes ont toujours violé les femmes. Mais le viol n'est rien d'autre qu'un crime politique de domination qui passe par le crime sexuel. Et les femmes en sont les victimes. » Le scénario a été écrit à partir d'une expérience réelle qui s'ajoute aux horreurs subies par les Vietnamiennes pendant la guerre qui s'est terminée en 1975 (et ce film a été tourné par l'ONF en 1977). On y voit aussi des scènes de clitoridectomies pratiquées sur de jeunes Africaines, une forme de violence érigée en système dans certains pays. La comédienne Julie Vincent, bouleversante de réalisme dans le rôle de Suzanne, a reçu une plaque d'or au Festival de Chicago en 1977. À la scénarisation, Marthe Blackburn et Anne-Claire Poirier, aux images, Michel Brault.

Grève coûteuse à l'info

En 1980-1981, le Service d'information a été perturbé par une grève déclenchée par les journalistes du Syndicat général du cinéma et de la télévision dont les conséquences se feront sentir pendant des années encore, peut-être même encore aujourd'hui, trente ans plus tard. Pendant huit mois, du 30 octobre 1980 au 1er juillet 1981, la grève a privé les téléspectateurs de la télévision publique francophone de leurs bulletins de nouvelles. Quand les journalistes reviennent au travail, la part d'audience de ce service de Radio-Canada est très sérieusement touchée ; le Secteur de l'information a perdu 60 % de l'auditoire qu'il rejoignait en 1979. En 2014, la majorité des téléspectateurs regardaient toujours leurs nouvelles sur les chaînes privées.

Une nouvelle recrue

En 1981, notre Service cinéma-téléfilms a pour mandat d'impliquer davantage les producteurs indépendants dans la programmation de Radio-Canada. Le départ de Rolland Guay survient pendant cette période, à mon grand regret. Mais à l'occasion de la réunion de la Communauté des télévisions francophones, Radio-Québec, hôte de la rencontre, invite les délégués à la Baie James. C'est ainsi que j'ai pu faire plus ample connaissance avec Andréanne Bournival, alors chef des acquisitions et des coproductions à Radio-Québec ; à ce titre, elle assume le rôle d'analyste et gestionnaire des projets des producteurs et réalisateurs indépendants. De retour à Montréal, elle accepte le poste de chef adjoint du Service cinéma-téléfilms, où elle hérite de fonctions analogues. J'avais déjà souhaité une collaboration avec Radio-Québec dans l'acquisition des droits de diffusion des longs-métrages, mais sans succès ; à défaut, je trouve une excellente collaboratrice qui non seulement connaît bien le milieu, mais qui a aussi le goût de la télévision intelligente et qui croit à l'intelligence de ceux et celles qui la regardent.

26

PIERRE JUNEAU PRÉSIDENT

J'avais pris l'habitude, au Service jeunesse, d'accueillir les projets soumis par des producteurs indépendants. Accueillir voulait dire rencontrer l'auteur, le réalisateur ou le producteur, mais aussi accepter de lire un projet et d'y donner suite. Je me souviens que lire des projets signifiait passer plusieurs heures de mes week-ends enfermé devant une pile de textes. Si la réponse devait être négative, valait mieux à mon avis le faire savoir rapidement. Cette façon de faire était acceptée par certains, dénoncée par d'autres. C'est normal de défendre son bébé. Mais quand je refusais un projet, c'était définitif. Je prenais soin de le faire savoir à celui ou celle qui l'avait soumis, par respect pour l'auteur à qui je ne voulais pas faire perdre de temps. Les projets rejetés étaient aussi passés par le service responsable et par la direction des programmes. Ils avaient donc reçu toute l'attention possible et nos décisions communiquées étaient sans appel. Si la réponse devait être positive, j'y mettais un peu plus de temps, de façon à étudier le comment, c'est-à-dire les conditions contractuelles qu'il nous faudrait négocier. J'ai toujours pensé que cette attitude était responsable.

Quand le Service cinéma-téléfilms a commencé à s'engager sérieusement dans la production indépendante, des réalisateurs de Radio-Canada et des chefs de service ont craint de voir leur mandat limité. Il fallait s'y attendre; c'était d'ailleurs un sujet dont je m'étais entretenu avec Jean-Marie Dugas à notre rencontre en novembre 1978. Il ne faut pas oublier que pendant les années 1970, au Service des émissions jeunesse, j'assumais non seulement la responsabilité de la production interne, mais aussi celle des acquisitions et de la production extérieure. Nos productions maison sont presque toutes réalisées dans nos studios alors que les producteurs privés, pour la plupart, nous livrent des émissions sur film. Cette évolution de la télévision publique a fait l'objet d'échanges difficiles dont j'allais devoir tenir compte dans les mois et les années à venir.

Arrivée et départ dans les larmes à Mirabel

Soirée très spéciale, en ce 1er avril 1982. Non, il n'est pas du tout question d'un poisson d'avril, loin de là. L'émotion est palpable à l'aéroport, où Raymond David, Jean-Marie Dugas, Denise Prézeau, Guy Fontaine (le patron de l'Exploitation-TV) et Jacques Lamarre (responsable des Arts graphiques) ainsi que moi-même, nous accueillons Frédéric Back, qui arrive de Los Angeles avec un oscar à la main. Un retour triomphal pour cet homme si compétent mais en même temps si humble.

Mais à minuit une minute, au milieu de cette réunion joyeuse, Raymond David, notre bien aimé et respecté vice-président et directeur général depuis 1968, nous informe qu'il passe la main (les anglos disent « *to hand over the lead* » ou encore « *to step down.* ») Jean-Marie s'adresse à son ex-vice-président avec émotion en évoquant de nombreuses années de riche collaboration. Ce témoignage d'un homme de parole est suivi par les vœux de l'assistance, sablés dans le champagne. Profondément touché, Raymond David vide sa coupe... à sa propre santé ! Offert par Air Canada, ce champagne, un Veuve Clicquot, serait le plus gai du monde si l'on en croit le rédacteur de *Circuit fermé*, Boris Volkoff.

Raymond David est cet être d'une grande simplicité, d'un contact chaleureux, un homme riche d'expériences et en même temps toujours respectueux de celles des autres. J'ai passé deux années auprès de lui à titre d'adjoint. J'écrivais parfois ses discours qu'il apprenait par cœur et qu'il répétait dans son bureau, porte fermée, en y mettant du rythme et de la chaleur. Raymond est un communicateur extraordinaire, que ce soit devant un large auditoire, pour souhaiter une agréable retraite à un employé de la Maison ou pour remettre un trophée à Frédéric Back. Il a une grande ouverture d'esprit et reste toujours à l'écoute ; il est aussi d'une grande rigueur quand il faut prendre une décision, qu'il s'agisse d'éliminer la publicité à la radio ou dans les émissions jeunesse. Pendant près d'une quinzaine d'années, c'était lui LE responsable du rôle démocratique de la télévision publique.

La société qu'il dirigeait se devait d'être le reflet des aspirations et des interrogations de la vie politique chez nous. La télévision publique avait pour mandat de renseigner, et il croyait profondément que cette fenêtre ouverte sur le monde permettrait à notre auditoire de s'enrichir pour mieux exercer ses choix. Il s'assurait que notre télévision était le plus grand moyen d'expression mis à la disposition des Canadiens ; que ce soit par le théâtre, la musique, l'information, qu'il s'agisse d'informer ou de divertir, Raymond David voulait que la programmation soit le reflet de la culture d'ici et il s'assurait que notre antenne soit libre d'influence des pouvoirs politiques. J'ai travaillé avec un grand patron dont j'ai apprécié le leadership, la culture, l'humanisme, la détermination, l'écoute et le respect de ses collaborateurs. Raymond s'est éteint le 17 novembre 2009.

En 1982, la succession ne tarde pas à se mettre en place : Pierre DesRoches est désigné par le président A. W. Johnson au fauteuil de la vice-présidence et de la direction générale de la division des Services français. Arrivé à Radio-Canada en 1951 comme régisseur, Pierre DesRoches a été réalisateur au Service jeunesse en 1956, superviseur des émissions dramatiques et séries filmées jeunesse en 1961, directeur de l'Exploitation-TV en 1966, directeur adjoint des programmes-TV en 1969, directeur de la radio en 1970. Il s'installe à Ottawa en 1971 à titre de directeur du développement au siège social, est nommé vice-président de la planification puis vice-président général avant son retour à Montréal en 1982. Il connaît aussi bien la production, radio et télévision, que l'administration de la Société, après avoir déjà servi depuis 31 ans cette grande maison de la culture canadienne, francophone aussi bien qu'anglophone.

Bobino a 25 ans

Le 24 mai de cette année, le studio où se tourne une émission quotidienne pour adultes est envahi par les enfants et plusieurs de leurs personnages favoris. À l'émission *Allô Boubou*, Radio-Canada offre une heure de célébrations pour marquer le 25e anniversaire de *Bobino*, avec plusieurs personnages des émissions jeunesse : Edgar Allan (Albert Millaire) et son inséparable Beni Oui Oui (Michel Mondié), les animateurs de la série *Au jeu* (Serge Thériault et Josée Cusson), l'équipe de *Pop Citrouille*, les clowns de *Bof et compagnie* (Pierre Beaudry, Denis Mercier, Michèle Deslauriers, Sylvie Léonard, Pierre Lenoir, Johanne Garneau) et les animateurs de *Tape-tambour* (Lucie Saint-Cyr et Antoine Durand). Et sans doute, aussi, Bobino et Bobinette.

Comment expliquer la longévité de *Bobino* ? Martine Thornton nous propose cette explication dans TV Hebdo : « *Bobino* a 25 ans d'existence quotidienne. Il n'a pas vieilli ; son public est toujours là, fidèle ; les cotes d'écoute n'ont pas changé. C'est incroyable, impossible... pour une émission de télévision. Cela tient du record Guinness. Et ce serait effectivement impossible à accomplir dans le cas d'une émission pour adultes. Mais *Bobino*, tous les cinq ans, signe un nouveau bail avec son public, perd d'anciens amis pour en trouver de nouveaux. C'est ce constant renouvellement qui lui permet de durer depuis si longtemps. Pour l'enfant de 3 ou 4 ans qui commence à regarder la télévision, *Bobino* n'a pas 25 ans. Il vient tout juste d'être inventé, comme Bobinette d'ailleurs. » Martine Thornton souligne aussi la contribution de l'auteur Michel Cailloux, qui signe tous les textes depuis 1959 ; en acceptant le défi, il aurait dit, cette année-là : « Je ne vous garantis pas de tenir un an. » Vingt-trois ans plus tard, il travaillait toujours quinze heures par jour, cinq jours par semaine à maintenir le contact entre des centaines de milliers d'enfants et *Bobino*.

Costelle en séries

Nous poursuivons cet été la diffusion des documentaires passionnants de Pathé Cinéma. Nous en sommes à *L'histoire des trains* de Daniel Costelle, aussi réalisateur des *Grandes batailles*, de *L'Histoire de l'aviation*, de *L'Histoire de la marine*... Cette fascinante série est richement illustrée, depuis les toutes premières images tournées par les frères Lumière en 1896; aux archives visuelles s'ajoutent des extraits de films, des interviews d'historiens, de spécialistes et de témoins des grands événements et des reconstitutions des moments les plus importants qui ont jalonné l'histoire des trains.

Après l'histoire des trains, l'excellent documentariste Daniel Costelle et son alter ego Henri de Turenne, le scénariste, nous présenteront l'histoire de l'automobile en six émissions d'une heure, *Des autos et des hommes*.

Dans l'intervalle, à compter du 10 juillet à 20 h 30 aux *Beaux Dimanches*, Daniel Costelle nous entraîne encore dans *Les grandes aventures de l'Himalaya*. L'idée de la série est de Maurice Herzog, premier alpiniste à gravir 8000 mètres quand il a touché, en 1950, le sommet de l'Annapurna, au Népal. Il a été pendant neuf ans secrétaire d'État à la Jeunesse et aux Sports sous la présidence du général de Gaulle. Daniel Costelle et son équipe chez Pathé ont visionné tous les films des expéditions à l'Himalaya depuis 1924.

Johnson remplacé par Juneau

De 1968 à 1982, nous avons connu une équipe de direction compétente, généreuse et collégiale. Au moment de l'arrivée du président George F. Davidson (1968-1972), le réseau français de la télévision publique était dirigé par des géants de la communication; certains avaient commencé leur carrière avant même l'avènement de la télévision. Les David, Blais, Dugas, Thibault et Landry formaient une équipe dynamique et très soudée. Cette équipe s'est maintenue sous la présidence de Laurent Picard (1972-1975), qui choisit comme bras droit Pierre DesRoches, un des héros de notre télévision jeunesse, puis sous celle d'A. W. Johnson (1975-1982), pour qui la Société était l'institution de « canadianisation » par excellence. Il a été le défenseur infatigable de l'expression culturelle, en accord avec les responsables des réseaux français de radio et de télévision. Malheureusement, les politiques gouvernementales ont ralenti un temps la canadianisation des ondes publiques si chère au président Johnson. Celui-ci se retire le 31 juillet, au terme de son mandat de sept ans. Depuis avril, nous connaissons son successeur, nommé par le premier ministre Trudeau : c'est le sous-ministre des Communications, Pierre Juneau, qui devient président de SRC-CBC. Pierre Juneau a consacré de nombreuses années au cinéma, au BGR, au CRTC et aux communications. Ce vétéran sera à la barre jusqu'en 1989. C'est une histoire à suivre !

Radio-Canada et les indépendants : la lune de miel continue

Pour avoir une idée de l'efficacité de la collaboration entre Radio-Canada et les producteurs indépendants, il suffit de jeter un coup d'œil sur la programmation de l'automne hiver 1982-1983 et sur les grands projets en cours de tournage ou à l'étude. J'en retrouve les détails dans une entrevue que j'accordais à Fernand Côté, rédacteur de la revue *Ici Radio-Canada*, en avril 1982.

Les *Beaux Dimanches* ont diffusé *L'arrache-cœur*, scénario et réalisation de Mireille Dansereau, produit par Films Cyble, Productions Ciné-Plurielle et Productions Vidéofilms, qui a valu à la comédienne Louise Marleau le prix d'interprétation féminine en 1979 au Festival des Films du monde.

Puis, nous retrouvons dans la grille une pléthore de productions indépendantes : *Une aurore boréale*, dramatique produite par Interimage ; *Un bleuet ordinaire,* produit par Imagidé ; la série *Salut santé*, produit par Gilles Ste-Marie et associés ; *Les cloches,* production de la Chouette ; *Jean Saint-Germain*, documentaire produit et réalisé par Richard Lavoie ; *J'ai mal au travail*, reportage d'Annick Dousseau produit par Via le monde ; *Direction an 2000,* documentaire réalisé et produit par Jack Zolov ; *Le Messie de Haendel*, concert d'une heure réalisé par Intervideo ; *Décennie 69-79,* une heure de reportage de Ciné-Mundo et *Daniel Bertolino, l'exploration et vous*, série de 26 émissions de Via le Monde.

Nous avons aussi en cours de production *Le paradis des chefs* de Via le Monde ; la série de 26 émissions *Palme d'or* de Gilles Ste-Marie et associés ; *Les Traces d'un homme,* une production Educfilm ; *Les Six Saisons des Attikamekws,* documentaires sur les nations indiennes, une production des Films d'ici ; aussi *Légendes indiennes,* série de 14 émissions de Via le Monde en collaboration avec la chaîne française Antenne 2. Jean-Louis Frund prépare un documentaire sur les oiseaux et les animaux, *Connaissance du milieu ; Énergie, le temps des choix,* une série documentaire de 11 émissions des Productions du Verseau ; *Le Pays du sauve-qui-peut,* un documentaire d'André Gladu produit par Nanouk Films et *Les Chocs de la vie,* six documentaires produits par Educfilm.

Toujours en cours de production, plusieurs longs-métrages québécois. Parmi ceux-ci, *Une Journée en taxi* de Vidéofilms ; *Bleue Brume* de Ciné Groupe ; *Les Yeux rouges* des Productions du Loup blanc en collaboration avec l'Institut québécois du cinéma et la SDICC ; *Lucien Brouillard* des Films Cinétrie, aussi en collaboration avec l'Institut et la SDICC ; enfin *Quarante ans pour oublier,* une production de Cenatos.

L'année 1982 est aussi celle où Jean-Pierre Lefebvre nous offre le long-métrage *Les fleurs sauvages,* son dix-septième film. Il faut rendre hommage à ce scénariste-réalisateur qui a décidé, il y a longtemps déjà, de produire lui-même ses œuvres, afin d'en être le seul maître. Sur le site Éléphant – mémoire du cinéma québécois, il raconte s'être nourri de cinéma au ciné-club du collège classique qu'il a fréquenté dans les années 1950-1960, ce même collège Bourget de Rigaud où j'ai fait mes études secondaires, une dizaine d'années avant Jean-Pierre Lefebvre. On se souvient de plusieurs titres de Lefebvre dont *Les dernières fiançailles, Il ne faut pas mourir pour ça, Le vieux pays où Rimbaud est mort...* Nous avons diffusé plusieurs de ses films et une dizaine ont été présentés au Festival de Cannes dans une ou l'autre de ses catégories. Dans *Les fleurs sauvages,* on retrouve les comédiens Michèle Magny, Marthe Nadeau et Pierre Curzi, des images signées Guy Dufaux ; une production Cinak de Marguerite Duparc, l'associée de Lefebvre, qui reviendra du Festival de Cannes en 1982 avec le Prix de la Fédération internationale de la presse cinématographique (FIPRESCI) pour un film hors compétition.

Encore d'autres productions en préparation en 1982, toujours selon mon entrevue avec Fernand Côté en avril de cette année. Parmi les plus importantes à l'étude, signalons *Au carrefour*, un feuilleton d'Interimage ; *Prendre la route,* documentaire produit par Ideacom ; *Go Boy*, d'après le best seller canadien *Matricule 9033* de Roger Caron produit par Manitou Production ; *Frère André*, quatre dramatiques de 52 minutes produites par Chudec ; enfin *Les Maux de tous les jours* des Productions du Verseau.

De grandes séries destinées à Radio-Canada sont en préproduction : *Maria Chapdelaine*, de Gilles Carles, d'après Louis Hémon coproduction d'Astral Bllevue Pathé, SRC et TF1 et *Bonheur d'occasion* d'après Gabrielle Roy, un projet piloté par Claude Fournier et Marie-José Raymond de Rosefilms. Pendant ce temps Daniel Bertolino est en train de dévorer le *Défi mondial,* le best seller de Jean-Jacques Servan-Schreiber sur l'état du monde ; il rêve d'en faire l'adaptation à la télévision. J'ai pris l'habitude de respecter les rêves, on verra bien si celui-là se réalisera.

Deux jeunes mordus de jazz

Le milieu du jazz, je connais très peu. Au début de ma carrière à Radio-Canada, je fréquentais un jeune musicien que j'avais connu à Matane, Lee Gagnon, qu'on pouvait entendre, fin des années 1950, dans des boîtes de nuit montréalaises, entre autres sur la rue Guy, près Burnside, au troisième étage, si ma mémoire est fidèle. J'ai appris sur le site de Radio-Canada qu'en 1974, aux *Beaux Dimanches*, on a vu Lee dans un concert enregistré au studio 42 ; son amie Ginette Reno y interprète le thème musical de *Jérémie,* le ballet qu'il avait composé d'après la pièce de Marcel Dubé, de même que ses succès *Repartir* et *Des croissants de soleil,* dont il a aussi composé la musique.

Le jazz est aussi au rendez-vous au NATPE de Las Vegas en 1982 : j'y fais la connaissance de deux jeunes Montréalais très sympathiques qui s'intéressent sérieusement au jazz et qui aimeraient bien que le Service des acquisitions à Radio-Canada leur ouvre sa porte. J'entendrai souvent parler par la suite d'Alain Simard et d'André Ménard, de leur compagnie Spectra et du Festival international de Jazz de

Montréal, dont ils ont fait l'événement le plus important au monde dans son genre. Je leur exprime ici mes chaleureuses félicitations pour leur persévérance, qui profite à tous les Québécois, puisque grâce à eux, ils rayonnent à travers le monde.

Le Festival international de jazz de Montréal est devenu rapidement l'une des plus importantes manifestations culturelles du pays. Il est entré dans nos mœurs et tous les styles y sont exprimés, reflets de notre civilisation moderne, qui soulèvent les foules comme les connaisseurs.

Le 27 mai 1984 à 19 h 30, aux *Beaux Dimanches*, Radio-Canada présente une rétrospective du festival, de 1980 à 1983. Une émission réalisée par Pierre Lacombe, qui emprunte aux réalisations de Bernard Picard, Jacques Méthé, Pierre Lacombe, Gary Plaxton et Michel Préfontaine. L'émission est produite par Alain Simard, André Ménard et Daniel Harvey de Spectel Video.

Grande séries dramatiques internationtales

La télé publique des années 1980 diffuse toujours beaucoup d'émissions américaines. En fait, les grandes séries dramatiques que nous diffusons, qu'elles soient américaines, italiennes, françaises ou même japonaises, répondent toutes à des critères élevés : divertissantes, elles n'en sont pas moins de grande qualité, et présentent toutes un contenu culturel et historique très riche. C'est le cas d'une série étrangère qui connaît un succès exceptionnel auprès du public francophone québécois en 1982 : *Shogun,* d'après l'auteur américain James Clavell, que les Éditions Libre Expression ont publié en français dans une traduction de Robert Fouques Duparc. Cette série de dix épisodes d'une heure, mettant en vedette Richard Chamberlain (capitaine Blackthorne), Toshiro Mifune (Toranaga) et Yôko Shimada (Mariko), est une réalisation de Jerry London, avec les musiques de Maurice Jarre. Cette production est le seul feuilleton américain entièrement tourné au Japon, même les scènes réalisées en studio. Les décors comme les costumes évoquent fidèlement le Japon du XVIIe siècle. C'est l'époque où l'empire du soleil levant, très fermé sur lui-même, refusait tout contact avec l'Occident qu'il jugeait barbare. Cette série recevra plusieurs trophées, dont des Emmy et des Golden Globe Awards. *Shogun* avait reçu la recommandation de la National Education Association des États-Unis.

Deux autres séries dramatiques américaines ont connu beaucoup de succès tout en nous renseignant sur les réalités hors de nos frontières ; une fenêtre sur le monde, ce n'est pas seulement valable pour le public enfant : *À l'Est d'Eden* est une œuvre épique où le bien et le mal s'affrontent, comme Caïn et Abel, fils d'Adam et Ève. Cette production de huit épisodes de 60 minutes, d'après le roman de John Steinbeck (prix Nobel de littérature en 1962), met en vedette Timothy Bottoms et Jane Seymour, qui recevra un trophée Golden Globe pour son jeu. Selon le réalisateur, Barney Rosenzweig : « Steinbeck exploite à fond le manque de communication entre les générations. Les fautes des parents qui seront répétées par leurs enfants. En lisant le scénario et en visionnant les séquences filmées, ce qui m'a le plus touché ce sont les scènes dans lesquelles j'ai constaté que si les personnages s'étaient adressés les uns aux autres ou avaient écouté les propos des uns des autres avec une autre attitude, leurs vies auraient pu être transformées. » L'autre série américaine marquante de cette année est *Massada*, elle aussi en huit épisodes de 60 minutes, diffusés dans le créneau *Hors série* à compter du 22 octobre à 20 h 30. Cette tragédie aux dimensions shakespeariennes est considérée comme une des productions américaines les plus remarquables. Il s'agit d'une épopée judéo-romaine inspirée de la nouvelle d'Ernest K. Gann, *The Antagonists*. Massada est une place forte de Judée, en Palestine, érigée sur un rocher inaccessible. À la chute de Jérusalem en 70 de notre ère, les derniers patriotes juifs ou zélotes s'y réfugient pour se mettre à l'abri des légions romaines. Le réalisateur Boris Sagal met en scène une distribution exceptionnelle : Peter O'Toole, Peter Strauss, Anthony Quayle, Barbara Carrera, Timothy West et David Warner.

Une petite nouvelle en écriture : Lise Payette

Le téléroman fait bien partie de la culture télévisuelle des années 1970 et 1980. Celui que nous mettons à l'antenne à l'automne 1982 fera certainement réfléchir les téléspectateurs. L'auteure en est à ses premiers pas dans l'écriture dramatique, mais elle est bien connu à Radio-Canada : de 1965 à1972, elle a animé *Place aux femmes* à la radio ; de 1972 à 1975, elle a animé *Appelez-moi Lise* à la télévision. Pendant des années elle a couronné, à l'occasion de la Saint-Valentin, *Le plus bel homme du Canada.* Grande vedette médiatique, Lise est devenue ministre dans le premier gouvernement de René Lévesque en 1976. Après un mandat en politique, elle rentre au bercail avec *La Bonne aventure,* où elle fait encore place aux femmes.

Ce téléroman montre quatre femmes très différentes l'une de l'autre, mais qui ont en commun la fureur de vivre et quelque chose à dire : une technicienne en laboratoire, mariée et heureuse de l'être ; une épistolière ; une avocate toujours en train de remettre en question le monde masculin où elle travaille ; et une employée d'une clinique médicale pas très heureuse en ménage. Ce quatuor est interprété par Christiane Pasquier, Nathalie Gascon, Joanne Côté et Michelle Léger. De 1982 à 1986, Lucille Leduc, Geneviève Houle, Aimé Forget, André Bousquet, Raymond Chayer et Jean-Paul Leclerc réaliseront les 143 épisodes de la série.

À Fernand Côté, d'*Ici Radio-Canada*, Lise Payette a dit que son idée-force est de « prouver aux gens que l'amitié entre femmes est possible. Je tends un miroir aux femmes et je leur dis : regardez-vous, comparez-vous. Les femmes que je mets en scène sont de votre époque ; des Montréalaises de 1982, des femmes actuelles... vous pouvez certainement vous identifier à l'une d'entre elles. Mon but en écrivant *La Bonne aventure,* c'est de rejoindre le plus vaste public possible, évidemment. Mais mon rêve, je dirais... c'est qu'après chacune des émissions, les téléspectateurs puissent dialoguer entre eux, prendre le temps de se poser des questions, d'analyser leur propre cas en se basant sur ce qu'ils viennent de voir au petit écran. Quand même ils ne prendraient que dix minutes après l'épisode pour se parler un peu, déjà je serais comblée. »

Du feu et des Indiens

Le producteur québécois Denis Héroux, qui a connu une carrière exceptionnelle chez nous et en France, nous apporte *La Guerre du feu* (*Quest for fire*), un long-métrage sorti sur les écrans en France en 1981 et au Canada en 1982. C'est un drame qui se déroule aux temps préhistoriques, où deux tribus se disputent la possession du feu, qu'elles maîtrisent mal. Le scénario de Gérard Brach, inspiré par le roman de Sir J. H. Rosny aîné, est réalisé par le cinéaste français Jean-Jacques Annaud. Quand Denis Héroux nous a soumis ce projet, il dirigeait la Société Internationale Cinéma Corporation (ICC). Cette coproduction Canada/France/USA a été diffusée à notre antenne après avoir remporté un oscar aux États-Unis, deux césars en France, un BAFTA au Royaume-Uni, et plusieurs Genie au Canada. En France, le film avait fait plus de 5 millions d'entrées, derrière *Les aventuriers de l'arche perdue* de Steven Spielberg, avec ses 6,4 millions.

Le 25 décembre à 20 h, pour Noël, Radio-Canada diffuse une émission spéciale pour présenter *Les légendes indiennes* de Daniel Bertolino. Le cinéaste décrit ainsi sa nouvelle production: «Cette série de légendes a pour but de faire découvrir la profonde personnalité, l'immense culture et la pensée des différentes nations indiennes qui peuplent tout spécialement l'Est du Canada... la série de 14 films semi-dramatiques a mis l'accent sur la symbolique de l'expression. Toutes les légendes exprimées ici sont le fruit d'un long travail qui a duré plus de trois ans, où quelque 450 Indiens des différentes nations impliquées ont pu exprimer leurs racines. Travail communautaire à la recherche de l'authenticité du geste, de la parole, de l'expression, des sentiments vécus où la pensée de l'Indien prime sur celle du Blanc par principe, par devoir, par honnêteté.» À 20 h 30, le premier épisode de la série est mis en ondes: c'est *Pitchi, le rouge-gorge*. Cette légende Ojibway raconte l'histoire d'un jeune Indien qui préfère la musique aux vertus guerrières, malgré les desseins de son père. Ce court-métrage a remporté le Prix jeunesse international UNESCO à Munich.

Cesser la production à Radio-Canada ?

Le Comité Applebaum-Hébert sur la politique culturelle fédérale avait été mis sur pied quand Pierre Juneau était encore sous-ministre aux Communications à Ottawa. Parmi les membres qui siégeaient sur ce comité, quelques francophones dont Denis Héroux, Alain Stanké, Jean-Louis Roux. À l'automne 1982, le comité publie son rapport où il énonce plus de cent recommandations. Ce rapport estime que la contribution de la Société Radio-Canada à la culture canadienne est plutôt mince, que la télévision est trop commerciale et qu'elle ne rejoint plus son auditoire. Je m'empresse de faire remarquer, qu'à mon avis, il s'agit ici non pas du réseau français de Radio-Canada, mais plutôt du réseau anglais de CBC.

Le comité propose rien de moins que la société publique de radio-télévision abandonne la production (sauf au Service des nouvelles), et qu'elle confie ce mandat aux producteurs indépendants.

Je peine à imaginer ce que cette recommandation, si elle avait été entérinée par le gouvernement au début des années 1980, aurait eu comme conséquence. Perte de milliers d'emplois à la télévision publique de Terre-Neuve au Pacifique, sans garantie aucune que les producteurs indépendants aient été prêts à prendre la relève et à quel coût.

Évidemment, dans son nouveau rôle de président de Radio-Canada, Pierre Juneau ne peut accepter les conclusions de la Commission et, comme le parti libéral est toujours au pouvoir à Ottawa, les propositions extrêmes ne sont pas retenues. Le gouvernement réaffirme l'importance d'un système public, en annonçant une stratégie pour hausser à 80 % le contenu canadien à Radio-Canada, sans toutefois accorder de financement additionnel pour y parvenir Le gouvernement choisit plutôt de créer, dès 1983, le Fonds de développement de la production d'émissions canadiennes, qui sera administré par la SDICC. L'objectif : mettre à la disposition du public des émissions canadiennes et diversifiées.

Contenu canadien ne signifie pas, bien sûr, limiter la production aux réalités canadiennes, mais bien de faire travailler les artisans canadiens, comme ce sympathique artiste Kliment Dentchev, ou ce bon réalisateur Guy Comeau, qui continuent leur conquête des prix internationaux avec un *Klimbo, le lion et la souris,* qui se mérite le premier prix du Modern Language Film Festival, de New York. Ce festival récompense chaque année les meilleures productions destinées à l'enseignement des langues secondes aux États-Unis. Dans cette émission de *Klimbo,* on raconte l'histoire d'un gros lion très orgueilleux et d'une humble petite souris qui vit derrière sa tanière. Mais le plus fort n'est pas toujours celui qu'on croit.

En cette année 1982, le Prix du président de la Société Radio-Canada est décerné à notre collègue Hubert Tison, le fondateur du studio d'animation de renommée internationale qui enrichit toutes nos émissions. Bravo Hubert!

27

LA MER EN TOILE DE FOND

L'année 1983 est exceptionnelle pour notre équipe à cinéma-téléfilms, alors que plusieurs projets majeurs issus de nos relations avec les producteurs indépendants s'apprêtent à voir le jour.

Les échecs comme dans un western

Mais d'abord, un film de l'ONF produit par Hélène Verrier et coréalisé par Gilles Carle et Camille Coudari est diffusé le 16 janvier, aux *Beaux Dimanches*: *Jouer sa vie.* Ce film fascinant décrit avec force détails le monde des échecs et, en particulier, celui des grands maîtres de ce jeu. C'est le premier film sur le sujet depuis 1925 et *La Fièvre des échecs* de Poudovkine, un des maîtres du cinéma soviétique à l'époque du cinéma muet. *Jouer sa vie* a été accueilli avec grand enthousiasme non seulement par les critiques de cinéma, qu'ils considèrent comme un des meilleurs films québécois récents, mais aussi par les mordus des échecs. Voici comment nous est présenté le sujet dans *Ici Radio-Canada* en 1983: « Largement contrôlé par la Russie soviétique à cause d'un hasard de l'histoire, le jeu d'échecs est devenu le reflet des tensions et de ce qu'on appelle justement, ironie du sort, *l'échiquier international.* Une sorte d'arme au service de la guerre froide ou de la propagande politique, encadré dans une stratégie officielle où, pour gagner, tous les moyens sont bons. »

Jouer sa vie est un authentique suspense, où les joueurs jouent leur partie comme s'ils se lançaient un duel dans un western. Parmi les personnalités que l'on voit dans le film, le coréalisateur du film,

Camille Coudari, a été président de la Fédération internationale des échecs ; Fernando Arrabal, le célèbre dramaturge espagnol qui est aussi spécialiste des échecs ; aussi des grands joueurs russes comme Anatoly Karpov, Viktor Kortchnoi et Boris Spassky. Une ombre plane au-dessus d'eux, celle de Bobby Fisher, qui en battant Spassky dans le « match du siècle » en 1972, avait mis fin à l'hégémonie soviétique. Le fantasque Fisher s'est retiré de la scène même si on le dit le meilleur joueur de tous les temps.

Gilles Carle m'a raconté que ce film a beaucoup voyagé. Il a remporté, entre autres, le prix décerné par la presse internationale au Festival des films du monde en août 1982. Il demeure pour moi un document exceptionnel et passionnant surtout pour ceux qui, comme mon ex-directeur des programmes, Jean-Claude Rinfret, aimaient les échecs.

Empire, succès bi-culturel

À compter du 9 février nous diffusons une coproduction des réseaux anglais et français de Radio-Canada, en collaboration avec l'Office national du film : *Empire.* Il s'agit d'une série de six épisodes d'une heure, dont Mark Blandford est le producteur exécutif et les réalisateurs sont Denys Arcand et Douglas Jackson. Mark Blandford avait réalisé un documentaire sur la crise d'Octobre en 1975, en plus de l'extraordinaire série *Duplessis* en 1978. La série *Empire* doit beaucoup à la qualité de son scénario. « D'ailleurs, dit Blandford, lorsque les comédiens l'ont lu, un travail de deux jours, ils ont applaudi Douglas Bowie, l'auteur. Je n'avais jamais vu ça auparavant. »

En résumé, *Empire* nous montre les multiples facettes de la vie d'un homme d'affaires très riche, magnat de la finance et plutôt insolent. Sa vie, de 1929 à 1960, est remplie d'intrigues. Dans cette série de six épisodes d'une heure, l'argent est synonyme de puissance, et l'amour a également sa place. Les personnages traversent de graves événements historiques : le Krach de 1929, la grande dépression, la Deuxième Guerre mondiale et la Révolution tranquille. L'ambition, la passion, la fortune et le goût du pouvoir tissent la trame de ce drame dont l'action se déroule à Montréal, ancienne capitale financière du Canada.

La production de cette série a réuni des artisans venant de trois unités de production distinctes, des anglophones et des francophones qui n'ont pas tous les mêmes habitudes de travail. Les équipes ont dû créer une homogénéité de fonctionnement et ce n'était pas facile. *Empire* c'est neuf mois de tournage, six semaines de présentation au réseau anglais, trois semaines au réseau français, un abondant courrier. Au moment où la diffusion débute en français, la version anglaise triomphe déjà au Canada anglais. Jamais une série dramatique produite par la télévision publique n'a soulevé autant d'enthousiasme et récolté autant d'éloges dans toute la presse du pays. Certaines critiques iront jusqu'à dire: « C'est très bon, ça ne peut être de la CBC. »

Empire relevait un défi de taille puisqu'une création dramatique, dans ce pays qui va de l'Atlantique au Pacifique, ne rejoint pas les auditoires francophone et anglophone de la même façon. Mais au moment où nous mettons la série à l'antenne au réseau français, nous savons que les cotes d'écoute au réseau anglais pour le premier épisode ont atteint 2,3 millions de téléspectateurs. Un excellent départ.

Empire remportera quatre trophées ACTRA, le 4 avril 1984, lors du Grand gala annuel de l'Alliance des artistes canadiens de la radio et de la télévision: meilleur acteur (Kenneth Welsh), meilleure actrice (Linda Griffith), meilleur second rôle (Gabriel Arcand) et meilleur auteur dramatique TV (Douglas Bowie).

Le défi de Bertolino

Nous sommes en 1981 quand Jean-Jacques Servan-Schreiber publie à Paris *Le Défi Mondial;* l'auteur est journaliste et il a fondé le journal *L'Express.* Cet essai nous fait prendre conscience du désordre causé par la colonisation et les inégalités entre le Nord et le Sud. Il analyse l'évolution du monde depuis la fin de la Deuxième Guerre mondiale jusqu'au début des années 1980. Pendant ces trente-cinq années, les crises mondiales et leurs enjeux politiques sont fréquents et aggravés par la guerre froide entre l'Est et l'Ouest. L'auteur se préoccupe de l'avenir de l'humanité et tente de définir les principes qui pourraient assurer la paix des nations.

À l'été 1981, Daniel Bertolino de Via le Monde vient dîner chez nous et m'offre *Le Défi mondial.* Un livre plutôt qu'une bouteille de vin, oui, j'apprécie. D'autant plus qu'il s'agit d'un documentaire et non d'une fiction. Quelques semaines plus tard, il me téléphone pour m'en demander mon avis. Évidemment, ça me plaît. Il m'annonce aussitôt que l'adaptation de ce livre pourrait constituer une excellente série documentaire. Première réaction : je suis surpris et, disons-le, sceptique et je lui demande de soumettre un projet écrit. Il s'y met avec vigueur et je suis agréablement impressionné par son travail de découpage d'une histoire qui traverse les continents sur une longue époque de confrontations pour redonner un espoir à l'humanité.

Nous poursuivrons nos échanges pendant plusieurs mois, puis, au MIP-TV de Cannes en 1983, l'annonce officielle est faite : Radio-Canada coproduira avec la chaîne française Antenne 2 et les Productions Via le Monde une série de six heures basée sur l'œuvre de Jean-Jacques Servan-Schreiber. On prévoit un budget de deux millions de dollars et deux ans de tournages sur cinq continents. On parle de confier l'animation de la série à Peter Ustinov, qui se dit intéressé, et l'on sait qu'il peut le faire en cinq langues : français, anglais, allemand, italien et espagnol. L'accord est signé au MIP-TV par Daniel Bertolino, président de Via le monde, Jean-Marie Dugas, directeur de la télévision à Radio-Canada et Pierre Desgraupes, président directeur général d'Antenne 2. Les autres partenaires sont l'Agence canadienne de développement international (ACDI), la SDICC qui deviendra bientôt Téléfilm Canada et Pathé Cinéma (celle-ci partageant la distribution internationale avec la société Colm O'Shea Ltd de Toronto, que dirige Louise O'Shea). On en reparlera !

Le tour du monde d'Yves Gélinas

Le 24 janvier aux *Beaux Dimanches*, on présente *Jean du Sud autour du monde.* Cet aventurier qui a entrepris un long séjour sur la mer est comédien, homme de théâtre et *yachtman* ; il est aussi le fils de Gratien Gélinas. Le producteur, Jacques Pettigrew, de Ciné Groupe, est aussi un homme de bateau : il avait filmé l'expédition pilotée par Réal Bouvier à travers le passage du nord-ouest en 1978 à bord du petit voilier

J. E. Bernier II; nous avions diffusé le film de l'expédition en 1980. Dans *Jean du Sud*, Yves Gélinas veut tenter un exploit quasi impossible : compléter un tour du monde en solitaire et sans escale sur un voilier d'à peine neuf mètres – le plus petit bateau, selon Pettigrew, qui ait jamais *circumnavigué* l'Amérique du Nord via le canal de Panama.

Gélinas quitte le port de Saint-Malo le 30 août 1982, et nous diffuserons la première étape de son aventure en janvier 1983.

En février, le marin est coupé de toute communication pendant dix jours. Sa radio est incapable d'émettre, mais il peut entendre tous les messages qu'on lui envoie. Heureusement, il continue à se filmer lui-même, mais il tombe malade, son mat se brise et on doit le remorquer en Nouvelle-Zélande. Il se voit donc forcé de faire escale. Il partait pour être seul et il est maintenant absorbé par des tâches de réparations autant que par l'angoisse et l'isolement total. Il se met donc à rechercher désespérément la communication, tout le contraire du but qu'il s'était fixé. Il réussit quand même en partie à relever le défi qu'il s'était lancé. Je n'ai jamais douté que cette aventure serait captivante. Cette deuxième étape sera diffusée le 25 avril 1983, toujours aux *Beaux Dimanches*.

Mais ce n'est pas la fin. La conclusion du mémorable périple de *Jean du Sud autour du monde* sera présentée aux *Beaux Dimanches* le 27 mai 1984. Ce troisième film fera le bonheur de ceux et celles qui aiment la mer, entre autres parce qu'il contient les plus belles images de la trilogie. Ceci, grâce à l'utilisation d'une caméra montée sur un casque et une autre attachée à un cerf-volant qui permet des prises de vue spectaculaires. Yves Gélinas avait dû interrompre son voyage après que son bateau eut été démâté dans le Pacifique Sud. Nous le verrons remettre son voilier en état, nous suivrons sa traversée du Pacifique, le passage du cap Horn puis au large des îles Falkland, la remontée de l'Atlantique et son arrivée triomphale à Gaspé.

Yves Gélinas a reçu un doctorat honorifique de l'Université Laval à l'occasion des fêtes du 450e anniversaire de la découverte du Canada par Jacques Cartier. On dit que c'est la première fois que l'université décerne un tel honneur à un navigateur. J'ai aussi lu quelque part que ce film a été diffusé dans une quinzaine de pays et a remporté plusieurs prix dans des festivals internationaux. Yves Gélinas est avant tout un marin... de passion et de métier.

Les grandes fresques à Hors Série et aux Beaux Dimanches

Cette année-là nous ferons l'acquisition de plusieurs miniséries étrangères qui seront diffusées à *Hors série* et aux *Beaux Dimanches.*

La Vie de Berlioz débute à notre antenne le vendredi 18 mars à 20 h 30. Cette série de six émissions d'une heure est une production de TF1 et Pathé Cinéma en collaboration avec la télévision soviétique, la télévision hongroise et la Société Radio-Canada, une réalisation de Jacques Trébouta d'après un scénario original et des dialogues de François Boyer. Parmi les comédiens, on retrouve Daniel Mesguich (Berlioz), Mathieu Kassovitz (Berlioz jeune) et Nadine Alarie (la mère de Berlioz).

Sans famille succède à Berlioz le 6 mai dans le cadre de *Hors série* pour une durée de cinq semaines. Il s'agit ici de la troisième adaptation du roman d'Hector Malot, best-seller de la littérature pour les jeunes publié en France en 1878, qui valut à son auteur, lui-même académicien, le Grand prix de l'Académie française. Cette œuvre a enchanté des générations de jeunes lecteurs qui ont pleuré sur les malheurs de Rémi, l'enfant trouvé.

À l'automne, nous diffusons à compter du 25 septembre aux *Beaux Dimanches, Mozart*, un feuilleton de six épisodes de 90 minutes, une réalisation de Marcel Bluwal qui en est aussi le scénariste et le dialoguiste. C'est une œuvre majeure coproduite par Galaxy Films et Télécip (que dirige mon bon ami Jacques Dercourt), TF1 (France), la RTBF (Belgique), la SRC (Radio-Canada), la RAI (Italie) et la TSR (Suisse). Les rôles de Mozart sont tenus par Karol Zuber (8 ans), Jean François Dichamp (12 ans) et Christoph Bantzer (adulte) ; Michel Bouquet fait le père de Mozart, Léopold, tandis que Martine Chevalier fait Constance, son épouse. Au générique, on retrouve aussi Daniel Ceccaldi, Jean-Claude Brialy, Michel Aumont, Madeleine Robinson, Pierre Arditi et Arielle Dombasle. L'auteur, le réalisateur, les comédiens, l'éclairage, la caméra, et l'excellente sélection musicale ont donné une grande valeur à cette œuvre magnifique, sans doute la meilleure œuvre dramatique consacrée à Mozart à la télévision.

La Chambre des dames est à l'antenne dans le créneau de *Hors série* à compter du 9 décembre. Ce feuilleton de dix épisodes est écrit par l'historienne et romancière Jeanne Bourin, qui montre une société du Moyen Âge beaucoup plus proche de ce qu'elle a dû être que telle qu'on l'imagine généralement. Elle démontre par exemple qu'aux XIIe et XIIIe siècles, l'amour-passion, qui était une invention de cette époque, était un sentiment tout à fait nouveau dans l'histoire du monde. Le monde du XIIe siècle était entièrement immergé dans la foi, et l'alliance du charnel et du spirituel se passait sans problème. On y apprend qu'à cette époque, la femme jouissait d'une égalité absolue avec l'homme. Cette coproduction de TF1, RTL, TSR, RAI et Technisonor compte pas moins de 500 figurants et 220 comédiens dont la principale interprète est Marina Vlady. Jeanne Bourin a dit au journal *Figaro* : « Puisse cette série chasser les idées fausses et réconcilier les Français avec le Moyen Âge. »

Des mers de sable

Une autre minisérie présentée aux *Beaux Dimanches*, mais documentaire cette fois, est une production française réalisée par une équipe québécoise : *Les grands déserts*, écrite et réalisée par François Floquet, narrée par Ronald France, produite par Henri de Turenne pour Pathé Cinéma en coproduction avec FR3 ; cette série nous éclaire sur la place extraordinaire et méconnue que ces grandes étendues ont occupée dans l'histoire du monde. Le motif d'Henri de Turenne est de replacer les déserts, espaces inhumains et maudits, dans une perspective spirituelle. C'est de là que viennent les grandes religions monothéistes, l'infini du désert suscitant une soif inextinguible d'absolu. D'autre part, depuis plus d'un siècle, ces régions excitent les convoitises bien humaines pour toutes les richesses minérales qu'elles recèlent et qui alimentent l'économie moderne : pétrole, diamant, uranium, phosphate, fer...

La Chine de Guy Dufaux

Toujours aux *Beaux Dimanches* nous diffusons au mois d'août une courte mais fort intéressante série de trois émissions produites par l'ONF : *Gui Dao* (en français : *Sur la voie*). Après 30 ans de régime communiste en Chine, Georges Dufaux, cinéaste, nous présente ce pays en trois temps : *Une gare sur le Yangzi*, *Aller-retour Beijing* et *Quelques chinoises nous ont dit*. En quelques heures, nous découvrons des aspects méconnus de la Chine dont la population dépasse déjà le milliard d'individus ; ses habitants s'expriment volontiers sur la simplicité de leur quotidien, sur la vie de tous les jours. Les hommes comme les femmes répondent avec candeur aux questions du cinéaste ; une spontanéité, un rire souvent chaleureux, des films rafraîchissants, parfois sérieux, sur un univers qui nous est passablement étranger au début des années 1980. Nous prenons aussi conscience de la place qu'occupe la collectivité dans la vie d'un individu ou de la famille. *Gui Dao* a remporté le Grand prix du documentaire au Festival de Lille en France.

Un oscar controversé pour l'ONF

Un autre documentaire de l'ONF a fait pas mal de bruit dans le monde en 1983. Nous le diffusons le 10 avril. Une menace pèse alors si fort sur la planète que des spécialistes croient que l'humanité risque de s'éteindre avant l'an 2000. Ce film controversé mais indispensable a pour titre *Si cette planète vous tient à cœur (If You Love This Planet)* ; une réalisation de Terre Nash qui reprend le cri d'alarme de la chercheuse américaine Helen Caldicott en faveur du désarmement nucléaire. Le documentaire commence par des images saisissantes de l'explosion de la bombe atomique à Hiroshima et de ses conséquences sur la population. Le ton alarmiste du film est appuyé par des informations et des prévisions d'états-majors ou du MIT (Massachusetts Institute of Technology). Quand le film a été mis en candidature à Hollywood pour un oscar, les autorités américaines ont protesté : le département américain de la justice a même qualifié le film de propagande étrangère. Il a tout de même remporté l'oscar du meilleur documentaire court.

Depuis une quinzaine d'années déjà, Daniel Bertolino de Via le monde a beaucoup donné à la télévision jeunesse en épousant la grande orientation que nous avions donné à ce service, ouvrir une fenêtre sur le monde pour notre jeune auditoire. Il poursuit cette démarche avec sa nouvelle série : *Le Paradis des chefs* : treize demi-heures sur des chefs traditionnels d'Afrique, d'Asie et du Pacifique que nous diffusons à compter du 16 décembre, le vendredi à 19 h. Cette rencontre avec 13 hommes exceptionnels et surprenants nous fait découvrir avec eux treize lieux extraordinaires. Ils ont certes plusieurs points en commun – entre autres, la puissance et le pouvoir – et ils mettent leur autorité au service des traditions. Ce sont eux qui décident des règles de vie de leurs tribus ou leur village, pour leur peuple ou leur race. François Floquet, associé de Daniel Bertolino, est le producteur délégué de cette série.

On ne peut oublier *Marc-Aurèle Fortin* que nous diffusons le 25 décembre de cette année aux *Beaux Dimanches*. Un magnifique film sur la vie et l'œuvre du peintre né en 1888 à Sainte-Rose sur l'île Jésus, dans une famille nombreuse comme on les connaissait à cette époque. Il opte pour la peinture contre la volonté de son père avocat. Comme au cinéma québécois du XXIe siècle, la relation père-fils est une composante importante du film. Fortin assume pleinement son rôle d'artiste à une époque où c'est plutôt rare. Il peint des quartiers ouvriers comme Hochelaga ou le port de Montréal, des sujets inédits pour son temps. Ce film d'André Gladu est produit par Nanouk Films.

Un long métrage de Louise Carré

Je reste marqué par un long métrage québécois dont le seul titre est assez long et énigmatique pour occuper un coin de notre mémoire : *Ça ne peut pas être l'hiver, on n'a même pas eu d'été,* de Louise Carré. Adèle, aux funérailles de son mari, se rend compte que les plus belles années de sa vie ont été consacrées à sa famille. Elle se questionne sur son avenir. Au lieu de sombrer dans la dépression, elle décide de se reprendre en mains. C'est ce bilan d'une vie, suivi de la métamorphose d'Adèle, que nous raconte avec une justesse psychologique indéniable Louise Carré, scénariste, réalisatrice et productrice du film avec ses associés de la Maison des Quatre, André Théberge et Denyse Benoît. Le film est joué par Charlotte Boisjoli, Jacques Galipeau, Céline Lomez, Mireille Thibeault et Serge Bélair, ce dernier étant alors surtout connu comme un des pionniers de la télévision privée, le « Canal 10 », comme on appelait Télé-Métropole à l'époque. Ce film a mérité en 1980 le prix de la presse internationale au Festival des films du monde. Il a connu un vif succès au pays et à l'étranger ; la critique a vanté sa finesse psychologique, la tendresse et la chaleur de ses personnages. Charlotte Boisjoli frôle la perfection dans le rôle d'Adèle. Diffusion aux *Beaux Dimanches* le 20 février.

Losique fâché contre À première vue

Cette année, pour la première fois, le Service cinéma-téléfilms accorde une attention particulière à Serge Losique et à son Festival des films du monde, normalement couvert par le Service des nouvelles de Radio-Canada qui consacrait, mais seulement à l'occasion, quelques rares minutes en fin de soirée à cet événement. Comme l'écrit Louise Cousineau dans *La Presse* en août : « On n'a jamais été gâtés du côté culturel à la télé. » Pendant la durée du Festival, nous faisons le pari de diffuser une nouvelle émission quotidienne, À première vue, où Chantal Jolis et René Homier-Roy se donnent avec vigueur la réplique à propos des films en compétition. La série que nous comptons renouveler l'année suivante nous vient des Productions du Verseau, dirigées par Aimée Danis ; elle est réalisée par Gary Plaxton et produite par Yves Plouffe. Mais l'émission a bien failli avorter après la publication, dans le magazine *Ticket,* d'un article de René Homier-Roy, où il compare le président du festival à Machiavel et à Hitler, ce qui n'est pas du goût de Serge Losique. Heureusement, tout s'arrange entre Radio-Canada et le président du festival à l'occasion d'une fête, chemin de la Côte-Sainte-Catherine, chez René Malo, en l'honneur du réalisateur français Jean Becker venu au FFM pour présenter *L'Été meurtrier.* Ce film avait raflé plusieurs césars dont ceux du meilleur scénario d'adaptation pour Sébastien Japrisot et de la meilleure actrice pour Isabelle Adjani. Pendant la fête, Serge me prend par le bras et m'éloigne des invités pour m'entraîner à quelques pas de là, dans le haut d'Outremont, afin d'avoir avec moi une conversation franche. Personne ne peut nous entendre, mais les invités de René Malo, depuis la terrasse en contrebas, ne manquent rien de nos gesticulations. Serge me parle, entre autres, de la délégation chinoise qui ne comprend pas que la télévision publique canadienne puisse exprimer, par la bouche des animateurs d'*À première vue*, une critique négative sur son film en compétition. Autre pays, autres mœurs! En somme, le directeur du FFM reconnaît le bien-fondé d'une émission quotidienne de 30 minutes sur son événement annuel, qui lui donne beaucoup de visibilité. Mais il ne peut accepter la critique négative des œuvres de sa sélection. Même si je comprends fort bien son dilemme, je lui rappelle gentiment mais clairement que s'il est responsable du choix de sa programmation, je suis responsable du choix de mes émissions et de ceux qui les animent à la télévision. Nous retournerons vers la réception, sa main sur mon épaule, et l'affaire est close. Cet incident réglé, les journalistes et les amis du festival continuent de souligner l'impertinence de nos animateurs. Pour ma part, si je partage leur appréciation du film *Carmen* de Carlos Saura, je ne suis pas d'accord avec Homier-Roy quand il règle, en quatre mots, le sort de *L'argent* de Robert Bresson: « Bresson, c'est fini. » Dans sa chronique du 29 août 1983, dans *La Presse,* Louise Cousineau écrit: « Homier-Roy et Jolis ont abordé les films avec passion. Ils étaient pour ou contre et leurs arguments étaient généralement étoffés et intelligents. »

Le moment Carmen

La présentation en salle du film *Carmen* du réalisateur espagnol Carlos Saura avec Antonio Gades, Laura del Sol, Paco de Lucia et Cristina Hoyos est un de mes plus beaux souvenirs du FFM. Nous avions déjà diffusé les *Noces de sang* (*Bodas de sangre*), le premier film de la trilogie flamenca de Saura, une adaptation chorégraphique de la pièce de Federico Garcia Lorca. Avec *Carmen,* Saura remporte cette année le prix Air Canada (ex-aequo) pour le film le plus populaire du FFM. Le Festival de Cannes lui avait déjà décerné le prix de la meilleure contribution artistique quelques mois auparavant. Tout le monde connaît l'opéra *Carmen* et peut chanter, sur l'air, « Si je t'aime prends garde à toi » ou encore « L'amour est enfant de bohème ». C'est un opéra-comique, dans la terminologie des connaisseurs. Pour moi, cette célébration de l'amour, de la séduction à l'espagnole, tient plutôt du drame.

À la fin de la projection, je me mets aussitôt à la recherche du distributeur de *Carmen* : je veux absolument en obtenir les droits pour le présenter aux *Beaux Dimanches* : il faut que les téléspectateurs voient ça. Le public du festival ne lui a pas encore décerné la palme du film le plus populaire du festival que je marche entre les festivaliers en disant tout haut, à la ronde, en français comme en anglais, que je veux les droits de cette œuvre... sans savoir que le distributeur est là, à mes côtés. Il parle espagnol, moi pas ! Je trouve un distributeur de chez nous qui accepte de faire les démarches nécessaires, heureux de voir une offre sérieuse, mais il sera doublé par un distributeur torontois qui augmente son offre. Sans doute prenait-il les droits francophones et anglophones, mais j'obtiens tout de même *Carmen* et je pourrai l'offrir au public de Radio-Canada. Des moments comme ceux-là me rappellent non pas la compétition avec la télé privée comme certains pourraient le croire, mais les coups de cœur du métier et la satisfaction de partager mes passions avec le plus grand nombre. En 1983, il y a plus de vingt-cinq ans que je vis à Radio-Canada et ces moments sont précieux.

Le retour des Plouffe

Enfin, un autre projet de série dramatique est mis en marche en 1983. Petit retour en arrière : en 1981, après les succès du film *Les Plouffe* au cinéma et de la minisérie *Les Plouffe* à la télévision de Radio-Canada, tous deux réalisés par Gilles Carle, l'auteur Roger Lemelin s'est mis à l'écriture d'une suite intitulée *Le Crime d'Ovide Plouffe,* que doit réaliser cette fois Denys Arcand, le frère de l'acteur Gabriel. Le temps de faire les corrections nécessaires, nous voilà en 1983 et nous signons une entente avec la compagnie de production de Denis et Justine Héroux. À l'automne, je reçois une demande des producteurs qui souhaitent apporter une modification à notre contrat.

Ils voudraient qu'il y ait non seulement une version cinéma du film de Denys Arcand (épisodes cinq et six de notre série télé), mais qu'on puisse tirer une version cinéma des quatre premières heures de la série télévisée, réalisée par Gilles Carle. Il va de soi que les journalistes s'intéresseront à cette question et elle me sera posée vers la fin octobre par un de nos brillants critiques du cinéma, Luc Perreault, journaliste à *La Presse*. Voici comment il me citera à la suite d'un court échange téléphonique : « À l'heure actuelle, contractuellement parlant, la réponse est : non. Il n'en est pas question. » Bien évidemment, l'entente qui avait été négociée était très claire à ce sujet ; ce contrat stipulait que seul le long-métrage de Denys Arcand, coproduit par l'Office national du film, connaîtrait une carrière commerciale. Toutefois les comédiens qui avaient participé à l'œuvre de Gilles Carle, dont Doris Lussier, croyaient qu'il y avait là un succès certain si Radio-Canada autorisait la diffusion en salles avant de programmer la série à la télévision. Gilles Carle dira même au journaliste : « Je suis convaincu qu'au cinéma, ça attirerait le double de spectateurs que Les Plouffe ont attiré. » Je répondrai, cité à nouveau par Luc Perreault : « Je ne suis pas sûr qu'une exploitation commerciale augmenterait les cotes d'écoute. Ce n'est pas la réputation qu'un film québécois ou canadien obtient en salles qui crée ensuite l'impact de la série. » Avais-je tort ou raison, je l'ignore, mais il m'arrivera quelques années plus tard, à l'occasion d'une autre série, de changer d'idée. Pour ce qui est du moment présent, chacun avait signé ce contrat de bonne foi, nous allions vivre avec. La première du long-métrage de Denys Arcand aura lieu au Festival des films du monde et Gabriel Arcand (Ovide Plouffe) méritera le Génie du meilleur acteur en 1985.

Encore de la mer, encore de l'Acadie

Encore une fois cette année, j'ai un coup de cœur pour mon Acadie natale, avec une œuvre d'Antonine Maillet, qui avait remporté le Prix Goncourt en 1980 pour son roman *Pélagie-la-Charrette* ; cette fois, elle signe *GAPI*, l'histoire d'un vieil homme simple qui vit dans un phare et qui est le mari de la défunte Sagouine. Nous sommes donc en pays de connaissance.

Dans un décor grandiose, debout sur son phare, Gapi (Gilles Pelletier) vient crier au ciel, à la mer, à la dune, aux mouettes et aux consciences, son émerveillement et sa souffrance de vivre.

Gapi, comme la Sagouine, interrogent Dieu sur le pourquoi de leur misère. Gapi se compare à son ami Sullivan (Guy Provost) qui, lui, n'a pas craint de céder à l'appel du large, aux promesses de l'ailleurs, au prestige de l'aventure. Gapi, lui, parle de l'injustice de vivre et de mourir, le mal, la souffrance, ce mystère qu'est l'existence de l'homme. Gapi a su, tout au long de sa vie, contrer les mirages de Sullivan et il sait bien au fond de lui-même qu'une vie au loin n'est pas différente en son essence d'une vie sur la dune acadienne.

Cette dramatique est réalisée par Paul Blouin, qui donne une grande puissance psychologique et beaucoup de richesse à ses deux personnages. Oui, ce coup de cœur est justifié aussi par la qualité de l'écriture et par l'interprétation de deux excellents comédiens dirigés par un de nos réalisateurs les plus qualifiés. Cette dramatique est diffusée aux *Beaux Dimanches* le 23 janvier à 20 h 50.

Avant de quitter 1983, un petit mot sur le *Bye Bye*, réalisé par Jacques Payette, que je ne connaîtrai que quelques années plus tard. Je veux surtout saluer ici le coordonnateur de ce spécial de fin d'année, Jean Bissonnette qui est selon moi le plus grand créateur d'émissions de variétés à Radio-Canada. Pendant des années, c'est lui qui a alimenté ces émissions en dénichant les talents québécois. Le *Bye Bye 83* passera sans doute à l'histoire avec cette incroyable imitation de Michel Chartrand, champion coloré de la justice sociale, par notre petite Dodo nationale, Dominique Michel. Un grand moment de la télé publique.

28

RADIO-CANADA REMPLIT LES SALLES

La politique joue un rôle de plus en plus important dans le monde des communications à compter de cette année. En septembre 1984, Francis Fox, ministre des Communications du parti libéral cède sa place à Marcel Masse suite à la victoire de Brian Mulroney du parti conservateur. Nous allons connaître à Radio-Canada quelques années plus difficiles puisque le président de la Société, Pierre Juneau, nommé par le gouvernement libéral en 1982 pour un mandat de sept ans, doit demeurer en poste jusqu'en 1989. Les conservateurs seront au pouvoir jusqu'en 1993. Je serai témoin des conséquences de cette cohabitation et il en sera question une année avant mon départ de Radio-Canada.

Le gouvernement nomme deux membres bien connus de l'industrie de la production, Marie-José Raymond (Rose Films) et Stephen Roth (Alliance Communications), pour diriger une étude dont le résultat bien évidemment, est prévisible : le gouvernement canadien doit prendre les décisions nécessaires pour s'assurer que nos œuvres cinématographiques canadiennes aient un meilleur accès aux salles de cinéma, celles-ci étant, pour la plupart, contrôlées par des compagnies américaines. Un beau défi sur lequel plusieurs ministres fédéraux se sont cassé les dents. Si Marcel Masse n'obtient pas de succès, celle qui lui succédera en 1986, Flora MacDonald, ne réussira pas davantage même après avoir annoncé qu'elle « entend promouvoir vigoureusement la souveraineté culturelle sans laquelle l'existence même du pays serait compromise. » Mais le lobby politique, c'est un autre monde. Jack Valenti, le président de Motion Picture Association of America, a l'écoute du président Reagan, pour qui le premier ministre

Mulroney nourrit une grande affection. Et ce dernier tient mordicus à un accord de libre-échange avec les États-Unis, quitte à abandonner tout le reste. Il faudra donc attendre quelques années encore avant que Pierre DesRoches, directeur général de Téléfilm de 1988 à 1994, n'annonce la création d'un nouveau Fonds pour la distribution de films canadiens. Il allait ainsi favoriser la création d'entreprises qui seraient en mesure de relever le défi. Nous devons être patients!

Passe-partout pour les grands

François Champagne préside les destinées des Productions SDA et il nous présente un téléroman d'un genre nouveau, héritier de la tradition de *Passe-Partout.* Voilà donc une nouvelle initiative de la direction générale des moyens d'enseignement du Ministère de l'éducation du Québec avec la participation de Téléfilm Canada. Ce feuilleton, *À plein temps*, n'est pas destiné en priorité aux enfants mais plutôt aux adultes, et s'intéresse particulièrement aux relations parents-enfants. Ce téléroman est réaliste tant par le choix des situations, l'actualité des problèmes et la vraisemblance des contextes que par l'authenticité des personnages et leur style de communications. Les personnages sont des enfants, parents et autres adultes représentés par des marionnettes et des personnages humains. Ils habitent une maison à logements multiples. On sent que les deux types de personnages cohabitent, communiquent et s'entraident. *À plein temps* est un concept original de Carmen Bourassa, Ghislaine Charest, Diane England, Michelle Gascon, Monic Lessard et Monique Désy. Michèle Tougas est chef de projet et Jean Daigle, auteur-conseil. Les textes sont de Joanne Arsenault, Elizabeth Bourget, René Gingras, Paule Marier, Marie Perreault, Michèle Poirier, Louise Roy et Francine Tougas. Parmi les comédiens, signalons Rita Bibeau, Raymond Cloutier, Louison Danis, Louis de Santis, Jocelyne Goyette, Jacques Piperni, Francis Reddy, Raymond Legault, Marie-Soleil Tougas; les voix des marionnettes sont de Lorraine Auger, Joanne Fontaine, Suzanne Marier, Johanne Léveillé et sans oublier Marthe Nadeau qui sera la voix de Madame Bourrette. À la création des marionnettes, Don Keller; à la musique originale Marie Bernard; à la réalisation, Michel

Bériault, Claude Boucher, Réjean Boucher et François Côté. Cette série connaîtra une belle et longue carrière (132 épisodes) de 1984 à 1988. En juin 1988, on lui décernera le Prix de l'ANT (Association nationale des téléspectateurs) et les Productions SDA Limitée créeront le prix Laura-Bourrette pour remercier ceux et celles qui auront contribué au succès de ce téléroman.

Une (autre) année Albert Millaire

Aux *Beaux Dimanches*, d'une semaine à l'autre, nos réalisateurs, producteurs et distributeurs nous offrent des œuvres de qualité ; je dois ajouter qu'en 1984, il y a encore des œuvres théâtrales mises en scène par des réalisateurs de grand talent. C'est certainement la grande année de télé pour un comédien qui tient le rôle principal dans deux de ces productions, peut-être sa dernière année aussi fastueuse à notre antenne. Il s'agit d'un homme de théâtre qui publiera, fin 2010, *Mes amours de personnages*, le récit de sa carrière sur les planches : Albert Millaire.

À la télévision, cela fait déjà plusieurs années qu'Albert emballe les enfants et les adolescents dans des séries longues et fascinantes. Il a été le *Courrier du Roy* (1958-1961), série écrite par Réginald Boisvert et réalisée par Pierre DesRoches ; *Pierre LeMoyne d'Iberville* (1967-1968), écrite par Guy Fournier, Jacques Létourneau et Jean Pellerin, réalisée par Pierre Gauvreau et Rolland Guay. Aussi il sera le comédien principal dans la série *Edgar Allan, détective* (1981-1983), écrite par Yves Arnau, réalisée par Jean Picard et Pierre Duceppe ; et le public n'oubliera jamais son *Cyrano de Bergerac* de 1985, dans une réalisation de Jean Faucher. Le 8 janvier 1984, il est la vedette de *La céleste bicyclette*, un monologue de Rock Carrier qui avait été créé au Café de la Place en 1979 à l'invitation du directeur artistique, Henri Barras, dans une mise en scène... d'Albert Millaire. Ce télé-théâtre réalisé par Jean-Yves Laforce se situe dans la cellule dépouillée et froide d'un asile psychiatrique où se trouve un comédien à demi costumé. Il se lève et nous dit son plaisir de nous voir. Nous suivons son monologue et entrons dans sa conscience aussi intelligente que démente. La musique est d'André Gagnon.

Quelques mois plus tard, le 8 avril, toujours aux *Beaux Dimanches* Albert Millaire est de retour dans *Le Malentendu*, d'après Albert Camus, une dramatique de l'excellent réalisateur Paul Blouin. Il a comme partenaires Michèle Magny, Gisèle Schmidt, Louise Marleau et Pierre Dagenais. Avec *Le Malentendu*, comme dans toutes ses œuvres, Albert Camus soulève les grandes questions primordiales qui hantent les hommes : l'amour, la liberté, le destin, la mort, l'absurde.

Un mot sur le réalisateur Paul Blouin On sait qu'il aime réaliser des pièces de haut niveau, des œuvres qui ne sont pas que pur divertissement. Sa mise en scène du *Malentendu* colle au plus près à la limpidité et à la dureté minérale de l'œuvre de Camus et ne nous laisse pas un instant de répit.

Albert Millaire nous reviendra au début de 1987 dans une autre série dramatique, dans un autre grand rôle à la télévision ; *Sir Wilfrid Laurier*, un feuilleton de six heures sur film dont le tournage débute en 1984 ; on y raconte la vie du premier Québécois devenu premier ministre du Canada. Le brillant réalisateur Louis-Georges Carrier (que Millaire appelle « le merveilleux fou ») nous annonce dès 1984, dans une entrevue à la revue hebdomadaire *Ici Radio-Canada,* que cette minisérie est l'illustration d'une époque, peinture des mœurs, us et coutumes d'une période de l'histoire du Canada. On y évoque les tensions entre le parti libéral de Laurier et, entre autres, le clergé catholique du pays. Grand politique, Laurier a aussi une vie sentimentale et privée qui fait partie de son histoire. Le tournage ne se limite pas au Canada : nous verrons Laurier en Angleterre, en France, en Suisse et même en Italie, où il rencontre le pape Léon XIII. Je ne me souviens pas de ce qui s'est passé avec le pape, mais Albert Millaire s'est documenté sur l'histoire du Canada pour se préparer à devenir Sir Wilfrid ; ses recherches lui ont appris que « notre histoire était beaucoup plus intéressante qu'on nous l'avait laissé croire. »

Pour conclure ce court hommage à un comédien que j'ai toujours apprécié, ajoutons qu'en 1986, il nous reviendra dans un feuilleton de l'auteur Michel Faure, *La clé des champs,* que nous mettrons à l'antenne le dimanche à 19 h. En bref : finies les horreurs de la ville, la pollution, désormais, week-ends à la campagne, vive la nature. Ce ne sera toutefois pas aussi simple que ça. Les mésaventures plus drôles les unes que les autres feront passer sans cesse les comédiens du bonheur à l'angoisse. Cette réalisation de Maurice Falardeau mettra en vedette Anne-Marie Provencher avec Albert Millaire.

Des documentaires « indépendants »

Nous portons depuis plusieurs années une attention particulière aux producteurs indépendants qui nous alimentent en documentaires, qu'ils soient uniques ou en séries. Ils sont nombreux à frapper à notre porte ; nous choisissons quelques collaborations intéressantes et innovatrices.

Les Films Macadam ont choisi de s'intéresser à un de nos héros, Gilles Villeneuve. *Formule Villeneuve*, produit et réalisé par Yves Hébert est diffusé aux *Beaux Dimanches* le 3 juin, deux ans après la mort tragique du pilote de course québécois sur la piste de Zolder en Belgique. Ce film passionnant est le fruit d'un travail considérable qui a mené Hébert aux quatre coins du monde pour réunir les faits et les témoignages qui définissent la place unique de Gilles Villeneuve dans le circuit international de la Formule 1. On y rencontre Enzo Ferrari (qui normalement ne donne jamais d'entrevue, mais qui, cette fois a voulu rendre un vibrant hommage à Gilles Villeneuve), Juan Manuel Fangio, Stirling Moss, Mario Andretti, Nikki Lauda, Alain Prost, Jodi Sheckter et plusieurs autres. Si c'est un travail considérable de rassembler tous ces champions, pour un producteur plutôt inconnu il s'agit là d'une réussite exceptionnelle. J'avoue qu'au moment de notre première rencontre sur ce projet, j'avais des doutes sur le succès de cette entreprise tellement Yves ignorait tout du monde de la Formule 1, tout comme moi ! Suite à sa rencontre avec Gaston Parent, gérant d'affaires de Villeneuve, Yves était revenu gonflé à bloc et déterminé à tout faire pour que cet hommage au champion québécois soit à la hauteur de son succès sur les pistes de course. Il a réussi.

Le réalisateur Michel Moreau, qui travaillait avec Édith Fournier chez Educfilm, nous avait déjà livré quelques productions fort intéressantes sur l'enfant ; cette fois, il nous soumet une courte série de huit émissions : *Les chocs de la vie*. Il s'agit d'une nouvelle vision sur la santé. On passe délibérément sous silence l'aspect médical pour examiner de près l'aspect émotif et social. Le premier épisode s'intitule : *Au bout de l'accident.* Il est question de deux jeunes hommes qui, victimes d'accidents, ont perdu une ou deux mains. Les voir vivre et travailler nous aide à comprendre quelques-unes de leurs difficultés, quels changements cela provoque dans leurs vies. Ils ont traversé plus d'une période d'adaptation et c'est de cette progression vers un nouveau mode de vie normale qu'ils nous entretiennent.

Richard Lavoie avait lui aussi contribué à enrichir de ses dramatiques notre télévision destinée aux adolescents. En cette année 1984, il nous offre la *Marie Clarisse*, l'une des dernières goélettes à voile que la famille Dufour, de Cap aux Pierres, tente de maintenir à flots sur le Saint-Laurent. Cette goélette franche à deux mâts et beaupré fut lancée à Shelburne en Nouvelle-Écosse en 1923. L'aventure de la Marie Clarisse est une histoire d'amour. Après vingt saisons de pêche, Ralph Mackenzie doit s'en séparer ; puis de capitaine en capitaine, plusieurs fois restaurée, elle arrive à Québec en 1974 et sombre dans le port de Québec en 1976. Restauré à nouveau, ce bateau sera acquis par les Dufour pour faire des croisières touristiques. Caméra, réalisation et production de Richard Lavoie.

S'agit-il d'un documentaire ou d'une dramatique ? Oui je le sais, ce film a été récompensé comme dramatique, mais pour moi c'est avant tout une réflexion sur la réalité, sur la vie. Et la comédienne qui y tient le rôle principal habite toujours mon cœur pour ce qu'elle a donné dans ces années aussi bien aux adultes qu'aux enfants ; et j'ai toujours un grand respect pour le réalisateur qui d'un film court à un long-métrage, donne toujours le meilleur de lui-même. *L'étau-bus* est diffusé le vendredi 8 juin à 19 h, une production de Francine Forest et Michel Gauthier. Cette dramatique de Louisette Dussault (notre *souris verte*) et du réalisateur Alain Chartrand nous raconte en une courte demi-heure les tribulations comiques d'une mère qui voyage avec ses deux petites filles jumelles dans un autobus bondé. Coincée entre sa famille et les autres voyageurs, elle se sent déchirée entre les désirs de ses enfants et son rôle de mère police, responsable de la quiétude de l'autobus. Ce court-métrage met en vedette Louisette Dussault, Julie et Sophie Vadeboncœur, Amulette Garneau, Anne-Marie Ducharme, Pierre Harel, Johanne Fontaine et Serge Chapleau. Ce film vaut à Alain Chartrand le Prix Anik, section dramatique, décerné par Radio-Canada ; *L'étau-bus* remportera également les prix du public aux festivals de Belfort et de Clermont-Ferrand en France.

Québec, mon pays, mes amours est définitivement un documentaire historique puisqu'il relate les grandes explorations qui ont mené à la découverte du Québec. À l'occasion du 450e anniversaire du premier voyage de Jacques Cartier, ce film s'intéresse à ce pays de ses origines jusqu'à nos jours, en passant par les Vikings, les Inuit, les Amérindiens et tous les migrants venus d'Europe, des Français, surtout, qui l'ont bâti. À la scénarisation Ambroise Lafortune et Bertrand Morin, ce dernier assume aussi le montage et la réalisation. Le producteur exécutif est Nicolas Morin-Valcour, des Productions Ciné-Mundo. Nous diffusons ce documentaire aux *Beaux Dimanches* en heure de pointe le 24 juin, fête de la Saint-Jean.

Jacques Cartier et Beau Dommage à Québec

1984 marque donc le quatre cent cinquantième anniversaire de l'arrivée de Jacques Cartier au Canada, que la ville de Québec a célébré en grande pompe. Gary Plaxton, réalisateur à Spectra-Scène, nous livre à la fin août un spectacle en direct de la scène du Vieux Port avec Marie-Michèle Desrosiers, Michel Rivard et Pierre Bertrand ; car 1984 marque aussi le dixième anniversaire du défunt groupe Beau Dommage, qui a battu dans son temps tous les records de vente de disques au Québec.

Rendez-vous manqué avec Leonard Cohen

J'ai toujours apprécié la voix chaude et profonde de Leonard Cohen et quelques-unes de ses chansons habitent depuis un bon moment mon cerveau, entre autres : *I'm your Man, Everybody Knows... Dance Me to the End of Love, Hallelujah.* J'aime encore beaucoup l'écouter, mais... Il est arrivé un jour où j'ai dû prendre une décision controversée concernant la diffusion d'une émission de variété déjà fort appréciée dans d'autres pays : *I Am a Hotel.* Les temps ont bien changé (c'est du moins ma perception), que ce soit à Radio-Canada ou sur d'autres chaînes, et elles sont multiples, mais il y a plus de vingt-cinq ans, j'appliquais certaines règles propres à la télévision publique qui n'ont sans doute plus cours aujourd'hui. En 1984, il y avait encore bien peu de réseaux de télévision au Canada, aussi bien en français qu'en anglais. Ma décision controversée, la voici, telle que rapportée par le *Toronto Star* du 27 juin : « *Radio-Canada, CBC's French language network, has refused to air the award winning music program* I Am a Hotel *which features poet Leonard Cohen and his songs, because the songs and the minimal amount of dialogue are all in English.* » (Radio-Canada, pendant français de la CBC, a refusé de diffuser le spécial musical primé *I Am a Hotel*, qui met en vedette le poète Leonard Cohen et ses chansons, parce que les chansons et les rares dialogues sont tous en anglais.) J'avais répondu au journaliste que nous ne diffusions pas de programmes en langue anglaise sur la chaîne publique francophone ; bien sûr, la CBC, CTV et CITY-TV et je ne sais qui d'autre au Canada anglais avaient ce mandat, et je savais que CBC et CITY étaient partenaires avec Téléfilm Canada dans ce projet. Je savais bien que cette émission, production de haut niveau, avait remporté des prix prestigieux au Festival de Montreux (Suisse). À l'origine du projet, CITY-TV a fait monter les pressions jusqu'au président Juneau en invoquant que cette émission avait été achetée par les télévisions suisse et allemande, dont la langue de diffusion n'était pas l'anglais. Nous n'avons pas diffusé ce chef-d'œuvre consacré à un homme dont j'apprécie le talent ; je n'ai jamais eu l'occasion de rencontrer Leonard Cohen pour lui exprimer mon regret. Je me rappelle aussi ce mot de mon vieil ami Jacques Languirand : « Les principes, il faut s'asseoir dessus jusqu'à ce qu'ils cèdent. »

Le grand Fernand Dansereau

Fernand Dansereau est un pionnier du cinéma depuis les années 1950. Je l'ai connu au moment où je vivais à Ottawa et Hull dans les années 1960. Il avait scénarisé et réalisé un court-métrage de fiction intitulé *Ça n'est pas le temps des romans,* produit par l'ONF en 1967. Monique Mercure y tient le rôle principal avec Marc Favreau ; celui-ci, comme bien des hommes de l'époque... doit travailler, mais il a beaucoup de difficulté à endurer la marmaille. Monique est belle, sublime dans cet été où elle accompagne ses enfants tout en se posant des questions fondamentales sur son rôle d'épouse, de mère à la recherche du bonheur; elle se dit: «À 35 ans, il faut que les gens se rechoisissent ou se quittent. Le premier choix, ça se fait à l'aveuglette avec l'instinct et avec l'espoir. Mais le deuxième choix, c'est plus difficile.» Les premières images défilent sur une chanson de Georges Dor: «Si tu venais dans ma maison / si tu venais dans ma chanson / le mot *amour* c'est abandon...» Je formais déjà une jeune famille avec Claudette, Annick et Patrick quand j'ai découvert ce film exceptionnel d'un réalisateur qui questionne la vie de chaque jour. Peu de texte, mais une profonde réflexion sur une situation universelle et combien encore actuelle. Je le montrais à des jeunes dans des rencontres de préparation au mariage que j'animais dans la région d'Ottawa. Toute ma vie je suis resté attentif aux démarches de création de Fernand. Cette œuvre, saluée en 1969 au Festival international du film d'Adélaïde (Australie), a reçu le Prix Génie (Etrog) pour le meilleur film de 30 minutes et le Prix du court-métrage aux Journées internationales du film de Tours (France) en 1968.

Fernand a débuté à l'ONF à titre de reporter dans une série pour la télé de Radio-Canada; il sera journaliste, scénariste, réalisateur, producteur, cinéaste, monteur... En 1984, il écrit le téléroman *Le parc des braves*, qui raconte l'histoire d'une maman qui devient veuve et qui doit faire face aux temps difficiles de la Deuxième Guerre mondiale. De 1984 à 1988, Radio-Canada a diffusé les 136 épisodes de cette série, réalisés par Rolland Guay, Hélène Roberge, André Tousignant et René Verne. Parmi les comédiens, Marie Tifo, Ghyslain Tremblay, Gérard Poirier, André Montmorency, Vincent Gratton et Louisette Dussault. En 1987, le prix Gémeaux a récompensé Fernand pour le meilleur texte, série dramatique et en 1988, Gérard Poirier a reçu le prix Gémeaux pour le meilleur interprète dans un premier rôle masculin.

Cette nouvelle expérience a incité Fernand Dansereau à adapter pour la télévision le roman d'Arlette Cousture, *Les filles de Caleb*, un feuilleton hebdomadaire d'une vingtaine d'épisodes d'une heure que réalisera Jean Beaudin; un succès d'écoute exceptionnel, avec plus de 3,6 millions de téléspectateurs, qui lancera la carrière de deux jeunes comédiens, Roy Dupuis et Marina Orsini ; cette dernière remportera le prix Gémeaux 1991.

Fernand Dansereau a reçu le prix Albert-Tessier en 2005, le prix Hommage du Festival des films du monde en 2007 et le Prix Jutra Hommage en 2009. Ces dernières années, à titre de scénariste et réalisateur, il nous a offert *La brunante* (2007) avec Monique Mercure en Madeleine aux prises avec les premiers signes de la maladie d'Alzheimer ; une production de Jean-Rock Marcotte. En 2012, toujours scénariste et réalisateur, il termine *Le vieil âge et le rire*, un documentaire où il explore la relation entre l'âge et le rire. Dans une entrevue avec Michel Désautels de la Première chaîne radio, le cinéaste et l'animateur échangent sur la possibilité que, dans un quatrième âge, l'on puisse accéder à ce sourire qui « transcende la peur, les regrets et le chagrin. » Une belle question et un espoir. Comme le dit un médecin dans ce docu, « on ne vieillit pas bien et longtemps si on n'aime pas la vie. » Et Jean Lapointe d'ajouter : « Moi, j'aime mieux vieillir en riant que de mourir en pleurant. » Parmi les comédiens présents dans ce documentaire, on retrouve, outre Jean Lapointe, Kim Yaroshevskaya, Andrée Lachapelle, Marcel Sabourin, Gilles Latulippe et Aubert Pallascio.

Folie de Bertolino en Argentine

Du 25 août au 7 septembre, une trentaine de journalistes français et canadiens sont invités par Daniel Bertolino de Via le monde à un grand tour de l'Argentine qui les mènera des pampas du sud jusqu'aux chutes d'Iguaçu au nord. Rien n'arrête Bertolino quand il s'agit de faire connaître un projet auquel il croit. C'est par cette opération qu'il lance sa nouvelle série *Les Légendes du monde,* qui sera présentée à Radio-Canada à compter du jeudi 27 septembre à 17 h. Le film souvenir du voyage sera aussi diffusé par Radio-Canada.

Légendes du monde est une série de vingt-six émissions tournées aux quatre coins de la planète, qui fait suite aux *Légendes indiennes du Canada*. Via le monde y a mis deux années de travail, en mobilisant en moyenne 35 personnes par émission ; au total, quelque 950 techniciens, comédiens et figurants des régions les plus diverses du globe y ont contribué. Une exceptionnelle coproduction internationale qui célèbre la diversité culturelle et la richesse de ces peuples visités. Voilà le défi que s'est fixé Daniel Bertolino. *Légendes du monde* est une coproduction de Via le monde, Radio-Canada, Antenne 2 (France), JPBlondeau Production, Téléfilm Canada, Société générale du cinéma et le Fonds international pour la promotion de la culture (UNESCO).

OSM 50 ans

En début d'automne, la télévision publique s'associe à un événement très spécial, le 50e anniversaire de l'Orchestre symphonique de Montréal. Pour clore cette saison historique, le maestro Charles Dutoit a voulu diriger, pour la première fois dans l'histoire de l'orchestre, *La Symphonie des mille* de Gustav Mahler. Ce concert exceptionnel est enregistré le 30 mai 1984 au Forum de Montréal devant un auditoire enthousiaste de quinze mille personnes. Nous sommes plusieurs de Radio-Canada à y assister, en compagnie de notre directeur de la télévision Jean-Marie Dugas qui s'apprête à nous quitter, sans que nous le sachions. À l'automne, l'œuvre est présentée non seulement à la télévision mais aussi à la radio FM, ce qui permet d'écouter ce merveilleux concert en stéréophonie. L'émission de télé est réalisée par Évelyne Robidas, avec Gilles Amyot à la direction technique; l'émission de radio est réalisée par Pauline Paré.

En 1984, la présence américaine n'est pas complètement évacuée de nos ondes, et elle y conserve une place importante. Le 25 septembre à 21 h, commence la diffusion de la série *Dallas,* très suivie de part et d'autre des USA et du Canada, aussi bien en anglais qu'en français, mais aussi un peu partout en Europe de l'Ouest ; elle restera en ondes pendant plusieurs années. Inutile de la décrire longuement, quelques mots suffiront : le monde des riches, des transactions financières avec ses rivalités, ses enlèvements, ses infidélités fréquentes, ses gens qui ne parlent que d'argent et pensent pouvoir tout acheter, même les femmes... La série est portée par les acteurs Larry Hagman (dans le rôle principal de J. R.), Linda Gray (Sue Ellen, l'épouse de J. R.), Jim Davis (le père Josh Ewing), Barbara Bel Geddes (la mère

Miss Elly), Patrick Duffy (Bobby) et Victoria Principal (Pamela, épouse de Bobby).

Une autre série dramatique en cinq épisodes, *Sang et honneur,* est diffusée à compter du mois de novembre, une production allemande de Daniel Wilson avec SWF Baden-Baden et Taurus Films. Cette œuvre nous montre comment l'Allemagne se préparait à terroriser le monde en pervertissant toute une génération d'enfants pour en faire l'instrument de la démence nazie. Dès l'école, des professeurs manipulent la jeunesse et l'imprègnent peu à peu de l'idéologie raciste. Mais c'est surtout à travers le mouvement des Jeunesses hitlériennes que le parti exploite, au profit de ses ambitions criminelles, l'enthousiasme naturel et la disponibilité généreuse des jeunes. Une œuvre dure, certes, qui dénonce le fascisme et toute forme de dictature. Si *Holocauste* a traité des conséquences du nazisme, *Sang et honneur* nous en dévoile les causes, écrira le New York Times.

Les Palmes d'or de Carole Laure

Du côté cinéma, une nouvelle production québécoise débute le samedi 22 septembre en fin d'après-midi : *Palme d'or,* produite par Gilles Ste-Marie et associés. Gilles est connu depuis des années comme un spécialiste du cinéma. Réalisées par Max Cacopardo et Alain Godon, les émissions sont présentées par la comédienne Carole Laure, avec les musiques originales de Lewis Furey. Une excellente équipe qui nous livre chaque semaine un retour sur le cinéma d'hier et les grands metteurs en scène et comédiens. Il s'agit ici de l'histoire du cinéma international et de ses grandes tendances par le biais du prestigieux Festival de Cannes. Carole Laure, qui incarne la nouvelle génération, y découvre le cinéma de ses aînés. Le premier épisode traite du premier Festival de Cannes en 1946, inauguré avec des films comme *Les Enfants du paradis* avec Arletty, *La Symphonie pastorale* avec Michèle Morgan et *La Belle et la bête* avec Jean Marais.

Puisque je viens de nommer Carole Laure, ajoutons qu'avec Lewis Furey, elle travaille à une super production dont le tournage a lieu à l'automne 1984 à Montréal. *Night Magic* est un film musical, réalisé par Lewis Furey qui aussi écrit le scénario en collaboration avec

Leonard Cohen, à qui l'on doit les paroles des dix-huit chansons de ce long-métrage. Parmi les vedettes, on retrouve Carole Laure, Nick Mancuso, Stéphane Audran, Jean Carmet ainsi que les danseurs Louis Robitaille et Anik Bissonnette. Il s'agit d'une coproduction France Canada (TF1, SRC et Téléfilm Canada). *Night Magic* est une production de Robert Lantos et Stephen Roth avec Michelle de Broca de TF1. La sortie en salle aura lieu à l'été 1985. Ce premier film de Lewis Furey sera présenté en sélection officielle à Cannes avant d'être diffusé à notre antenne.

Des longs métrages « indépendants »

Jetons un coup d'œil sur le cinéma québécois que nous diffusons en 1984 en collaboration avec l'ONF et les producteurs indépendants.

Dès février, les *Beaux Dimanches* présente *La Quarantaine* d'Anne Claire Poirier, une production de l'ONF. Ce long-métrage nous montre onze amis d'enfance, hommes et femmes, qui se retrouvent trente années plus tard sur les lieux qui ont marqué leur jeunesse, où ils se sont choisis et aimés. La vraie question dans ce film, c'est le rapport que ces personnes entretiennent avec leur enfance. Ils semblent moins empressés de communiquer. On devine la peur de vieillir, peut-être. Un scénario de Marthe Blackburn et Anne Claire Poirier, images de Michel Brault. Parmi les interprètes : Monique Mercure, Roger Blay, Jacques Godin, Luce Guilbeault, Benoît Girard, Michelle Rossignol, Patricia Nolin, Pierre Thériault, Louise Rémy, Pierre Gobeil, Aubert Pallascio.

Toujours aux *Beaux Dimanches*, le 4 mars, un documentaire d'Yves Simoneau dans lequel nous rencontrons les principaux maîtres de la bande dessinée, un univers en constante mutation. Dans *Pourquoi l'étrange Monsieur Zolock s'intéressait-il tant à la bande dessinée ?*, le cinéaste a construit son film comme une immense bande dessinée dans laquelle une intrigue fantaisiste provoque des rencontres entre divers créateurs de bandes dessinées. Mélangeant la fiction et le docu, l'auteur nous offre une création d'une originalité incontestable, selon le critique Louis Gagnon. Les interprètes québécois sont Jean-Louis Millette, Yves Desgagnés et Michel Rivard ; on y retrouve aussi les bédéistes québécois Gaboury et Garnotte ainsi que leurs confrères européens Fred, Moebius, Greg et Claire Bretécher. Une production de Nicole Boisvert de SDA.

Dans le créneau de Télésélection, Yves Simoneau revient un mois plus tard avec *Les Yeux rouges,* un drame policier qu'il a écrit et réalisé. Un résumé de l'intrigue : la ville de Québec est plongée dans un climat de peur par un pyromane. Intéressant de se rappeler que ce film, tourné à Québec, est basé sur un fait divers réel. Parmi les interprètes, Marie Tifo, Jean-Marie Lemieux, Pierre Curzi, Denise Proulx, Rémi Girard, Paul Hébert, Raymond Bouchard...

Francis Mankiewicz nous avait donné *Les Bons Débarras* en 1980, sur un scénario de Réjean Ducharme. Il récidive avec le même scénariste pour réaliser *Les Beaux Souvenirs* que nous diffuserons à l'été 1984. Une œuvre qui traite avec poésie et délicatesse de sentiments parfois ambigus. Les images de Georges Dufaux sont magnifiques et l'on apprécie l'interprétation sensible de Monique Spaziani, Julie Vincent et Paul Hébert. Mankiewicz a dit que « *Les Beaux Souvenirs* traite des silences avec lesquels nous devons vivre. Ce qui me touche probablement le plus dans la vie ce sont les choses dont nous ne parlons jamais. Mon film examine ces silences et les profondeurs de l'âme des personnages. »

Deux fois plus de Bonheur d'occasion

Dans notre aventure avec les producteurs indépendants, nous avions réussi en 1981 le lancement de notre première série dramatique en partenariat avec la CBC : *Les Plouffe* de Gilles Carle. Nous avons poursuivi cette stratégie en 1983 avec *Empire* et le développement de six épisodes du documentaire *Le Défi mondial* (dont je reparlerai). En 1984, nous mettons en ondes une nouvelle coproduction avec CBC et le privé : il s'agit d'une minisérie réalisée par Claude Fournier tirée du roman *Bonheur d'occasion* (*The Tin Flute*), qui a valu à Gabrielle Roy le Prix Fémina en 1948 et qui est considéré comme l'un des plus classiques littéraires du Canada français.

Claude Fournier a adapté ce roman en long-métrage et minisérie, en français et en anglais, sur deux négatifs originaux complets : une première! Les deux versions ont d'ailleurs été montées par deux monteurs différents, de grands experts: Yves Langlois pour *The Tin Flute* et André Corriveau pour *Bonheur d'occasion*.

Claude Fournier est loin d'être un inconnu au cinéma et à la télévision. C'est un pionnier. Dès les années 1950, il fait carrière à la télévision de Radio-Canada, puis à l'Office national du film, avant de devenir producteur indépendant. Il crée Rose Films avec sa compagne Marie-José Raymond dans les années 1970, où il exploite avec succès le filon érotique. Les *Deux femmes en or*, jouées par Monique Mercure et Louise Turcot, auraient attiré deux millions de spectateurs... un succès plutôt rare au Québec. Le long métrage *Bonheur d'occasion* est sorti en salle en septembre 1983 et a remporté le Prix de la presse internationale pour le meilleur long-métrage canadien au Festival des films du monde. Il a aussi été présenté au Festival de Moscou, où Marilyn Lightstone a remporté un prix d'interprétation. La version télévision, qui compte cinq épisodes d'une heure, est à l'antenne à compter d'octobre 1984; elle connaîtra là aussi un succès important.

L'action de *Bonheur d'occasion* se situe à l'hiver 1940 en plein quartier Saint-Henri à Montréal alors que la Deuxième Guerre mondiale fait rage en Europe. Dans ce quartier ouvrier, la famille Lacasse tente de survivre tant bien que mal. La guerre au loin stimule l'imagination de cette famille et des autres petites gens de Saint-Henri qui tentent de sortir d'un monde de misère. Le personnage principal, Florentine, travaille dans un comptoir restaurant pour un maigre salaire sur lequel sa famille vivote au jour le jour. Écrasée par ses responsabilités, inexpérimentée et ignorante, Florentine cherche un refuge dans des « bonheurs d'occasion ». Elle ne voit autour d'elle que maladie, sous-alimentation, privation. Elle assiste à la désagrégation de sa famille malgré le dévouement à toute épreuve de sa mère.

Claude Fournier, le réalisateur, sait faire ressortir la justesse, la sûreté des coups de sonde psychologiques de Gabrielle Roy. On retrouve dans ce film le réalisme et la finesse de touche empreinte de compassion de l'écrivaine. Les comédiens, authentiques dans leur interprétation, sont sobres et émouvants; surtout Mireille Deyglun (Florentine), Marilyn Lightstone (la mère de Florentine) et Michel Forget (le père de Florentine).

Quand il est question de pénurie de logements à Saint-Henri, je revois cette scène que j'ai connue dans mes jeunes années, dans ce quartier où nous vivions, à proximité du chemin de fer. Maman étendait sur la corde à linge les couches de ma sœur handicapée, et il lui arrivait d'oublier de les retirer avant que le train ne lui lance un nuage de poussière sale qui l'obligeait à reprendre son lavage, bien sûr à la main ; c'était comme ça à l'époque. Claude Fournier a repris cette scène où Marilyn Lightstone est particulièrement touchante.

À la production, Marie-José Raymond ; à la scénarisation, Claude Fournier et Marie-José Raymond ; à la production exécutive, Marie-José Raymond et Robert Verrall de l'Office national du film ; Claude Fournier sera non seulement le réalisateur, mais son œil sera derrière la caméra. La musique est de François Dompierre.

Bonheur d'occasion connaît un grand succès à la télévision francophone avec plus d'un million et demi de téléspectateurs. La version anglaise diffusée à la CBC en rejoint de son côté plus d'un million trois cent mille. Certainement à ce jour le plus grand succès de coproduction en dramatique entre la SRC et la CBC.

Se souvenir de l'horreur

Au nom de tous les miens (*For those I loved*) est tiré d'une histoire vraie, celle de Martin Gray (né Mietek Grayewski) ; sa vie débute en Pologne quelques années avant la Seconde Guerre mondiale. Les Gray vivent dans le ghetto juif de Varsovie. À 16 ans, Martin, l'aîné de la famille, accompagné de sa mère et de ses frères, est déportée vers le camp d'extermination de Treblinka, à 80 kilomètres de Varsovie. Lui seul parviendra à s'en échapper : sa mère et ses frères y laissent leurs vies dans la chambre à gaz. Martin Gray retrouve son père à Varsovie, qui est abattu sous ses yeux ; seul survivant de sa famille, Martin s'engage alors dans l'Armée rouge, une façon de résister aux envahisseurs nazis. Puis il déserte et émigre aux États-Unis où il fait fortune, mais perd sa femme et ses quatre enfants dans le terrible incendie de Tanneron dans le sud-est de la France en 1970. Une fois encore, il survit. Il songe au suicide, mais choisit de vivre pour témoigner. Cette production relate de façon à la fois pathétique et exaltante le destin hors série d'un Juif du ghetto. C'est aussi l'un des plus extraordinaires témoignages sur la barbarie des guerres modernes. *Au nom de tous les miens* a donné une série de huit épisodes d'une heure et un long-métrage de deux heures trente en français et en anglais ; ces films révèlent à toute une génération l'horreur de l'Holocauste une quarantaine d'années plus tôt. Martin Gray, l'auteur du livre et Robert Enrico, le réalisateur du film et de la série télévisée ont composé une œuvre très réaliste. Sans doute parce que Martin Gray est toujours là pour témoigner des événements qui ont marqué sa vie. Nous diffusons la série à compter du 6 février 1985 à 20 h.

Aujourd'hui, je ne peux exprimer qu'un souhait : que les enfants aient accès, grâce à des cinéastes et des éducateurs, à cette triste période de notre histoire et, qu'en ayant pris connaissance des horreurs d'hier, développent un plus grand respect de l'autre, quel qu'il soit. C'est un souhait ; y croire est tout autre chose !

Cette coproduction Canada, France et Hongrie a pour partenaires les sociétés suivantes : les Productions Mutuelles, les Producteurs associés et TF1 Films Productions. Les producteurs sont Pierre David, André Djaoui, Claude Héroux et Jacques-Éric Strauss. Le scénario est de Martin Gray avec Robert Enrico, Tony Sheer et Max Gallo. La distribution comprend entre autres : Michael York (Martin Gray à 40 ans et le père de Martin), Jacques Penot (Martin Gray jeune), Brigitte Fossey (la première épouse de Martin, Dina Gray), Helen Hughes (la grand-mère de Martin), Macha Méril (la mère de Martin) et quelques autres, dont Jean Bouise, Wolfgang Müller, Boris Bergman et Dominique Frot... La musique originale est signée Maurice Jarre.

Parlant des producteurs, je me souviens que l'un d'eux m'avait contacté avant la fin de la production pour me dire qu'il fallait faire huit heures au lieu de six, à cause de la richesse du contenu. La proposition a été acceptée, et nous avons augmenté notre contribution financière du tiers ; mais le résultat, une fois les huit heures livrées, nous a convaincus que c'était une bonne décision : avec un million trois cent mille téléspectateurs, chiffres confirmés par la revue *Cinema Canada*, on ne pouvait pas le regretter.

Des contes pour tous

Un autre moment important pour le cinéma, mais pas n'importe lequel en ce qui me concerne. Rock Demers me rencontre pour me parler de son rêve : créer une collection de films destinés à la jeunesse et la famille.

Dans les années 1960, Rock avait mis sur pied Faroun Films, une société d'import-export spécialisée dans la distribution de films, principalement pour enfants. Pendant plusieurs années, il fournit des films non seulement à Radio-Canada mais aussi à l'ORTF (France) et chez CBS (USA). À cette époque, il produit aussi son premier long-métrage, *Le Martien de Noël*, réalisé par Bernard Gosselin.

Au début des années 1980, reconnu, respecté et admiré pour avoir consacré si souvent ses talents aux diverses facettes du cinéma québécois, il annonce la création des Productions La Fête et, du même souffle, son projet d'une collection de neuf longs-métrages destinés aux enfants et à la famille. Quand Rock Demers m'expose son projet, j'ai déjà quitté le Service jeunesse, mais le Service cinéma-téléfilms peut très bien offrir un créneau privilégié à cette toute nouvelle aventure. Ces *contes pour tous*, comme il les nomme si bien, mettront en scène des enfants de dix à douze ans, mais l'objectif du producteur est aussi de rejoindre le public adulte. Je suis heureux de confirmer au producteur que Radio-Canada sera un partenaire et que le Service jeunesse en sera informé. Quelques difficultés à l'interne, que j'avais oubliées, mais que Rock m'a rappelées récemment, ont failli compromettre ce projet, mais heureusement, la catastrophe a été évitée.

Le premier long-métrage de la collection est *La Guerre des tuques* d'André Melançon, où les dix-huit rôles principaux sont tenus par les enfants. Cette production de Rock Demers et Nicole Robert est scénarisée par Roger Cantin et Danièle Patenaude avec la collaboration d'André Melançon. Cette guerre de boules de neige savamment orchestrée par deux bandes d'enfants pendant un congé de Noël est montrée avec talent et intelligence, aussi bien dans l'écriture que dans la direction très professionnelle de jeunes acteurs. Sorti en salles en octobre 1984, *La guerre des tuques* allait réaliser des recettes fort intéressantes au guichet. Quand la SRC le présente en heure de pointe dans le créneau des *Grands films*, le mercredi 13 novembre à 20 h, il est vu par plus de deux millions de téléspectateurs : une écoute comparable à celle du grand succès commercial américain, *Les Dents de la mer* (*Jaws*, en version originale), diffusé plus tôt dans le même créneau horaire des *Grands films*. Excellent départ pour ce premier opus des *Contes pour tous,* qui recevra la Bobine d'or (Golden Reel comme disent nos collègues anglophones) de l'Académie canadienne du cinéma et de la télévision. Ce prix est accordé au film qui affiche les meilleures recettes de l'année au box-office pour un film canadien. Quelle agréable surprise que ce prix soit décerné à un film qui s'adresse aux enfants et à la famille ! Ce film a fait le tour du monde et il est aujourd'hui considéré un peu partout sur la planète comme un classique du cinéma jeunesse. Dans quelques années, un autre *Conte pour tous* remportera la Bobine d'or : *La Grenouille et la baleine*.

La 5000e de Bobino

Nous sommes le 24 décembre à 16 h, les enfants sont assis devant leur écran et les yeux grand ouverts sourient à leur ami Bobino qui vient de leur dire comme chaque jour de la semaine : « Bonjour les tout petits ». Depuis 1957, Bobino vit une véritable histoire d'amour avec son jeune public. Pour célébrer la 5000e émission, la réalisatrice Thérèse Dubhé avait promis d'emmener les tout petits dans le cosmos pour Noël. Ils y rencontrent les pères Noël de trois planètes : Luminas, qui représente la lumière ; Erosidal, planète de l'amour et Coloride, celle de la couleur. L'auteur Michel Cailloux, le magicien des mots, n'a pas fini de nous étonner et d'éblouir les enfants. C'est la première fois dans toute l'histoire de la télévision canadienne qu'une émission pour enfants parvient à une 5000e, et ceci, grâce à Michel Cailloux, Guy Sanche, Christine Lamer et une pléiade de réalisateurs et réalisatrices. Chapeau (melon) à l'équipe !

29

LA GUERRE DES SONDAGES

Le temps passe et des collègues qui nous ont accompagnés depuis de nombreuses années nous quittent. Ce ne sont pas toujours des choix personnels, mais c'est ça la vie. Pour plusieurs, si ce n'est pas la mort, c'est quand même un deuil.

Ainsi s'en va celui qui m'a invité à revenir à Montréal en 1966 après mon exil à Ottawa, pour me proposer un poste à la direction des programmes de la télévision où il était alors directeur adjoint. Dès le début de l'année 1985, Jean-Marie Dugas est nommé directeur du bureau de Radio-Canada à Paris, poste qu'il occupera à compter du 19 juin. D'ici là, il demeure vice-président adjoint du réseau français de la télévision.

Nommé directeur du réseau français

Jean-Marie Dugas a été patron à la radio, aux affaires publiques et à la télévision. En plus de ses compétences professionnelles et de sa formation en psychologie, c'est un homme de décision et de leadership, avec du charme, du panache et de l'élégance : un homme de cœur. Il est curieux de tout ; littérature, théâtre, musique, peinture, la télévision évidemment. Sa plus grande qualité sans doute est sa capacité d'écoute, son attention à l'autre, sa disponibilité, ses conseils judicieux, sa tendresse aussi. Il était le patron, il est devenu l'ami. J'ai connu Jean-Marie à la fin des années 1950 ; quelques années plus tard, à l'occasion d'une visite à Ottawa, il lui arrivait de venir dîner à la maison et alors il berçait nos enfants. J'ai eu le privilège de servir la télévision publique sous sa gouverne pendant près de vingt ans ; j'aurai maintenant l'honneur de lui succéder au moment de sa nomination à Paris. Pour moi, c'est un patron, mais aussi et surtout, un mentor. Jean-Marie mourra en France le 13 février de l'an 2000. Mais restons en 1985.

Fin mars, dans *La Presse,* Louise Cousineau parle de chambardement à la direction avec le départ à la retraite bien méritée de Jean-Claude Rinfret et Fernand Quirion, respectivement directeur et directeur adjoint des programmes TV : « Selon toute apparence, trois adjoints sont candidats à la succession. » Quelques jours plus tard, elle annonce que « Robert Roy, que les parieurs donnaient comme favori à la course au leadership (on se croirait à Blue Bonnets) est le nouveau numéro deux à Radio-Canada. » En fait, je suis nommé directeur du réseau français de la télévision.

La canadianisation se poursuit !

Quelques jours après ma nomination, répondant à la question d'un journaliste sur le contenu étranger de notre programmation, j'annonce, à brûle-pourpoint, que *Vivre à trois* (*Three's Company*) en est à sa dernière saison en heure de grande écoute à notre antenne. Même si cette série américaine (avec Suzanne Somers, Joyce DeWitt et John Ritter) plaît à un large auditoire, elle doit céder la place à des productions originales québécoises. Pour moi, c'est le début d'un temps nouveau, vers une programmation davantage *made in Canada*. Mon objectif est déjà tout un programme : faire passer le contenu canadien à la télévision publique de 72 à 78 %, pour le stabiliser à 80 %. Cette cible doit également permettre aux producteurs privés d'accéder davantage à notre antenne, conformément au mandat reçu du président Johnson en 1979. Nous demeurons un organisme de production et de diffusion et nous comptons nous adapter à ce régime qui tend vers une mixité des producteurs privés et de nos réalisateurs.

Gilles Carle et Maria Chapdelaine

Gilles Carle et Carole Laure sont de nouveau à l'affiche en ce début d'année : ils ont réussi à convaincre Harold Greenberg, le fondateur d'Astral Bellevue Pathé, de s'engager dans une troisième adaptation cinématographique de *Maria Chapdelaine*, le roman de l'écrivain français Louis Hémon, qui a vécu au Québec au début du XXe siècle. Deux cinéastes français avaient déjà adapté l'œuvre : Julien Duvivier en 1934 et Marc Allégret en 1950. Pour cette nouvelle version, Gilles Carle donne le rôle titre à Carole Laure, courtisée par Nick Mancuso, Pierre Curzi et Donald Lautrec, entourés par une pléiade de vedettes, dont Paul Berval, Rolland Bédard, Angèle Arsenault, Amulette Garneau, Yoland Guérard, Jean-Pierre Masson, Claude Rich, Gilbert Sicotte et Marie Tifo. *Maria Chapdelaine* est une coproduction de Radio-Canada avec TF1 (France) et Films Astral (Harold Greenberg) avec le support financier d'Alcan, de l'Institut du cinéma québécois et de la SDICC.

En plus du long métrage, Gilles Carle doit nous fournir une minisérie de quatre heures. J'ai négocié notre participation financière à ce volet devant mon patron Jean-Marie Dugas ; c'est difficile de dire à Harold Greenberg, après une longue discussion : « Voici notre offre finale. » Mais il apprécie l'effort de la télévision publique et finit par accepter notre offre.

Le tournage de *Maria Chapdelaine* s'est déroulé d'avril à décembre 1982. J'étais venu au lac Baskatong pour y assister en compagnie de Sid Adilman, chroniqueur au *Toronto Star*, qui a été fort impressionné par la machine de tournage dirigée par Gilles Carle. Ce tournage a d'ailleurs fait l'objet d'un film remarquable de Raymond Dupuis, intitulé *Apocalypse Carle* et présenté le 6 janvier 1985 aux *Beaux Dimanches*. Ce film plonge le spectateur au cœur du travail d'équipe, une sorte de happening qui nous montre un visage très attachant de Gilles Carle, un passionné de cinéma, un homme chaleureux, talentueux et généreux, apprécié tant par ses acteurs que par ses techniciens.

Dans un courrier qu'il m'avait adressé en 1984, Gilles Carle souhaitait que la diffusion de la série *Maria Chapdelaine* à Paris ait lieu en novembre. Il était emballé par la critique française et prévoyait un grand succès. Il était convaincu que la version longue de quatre heures était meilleure que le film. Je lui donne raison puisque cette version pour la télévision, au rythme plus lent, donne plus de temps au spectateur pour savourer les amours de Maria et de François Paradis. Carle joignait à son courrier un article du journal *Le Monde* du 31 juillet 1983, où Bertrand de la Grange relate les désaccords survenus entre les coscénaristes Guy Fournier et Gilles Carle à propos du casting: « Le premier estimait que Carole Laure ne pouvait, à trente-sept ans, jouer le rôle de la *belle grosse fille de Péribonka* qui, selon lui, ne pouvait avoir plus de dix-huit ans. » Le journaliste cite Guy Fournier, qui aurait dit: « Carle avait une vision totalement différente de la mienne. Il a vu dans cette œuvre, comme beaucoup de nationalistes québécois, le roman de l'indépendance du Québec, de la résistance d'un peuple. En fait, Maria, c'est la pauvre fille dont l'amoureux meurt et qui finit par faire ce que ses parents lui disent. C'est le contraire de la résistance, c'est l'obéissance. » Dommage que Gilles ne soit plus de ce monde aujourd'hui: j'aurais voulu qu'il puisse exprimer son point de vue là-dessus.

Un autre documentaire programmé à la suite d'*Apocalypse Carle* a aussi un lien avec *Maria Chapdelaine*: c'est un portrait du grand peintre québécois Clarence Gagnon (1881-1942) réalisé par René Boissay, auquel j'ai succédé en 1979 à la direction du Service cinéma-téléfilms. À l'aide de documents exceptionnels, dont 600 lettres écrites par lui ou lui ayant été adressées, et surtout à l'aide de dessins, de toiles, d'esquisses et de gravures, Boissay a retracé la vie et l'œuvre du peintre. On y découvre notamment des illustrations que Gagnon a réalisées pour l'édition de *Maria Chapdelaine* parue chez Mornay à Paris en 1933: un ravissement pour l'œil.

La diffusion de la minisérie *Maria Chapdeleine* commence à Radio-Canada le mercredi 9 janvier à 20 h. Elle rejoindra une moyenne de plus d'un million six cent cinquante mille téléspectateurs de langue française, ce qui représente une légère baisse en comparaison avec *Les Plouffe,* série diffusée en 1981-1982. Mais la minisérie fait mieux que *Les Plouffe* auprès de l'auditoire anglophone de la CBC en 1982: plus d'un million pour *Maria Chapdelaine*, contre sept cent mille pour *The Plouffe*.

Évidemment, ces chiffres doivent nous rappeler qu'au milieu des années 1980, le paysage audio-visuel ne compte encore que trois chaînes de télévision francophones. En 1986, TQS (Télévision Quatre Saisons) deviendra la quatrième. Sera-t-elle une compétitrice ? Pendant près de 25 ans, le réseau privé TVA avec sa station Télé-Métropole (le « Canal 10 ») a été le seul concurrent sérieux de la télévision publique de Radio-Canada, la coiffant parfois aux cotes d'écoute.

Mordecai Richler à SRC et CBC

En 1985, un nouveau fonds est créé pour aider les compagnies privées à produire des émissions de télévision. Robert Lantos, un producteur de longs-métrages, mais aussi un distributeur, s'associc à Stephen Roth, Denis Héroux et John Kemeny pour créer Alliance Communications, qui rassemble les productions cinématographiques des uns et télévisuelles des autres. La dernière production de Lantos a été *Night Magic* en 1985. La première création d'Alliance Communications est un long métrage doublé d'une série de 4 heures : *Joshua hier et aujourd'hui,* réalisé par Ted Kotcheff. Le long-métrage a été sélectionné en compétition au Festival de Cannes 1985. Cette production est une adaptation du roman, en partie autobiographique, de l'écrivain montréalais Mordecai Richler qui en signe aussi le scénario. On y raconte le destin d'un écrivain juif de Montréal, son enfance dans la pauvreté, entre un père boxeur et surtout chômeur et une mère danseuse de cabaret, ses études à Londres, ses premiers succès... Kotcheff avait déjà réalisé en 1974 l'adaptation d'un autre roman de Richler, *The Apprenticeship of Duddy Kravitz,* qui avait remporté l'Ours d'or au Festival international du film de Berlin.

Joshua est lancé au Canada et aux États-Unis, puis en Australie, au Danemark et en Hongrie... Les comédiens James Woods, Gabrielle Lazure, Alan Arkin (prix Genie), Michael Sarrazin, Kate Trotter et Linda Sorensen (prix Genie) se partagent la vedette. En septembre 1987, la minisérie fera près d'un million trois cent mille de cote d'écoute à la CBC, mais moins de cinq cent mille à Radio-Canada. Le 17 juillet 1998, dix années après mon départ de Radio-Canada, Lantos vendra sa compagnie à Atlantis Communications pour créer une nouvelle maison indépendante, *Serependity Point Films,* qui le ramènera à ses premières amours, la production de long-métrage.

Des variétés aux Beaux Dimanches

En présentant cette année l'horaire d'automne aux journalistes de la presse écrite, je suis assez fier de nos *Beaux Dimanches,* toujours riches en productions très spéciales. La soirée des *Beaux Dimanches,* depuis des années, propose au public des moments de bonheur créés par nos meilleurs réalisateurs, auteurs, comédiens, musiciens. Nous en mettons plein la vue aux journalistes qui vont porter la bonne nouvelle au public puisque notre grille comporte une quantité impressionnante de dramatiques, d'émissions musicales et de variétés produites dans nos studios, en plus de nos coproductions qui ajoutent au lustre du réseau national, comme le rapportent les journalistes de Montréal, Québec et Ottawa.

On a beaucoup parlé des grands succès de Jean Bissonnette aux émissions de variétés et l'on en parle encore au moment où Radio-Canada célèbre son soixante-quinzième anniversaire d'existence (radio et télévision). Nous continuerons encore longtemps, je crois, d'évoquer la compétence et le talent exceptionnels que Jean a déployés pendant plus de cinquante ans dans la création et la réalisation. Homme affable et respectueux, c'est un grand découvreur de talents québécois. Quand Michel Chamberland a quitté la direction du Service des variétés, j'ai invité Jean à lui succéder. Il n'a pas dit pas non, mais il souhaitait surtout rester réalisateur. Il aurait bien accepté d'être le guide, d'être le support du futur directeur, mais cette proposition ne correspondait pas aux critères du moment. Aujourd'hui, je crois bien que j'accepterais ses conditions sans discuter. Après avoir quitté Radio-Canada, Jean Bissonnette a continué d'accumuler les succès comme producteur privé.

Mais en ce début de 1985, Jean est responsable d'une émission très originale intitulée *Rêves à vendre,* qui met en vedette le grand chansonnier et poète Félix Leclerc, « d'après un rêve original du poète », dit la revue *Ici Radio-Canada,* « qui en signe également les textes. Ce n'est ni un portrait ni un hommage, mais plutôt le rêve de Félix qui voulait réunir ses amis dans une sorte de fête visuelle et musicale. » Parmi ces amis, mentionnons le peintre Alfred Pellan, le dramaturge et romancier Michel Tremblay, les comédiens Jean Duceppe et Guy Hoffman, Ding et Dong, Sol, Jean Lapointe,

Ludmilla Chiriaeff, Marie-Claire Séguin et la diva Diane Dufresne. Jean-Pierre Ferland anime cette fête à l'enseigne de la poésie et du rêve. Je ne peux oublier la dernière scène de ce documentaire surprise sur Félix où le rêveur et Diane Dufresne glissent sur l'eau dans une chaloupe en chantant *Dialogues d'amoureux*. Quelle douceur et quel charme dans ce décor merveilleux.

Une autre soirée mémorable, avec une coproduction d'Antenne 2 (France) et Radio-Canada : *Le Grand échiquier*, animé par Jacques Chancel, le prince des animateurs français. Dans son studio de Paris, il a l'habitude de recevoir des personnalités comme Yves Montand, Tino Rossi ou Yehudi Menuhin. À l'occasion de son émission spéciale *Un soir au Québec*, il réunit Charles Dutoit, Gilles Vigneault, Jean Drapeau, Les petits chanteurs du Mont-Royal (qui chantent *Les Amours, les travaux* avec Gilles Vigneault), Ginette Reno, Maureen Forrester, Daniel Lavoie et Fabienne Thibeault. L'émission de Chancel donne aussi un extrait du spectacle *Léveillée-Gagnon*, enregistré à la Place des Arts, un hommage à Claude Léveillée mis en scène par André Gagnon. *Un Soir à Québec*, plein de charme et de poésie, réalisé par André Flédérick d'Antenne 2, un gentilhomme généreux et de belle culture. La coordination de la soirée est assurée par Jean Bissonnette, toujours à la hauteur.

Pour célébrer 25 années de production française à l'Office national du film, nous offrons à notre public *Cinéma, cinéma* coréalisé par Gilles Carle et le cinéaste d'origine suisse Werner Nold. Cet hommage est composé d'extraits choisis parmi les 125 meilleurs films produits par l'ONF. Divertissement, émotions, surprises et connaissances sont au programme. Les deux cinéastes se sont partagé la tâche herculéenne de visionner des centaines d'heures. Dans les œuvres sélectionnées, on revoit notamment des images de *Félix Leclerc troubadour, les Jeux de la XXIe olympiade, X-13, On est loin du soleil, Mourir à tue-tête, Pour la suite du monde, Kid sentiment* et *Mon oncle Antoine*, ce dernier titre étant considéré comme le meilleur long-métrage canadien de tous les temps. Les images sont entrecoupées de quelques courtes entrevues avec les réalisateurs Denys Arcand, Claude Jutra, Jacques Godbout, Pierre Perreault, Michel Brault qui racontent des moments émouvants ou hilarants de leur carrière. La chanson thème de *Cinéma, cinéma* – inoubliable – écrite par Gilles Carle sur une musique de

François Guy est interprétée par Chloé Sainte-Marie, Robert Paradis et François Guy. Une production de l'ONF.

Aux *Beaux Dimanches*, le 15 septembre, *Dis-moi le si j'dérange*, une pièce remarquable de Janette Bertrand. Dans cette dramatique à un personnage, incarné de façon bouleversante par Juliette Huot, nous assistons au drame de la solitude tel que vécu par une ménagère de 58 ans. Celle-ci, abandonnée des siens, cherche désespérément au téléphone à briser le mur du silence. Une réalisation de Daniel Roussel produite par James Shavik et Astral Films.

Évangéline Deusse, présenté aux *Beaux Dimanches* du 22 septembre, est une œuvre d'Antonine Maillet, l'auteur de *La Sagouine*. Elle a créé ici pour Viola Léger une autre femme exceptionnelle. Une Acadienne octogénaire, pleine de vitalité et de courage, raconte à qui veut l'entendre ce qu'il faudrait faire pour rendre le monde meilleur. En vedette avec Léger, Guy Provost, André Cailloux et Jean Lapointe dans une mise en scène d'Yvette Brind'Amour. Une réalisation de Danielle Suissa, production 3Thèmes.

Ce même 22 septembre, aux *Beaux Dimanches*, *Les Abîmes du rêve, opus 36* de Jacques Hétu, un compositeur québécois. Il s'agit de la mise en musique de poèmes d'Émile Nelligan chantés par une basse de réputation internationale, Joseph Rouleau, avec l'Orchestre symphonique de Québec sous la direction de Mario Bernardi. Réalisation de Jean-Yves Landry.

Et voici une nouvelle création qui sera diffusée aux *Beaux Dimanches* à compter du 6 octobre. On déroule *Le Tapis rouge* pour l'imagination débordante de Jean-Pierre Ferland, concepteur et animateur de cette nouvelle série de huit émissions. La première, intitulée *Concerto pour Picasso*, souligne la grande exposition consacrée au peintre espagnol au Musée des Beaux-Arts de Montréal ; elle est enregistrée au Musée. C'est dans cette ambiance exceptionnelle que Jean-Pierre présente un spectacle inspirée par la fantaisie du grand peintre. Ses invités se laissent gagner par l'euphorie des couleurs : Les Mimes électriques, l'harmoniciste Jim Zeller, Geneviève Paris, Marc Favreau (Sol), Angela Laurier du Cirque du Soleil, Claude Dubois, Nicole Croisille, Marie-Claire Séguin et Johanne Séguin. Une musique originale très moderne a été écrite par Daniel Mercure qui assume la direction musicale de l'émission.

Une réalisation de Pierre Duceppe pour la maison de production Tapis Rouge.

Comment faire état des *Beaux Dimanches* sans signaler une réalisation de l'inoubliable Paul Blouin qui dirige Françoise Faucher, Guy Provost, Mimi D'Estée, Louise Marleau et Gérard Paradis dans une dramatique signée Louise Maheux-Forcier : *Un Parc en automne*. En résumé, les pensionnaires d'une maison de retraite se questionnent sur le sens de la vie et de la mort ; certains se révoltent, d'autres acceptent avec sagesse sereine l'automne de la vie.

Le 13 octobre, le réalisateur Pierre Morin nous invite à une soirée de danse avec trois chorégraphies du *Ballet Eddy Toussaint* de Montréal : *Un simple moment, Misa Criolla* et *Valses*.

Les Beaux Dimanches font souvent bonne place aux variétés comme ce soir du 3 novembre où le réalisateur Jean-Jacques Sheitoyan nous offre *Beau Dommage au Forum.* Une autre soirée mémorable dans une ambiance nostalgique puisque le groupe mythique, dissous en 1978 après quatre années d'existence, est reconstitué sept ans plus tard pour l'occasion avec Marie-Michèle Desrosiers, Pierre Bertrand, Réal Desrosiers, Michel Rivard, Robert Léger et Michel Hinton.

Mais avant de baisser le rideau sur ces soirées historiques, je veux raviver le souvenir d'un spécial diffusé le 29 décembre aux *Beaux Dimanches*: *Le Cirque du soleil.* Fondé en 1984 dans le cadre des célébrations du 450e anniversaire de la découverte du Canada, le Cirque du soleil était d'abord une modeste troupe d'amuseurs de rue qui caressait le projet de réaliser une tournée californienne. Le « Club des talons hauts », comme on l'appelait à ses débuts, obtiendra une contribution financière du premier ministre René Lévesque qui lui permettra de porter le talent québécois jusqu'à la côte pacifique. Dirigé par Guy Laliberté, le Cirque comprend alors dix employés permanents et quatre-vingts artistes provenant de quelques pays, dont la moitié sont des Canadiens. Dans les 11 villes où il passe, le Cirque récolte triomphe sur triomphe. Malgré la concurrence du cinéma et de la télévision, le cirque conserve toujours son pouvoir d'émerveillement et de fascination sur tous les jeunes de 2 à 92 ans. C'est comme ça que notre rédacteur de Radio-Canada présentait le cirque au moment de sa mise à l'antenne, une année après sa naissance. Aujourd'hui devenu universel, il se produit sur tous les continents ;

c'est une entreprise québécoise reconnue internationalement. Bravo à Guy Laliberté et merci à René Lévesque.

Les samedis d'Yvon Deschamps

Un titre accrocheur: *Samedi de rire*, une trouvaille sans doute d'Yvon Deschamps lui-même qui anime cette nouvelle série à compter du 5 octobre, bien évidemment le samedi soir. J'ai déjà lu quelque part que Félix Leclerc aurait dit de Deschamps qu'il était «le psychothérapeute de tout un peuple». Il fait rire, il dérange, il bouscule et provoque notre bonne conscience collective. Pour Yvon Deschamps, faire rire c'est essentiel, «c'est un besoin comme manger et dormir». Trois samedis par mois, *Samedi de rire* met l'humour et la fantaisie à notre antenne. Deschamps a conçu l'émission, assisté de Josée Fortier. En animant un feu roulant de sketches, de monologues et de chansons, le tout assorti de transitions comiques et de numéros de fantaisie de facture inédite, Yvon Deschamps réalise un vieux rêve. Dès la première émission, on y retrouve Céline Dion, Judi Richards, Pauline Martin, Normand Chouinard... et plusieurs autres. L'équipe de scripteurs est composée de Serge Grenier, François Dépatie et Serge Langevin. Une réalisation de Jacques Payette et une production Samedi de rire dont les partenaires sont Rénald Paré, Yvon Deschamps et Guy Latraverse.

Le quatrième samedi du mois est réservé aux meilleurs moments du Festival Juste pour rire, des Films Gilbert Rozon, un nouveau venu dans le paysage artistique montréalais.

Un train qui s'embourbe dans l'heure de pointe

Nous avons placé cette saison 1985-1986 sous le signe du renouveau; parmi les «grosses» émissions, comme un journaliste les appelle, le Service des variétés a développé une quotidienne diffusée du lundi au vendredi à 17 h qui a laissé quelques souvenirs amers: *Le Train de 5 heures*. Dans cette émission qui veut «exprimer le pays de Moncton à Vancouver», l'animateur Jacques Boulanger, avec François Cousineau à la tête d'un big band, propose musique, chansons, entrevues, reportages et chroniques. Un projet ambitieux, mais qui se heurte à la farouche concurrence du diffuseur privé qui domine ce créneau horaire depuis un bon moment. Il y a des souvenirs qu'on souhaiterait oublier, mais je préfère malgré tout faire état des échecs, surtout qu'ils ne sont pas si nombreux. Nous avions beaucoup misé sur ce rendez-vous quotidien. Ce train, je le voyais comme notre locomotive précédant le bulletin de nouvelles de 18 h. Chacune de nos stations privées affiliées avait consenti à prendre le train avec nous. Quant à moi, j'étais non seulement d'accord avec la proposition du Service des variétés, mais lors du dévoilement de l'horaire d'automne, je l'avais présentée comme notre coup de cœur aux journalistes. J'avais même annoncé que « dorénavant la soirée à notre antenne commençait à 17 h. » Pourtant, quatre mois plus tard, fin d'année 1985, je dois me rendre à l'évidence. L'émission quotidienne *Montréal en direct* diffusée au Canal 10 mène toujours alors que l'auditoire du *Train* diminue régulièrement : c'est sans espoir. Nos affiliés en sont affectés puisque les revenus de commandites baissent dans leurs régions.

Je me suis déjà expliqué sur ce sujet. Bel effort d'imagination des Variétés ; non, le *Train* n'est pas une erreur de Jacques Boulanger, ni du chef de service Michel Chamberland, ni du réalisateur coordonnateur Jean Savard. C'est Truman, président des États-Unis, qui avait dit : « *The buck stops here.* » Je n'ai pas du tout l'intention de refiler la responsabilité d'un échec à quelqu'un d'autre. En réponse aux journalistes, c'est moi le responsable, c'est moi qui ai accepté le projet, j'ai donné mon accord, j'assume. Et quand Louise Cousineau annonce dans *La Presse* que Radio-Canada retire Jacques Boulanger du combat, elle annonce que « c'est le chien, *Le Vagabond* qui arrivera à 17 heures ». Il me semble me souvenir qu'elle a même titré son article « Le chien de cinq heures ». C'était de bonne guerre de la part de la chroniqueuse télé la plus lue au Québec, mais nous avions d'autres chats à fouetter.

L'année 1985 s'achève en même temps que *Le Défi mondial* dont nous allons diffuser les six épisodes en rafale, six soirs consécutifs, en janvier 1986. Cette production a vu le jour grâce à Radio-Canada, Antenne2 (France), Téléfilm Canada, l'ACDI, le ministère de l'Énergie, Mines et Ressources. Mais hors le support financier, cette série est surtout le produit de la détermination de Daniel Bertolino. Pour nous présenter son tour de force, il est entouré : son coscénariste et coréalisateur Daniel Creusot, le grand acteur britannique Sir Peter Ustinov et Patrick Watson, de la CBC. Le soir du lancement, Jean-Jacques Servan-Schreiber, l'auteur du best-seller qui a inspiré la série, a dit ceci : « L'entreprise, dont le lancement public a lieu aujourd'hui à Montréal, est la plus moderne, la plus universelle, la plus urgente qui soit. Je peux en parler librement, et sans fausse modestie, car ce déferlement d'images intelligentes qui va partir à l'assaut du monde, il ne m'est pas dû. C'est l'œuvre, avant tout, de l'audacieuse télévision canadienne et de deux géants qui sont ici à mes côtés : Daniel Bertolino et Peter Ustinov. » On y reviendra dès le début de la prochaine année.

Piliers dramatiques

Une année ne peut passer sans que des prix ne récompensent nos émissions. Cette année, nous sommes fiers de voir deux de nos téléromans cités à l'honneur par des organismes québécois. *Le Temps d'une paix* se poursuit, mais suite au décès de l'acteur Pierre Dufresne, qui en était un pilier, Jean Besré a pris la relève. Ce feuilleton de l'auteur Pierre Gauvreau et du réalisateur Yvon Trudel, une des plus grandes réussites de Radio-Canada à l'époque, a été choisi par les lecteurs du magazine *TV Hebdo* comme la meilleure dramatique des 25 dernières années avec une marge considérable devant le deuxième choix du public. Ce magazine célèbre son 25e anniversaire en 1985 et nous a toujours servi de véhicule entre les créateurs de la télévision et les téléspectateurs avides de connaître les offres télévisuelles.

Par ailleurs, c'est la première fois que l'Association nationale des téléspectateurs (ANT) décerne des récompenses aux émissions francophones canadiennes, au détriment des productions étrangères. Cet organisme est composé surtout de parents, d'enseignants et de communicateurs ; évidemment, cette composition marque une certaine orientation dans ses décisions. Invité à remettre ce prix, j'apprends qu'il doit être attribué à une œuvre de notre Service des émissions dramatiques : *La bonne aventure.* L'auteure Lise Payette, les réalisateurs Lucille Leduc et Aimé Forget et les comédiennes Johanne Côté,

Nathalie Gascon et Michèle Léger, qui sont présentes à l'événement reçoivent cet hommage avec grand plaisir.

En guerre contre mon ami Gabriele

Plusieurs journalistes m'attribuent un rôle dans la « guerre des sondages ». Bien évidemment, cela fait de la copie intéressante pour nos journaux quotidiens, mais pour la majorité des lecteurs, c'est du chinois. Les chroniqueurs télé en font leurs choux gras puisque c'est une belle occasion d'opposer le nouveau directeur de la télévision publique à son compétiteur, un homme avec qui j'entretiens d'excellentes relations, Vincent Gabriele. Rappelons les faits. Le sondage d'écoute de la télévision livré par BBM (Bureau of Broadcast Measurement) à l'automne 1985 pour la région de Montréal favorise nettement Télé-Métropole aux heures de grande écoute, entre 19 h et 23 h : 28 % de l'auditoire va au Canal 10 contre 21 % à CBFT (Radio-Canada). Ce sondage couvre la période du 19 septembre au 2 octobre. Aux journalistes qui veulent connaître ma réaction, je déclare que les BBM arrivent trop tôt cette année (en comparaison avec l'année précédente) puisque nous diffusons encore les matches réguliers des Expos (notre horaire d'été) tandis que nos émissions de grande écoute comme *Le temps d'une paix*, par exemple, et plusieurs autres ne sont pas encore à l'antenne. Je me permets alors de dévoiler un sondage de la maison Nielsen, celui-là plus récent et couvrant la période du 7 au 13 octobre, tenant compte de la fin de la saison régulière du baseball et de la diffusion de la programmation d'automne. Toutefois, ce sondage Nielsen ne se limite pas à la région métropolitaine : il couvre tout le Canada francophone. Au lieu de deux émissions sur dix dans le palmarès de BBM, la télévision publique est créditée de quinze émissions sur vingt chez Nielsen. En première position, on trouve *Le temps d'une paix* avec 2 465 000 téléspectateurs ; Radio-Canada compte onze émissions millionnaires contre quatre pour TVA.

Les journalistes sont unanimes à déclarer que je pose là un geste sans précédent ; on écrit que je ne joue pas *fair*. Il est évident que je bouscule un peu la tradition. S'il faut une comparaison honnête, je dois avouer que je ne joue pas le jeu. Louise Cousineau nous rappelle que « le réseau de Radio-Canada comporte 20 stations alors que celui de Télé-Métropole en a 10. » De plus, je constate que la comparaison entre la région métropolitaine et le réseau ne tient pas. Mon bon ami Gabriele a raison d'être indigné devant ce procédé. J'ajoute quand même que le sondage Nielsen illustre bien que les téléspectateurs apprécient les émissions canadiennes puisque dix-huit sur vingt-cinq sont des productions originales et canadiennes, aussi bien à Radio-Canada qu'à TVA. Ce commentaire additionnel ne justifie pas ma prise de position.

Des coupes politiques?

Avant la fin de l'année 1985, le siège social d'Ottawa envisage de réduire les budgets. C'est du moins ce qu'on peut croire après lecture de la conférence prononcée par notre président Pierre Juneau devant la Chambre de commerce de Sainte-Foy. Il y fait état des coupures de plus de 60 millions $ que subit chaque année la Société depuis un moment déjà. Je ne peux m'empêcher de penser que c'est le résultat du conflit politique entre les Conservateurs au pouvoir et un président nommé par les libéraux, après avoir été ministre non élu des Communications dans ce même gouvernement libéral.

Invité par un journaliste à commenter les propos de Juneau qui laissent entendre que ces coupures auront sans doute des effets directs sur notre programmation, je réponds d'abord que ce n'est pas à moi de commenter les propos de mon président. J'ajoute toutefois que la préparation de notre grille horaire de l'automne 1986-1987 n'est pas soumise aux coupures. Je me montre positif en affirmant que le réseau français doit continuer à être le reflet de notre culture; s'il faut couper quelque part, nous ferons l'impossible pour épargner nos émissions canadiennes qui ont la faveur du public, sondages à l'appui. Je me souviens fort bien qu'à la suite de cet entretien, le journaliste avait écrit que « quand Robert Roy s'embarque sur les productions canadiennes, on ne peut plus l'arrêter ». Pour ce qui est des coupures gouvernementales, nous avons déjà quelque expérience. Et à la Société, on sait très bien que notre président, dont le poste est garanti par la loi pendant une période déterminée, n'est pas de la même couleur que les conservateurs au pouvoir. Une querelle politique à laquelle nous ne sommes guères habitués...

Ce président, avant de s'adresser à la Chambre de commerce, avait convoqué à son bureau les directeurs de Toronto et Montréal, responsables des ententes avec Téléfilm Canada (qui venait de remplacer la SDICC). À cette occasion, il nous avait donné ordre d'arrêter tout nouvel engagement avec les producteurs indépendants, ce qui était impensable puisque nous étions sur le point de signer des contrats pour des productions qui figuraient déjà dans notre projet de grille de l'année à venir.

On verra plus loin, pendant les quelques années qu'il me reste à naviguer à la direction de la télévision, si je pourrai poursuivre ce mandat auquel je crois fermement.

30

DES SOUVENIRS DE MICHEL CAILLOUX

Nous sommes en juin 1985. Bobino a vécu plus de 25 années avec ses tout-petits. Guy Sanche a connu Bobinette quand Michel Cailloux (aussi Michel le magicien) est arrivé à la fin des années 1950 dans cette merveilleuse aventure à titre d'auteur.

Pendant que j'écris mes souvenirs de cette époque, je reçois une invitation pour célébrer le 80e anniversaire de Michel, le 1er octobre 2011. À cette occasion, je lui fais une demande. Peut-être pourrait-il écrire quelques mots personnels sur cette exceptionnelle randonnée avec Guy Sanche, Paule Bayard et Christine Lamer ? Je me ferais un plaisir d'insérer ces anecdotes à mes mémoires sur la télévision jeunesse. Elles constitueraient certainement un enrichissement.

Le 17 janvier 2012, Michel me téléphone ; je passe le voir et il me remet plusieurs pages manuscrites. Sa santé n'est pas très bonne, mais il a pris le temps de rédiger quelques souvenirs que je suis heureux de partager avec les lecteurs éventuels de ces souvenirs. Michel commence par un hommage...

J'en profite pour redire à Guy Sanche (« de Hull », comme il aimait le préciser), à Paule Bayard et à Christine Lamer, la grande chance que j'ai eue d'écrire pour eux, de les avoir comme interprètes !

Avec quel brio, ils étaient capables de passer d'un rôle didactique à un rôle sentimental, d'un rôle farfelu à un rôle de composition ou autre !

Lorsqu'on assistait à l'une de leurs séances de répétition, on ne pouvait que conclure : « C'est ça, le talent ! »

Michel a écrit plus de 5000 émissions de la série *Bobino*. Il savait où trouver son inspiration :

Bobino a duré plus de 25 ans et l'on me demande souvent où je prenais mes thèmes, mes idées, En fait, tout pouvait être, pour moi, source d'inspiration : aussi bien une lecture incomprise que le concert présenté par une bande de pinsons ou le comportement bizarre d'un chauffeur de voiture.

Et là, justement à titre d'exemple : mon épouse et moi avons trois filles... Un jour, l'une d'elles nous est arrivée furieuse : elle avait vu un automobiliste jeter dans la rue son cendrier rempli de mégots... Que ma fille soit transposée en Bobinette pour les besoins de l'action, il n'y avait qu'un pas à franchir, et qui fut vite franchi !

Michel avait un souhait, qui a été exaucé. Très vite, il exprime le désir de rajouter un personnage à la série, de façon à pouvoir rédiger des dialogues, au lieu de simples monologues. Il propose même que ce personnage soit une petite sœur, fournie à Bobino et offrant la possibilité de conflits enfant-adulte, aussi bien que fille-garçon. Le réalisateur de l'époque, Louis Létuvé, approuve l'idée et envisage d'engager une comédienne ayant le physique de l'emploi. Mais Michel Cailloux voudrait que le rôle soit tenu par une marionnette. C'est lui qui aura gain de cause et, inspiré par un dessin publicitaire qu'il avait fait quelques années auparavant en France (Bobinette avant la lettre !), c'est lui qui exécute le portrait modèle de la fameuse poupée, telle que devait la fabriquer Edmundo Chiodini, le brillant spécialiste en marionnettes de Radio-Canada.

Bobinette était née. Il ne lui manquait plus que la parole et le mouvement qu'allait lui donner... Paule Bayard.

Qui se souvient de l'enlèvement de Bobinette ?

Au cours des années 1970, une certaine poupée Bobinette, assise sur un bureau de la Section jeunesse, à Radio-Canada, attendait patiemment qu'on la porte au studio 59, où elle devait se produire à 16 h, en compagnie de son grand frère Bobino. Malheureusement, celui qui vint la chercher n'était pas du tout celui qu'on attendait !

En un tournemain, il saisit la marionnette, la glissa dans un sac en papier et s'enfuit...

Quand on s'aperçut que la « poupée vedette » n'était plus là, il était trop tard pour en fabriquer une autre avant l'émission.

Déjà on envisageait d'annuler l'émission, alors que les haut-parleurs, près des ascenseurs, diffusaient un message continuel: « S'il vous plaît, vous qui vous êtes emparé de Bobinette, avez-vous pensé que, sans elle, on ne pourrait pas présenter l'émission ? Que, sans elle, ce sont des milliers et des milliers d'enfants qui vont être lésés, qui seront privés de sa présence... ? »

Résultat, amis lecteurs... peut-être avez-vous deviné ce qui arriva ?

Regrettant le geste posé, notre larron rapporta subrepticement la marionnette et la déposa dans une salle d'eau où on la retrouva juste à temps pour le programme.

Depuis ce jour, l'expérience a porté : il existe maintenant une dizaine de Bobinette prêtes à toutes éventualités !

Que dit l'auteur sur les pétards à la farine ?

Par une belle journée d'été (à moins que ce ne soit d'automne), une grand-maman de Cabano (c'est ainsi qu'elle signait son courrier) m'adressa une lettre quelque peu impertinente...

On sait que, de tout temps, l'espiègle Bobinette a rêvé de posséder une grosse boîte de pétards à la farine, que son grand frère a toujours refusé de lui acheter.

Eh bien justement, la grand-maman en question prétendait que, si Bobino n'était pas d'accord pour faire cet achat, c'est tout simplement parce qu'il n'avait pas de cœur et que pour lui faire honte, c'est elle-même, la grand-maman de Cabano, qui allait acheter les pétards désirés et les envoyer à Bobinette !

Michel répondit à la dame en lui envoyant une série de photos de Bobino avec les expressions qui correspondaient à ses propres réactions :

Bobino sidéré

Bobinette éclatante de joie

Bobinette enfarinée par son propre pétard : elle s'est trompée de cible !
Bobino ravi
Bobinette furibonde

Et Michel ajoute qu'il a correspondu avec cette dame pendant plusieurs années et que ce fut fort agréable !

J'ignore combien coûtaient les émissions de *Bobino* à leurs débuts. Mais il semble que Michel distribuait « des rôles à peu de frais » :

Lorsque j'écrivais les textes pour Bobino, je pouvais faire appel à plusieurs sortes de personnages.

Le premier était, bien sûr, Bobino (rôle tenu par un comédien : Guy Sanche)

Ensuite, il y eut Bobinette, puis Giovanni, une marionnette.

Rappelons que Giovanni fit son entrée à une époque où l'immigration se développait beaucoup à travers le monde ; il avait donc sa place dans l'éducation des tout-petits...

On ne saurait oublier toute une série d'intervenants invisibles dont les présences se traduisaient par des bruits farfelus. Ils avaient noms : Gustave (domestique) ; Mlle Prune (amie) ; Télécino (téléciné) ; Pr. Barbenzinc (savant) ; Camério (caméra) ; Tapageur (bruiteur) ; Mlle Abricot (amie) ; Général Garde-à-Vous et M. Plumeau (voisin).

Un emploi judicieux du téléphone permettait également de communiquer opinions, avis, demandes...

J'imagine que, pour réduire les frais du casting, certains réalisateurs de Radio-Canada seraient prêts à pratiquer des coupures telles que celles décrites ci-dessus.

Michel ne peut oublier de mentionner l'importance des décors chez Bobino :

Pour renouveler les personnages, les thèmes, les sources d'inspiration, l'auteur fait facilement appel aux changements de décors. Pour éviter la monotonie, Bobino et cie changent régulièrement d'activités et même de métier.

> *Bien sûr, la petite maison de Bobinette (celle où elle est censée habiter au milieu de tout un matériel) est toujours là, elle aussi, sauf qu'elle a été refaite selon les exigences du nouveau décor. En fait, supposons qu'au cours d'une saison Bobino et Bobinette se retrouvent propriétaires d'un garage automobile... il suffira de leur fournir un nouveau décor pour qu'ils puissent exercer un nouveau genre de talent.*
>
> *Bien sûr, la poire à eau et les pétards à la farine seront toujours de rigueur!*
>
> *Les professions de Bobino, Bobinette et cie sont: aubergistes, agence de voyages, cours universitaires, ferme du vieux moulin, centre musical, centre sportif (on vise les Jeux olympiques), centre récréatif, librairie, magasin général, etc.*

On se souvient que cette émission recevait chaque semaine des centaines de dessins que les enfants adressaient à Bobino. Souvent, Michel Cailloux était aussi le destinataire du courrier des téléspectateurs.

> *Depuis que la diffusion de la série « Bobino » a cessé, (voilà déjà quelques décennies), son souvenir est resté et il est encore fréquent que je reçoive des lettres de commentaires, de questionnement sur la qualité de la langue, sur les notions éducatives que je cherchais à inculquer à travers mes textes...*
>
> *Parmi ces lettres, en voici une que je trouve fort émouvante:*
>
> *« Monsieur,*
>
> *Bobino fait partie de mon enfance.*
>
> *La mare aux canards m'a fait rêver quand ma vie d'enfant était trop difficile.*
>
> *J'ai toujours rêvé à cette mare aux canards!*
>
> *Aujourd'hui, j'ai un étang et un couple de canards vient s'y reproduire chaque printemps.*
>
> *Et je travaille à faire rêver d'autres enfants!*
>
> *Merci!*

Et Michel d'ajouter, sans doute à regret: *la signature était illisible...*

J'ai connu Michel quand je dirigeais le Service des émissions pour la jeunesse à la télévision de Radio-Canada. Après avoir offert ses talents à titre de Michel le magicien, il était alors, et depuis un bon moment, l'auteur des textes de la série quotidienne *Bobino*. Avec le réalisateur, les comédiens et autres collaborateurs dans l'ombre, il faisait partie de l'équipe. Michel Cailloux était un homme d'équipe... ce qui n'est pas toujours évident chez un auteur. Sa plume était riche, sa langue française sans concession au goût du moment, par respect pour lui-même et pour l'enfant auquel il s'adressait. Ses histoires étaient intelligentes, humoristiques, divertissantes, mais aussi elles permettaient l'apprentissage chez les jeunes et les moins jeunes. À l'époque, des scientifiques d'ici et d'ailleurs nous exprimaient l'importance de sensibiliser l'enfant à l'environnement et nous signalaient leur plaisir de découvrir que *Bobino* en était un véhicule important grâce à son auteur Michel Cailloux.

Après une longue carrière à la télévision, où il contribua à maintes autres séries destinées à nos enfants, Michel a décidé de se mettre au service des enfants dans les écoles du Québec et de l'Acadie, de partager avec eux son immense talent d'écrivain et son habileté de dessinateur. J'étais impressionné par son approche pédagogique : convaincre, en une journée, les enfants qu'ils sont, eux aussi, capables de raconter une histoire. Je ne doute pas que des auteurs, un jour, diront : « Si je suis écrivain, c'est grâce à cette journée où, enfant, j'ai rencontré Michel Cailloux à l'école. »

Il est évident que Michel, grâce à son œuvre écrite diffusée à la télévision publique, grâce à son enseignement de l'écriture à l'école, a démontré qu'une langue belle pouvait rejoindre un très large auditoire. Cet homme a joué un rôle de premier plan pendant plus de cinquante ans au service de nos enfants et petits-enfants.

J'ai lu quelque part que Jean Piaget le pédagogue suisse parmi les plus réputés aurait dit que *Bobino* était l'émission la mieux pensée qu'il lui ait été donné de visionner.

Il est toujours triste de perdre des personnes qu'on aime. Mais cette tristesse est pour nous qui restons. Michel, lui, mérite une autre vie. Il nous a quittés le 3 septembre 2012.

31

LANCE ET COMPTE !

L'année 1986 est une année où des événements viendront bousculer les télévisions d'ici et d'ailleurs.

Mais avant d'aborder cette période de multiples changements, parlons d'un projet né en 1984 qui va modifier durablement le paysage dramatique télévisuel auquel nous sommes familiers.

Le téléroman est né avec la télévision de Radio-Canada en 1952. C'est l'une des deux passions des téléspectateurs québécois, avec le hockey. Depuis plus de trente ans, les Québécois suivent avec ferveur l'équipe de Montréal, les Canadiens, dans les émissions sportives de la SRC, surtout le samedi soir, créneau de la sacro-sainte *Soirée du hockey*. En 1984, les deux enfants chéris des Québécois, le téléroman et le hockey professionnel annoncent leurs fiançailles.

Le plan de match de Richard Martin

C'est Richard Martin, qui dirige le Service des émissions dramatiques à la télévision de Radio-Canada, qui a eu l'idée d'un téléroman sur le hockey. Il contacte Réjean Tremblay, journaliste sportif vedette de *La Presse* : « Il faudra que tu écrives ça. » Mais Réjean réplique qu'il est chroniqueur, pas scénariste. Mais Richard ajoute : « Dès que je t'aurai trouvé quelqu'un pour t'aider, on va mettre ça en marche. » Ce quelqu'un, ce sera le romancier Louis Caron. *Lance et compte...* est lancé.

Le premier jet du premier scénario est écrit, Richard Martin le lit, et se présente au bureau du vice-président de la télévision, Pierre DesRoches, notre grand patron, pour lui proposer cette entreprise qui n'a rien de banal. Pierre DesRoches, au début des années 1960, a dirigé le Service des émissions pour la jeunesse, où Richard était réalisateur. Ils sont restés de bons amis. Richard est un homme de cœur, un passionné, aussi un grand professionnel de la télévision ; quand il a un coup de foudre, rien ne peut l'arrêter. Richard a deux grandes passions avouées : les dramatiques et le club de hockey des Canadiens de Montréal. Il est emballé de ce qu'il vient de lire et surtout il a compris que notre télévision peut donner naissance à une nouvelle œuvre tout à fait originale qui va marquer son époque. Le grand patron partage son enthousiasme. Mais il faut d'abord remettre ce projet sur la voie hiérarchique qu'il a récemment mise en place. Il me convoque à son bureau. J'accepte avec plaisir de poursuivre le développement de ce projet avec Richard pour qui j'ai le plus grand respect.

Dès nos premiers échanges, il ne fait aucun doute qu'il y a là matière à une série ; en faisant son entrée aux dramatiques, notre sport national est livré à toute une génération de jeunes comédiens. L'auditoire, qui a le goût du sport et des intrigues, leur fera une grande place dans leur cœur. Les pièges sont nombreux. Mais pour nous, qui avons l'habitude des chimères, impossible ou insurmontable sont des mots proscrits dans le monde de la création.

Je dois rendre hommage à Richard Martin qui ne recule jamais devant les difficultés ; c'est un fonceur. Dans ce projet, c'est une qualité dont nous aurons fort besoin. Depuis plus de vingt ans, Richard Martin s'en est beaucoup servi comme réalisateur d'émissions jeunesse, de variétés et de dramatiques, et comme directeur du Service des émissions dramatiques.

Nous avons donc un concept original et l'important, c'est d'être capables, ensemble, de nous poser les bonnes questions. Il faut se rappeler qu'en 1984, la production indépendante, qu'on appelle à l'époque la production extérieure, n'est pas encore complètement entrée dans les mœurs de la Maison. Mais, avec Richard, on ne va sûrement pas s'enfarger dans les fleurs du tapis. J'ai dit *fonceur*!

Réjean Tremblay, de journaliste à scénariste

Réjean Tremblay a rédigé une esquisse d'histoire en cinq épisodes de trente minutes. C'est le format traditionnel des dramatiques à la télévision, à l'exception du *Temps d'une paix*, produit chez nous, et des productions extérieures comme *Maria Chapdelaine, Bonheur d'occasion* et *Les Plouffe* qui ont été conçues pour des créneaux de 60 minutes. Réjean est un excellent journaliste sportif, mais ce n'est pas un auteur dramatique. Il n'est pas familier avec les contraintes budgétaires de la télévision ; il a développé ses intrigues en multipliant les personnages, tous inspirés des vrais sportifs qu'il côtoie quotidiennement dans les vestiaires. Il a aussi des contacts fréquents avec Ronald Corey, président du club de hockey les Canadiens de Montréal et Serge Savard, dit « le Sénateur », directeur gérant du club.

Richard est séduit par les premiers textes, moi aussi. Les personnages feront un malheur. Toutefois, nous allons vite nous rendre à l'évidence que l'auteur a besoin d'être encadré par un scripteur professionnel de la télévision qui connaît les règles.

Avant d'aller plus loin, il faut surtout s'assurer que ces personnages, aussi vraisemblables soient-ils, ne correspondent pas à la réalité ; je devrais dire qu'ils ne doivent pas révéler de vrais joueurs de la ligue nationale. Puisqu'il s'agit d'une œuvre de fiction, les personnages doivent rester fictifs. Un beau défi, essentiel à cette étape pour éviter des conflits et des poursuites judiciaires.

Dès le début, j'avoue mon ignorance puisque je ne suis pas un fan du hockey comme Réjean Tremblay, Richard Martin ou mon fils Patrick. Pendant les vacances de Noël, je propose à ce dernier de lire les scénarios et de me dire s'il reconnaît des joueurs réels dans les personnages de Tremblay. Avec enthousiasme, Patrick se met rapidement à l'œuvre.

Dès les premières pages du premier scénario, il s'exclame : « Ah ! Celui-ci c'est X, celui-là c'est Y »... Aïe. Je me dis : *Ou bien il faut arrêter la série, ou bien il faut la réécrire. Mais attendons que l'expert ait terminé la lecture des cinq épisodes*. Quelques heures plus tard, Patrick me revient, beaucoup plus sage : en vérité, X a les traits, le caractère, les manies de plusieurs joueurs professionnels, même chose pour Y ; Patrick est moins triomphant, mais je suis rassuré. Voilà donc une première question qui a trouvé réponse. Il y en aura bien d'autres dans les prochains mois.

Québec aura l'équipe!

Depuis sa fondation, Radio-Canada est diffuseur des matches de hockey à la radio et à la télévision. Nous avons les mêmes commanditaires depuis des années : Esso, Molson, Ford... Nos relations avec les Canadiens de Montréal sont plutôt cordiales. Avant de présider le club, Ronald Corey a travaillé à Radio-Canada comme réalisateur au Service des sports et il a toujours été d'un contact facile et chaleureux. Nous pensons qu'il serait approprié de sonder avec lui l'intérêt des propriétaires du club si on doit se lancer dans une fiction avec le hockey comme toile de fond. Il nous faut aussi une patinoire avec public. La question est posée à Molson ; la réponse parvient de Toronto. Aucun commentaire sur le concept ; mais sur l'utilisation de la patinoire, sur une collaboration éventuelle, que des refus ! Nous sommes déçus, mais cette réponse signifie que nous ne sommes plus liés avec nos partenaires de la *Soirée du hockey*. Mais pendant ce temps, Marcel Aubut, des Nordiques de Québec (commandités par O'Keefe, grand rival de Molson) voit venir son heure, qu'il attendait depuis longtemps.

Le joueur étoile Pierre Lambert (interprété par Carl Marotte) portera donc le fleurdelisé du National... de Québec. Yves Bernier, du journal *Le Soleil* (de Québec), écrit le 10 septembre 1985 : « En entrant au Colisée, hier après-midi, je me croyais vraiment à une séance d'entraînement des Nordiques. »

La série la plus lourde

Le format : puisqu'il doit y avoir extérieurs, une patinoire, des matches de hockey, on opte pour des épisodes de 60 minutes. *Le Temps d'une paix*, production interne, nous coûte 300 000 $ / l'heure (coûts directs et indirects, comme on dit à l'époque ; et les coûts indirects, cela comprend aussi le sable qu'on répand en hiver sur la chaussée glacée devant l'entrée de Radio-Canada...) *Le temps d'une paix* est notre série la plus lourde, et on prévoit sans difficulté que *Lance et compte* coûtera beaucoup plus cher.

Il faut se rendre à l'évidence : impossible de réaliser cette production à l'interne. Richard hasarde un premier pas dans la production extérieure ; je le trouve un peu candide devant l'ampleur du problème, mais il revient d'un déjeuner avec le producteur Claude Héroux avec une solution en mains. Je méprenais sa candeur pour de la détermination. Rien ne l'arrête !

Je reste encore sceptique : comme il s'agit d'un projet considérable qui rapportera certainement beaucoup à son producteur, ne devrions-nous pas au moins faire un appel d'offres ? Il n'existe pas de précédent. Normalement, les productions indépendantes sont conçues à l'extérieur et elles nous sont offertes pour diffusion. Ce serait la première fois que la SRC choisit un indépendant pour assumer la production d'une idée développée à l'interne. Radio-Canada, société publique, doit éviter tout conflit d'intérêts, tout favoritisme. Nous sommes en 1984 !

Claude Héroux quitte Astral où il travaillait, mais il attend quatre mois avant de s'intéresser publiquement à *Lance et compte*. Entre-temps, il avait déjà levé son verre de champagne à Réjean Tremblay, en lui disant que ce projet allait devenir leur fonds de pension !

Cachez ces marques...

Tremblay se remet donc à l'écriture de la série dans sa nouvelle mouture, avec la collaboration de Louis Caron. Ils se partagent ainsi le travail : Louis Caron veille à la psychologie des personnages tandis que Réjean Tremblay est un inépuisable réservoir d'anecdotes sur l'univers du hockey. Ce dernier apprend vite comment s'écrit une œuvre de télévision. Richard Martin supervise l'écriture, un budget est développé et le producteur indépendant obtient une contribution financière substantielle de Téléfilm Canada. Il réussit aussi à intéresser Jean-Claude Lord à la réalisation des 13 premières heures. OUF !

À cette époque, je suis aussi président du Comité des Médias qui regroupe les directions de la radio, de la télévision et de l'information des chaînes publiques anglophones et francophones de Radio-Canada. Ce comité fait rapport au président Juneau. Parmi ses responsabilités, il doit s'assurer du respect des politiques de programmes et, s'il y a lieu, des recommandations sur les changements à apporter. Quand je visionne les premiers montages de *Lance et Compte*, je sens que l'été sera infernal: on voit des marques de commerce partout, sur les équipements, sur les bandes de la patinoire, etc. Conflit en vue avec Pierre DesRoches, le vice-président du réseau français de télévision, sur les politiques de programmes et les politiques commerciales de la Société. Mais il n'y aura pas de conflit avec DesRoches, puisqu'il est muté à l'ambassade du Canada, rue Montaigne à Paris... par les bons soins du président Juneau, qui le remplace à Montréal par Franklin Delaney. Mais durant l'été 1986, qui précède la mise à l'antenne de *Lance et Compte*, la haute direction, aussi bien à Montréal qu'à Ottawa, se montre très souple, voire indifférente, quant au non-respect des politiques nationales de programmes. Louise Cousineau écrit que la SRC ouvre la porte à la commercialisation; un monde dans lequel je ne voudrai pas vivre, comme le comprendra et l'écrira la même chroniqueuse... le 9 avril 1988. L'obstacle à surmonter est alors l'Article 1 de la politique des programmes n° 12 de la Société Radio-Canada qui interdit «la commandite d'émissions ou l'insertion de messages commerciaux lorsqu'une association pourrait être faite entre le contenu des annonces et celui de l'émission (...) il va de soi que dans les cas où il existe un lien direct entre publicité et programme, une telle forme de commandite (...) est inacceptable.»

Il ne m'est pas possible de faire respecter cette politique ni par le producteur ni par la vice-présidence du réseau français ni par la présidence à Ottawa. Avec le temps, toutefois, la direction de la Société soulignera davantage le rôle important que joue le commanditaire dans nos émissions.

Juste derrière Le Temps d'une paix

Cette nouvelle série dramatique est une coproduction franco-canadienne de Claude Héroux avec Radio-Canada, TF1 (France) et CBC, en collaboration avec Téléfilm Canada, la Société générale du cinéma du Québec, avec la participation financière de la Brasserie O'Keefe et d'Ultramar. À l'antenne le mardi à 20 h à compter du 9 septembre, *Lance et Compte* est le succès de la saison au Québec. Cette série télévisée vide les rues de la province le mardi soir. À la deuxième saison, les rues seront toujours vides, mais le jeudi soir. Drame pour mon coiffeur italien à Boucherville : les hommes ne sortent plus ce soir-là. Je lui suggère de placer un appareil de télé dans son salon de coiffure. Il s'agit vraiment d'un phénomène national qui durera trois saisons.

À la dernière émission de la première série, après treize semaines, *Lance et compte* s'est hissé en deuxième position des cotes d'écoute, derrière l'inamovible *Le Temps d'une paix*, qui ne la devance que de quelques milliers d'auditeurs. *Le Temps d'une paix* de Pierre Gauvreau exalte nos racines, les valeurs d'hier. *Lance et compte* raconte et montre ce que nous sommes, les valeurs d'aujourd'hui, avec un rythme et un style contemporains. La dramatique à Radio-Canada vient de changer de siècle. On y aura mis plus de trente ans. Merci à Réjean Tremblay, Louis Caron et Richard Martin parce que l'essentiel en télévision ou en cinéma c'est l'écriture, le scénario. Bravo aussi à Jean-Claude Lord qui cause une révolution par sa façon de faire et procure à notre télévision publique des cotes d'écoute phénoménales.

Ingrédients du succès

Quoiqu'en disent certains partenaires dans cette aventure, j'y ai cru dès ma rencontre avec Pierre DesRoches et Richard Martin, et je suis convaincu, au moment où cette série prend l'affiche à l'automne 1986, qu'il s'agit d'un virage très important au point de vue de la création à la télévision. D'ailleurs, Réjean Tremblay a entendu ma satisfaction à maintes reprises pendant la production de la première série et en a fait état dans un de ses articles. Le rythme est nouveau, le découpage rapide, le montage nerveux, le style sûrement fait pour plaire aux jeunes et à un large public. On y trouve un bon dosage de comédiens chevronnés et aimés comme Marc Messier, Michel Forget, Yvan Ponton, Macha Méril, Benoît Girard ; aussi ce gang de jeunes qui, en treize semaines, deviennent les nouvelles stars du petit écran : les

Marina Orsini, Carl Marotte, Robert Marien... aussi Sylvie Bourque, Marie-Chantal Labelle et Jean Harvey. On ne s'ennuie pas! Réjean Tremblay décrit *Lance et Compte* comme « les passions du pouvoir, de l'argent, de l'amour pour le plus grand plaisir des téléspectateurs », et il ajoute que *Lance et compte* est probablement le plus grand reportage qu'on ait jamais fait sur le hockey. Louise Cousineau salue dans *La Presse* « ce que la télévision québécoise nous a présenté de plus excitant depuis longtemps. » La première série est diffusée au Canada anglais, en France aussi où l'on change le titre pour *Cogne et gagne* (une autre culture!) La série sera vendue dans plusieurs pays européens et en Amérique du Sud. Jacques Lina avait déjà dit, parlant de *Téléchrome* à la télévision jeunesse dans les années 1970 que « la télévision a fait un miracle ». En 1986, avec *Lance et compte,* Radio-Canada fait un pas qui marque l'histoire de la télévision au Québec. Un virage qui fera dire à plusieurs qu'il y a la télé d'avant et d'après *Lance et compte.*

Et cachez ce sein!

Pour ajouter du piquant, il faut noter que la première série étant diffusée à 20 h, les ados qui s'intéressent au hockey sont à l'écoute. Mais le monde du hockey étant ce qu'il est, dans un épisode le héros Pierre Lambert a droit à un striptease dans sa chambre d'hôtel. Le lendemain de la diffusion de cette scène, en octobre 1986, le hasard veut que nous soyons convoqués à Ottawa pour le renouvellement des permis de nos réseaux de télévision. Notre président Pierre Juneau, qui nous reçoit, n'est pas de bonne humeur : il a eu vent du striptease montré la veille à la SRC dans *Lance et compte.* Il nous en fait le reproche, que nous acceptons. Comme la CBC diffuse les émissions deux semaines après la SRC, son vice-président, Denis Harvey demande que la scène soit retirée. Mais ce n'est pas la seule tempête soulevée par la fameuse scène : un mouvement bien orchestré de protestation se manifeste bientôt, notamment à la Chapelle de la Réparation, à Pointe-aux-Trembles, dans l'est de Montréal : une pétition signée par des milliers de personnes est envoyée à Radio-Canada. Nous prenons la décision d'éliminer une ou deux scènes qui pour certains peuvent être choquantes, ce qui pose quelques difficultés à notre partenaire producteur. La saison suivante, la diffusion sera reportée à 21 heures et les reprises de la première série comme les originaux de la seconde seront présentés en version intégrale. Certains journalistes l'ont bien noté d'ailleurs.

Les prix Gémeaux, qui apparaissent en 1987, reconnaissent le talent des artisans et des comédiens. Dès la première saison, *Lance et Compte* a droit à six prix, dont celui de meilleure minisérie et de meilleure réalisation. D'ailleurs, le prix Gémeaux de la meilleure réalisation ira trois années de suite aux réalisateurs de la série, Jean-Claude Lord... et Richard Martin. Quand la direction des programmes a confirmé la production d'une deuxième série, pour diffusion en 1988, Richard Martin a quitté Radio-Canada pour en devenir le réalisateur. Cette deuxième série a une saveur russe ; à notre grand regret, Richard et moi n'avons pas reçu le signal attendu de Gostelleradio, la télévision soviétique, suite à notre rencontre à Moscou avec son grand patron.

Pour moi, le succès de *Lance et Compte*, c'est Richard Martin, Réjean Tremblay et Jean-Claude Lord, qui donnent un nouveau souffle de jeunesse à la télévision de Radio-Canada. Martin, Tremblay et Lord lancent, et la SRC compte. J'allais oublier Claude Héroux aux initiales bénies, celles de notre club favori dans la ligue nationale, les Canadiens, CH.

32

LE DÉFI MONDIAL DE BERTOLINO

Défi mondial, défi de programmation

Cette nouvelle année 1986 débute à notre antenne avec une très audacieuse innovation : *Le Défi mondial* de Jean-Jacques Servan-Schreiber a fait l'objet d'une démarche originale qui connaîtra un succès inespéré pour une production documentaire. La décision de sa mise à l'antenne avait été prise quelques semaines ou mois plus tôt, après mûre réflexion entre la direction générale et le service des ventes que dirigeait Paul Rousseau. Celui-ci nous avait confirmé que les agences commerciales préféraient attendre quelques jours après le temps des fêtes de fin d'année pour acheter du temps d'antenne pour leurs clients. Nous réservons donc le créneau de 21 h à 22 h, du dimanche 5 janvier jusqu'au vendredi 10, pour la diffusion en rafale de cette série documentaire prestigieuse.

Avec l'accord de la direction, nous devons reporter d'une semaine plusieurs séries normalement prévues en soirée, comme les téléromans *Poivre et sel, La Bonne Aventure, L'Agent fait le bonheur, Monsieur le ninistre, Manon, Paul, Marie et les enfants* et les séries *Best sellers, Dallas, Le Monde merveilleux de Disney, Séries plus, Le Vagabond, Vedettes en direct* et *En tête*. Ce chamboulement est aussi une première. Il faut croire que *Le Défi mondial* mérite un effort exceptionnel !

Le documentaire à la télévision n'a pas facilement la cote : « Un documentaire qui pousse un téléroman, voilà une rareté », écrit un journaliste. C'est bien téméraire d'offrir un créneau de soirée à une série de documentaires.

En six heures, *Le Défi mondial* que Via le monde a tiré du livre de JJSS traite de la faim, de la course aux armements, du chômage, de l'enjeu du pétrole, des modèles de développement, de la colonisation, de la guerre froide, des rendez-vous manqués entre le Nord et le Sud, de l'émergence du Brésil et du Nigeria sur la base de leurs ressources naturelles considérables et de la formidable croissance du Japon qui, malgré les ravages de la guerre, malgré un sol pauvre, est devenu en une génération l'une des plus grandes puissances mondiales en misant sur le développement de sa ressource humaine, à l'heure où la vague informatique des années 1980 succède au choc énergétique des années 1970. La série se termine d'ailleurs par un plaidoyer pour l'éducation qui anticipe la nouvelle économie du savoir et de l'innovation technologique. Nous sommes en 1986, le mur de Berlin est encore debout et le néocolonialisme empêche le tiers-monde de se développer pleinement ; un menu plutôt copieux pour les appétits légers des heures de grande écoute !

Mais le public est entraîné pendant toute la semaine dans une frénésie d'images et de sons. Pour parler de l'avenir du monde, il fallait un traitement ultramoderne. Ultramoderne, avant la révolution numérique qui ne s'était pas encore produite, cela voulait dire une chose au Québec : le studio André Perry de Morin-Heights, dans les Laurentides, jusque-là connu comme studio de son où les grandes vedettes de la musique pop, de Paul McCartney à Cat Stevens en passant par The Police et toutes les grandes vedettes québécoises, ont enregistré leurs disques. Perry avait développé un secteur vidéo en rassemblant la meilleure technologie de pointe dans le traitement de l'image. Pendant six mois, les équipes de montage de Via le monde, dirigées par Daniel Bertolino et Daniel Creusot, en ont exploité toutes les ressources. Le style du *Défi mondial* est révolutionnaire, et fera école ; pour supporter des informations aussi graves, le montage prenait un look très audacieux, on pourrait dire sexy, plus proche des vidéoclips que des documentaires traditionnels. Tout ça lié par la musique originale créée par un jeune musicien argentin, Osvaldo Montes, qui signera plus tard les musiques d'*À corps perdu* de Léa Pool, de *Fiero, l'été des secrets* d'André Melançon, de *Bombardier* de François Labonté ou d'*El lado oscuro del corazon* d'Eliseo Subiela. Enfin, pour présenter une série aussi ambitieuse, Bertolino avant engagé une star internationale, le comédien anglais, sir Peter Ustinov, qui parle très bien le français.

Lors d'un rapide passage à Montréal en décembre, Jean-Jacques Servan-Schreiber avait dit : « On verra dans la série télévisée la suite navrante, impardonnable, des rendez-vous manqués avec les peuples, avec l'Histoire. »

La programmation de cette série est un défi que le public francophone accepte avec intelligence ; pendant toute la semaine, il est fidèle au rendez-vous ; plus d'un million et demi de téléspectateurs rivés à leur poste de télévision pendant six soirées d'affilée. Le dimanche suivant la dernière émission, le 12 janvier, le journal *La Presse* déclare Daniel Bertolino Personnalité de la semaine. À la première remise des prix Gémeaux en 1987, *Le Défi mondial* en obtient trois à lui seul : meilleur texte et meilleure réalisation (Daniel Bertolino et Daniel Creusot) et meilleure émission ou série documentaire (Daniel Bertolino et Catherine Viau).

Le Défi mondial, également diffusé par Antenne 2 en France et la TSR en Suisse, a aussi été tourné en anglais sous le titre *The World Challenge;* dans cette version pour CBC, Peter Ustinov est secondé par le journaliste Patrick Watson. Ustinov plaisantait d'ailleurs à ce sujet, disant qu'on l'avait laissé seul se dépatouiller en français pour *Le Défi mondial*, mais qu'on lui avait fourni de l'aide pour présenter la série en anglais, sa langue maternelle.

Denis Héroux et John Kemeny, trois fois

En chambardant la grille horaire pour accommoder *Le Défi mondial*, on a pu ainsi insérer *Louisiane,* d'après la trilogie romanesque de Maurice Denuzière, et diffuser ses trois épisodes dans la même semaine. Cette coproduction internationale est orchestrée par Denis Héroux et John Kemeny de International Cinema Corporation (ICC), avec, pour partenaires, Antenne 2 (France), la RAI (Italie) et la SDICC (future Téléfilm Canada) ; elle sera également diffusée par les USA, la Finlande, le Portugal et les Pays-Bas.

Cette réalisation de Philippe de Broca est une fresque historique imposante ; un budget de quinze millions de dollars, plus de deux mille figurants, costumes et décors somptueux, un plaisir des yeux, une fête... L'histoire se situe dans une des plus somptueuses plantations de coton de la Louisiane où l'aristocratie sudiste a fondé sa puissance. *Louisiane* relate l'histoire des amours passionnées de Virginia (Margot Kidder) et de Clarence (Ian Charleson). Tournée principalement sur les bords du Mississippi, à la Nouvelle-Orléans et en France, cette passionnante saga couvre trente années de la vie de Virginia, de ses luttes, de ses amours calculées dans un monde de tumulte et de passions.

Le mois de janvier n'est pas terminé que nous commençons la diffusion d'une autre coproduction de Denis Héroux et John Kemeny (ICC), *Le Sang des autres*, d'après la célèbre écrivaine française Simone de Beauvoir. Les six épisodes sont présentés les vendredis à 20 h, du 24 janvier au 28 février.

Le roman, publié en 1945, raconte l'histoire de deux jeunes amoureux dans la France déchirée par la guerre. C'est à la fois un roman de la résistance et aussi celui d'une société qui s'effondre. L'adaptation est une réalisation de Claude Chabrol, qui a dirigé un impressionnant casting international autour de Jodie Foster dans le rôle principal : Sam Neil, Michael Ontkean, Jean-Pierre Aumont, Stéphane Audran, Kate Reid, Christine Laurent, Alexandra Stewart, Micheline Presle, Lambert Wilson, Monique Mercure et plusieurs autres. Parmi les artisans québécois, on retrouve François Dompierre à la musique, Richard Ciupka à la direction de la photo et Yves Langlois au montage.

Cette coproduction Canada, USA et France a pour partenaires ICC, Ciné-Simone, Filmax, Antenne2 et HBO.

Cette année encore, une famille bien inscrite dans notre imaginaire collectif revient à Radio-Canada. On se souvient des réticences que Roger Lemelin avait exprimées pour ressusciter cette famille à la demande de Gilles Carle, et sous ma pression amicale. On se souvient aussi du succès prodigieux des *Plouffe* au cinéma et en minisérie quelques années plus tôt. C'est maintenant au tour du *Crime d'Ovide Plouffe* de passer à l'antenne. Le vénérable Lemelin, de l'Académie Goncourt, s'était remis à la plume avec la collaboration de Gilles Carle et de Denys Arcand, ce dernier étant très heureux d'être choisi comme réalisateur du long-métrage, qui sera découpé en deux émissions d'une heure. Carle signe les quatre autres épisodes de la série. Les principaux interprètes sont Gabriel Arcand, Anne Létourneau, Jean Carmet, Denise Filiatrault, Juliette Huot, Serge Dupire, Pierre Curzi, Doris Lussier, Véronique Jannot, Louise Laparé, Donald Pilon... La minisérie *Le Crime d'Ovide Plouffe*, diffusée du 26 février au 2 avril, les mercredis à 20 h, est une coproduction de l'Office national du film, Radio-Canada, Ciné Plouffe II, Antenne 2, Film A2, Filmax en association avec Alcan et la collaboration de la SDICC, IQC et les Cinémas unis. Denis Héroux et John Kemeny en sont les producteurs exécutifs.

Après mon départ de Radio-Canada, j'ai eu le privilège de revoir Roger Lemelin une dernière fois avant qu'il ne quitte notre monde. Cette rencontre fortuite a eu lieu à Cannes, à l'occasion du Festival de cinéma. Je terminais une journée de travail pour le Festival des films du monde, assis sur un banc de la Croisette à prendre des notes, entre l'hôtel Martinez et le Carlton. Je vois Roger, accompagné d'un ami québécois, qui marche vers moi d'un pas solide, avec un grand sourire. Je me lève d'un bond et nous nous saluons en vieilles connaissances. Après quelques minutes à converser debout, il décide spontanément de nous inviter à dîner au Carlton. Toujours charmeur et le sourire aux lèvres, il choisit une table en terrasse, demande qu'on y dépose une belle nappe blanche pour un membre de l'Académie Goncourt et ses invités ; ce repas a été un moment de bonheur et de convivialité. La cigarette qui ne le quittait jamais avait fait ses ravages, et l'emportera peu de temps après. D'une seconde à l'autre cet homme passait de flamboyant à simple et chaleureux. J'en garde un souvenir impérissable.

Parlons sport

J'ai confirmé ma décision de laisser tomber la présentation du football américain. Réjean Tremblay, qui est encore journaliste à *La Presse* tout en cosignant *Lance et compte,* publie la nouvelle sous le titre : « Fini le sport "vache à lait" ». J'ai aussi confirmé que Radio-Canada n'était pas intéressée à récupérer le baseball majeur que TVA abandonnait. Les amateurs s'intéressent aux Expos quand ils vont bien mais on ne se passionne pas au Québec pour les autres équipes américaines. J'ai même fait ce commentaire sur le hockey : « On ne s'intéresse pas aux matches sur semaine opposant les Canadiens aux Nordiques. *Le Temps d'une paix* obtient régulièrement une cote d'écoute de 2,2 à 2,5 millions de téléspectateurs. Un très bon match de hockey va chercher environ 1,2 à 1,5 million. » Il faut connaître notre auditoire pour bien le servir avec nos décisions.

Dimanches aux connaisseurs

La programmation du dimanche continue d'attirer un public exigeant et raffiné. Aux *Beaux Dimanches,* qui depuis vingt ans servent de vitrine, le soir, aux plus prestigieuses productions pour la télévision, s'ajoutent en février *Les Grandes Matinées du dimanche* avec une programmation culturelle diversifiée et de haute qualité : opéras, longs-métrages, documentaires biographiques... Le 2 février à 13 h 30, on y voit *La Bohême* de Puccini, somptueuse production donnée à la Place des Arts par l'Opéra de Montréal au printemps 1985 ; une réalisation d'Évelyne Robidas. Le 9 février, c'est *Rigoletto* de Verdi, de l'Opéra de Montréal également, mettant en vedette Louis Quilicot ; le 16 février, l'Opéra de Genève nous offre *Le Bal masqué* de Verdi. Quelques autres opéras seront à l'affiche au cours de la saison d'hiver dont *l'Orfeo* de Monteverdi avec Quilicot dans le rôle-titre et *Les Contes d'Hoffmann*, une production du Covent Garden de Londres. D'autres rendez-vous du dimanche après-midi présentent des documentaires captivants sur une variété d'artistes comme *Marc-Aurèle Fortin* d'André Gladu, *Chanel Chanel* d'Ella Hershon et Roberto Guerra (RM Arts), *Alex Colville* de Don Hutchison (Office national du film), *Elie Weissel* de Jean Faucher, *Cornelius Krieghoff* de René Boissay, *Anne Hébert* de Jean Faucher. Des films classiques aussi, comme *Le Déjeuner sur l'herbe* de Jean Renoir, *Danton* d'Andrzej Wajda ou encore *L'Argent* de Robert Bresson (que René Homier-Roy, «*À première vue*», n'avait guère apprécié).

Du 24 au 28 février en fin de soirée, dans un tout autre registre, sans doute aussi pour un autre auditoire et pour la première fois de son histoire, la télévision publique présente un grand festival rock en collaboration avec CKOI-FM : d'un soir à l'autre, nous avons *Pour l'amour du rock,* avec le groupe Offenbach et le chanteur Gerry Boulet, réalisé par Jean-Jacques Sheitoyan et produit par Showbizz International ; *Catherine Lara au Spectrum,* réalisé par Bernard Picard pour Spectel Vidéo – Daniel Harvey et Alain Simard ; *Corbeau* avec Marjolaine Morin au Spectrum, réalisé par Pierre Lacombe pour Spectel Vidéo, *Michel Jonasz,* la voix du blues en France, au Spectrum, réalisé par Claude Boucher, pour Les Films Rozon, *Ô Rage électrique* avec Plume Latraverse, l'anti-héros du rock québécois, réalisé par Carl Brubacher pour La Chasse Galerie, production de Michel Lemieux.

Trois fois Céline

Ce n'était sans aucun doute pas la première fois qu'elle s'adressait à un large public à la télévision, car elle avait déjà connu la gloire à quinze ans. Elle est née en 1968, une année plutôt mouvementée pour certains d'entre nous... En novembre 1984, elle était sur la scène de l'Olympia de Paris ; aux *Beaux Dimanches* du 23 février, nous diffusons son spectacle donné à la Place des Arts en octobre 1985 : *Céline Dion en concert.* Au programme, un hommage à Félix Leclerc, un duo avec son chef d'orchestre, rappel du souvenir de Judy Garland, un extrait de l'opéra *Carmen,* reprise de son grand succès *Une colombe* qu'elle avait créé en l'honneur du pape, et un pot-pourri de chansons de Michel Legrand. Une émission tournée sous la direction musicale de Paul Baillargeon, une réalisation de Laurent Larouche, Production Sogestalt.

L'année suivante au mois d'avril, Céline sera de retour aux *Beaux Dimanches* à 20 h 30 pour son spectacle *Incognito,* réalisé par Jacques Payette. En plus d'être dotée d'une voix exceptionnelle, elle a un sens inné de la scène et le public est ravi par ses qualités de comédienne. Ce soir-là, accompagnée par Francis Reddy, elle incarne divers personnages, dont celui d'une jeune première de cinéma des années 1940. En plus de ses récents succès, elle chante deux vieux « standards » américains : *My Heart Belongs to Daddy* et *Boogie-Woogie Chatanooga Choo Choo.* Quel talent déjà.

Le 30 avril 1987, Céline remportera à Dublin le 1er prix au concours Eurovision ; à la demande d'Henri Bujard, secrétaire général de la

Communauté des télévisions francophones et administrateur de la Télévision suisse romande, qui cherchait une candidate pour représenter la Suisse, nous avions recommandé avec confiance cette toute jeune fille qui venait à peine de fêter ses 19 ans. Inutile de dire combien nous étions fiers du succès remporté par la TSR. Aujourd'hui on ne peut plus compter les honneurs que Céline a remportés à travers le monde.

Bienheureux Gaston L'Heureux

Pour la troisième année, le service des émissions de variétés présente *Avis de recherche*. À l'antenne tous les soirs du lundi au vendredi, elle est animée par l'heureux maître des retrouvailles, Gaston L'Heureux, qui nous fait apprendre beaucoup de choses sur des personnalités connues. Toujours curieux et chaleureux, Gaston est un des animateurs préférés du grand public. Durant la semaine du 9 au 13 juin à 18 h 30, l'arroseur devient l'arrosé : *Avis de recherche* est lancé pour retracer la vie de celui qu'on reconnaît comme journaliste, scripteur, parfois comédien mais surtout animateur ; invité dans sa propre émission, Gaston L'Heureux laisse sa place habituelle à sa coanimatrice Aline Desjardins, qui braque les caméras sur l'enfance et la carrière du jovial animateur.

J'avais connu Gaston quand il animait *Au masculin* à la télévision publique de Québec dans les années 1960 : je peux affirmer qu'il n'avait pas la langue dans sa poche ; il avait aussi le sens de l'humour. Il avait débuté très jeune dans le journalisme au quotidien *Le Soleil*. Le public montréalais l'a vite adopté quand il a coanimé avec Guy Boucher la très populaire quotidienne du midi, *Les Coqueluches*. Très rigoureux, il fait souvent le pitre, toujours content de faire une bonne blague en toute amitié. Comme le dira le comédien Pierre Curzi au moment de la mort de Gaston : « Il portait bien son nom. » Chaque fois que je l'ai rencontré en présence de ma conjointe Claudette, ses paroles comme ses gestes étaient pleins de tendresse. La dernière fois que je l'ai vu, il était en compagnie d'amis dans un restaurant, des joyeux lurons comme lui, et il s'est arrêté au passage de ma blonde, l'a regardée de son fauteuil roulant, l'a embrassée avec affection. Puis il a poursuivi sa conversation avec quelques plaisanteries et un large sourire. Il était heureux, mais il n'allait pas vivre longtemps encore. Malgré la souffrance, surtout depuis son terrible accident en 2007, j'ai toujours connu Gaston comme un homme qui vivait le moment présent et j'en garde un excellent souvenir.

Avalanche de films québécois

Nous continuons d'accumuler les longs-métrages québécois : des films très différents les uns des autres qui, pour la plupart, ont obtenu notre participation financière à la production.

Pierre Curzi est *Lucien Brouillard* dans le premier long-métrage de Bruno Carrière que ce dernier a écrit avec Jacques Paris et Jacques Jacob avec la collaboration de Louis Saia aux dialogues. Une production de l'ACPAV (René Gueissaz et Marc Daigle) en collaboration avec l'IQC et la SDICC, Bellevue Pathé, Famous Players et Radio-Canada.

Ce film est un drame politique qui traite du monde ordinaire et des vrais problèmes de société ; en somme, c'est un genre plutôt rare dans la cinématographie québécoise. Mais nous avons voulu participer à ce projet fort intéressant et nous avons été impressionnés par la qualité du travail d'un jeune réalisateur. Les critiques montréalais ont salué ce film. Quand nous le diffusons, *Lucien Brouillard* est déjà programmé au Festival de Sydney en Australie où il sera remarqué par la critique ; *Variety*, le célèbre magazine américain, louera le jeu de Marie Tifo, Pierre Curzi et Roger Blay.

La Femme de l'hôtel, une fiction écrite et réalisée par Léa Pool, est diffusée aux *Beaux Dimanches* le 8 juin. Ce drame raconte l'histoire d'une cinéaste, Andrée, qui tourne un film sur la décadence d'une chanteuse vieillissante que les échecs professionnels ont conduite aux soins psychiatriques. Installée à l'hôtel pour le temps de la production, Andrée croise, au hasard d'une rencontre, une mystérieuse jeune femme, Estelle, fortement dépressive, qui correspond étrangement au personnage du film qu'elle tourne. Commence une histoire qui va durer le temps d'un tournage.

Ce premier long-métrage de fiction de Léa Pool met en vedette Louise Marleau (Estelle), Paule Baillargeon (Andrée), Marthe Turgeon (la comédienne) et Serge Dupire (Simon).

L'ACPAV (Marc Daigle) nous offre aussi *Caffè Italia* de Paul Tana qui s'inspire d'un livre de Bruno Ramirez, son ami et coscénariste. Mi-documentaire, mi-fiction, ce long-métrage situé au cœur de la Petite Italie de Montréal raconte près d'un siècle d'immigration italienne. Le film relève avec humour et sensibilité les contradictions des Italiens du Québec, profondément partagés entre l'attachement à leur patrie d'origine et le besoin d'être acceptés à part entière par la société québécoise.

Caffè Italia a remporté en janvier 1986 le prix Ouimet-Molson, décerné par l'Association québécoise des critiques de cinéma au meilleur long-métrage de l'année.

Les *Beaux Dimanches* font décidément le bonheur des cinéphiles. Après avoir connu le succès en salles, le *Mario* de Jean Beaudin passe sur nos ondes le 31 août à 21 h. Inspiré de *La Sablière,* un roman de Claude Jasmin, ce film raconte l'histoire d'un jeune garçon autiste de 10 ans replié sur son monde intérieur et qui refuse le réel. Mario est silencieux et il n'est heureux qu'avec son frère Simon, un jeune homme de 18 ans fasciné par cette inconsciente quête d'absolu que vit son cadet. Pour s'élever à son niveau, il invente des jeux, il recrée de grandes batailles de l'histoire à travers lesquelles les deux garçons vivent des épopées magiques qui les transportent dans un ailleurs aussi exaltant que mystérieux. Mais Simon rencontre Hélène et Mario verra la vie autrement... Une œuvre profondément humaine qui nous sensibilise au drame de l'autisme. Cette production de l'ONF (Jean Beaudin et Hélène Verrier), écrite par Jean Beaudin, Arlette Dion et Jacques Paris, met en vedette Xavier Petermann (Mario), Francis Reddy (Simon), Jacques Godin (le père), Murielle Dutil (la mère), Claire Pimparé, Marcel Sabourin, Nathalie Chalifour et Christiane Breton.

Canadien malgré les coupures

Fin août, nous présentons la programmation d'automne-hiver lors d'une conférence de presse fort courue. Les jours suivants, les titres qui apparaissent dans les journaux sont élogieux : Faudra voir ça – Plusieurs bonnes nouvelles – Des combats en perspective –

Radio-Canada délaisse les séries américaines – Le réseau français promet d'être « plus canadien » que T-M et Quatre-Saisons – Radio-Canada veut demeurer la télévision de l'heure – Radio-Canada semble prête à la « révolution » en information – Radio-Canada a mis le paquet cette année.

Faut dire que nous sommes plutôt fiers de présenter cette grille de programmes. Désormais 80 % de nos émissions en soirée sont canadiennes et cela malgré les restrictions budgétaires du gouvernement conservateur de Brian Mulroney. Un des changements importants est un *relooking* du *Téléjournal:* de 18 h à 19 h, Marie-Claude Lavallée et Charles Tisseyre animent *Montréal ce soir,* qui offre aux stations du réseau français, tout comme aux stations privées qui nous sont affiliées un riche menu de nouvelles régionales, nationales et internationales avec des chroniques sur plusieurs sujets comme la restauration, la musique, les finances personnelles, la mode et bien sûr le sport, la circulation et la météo.

La grille d'automne débute avec un film issu d'une collaboration entre l'ACPAV (Marc Daigle) et l'Office national du film (François Dupuis et Jacques Vallée) : *Ô Picasso* est écrit et réalisé par Gilles Carle et monté par Werner Nold de l'ONF ; un document exceptionnel. Un hommage au génie créateur du célèbre peintre espagnol. Pour réaliser sa joyeuse incursion dans l'univers de Picasso, Carle emprunte des sentiers multiples ; il nous présente l'homme, l'artiste, l'œuvre, le mythe et le phénomène social. *Ô Picasso* est un documentaire qui puise dans la comédie humaine de fiction pour cerner l'homme avec ses contradictions, sa sentimentalité et son pouvoir de séduction. Amis intimes et spécialistes évoquent la vie de Picasso : son oeuvre, sa jeunesse, ses amitiés, ses femmes, ses croyances religieuses, son amour des pigeons, son adhésion au Parti communiste... Témoins rencontrés par Carle ou évoqués par les films d'archives, Fernando Arrabal, Jean Cocteau, Salvador Dali, Yves Montand et, bien sûr, Pablo Picasso. Un film réalisé de façon explosive, éclatée, *Ô Picasso* est le portrait multidimensionnel qui sied à ce géant du XXe siècle. Nous diffusons ce document remarquable aux *Beaux Dimanches* le 7 septembre, au début de l'horaire d'automne.

Les *Beaux Dimanches* présentent le 30 mars un autre film magnifique produit par l'ONF, *Le Vieillard et l'enfant*, écrit par Clément

Perron, réalisé par Claude Grenier. Le scénario s'inspire d'un récit de Gabrielle Roy tiré de *La Route d'Altamont* où l'auteur raconte à quel point un enfant est capable de percevoir la fragilité d'un vieil homme.

Cette rencontre de l'enfance (Lucie Laurier) et de la vieillesse (Jean Duceppe) représente les deux âges opposés de la vie qui se rejoignent pourtant dans la fraîcheur d'âme et la profondeur d'esprit. L'enfant dans sa spontanéité et le vieillard dans son humanité atteignent alors ensemble à une connaissance que le la vie active n'apporte pas toujours.

Lors de la remise des premiers prix Gémeaux le 15 février 1987, ce moyen-métrage remportera le prix décerné à la meilleure dramatique (Claude Grenier) et le Prix pour la meilleure cinématographie d'une émission dramatique (Thomas Vamos).

Ce film est précédé d'un *Tapis rouge* pour Serge Gainsbourg en compagnie de Jane Birkin, Jean-Pierre Ferland et Robert Charlebois ; une réalisation de Pierre Duceppe.

Louise Carré nous revient avec un autre drame psychologique : *Qui a tiré sur nos histoires d'amour ?* où elle nous invite dans l'univers des sentiments qui lient une mère et sa fille le temps d'un été ensoleillé et fleuri. Un été où la mère et la fille cherchent, chacune à leur façon, à retrouver l'amour, l'affection... Dans ce long-métrage de filles, on retrouve plusieurs hommes : Normand Brathwaite (une première au cinéma), Claude Gauthier, Gaétan Labrèche et son fils Marc, Gérard Poirier et August Schellenberg ; quelques femmes aussi, dont Monique Mercure, Guylaine Normandin, Luce Guilbeault et Geneviève Rioux. Ce film a été financé par Téléfilm Canada, la SGC, Radio-Canada, la Maison des quatre et J. A. Lapointe Films et distribué par Films Transit.

Le nouveau long-métrage de Léa Pool, *Anne Trister*, nous révèle davantage la cinéaste et son expérience d'émigrée. Le synopsis, en bref : une jeune peintre quitte tout, son pays, sa famille, ses amis et débarque au Québec. Sa recherche d'identité porte sur son orientation sexuelle aussi bien que sur son exil. Je me souviens d'avoir entendu une entrevue de Léa où elle décrit fort bien là d'où elle vient. « Mon père est un apatride, un juif polonais... il y a toute une histoire par rapport à l'exil... je porte cela en moi... aussi ma judéité... de par mes choix de vie, par ma sexualité, je suis en exil d'une certaine normalité... » La comédienne

Albane Guilhe est Anne, aux côtés de Louise Marleau, Lucie Laurier (son premier rôle), Guy Thauvette, Kim Yaroshevskaya...Un scénario et une réalisation de Léa Pool, une coproduction de l'ONF (Roger Frappier) et Films Vision 4 (Claude Bonin). Il nous restera toujours de ce film une chanson merveilleuse interprétée par Danielle Messia: *De la main gauche...*

Il y a deux ans, les Productions La Fête de Rock Demers lançaient un premier « Conte pour tous », *La Guerre des tuques*. L'année suivante, *Opération beurre de pinottes* faisait le délice des enfants au cinéma et à la télévision. Cette année, André Melançon est de retour à la réalisation avec *Bach et bottine* où nous découvrons une comédienne de 12 ans, inoubliable en Fanny: Mahée Paiement. Elle est absolument adorable dans sa relation avec son oncle interprété par Raymond Legault; un scénario d'André Melançon d'après une idée originale de Bernadette Renaud en collaboration avec Marcel Sabourin. *Bach et bottine* sera cité par l'Unesco comme « le meilleur film que les enfants peuvent montrer à leurs parents ». Après avoir remporté le Grand Prix du public au Festival international du film de Rouyn-Noranda et le prix de l'Unesco, ce long-métrage obtiendra une quarantaine de prix à travers le monde.

Le dernier Jutra

Le cinéaste Claude Jutra disparaît dans les eaux du Saint-Laurent le 5 novembre 1986. Il avait glissé son nom dans sa ceinture; le 19 avril 1987, on retrouvera son corps sur les berges du fleuve. Il avait réalisé son dernier long-métrage en 1984 malgré la maladie d'Alzheimer qui le minait. *La Dame en couleurs* est sorti en salle en février 1985 et nous le diffusons aux *Beaux Dimanches* le 14 décembre 1986. Dans les années 1940, alors que les orphelinats québécois n'ont plus de place pour accueillir les sans-foyer, on envoie des jeunes dans un hôpital psychiatrique dirigé par des religieuses. En ce lieu, ils s'occupent à diverses tâches auprès des malades. Pour fuir cet univers déprimant, ils se créent un monde parallèle dans un labyrinthe de tunnels qu'ils ont découvert au sous-sol de l'institution. Le désir et l'espoir d'une vie meilleure commencent alors à naître au pays de l'imaginaire. Une distribution importante soutient ce film : Charlotte Laurier et Guillaume Lemay-Thivierge chez les enfants ; parmi les adultes, Paule Baillargeon, Rita Lafontaine, Murielle Dutil, Gilles Renaud, Nicole Leblanc, Monique Mercure, Lisette Dufour, François Méthé et Ginette Boivin. Le scénario porte la signature de Louise Rinfret avec la collaboration de Claude Jutra ; une coproduction de l'ONF et des Productions Pierre Lamy. Ce film remportera quatre prix Génie en 1986 : meilleure réalisation (Claude Jutra), meilleur scénario (Louise Rinfret et Claude Jutra), meilleure actrice dans un rôle principal (Charlotte Laurier) et meilleur montage sonore.

Softimage s'en vient !

Je dois glisser dans cette liste un court film d'animation qui marquera l'histoire du cinéma, de son industrie surtout : *Tony de Peltrie*. Il a été créé à l'Université de Montréal en 1985 par un groupe d'étudiants : Philippe Bergeron, Pierre Lachapelle, Daniel Langlois et Pierre Robidoux. Tout le milieu sait que Daniel Langlois a fondé l'entreprise Softimage en 1986, testée avec succès par Spielberg avec son *Parc jurassique*. Langlois vendra sa société quelques années plus tard à Microsoft, avant de créer le cinéma ExCentris, lieu d'excellence cinématographique de la rue Saint-Laurent à Montréal. *Tony de Peltrie* est diffusé à notre antenne par les bons soins d'André Séguin, toujours à l'affût des nouveautés. Il s'agit d'un des premiers, sinon le premier film d'animation en images de synthèse, une technique nouvelle et dont le personnage est un pianiste (à qui Ronald France prête sa voix) qui jette un regard nostalgique sur son passé. Ce personnage, dessiné et sculpté par Daniel Langlois, sera ensuite numérisé, avec des capacités d'expression étonnantes.

Tous ces titres donnent à penser que le cinéma québécois connaît une excellente année ; pourtant les budgets de nos œuvres cinématographiques ne sont pas très élevés ; à peine deux millions de dollars pour *Le Déclin de l'empire américain*, avec lequel Denys Arcand connaîtra un succès considérable à l'étranger. Peut-être n'y a-t-il aucun lien encore avec ce qui suit, mais il ne faut pas oublier qu'en 1986, Téléfilm Canada annonce la mise sur pied d'un fonds de financement des longs-métrages canadiens pour soutenir les artisans de l'écriture jusqu'à la production. En 1988, Téléfilm Canada stimulera aussi la distribution de nos films sur les marchés étrangers, en aidant, par exemple, les distributeurs à participer aux festivals et marchés internationaux.

Pas de censure ? Vraiment ?

37°2 le matin. Voici un film français que j'aurais bien aimé programmer. Mais mon patron ne partage pas mon avis. C'est le troisième film de Jean-Jacques Beinex, que j'avais rencontré au Festival des films du monde en septembre 1986, où il était venu le présenter ; je lui avais dit spontanément que je désirais en acquérir les droits pour la télévision et il m'avait cru sur parole. Pour moi il ne restait qu'à faire une offre et signer le contrat. En résumé, Jean-Hugues Anglade mène une vie tranquille à effectuer des réparations et à écrire des romans qui ne sont jamais publiés, jusqu'à sa rencontre avec Béatrice Dalle, qu'il aimera à la folie. Lors de sa sortie en France, le film est interdit aux enfants de moins de douze ans. Il faut donc être prudent quant à l'heure de diffusion. Mais je frappe un mur au moment où je crois avoir trouvé une solution de compromis. Je propose une case horaire de fin de soirée (vers 23 h) suivie d'une tribune ouverte pour que le public puisse s'exprimer sur le contenu de ce film qui avait remporté le Grand Prix des Amériques et le prix Air Canada pour le film le plus populaire au FFM. Il avait aussi été mis en nomination comme meilleur film étranger aux Golden Globe et aux Oscars. Peine perdue : malgré que la SRC se défende bien de pratiquer la censure, nous ne verrons pas *37°2 le matin* à la télévision publique. Mon nouveau patron, arrivé depuis peu du siège social à Ottawa, s'y oppose catégoriquement. Serait-ce une conséquence du striptease de *Lance et compte* qui nous avait valu les foudres de notre président lors des audiences du CRTC pour le renouvellement de notre licence ? Peut-être… mais je deviens de plus en plus sensible aux interventions de mon patron dans mes décisions d'acquisition et de programmation.

Programmation : 50 ans !

La Société Radio-Canada est née le 2 novembre 1936, il y a donc 50 ans cette année. La Société canadienne des postes met en vente le 23 juillet un timbre portant cinq symboles de couleurs surplombant une carte stylisée du Canada, avec les dates 1936-1986 et la mention bilingue, Société Radio-Canada – Canadian Broadcasting Corporation.

Ce 50e anniversaire est célébré par la télévision dans une série qui gardera l'affiche pendant quatorze semaines à compter du jeudi 18 septembre. La radio puis la télévision auront été les témoins privilégiés de l'évolution sociale et culturelle de notre milieu, un carrefour où nos créateurs et nos grandes vedettes de la chanson, du théâtre, des sports et même du journalisme ont pu exprimer leurs talents.

Le premier épisode, présenté par Joël Le Bigot, est consacré à la radio et l'on y rendra hommage entre autres à Guy Mauffette, Miville Couture, Jean-Maurice Bailly ; une réalisation de Jean-Claude Marion.

Le deuxième épisode évoque nos téléromans : *Le Survenant, Les Belles Histoires des pays d'en haut, Rue des Pignons, Quelle famille ! ;* une présentation de la comédienne Nicole Leblanc.

Roger Baulu est chargé de nous raconter l'aventure des émissions de variétés comme *Le Café des artistes, Music-Hall, La Poule aux œufs d'or, Jeunesse oblige...*

Ah ! les émissions jeunesse... Les enfants viennent nous parler de l'influence que ce monde de rêve a exercé sur leur propre vie ; de grandes vedettes comme Louisette Dussault (*La Souris verte*) et Guy Sanche (*Bobino*) témoignent aussi de l'influence des émissions sur leur carrière. Les jeunes interprètes de *Troubalidon*, Sylvie Léonard et Denis Mercier, expliquent comment *Le Courrier du Roy, Radisson* et *Les Enquêtes Jobidon* les ont marqués à jamais.

L'hommage aux grands comiques est confié à Ghislain Tremblay qui nous rappelle Olivier Guimond, Gilles Pellerin, Paul Berval, Réal Béland, Dominique Michel, Roger Joubert, Normand Hudon, Pierre Thériault, ainsi que Ding et Dong, Les Cyniques et Yvon Deschamps. On nous offrira quelques extraits du *P'tit café, Moi et l'autre, Zéro de conduite* et *Les Couche-tard,* avec bien évidemment Roger Baulu et Jacques Normand.

Il est question aussi de l'image de la femme à Radio-Canada depuis Louise Simard jusqu'à Andréanne Lafond, en passant par Judith Jasmin, Jean Desprez, Jovette Bernier, Michèle Tisseyre, Marcelle Barthe... aussi Lise Payette et ses personnages de téléromans... et bien sûr *Femmes d'aujourd'hui* sous la direction de Michèle Lasnier, une émission quotidienne animée pendant des années par Aline Desjardins.

Cette série prend fin le soir de Noël par un hommage aux artisans de l'ombre animé par Claude Jasmin qui fut longtemps décorateur avant d'être scénariste de feuilletons ; nous entendrons les témoignages d'un maquettiste, d'une assistante à la réalisation, d'un ancien bruiteur de la radio, d'une dessinatrice de costumes, d'un machiniste, d'un maquilleur... Frédéric Back me dira en 2012 combien il avait apprécié cet hommage rendu aux artisans dont on parle si peu mais qui sont heureux de contribuer au succès de notre télévision.

On n'oubliera pas de souligner aussi le rôle d'avant-garde joué par la Société pour faire connaître les arts et les artistes de chez nous. On diffuse des extraits du *Barbier de Séville* qui remporta un Emmy Award à New York ; on rendra hommage à l'auteur Marcel Dubé dont les œuvres *Médée, Le Temps des lilas, Un simple soldat* et plusieurs autres ont embelli nos *Beaux Dimanches ;* nous revoyons les performances de nos célèbres artistes Pierrette Alarie, Guy Hoffmann, Paul Berval dans un extrait de *La Vie parisienne* d'Offenbach. Cette soirée nous offre aussi d'autres extraits de l'excellente production *L'Oiseau de feu* de Stravinsky (Prague d'or 1980), *Crac!* de Frédéric Back (Oscar 1982), *Des souris et des hommes* de Steinbeck et *Duplessis* de Mark Blandford et Denys Arcand interprété par Jean Lapointe.

Le dernier mois de l'année nous réserve une surprise agréable avec le retour de Lise Payette qui a gardé pendant quatre ans son auditoire avec le téléroman *La Bonne Aventure*. Elle nous revient avec *Des dames de cœur,* vingt-six émissions d'une heure, à l'antenne à compter du 8 décembre à 20 h. Cette fiction raconte la vie de quatre femmes dans la quarantaine : Évelyne (Andrée Boucher), Lucie (Louise Rémy), Claire (Luce Guilbeault) et Véronique (Michelle Rossignol), qui partagent leur vie de couple avec Raymond Bouchard, Gilbert Sicotte, Michel Dumont et Pierre Curzi. On ne peut oublier que parmi ces quatre hommes, il y a ce mari devenu célèbre pour son infidélité,

Jean-Paul Belleau (Gilbert Sicotte) ; une des maîtresses de Jean-Paul portait le même nom que son épouse, Julie, interprétée par Dorothée Berryman. Avec sa finesse psychologique et sa pénétrante compréhension sociale, Lise Payette étudie dans ces quatre familles le comportement de personnes d'âge mûr face aux années qui leur restent à vivre. Sylvie Payette collabore à l'écriture et les réalisateurs de la première année seront Lucille Leduc, Rolland Guay et Maude Martin. Le musicien André Gagnon, connu depuis 1959 comme compositeur, interprète et accompagnateur, a déjà composé de fameux indicatifs musicaux pour la télévision : *La Souris verte* et *Techno-flash*. C'est lui qui signe celui des *Dames de cœurs*, qui lui rapporte en 1987 un Félix et un Gémeaux.

Des dames de cœur sera couronnée en 1988 comme meilleure série dramatique aux prix Gémeaux, qui récompenseront aussi le jeu de Dorothée Berryman et de Gilbert Sicotte.

Enfin, je donne un coup de chapeau à Dame Kiri Te Kanawa, la grande soprano néo-zélandaise, vedette du Royal Opera Covent Garden, qui a chanté avec l'Orchestre symphonique de Montréal sous la direction de Charles Dutoit. Grande chanteuse d'opéra, Dame Kiri est aussi une fameuse récitaliste et soliste que l'on voit souvent à la télévision. Pendant ce concert, elle chante plusieurs airs célèbres de grands auteurs. Une heure de pur délice. Une réalisation d'Évelyne Robidas enregistrée à la salle Wilfrid-Pelletier de la Place des Arts.

La programmation, ce n'est pas tout dans la vie d'un directeur de télévision. Surtout après le départ de Pierre DesRoches, notre vice-président et directeur général.

Quand Pierre DesRoches m'a nommé à la succession de Jean-Marie Dugas en 1985, j'ai été convoqué à Ottawa où j'ai dû prêter allégeance au président, comme j'avais du prêter allégeance à la reine d'Angleterre en 1957, quand j'ai été embauché par Radio-Canada, en mettant ma main droite sur la Bible.

Peu de temps après sa nomination à la présidence, Pierre Juneau avait désigné Pierre DesRoches comme successeur de Raymond David qui venait de quitter la direction du réseau français. Mais les relations entre les deux hommes se sont détériorées parce que le président voulait centraliser les pouvoirs à Ottawa. Même chose avec Peter Herrndorf à Toronto, qui démissionne le premier. Pierre DesRoches le suit en acceptant de représenter à Paris le gouvernement du Canada auprès de la Francophonie. Il reviendra au pays en 1988 pour devenir directeur général de Téléfilm Canada. Entretemps, Juneau désigne Franklin Delaney comme vice-président de la télévision française à compter de septembre 1986.

33

LA PRODUCTION CANADIENNE À L'HEURE DES COUPURES

Au début de 1986, nous avions créé un précédent en diffusant *Le Défi mondial* en rafale, pendant six soirées consécutives. Cette programmation avait connu un succès dépassant toute attente, événement rare pour une série documentaire. Cette année, nous récidivons, cette fois avec la minisérie dramatique *Laurier* réalisée par Louis-Georges Carrier d'après un scénario d'André Dubois. Cette œuvre impressionnante, au coût de 7 millions de dollars (un record pour la télévision publique francophone), a exigé trois années de préparation, 125 jours de tournage dans 90 endroits différents, 300 comédiens et comédiennes, des artistes et artisans chevronnés, ainsi que 2000 figurants.

Laurier, premier francophone élu premier ministre du Canada, celui que la reine Victoria d'Angleterre gratifia du titre de « sir », est joué de façon magistrale par Albert Millaire entouré de Monique Miller, Louise Marleau, Marcel Sabourin, Jean-René Ouellet, Jean-Louis Millette, Daniel Gadouas et plusieurs autres. La diffusion débute aux *Beaux Dimanches* le 4 janvier à 20 h et se poursuivra à la même heure les lundi, mardi et mercredi suivants.

Broue, c'est pour la scène

Dans un tout autre domaine, un événement a lieu le 8 février qui prouve que la durée existe dans le monde du spectacle, même au Québec. Marc Messier, Michel Côté et Marcel Gauthier, les trois acteurs/auteurs de la pièce *Broue*, sont les invités de l'émission *Superstar. Broue* a été créée le 21 mars 1979 et les trois larrons espéraient tenir la scène pendant trois semaines ; en janvier 1986, les trois comédiens ont donné leur millième représentation, toujours à guichets fermés. Trente-cinq ans après sa création, elle tenait toujours l'affiche au printemps 2014 après plus de 3000 représentations et plus de 3 millions de spectateurs. Marc et Michel ont fait leurs marques à la télévision jeunesse : Marc a débuté dans *Avec le temps* (1975) et *La fricassée* (1976) ; Michel Côté jouait dans la série *Le pont* en 1977. Leurs complices à l'écriture de *Broue* sont aussi des familiers de nos services : Claude Meunier, Louis Saïa, Jean-Pierre Plante (*Pop Citrouille* 1978), Francine Ruel (*Minute Moumoute* 1973, *Du soleil à cinq cents* 1973, *La Boîte à lettres* 1975, *Pop Citrouille* 1978). En 2006, *Broue* a été homologuée par le Guinness World Records pour sa longévité : « Longest run of a theatrical play with the same cast » (Plus longue carrière d'une pièce avec la même distribution).

Comme directeur général des programmes, j'ai proposé à Michel et Marc de produire la pièce pour les *Beaux Dimanches*. La réponse a été négative : vu leur succès continu au théâtre, ils n'ont pas besoin de la télévision. « On verra plus tard », m'ont-ils dit. Le 26 février 2012, j'en ai reparlé avec Marc, qui persiste : « Cette pièce de théâtre restera au théâtre. »

Le triomphe de Marcel Aubut

Marcel Aubut avait été plus qu'heureux de notre décision de poser à Québec le décor de *Lance et compte* : c'est le grand patron des Nordiques, l'équipe professionnelle de la vieille capitale. En 1986, il était venu nous soumettre son ambitieux projet *Rendez-vous 87,* dont Radio-Canada a accepté d'être le diffuseur officiel.

Le prétexte de ce rendez-vous est une série de deux matches que les étoiles de la Ligue nationale de hockey doivent disputer contre l'URSS, 15 ans après la « Série du siècle »... Toute une semaine d'activités entoure l'événement sportif : du 8 au 15 février, galas, spectacles, et festivités populaires célèbrent les grandes nations du hockey, l'URSS, les USA et le Canada.

Le 8 février à 20 h, depuis le Grand Théâtre de Québec, nous diffusons le super spectacle d'ouverture: *Chantez-nous la paix*. Yvon Deschamps et Jean Lapointe, en compagnie de l'animateur français Patrick Sabatier, présentent les Robert Charlebois, Gilles Vigneault, Ginette Reno, Daniel Lavoie, Diane Tell et l'insolite groupe de danse La La La Human Steps qui se succèdent sur la scène. La France est là avec Julien Clerc et Étienne Daho, et l'Union soviétique est représentée par l'impressionnant Chœur de l'Armée rouge, les danseurs étoiles Nina Sokorina et Yuri Vladimirov du Ballet du Bolshoi et le groupe rock Autograph. Un spectacle de deux heures mis en scène par René-Richard Cyr, produit par Guy Latraverse avec François Cousineau à la direction musicale. L'émission est réalisée par Jean-Jacques Sheitoyan.

Le 12 février, nous diffusons l'éblouissant Défilé de nuit, où trente chars allégoriques sont décrits par le commentateur sportif Jean Pagé et l'animatrice Renée Hudon : on y voit passer Bonhomme Carnaval et les couleurs des 21 équipes de la Ligue nationale de hockey. Une réalisation de Jacques Viau.

Mais le clou des célébrations, le moment très attendu par la population de Québec et d'ailleurs, ce sont les joutes de hockey en direct du Colisée de Québec qui sont diffusées les mercredi 11 et vendredi 13 à 19 h 30. René Lecavalier en fait la description, Guy Lafleur et Charles Thiffault font les analyses ; les réalisateurs sont Jacques Primeau et Julien Dion et le réalisateur-coordonnateur est Michel Quidoz. Au final, il n'y aura pas de grand vainqueur : les Nord-Américains remportent la première partie, les Soviétiques la seconde.

Les Gémeaux, première édition

On connaît déjà quelques-uns des premiers lauréats de la première édition des prix Gémeaux, remis par l'Académie canadienne du cinéma et de la télévision (ACCT) représentée au Québec par Danielle Suissa et Marc Boudreau. C'était évident que Radio-Canada allait participer à cette première remise des Gémeaux, et à plus d'un titre : comme diffuseur du gala et comme concurrent avec ses émissions et ses artisans en nomination dans plusieurs catégories. Ce premier *Gala des prix Gémeaux* est diffusé par Radio-Canada le 15 février 1987, en direct de la salle Claude-Champagne de l'Université de Montréal et animé par Janette Bertrand et Dominique Lajeunesse. Un gala se doit d'offrir des numéros de variétés : Véronique Béliveau, Marc Drouin et Louise Forestier s'en chargent. Le premier jury de l'Académie a procédé à 114 nominations pour les 35 prix du gala dont les vainqueurs sont déterminés par le vote secret des membres en règle de l'ACCT. Avant l'attribution des prix, Radio-Canada a reçu 35 % des nominations, les producteurs indépendants 20 %, Radio-Québec 17 %, Télé-Métropole 12 %, l'ONF 11 % et les producteurs indépendants de l'extérieur de Montréal 5 %. Le palmarès de la soirée est assez prévisible, et le lendemain, le *Journal de Montréal* titre à la une : « Une soirée Radio-Canada ». Au final, SRC a raflé 27 des 35 prix, les 8 autres allant à Radio-Québec. Aucun prix pour Télé-Métropole, qui n'aura jamais beaucoup de succès aux Gémeaux ; ce qui va ennuyer l'Académie pendant des années, jusqu'à ce que la chaîne privée décide d'abandonner sa participation annuelle.

Les grandes coproductions dramatiques

Les *Beaux Dimanches* présentent, le 8 mars à 21 h, *Le Lys cassé* d'André Melançon ; l'histoire tragique d'une femme de 29 ans blessée dans son enfance par un inceste dont elle ne sera jamais guérie. Le film est une production de Nanouk Films, la maison de Michel Brault, scénario et dialogues de Jacqueline Barrette ; avec Markita Boies, Mahée Paiement et Jessica Barker qui jouent les personnages enfants, Jacqueline Barrette (la mère), Raymond Legault (le père), Rémy Girard et Jonathan-Frederick Desjardins. La productrice Anouk Brault recevra le Gémeaux pour la meilleure émission dramatique en 1988 et Markita Boies, qui interprète ici son premier rôle au cinéma, celui de la meilleure interprétation d'un premier rôle féminin dramatique. *Le Lys cassé* remportera aussi cinq Golden Sheaf Awards au Festival de Yorkton et un Rockie au Festival international de Banff pour la meilleure dramatique.

La scénariste Lise Lemay-Rousseau a tiré du roman *Le Matou* d'Yves Beauchemin, traduit dans une quinzaine de langues, les scénarios d'un long métrage et d'une minisérie réalisés par Jean Beaudin et produits par Denis et Justine Héroux et John Kemeny pour SRC, Films A2 (France) et RAI TV2 (Italie). Un des principaux personnages est un enfant, interprété par Guillaume Lemay-Thivierge que l'on a déjà vu dans *Les Années de rêve*, de Jean-Claude Labrecque et dans *La Dame en couleurs* de Claude Jutra. Guillaume deviendra la coqueluche des Québécois dans son rôle de Monsieur Émile. Ses partenaires sont Serge Dupire (Florent), Monique Spaziani (Élise) et l'acteur français Jean Carmet (Ratablavasky)... Le long-métrage obtiendra le Prix du jury et le prix Air Canada pour le film le plus populaire au Festival des films du monde en 1985. Nous diffusons la minisérie en février 1987 avec un auditoire de près d'un million de téléspectateurs.

Aux *Matinées du dimanche,* le 8 mars, la télévision de Radio-Canada s'intéresse encore à la maladie d'Alzheimer. Ce dossier, *Alzheimer... ou le temps qui reste,* comporte une pièce maîtresse, un moyen-métrage de l'ONF intitulé *Sonia*, réalisé par Paule Baillargeon qui l'a écrit en collaboration avec Laura Harrington. Sonia (Kim Yaroshevskaya), à 60 ans, est un peintre de grand talent. Du jour au lendemain, elle subit des pertes de mémoire, accidents assez importants pour inquiéter son entourage et surtout sa fille Roxanne (Paule Baillargeon). C'est le terrible engrenage qui commence, la dégénérescence des facultés... Après le film, une discussion s'ensuit avec, entre autres, des médecins : comment préserver la qualité de vie des malades et aider les familles à surmonter leur désarroi. Ce dossier est animé par Gérard-Marie Boivin, et réalisé par Micheline Di Marco.

Diviser pour mieux régner à la SRC?

Depuis une vingtaine d'années, j'ai eu le bonheur de côtoyer des équipes fortes à la direction de la télévision. Ces temps-ci, je commence à penser que la stratégie de ceux qui nous gouvernent est de diviser pour mieux régner. Je n'ai jamais connu ça à Radio-Canada. Nous sommes en février et le vice-président du réseau français a convoqué quelques-uns de ses subalternes en début de soirée dans sa salle de conférence. Je m'y rends en compagnie de Pierre O'Neil, directeur de l'information, Paul Rousseau, directeur du Service commercial et quelques autres. La soirée sera longue...

L'objet de cette rencontre : changement à apporter à la structure de la télévision. Après notre rencontre, le patron déclare à *Circuit fermé*, le magazine du personnel, que « les exigences nouvelles de notre environnement, tant au plan de la gestion qu'à celui de la programmation et des recettes commerciales, justifient des changements à la structure de la télévision française. » Nous étions des directeurs et nous deviendrons des directeurs généraux... J'étais directeur de la télévision, responsable de la télévision générale ; je serai directeur général des programmes (télévision générale) et les chefs d'émissions relèveront désormais de mon bureau. Je serai assisté de deux directeurs généraux adjoints, production interne et production extérieure. Et la grande nouvelle de la soirée est la création d'une direction générale de la planification qui relèvera du vice-président. Le titulaire sera nommé plus tard. Comme l'écrit Louise Cousineau dans *La Presse* du 26 février : « La restructuration de la haute direction de Radio-Canada... n'a pas vu le sang couler sur la rue Dorchester... mais elle n'a pas non plus arrêté la machine à rumeurs puisque le nouveau poste clé de directeur général de la planification (diffusion et ressources) n'est pas comblé. » L'essentiel de la restructuration, nous l'avons compris, consiste à séparer d'une part la programmation de la planification et d'autre part la production de la diffusion.

Une nouvelle collègue me demande d'abandonner la planification du secteur programme puisqu'elle doit en prendre la responsabilité. Ma réponse est brève puisque, selon moi, toute fonction de direction exige la planification et je n'ai pas besoin d'un intermédiaire de l'extérieur. La nouvelle venue comprend que son mandat n'est pas très clair ; elle en informe le patron et ne reste pas en poste.

Un autre gala sur les bras

Une autre rencontre avec Franklin Delaney sera pour moi un précédent que j'aurais préféré éviter. Il m'informe que nous allons diffuser le *Gala MetroStar,* né l'année précédente à la nouvelle chaîne privée Télévision Quatre-Saisons ; c'est un événement annuel, où les prix remis aux vedettes de la télévision, du cinéma, de la chanson et même de la radio sont décernés par le public. Mais nous sommes déjà engagés avec l'Académie canadienne du cinéma et de la télévision pour la remise des prix Gémeaux, décernés cette fois par les membres de l'Académie, et dont nous venons de diffuser le premier gala en février. Je suis donc estomaqué quand le vice-président m'informe qu'il a eu une conversation avec le président de la chaîne d'alimentation Metro et qu'il lui a confirmé l'intérêt de la Société pour les *MetroStar*. Ma réponse : nous devrions laisser au privé le vote du public et maintenir notre collaboration avec l'Académie. Mais il me dit, avec un grand sourire, qu'il ne peut revenir sur son engagement. Je dois lui avouer que je ne suis pas heureux de cette décision, mais que je la respecterai. Nous diffuserons ce *Gala du Public* le 22 novembre à 20 h 30 avec Marguerite Blais à l'animation. Ironiquement, en 1987 et 1988, aux *Galas MetroStar* diffusés par Radio-Canada, la majorité des trophées iront à Télé-Métropole ! C'est T-M qui prendra la relève du gala en 1989 ; les catégories seront désormais limitées aux artistes de la télévision.

Le déclin d'un empire, le triomphe d'un cinéaste

Retour au cinéma avec quelques œuvres québécoises impressionnantes. Le producteur Roger Frappier nous avait déjà offert *Cordelia* de Jean Beaudin ; en 1986, il part à l'ONF diriger le studio de fiction, où il produira trois longs-métrages mémorables : les deux premiers, *Pouvoir intime* d'Yves Simoneau et *Anne Trister* de Léa Pool, ont été produits en collaboration avec Les Films Vision 4 (Claude Bonin) ; le troisième, qui allait connaître une carrière triomphale, est considéré comme un des films les plus importants réalisés au Québec : *Le Déclin de l'empire américain*, coproduit avec la Corporation Image (Les Films René Malo). En bref, le film met en scène huit intellos québécois assez cyniques, quatre femmes et quatre hommes, presque tous professeurs à l'Université de Montréal – l'*alma mater* de Denys Arcand au début des années 1960. Ces intellos sont interprétés par Louise Portal, Dominique Michel, Dorothée Berryman, Geneviève Rioux, Pierre Curzi, Yves Jacques, Rémi Girard et Gabriel Arcand. Le jeune Daniel Brière joue l'assistant encore bien tendre et naïf.

J'ai appris notre participation à ce film de Denys Arcand au retour de mes vacances d'été en 1985. Ma collaboratrice et responsable de la production extérieure, Andréanne Bournival, m'avait alors informé qu'en mon absence, elle avait confirmé à Frappier et Malo notre intérêt pour acquérir les droits de diffusion. Elle avait pris cette décision sans trop savoir si j'allais l'accepter. Ayant l'habitude de respecter mes collaborateurs et non de leur imposer mes choix, je la félicite pour l'initiative.

Ce que j'apprends plus tard, c'est que ce projet a été refusé par tous les lecteurs de Téléfilm Canada qui ont trouvé le scénario insupportable. L'accueil des critiques au Québec est plutôt réservé. Denys Arcand raconte que Roger Frappier lui a demandé de lui écrire « un scénario modeste et intimiste... ce film est donc très proche de moi, de ma vie et de celles de mes amis... j'ai donc décidé de me faire plaisir... peu d'action, beaucoup de dialogues, beaucoup de références très personnelles... Or il se trouve que ce film a eu du succès... »

Aux États-Unis d'abord, puisque le cercle des critiques new-yorkais lui décerne le titre de meilleur film étranger. Le film est mis en nomination aux Oscars, mais l'heure n'est pas venue : Arcand devra attendre jusqu'en 2004 pour réclamer la petite statuette : ce sera le triomphe des *Invasions barbares,* une suite tardive au *Déclin de l'empire américain.*

À Cannes ensuite, où le film a été refusé en compétition officielle, mais où il est acclamé à l'ouverture de la Quinzaine des réalisateurs, à la surprise du réalisateur, comme il s'en confiera sur nos ondes à Simon Durivage. Je suis présent à Cannes quand Denys Arcand remporte le prix de la critique internationale. Je serai toujours un fan.

Malgré l'accueil mitigé des critiques au Québec, le film récolte une vingtaine de prix au Canada et à l'international, dont huit prix Génie en mars 1987 : meilleur film, meilleure réalisation, meilleur scénario original, meilleure interprétation féminine (Louise Portal) et masculine (Gabriel Arcand).

Après mon départ de la Société, je continuerai à suivre les œuvres cinématographiques que Denys écrira et réalisera au cours des années : *Jésus de Montréal, Stardom, Joyeux Calvaire, L'Âge des ténèbres* ; chaque nouveau film est un événement, mais le fait saillant reste *Les Invasions barbares* qui lui rapportera une flopée de prix : Cannes, César, Oscar, Jutra, Berlin...

Des réalisateurs aux têtes fortes

Michel Tremblay a adapté *Le Cœur découvert* à la télévision pour le réalisateur Jean-Yves Laforce, que nous avions accueilli avec bonheur en 1973 au Service jeunesse. Beaucoup de tempérament ce jeune homme ; je me souviens de quelques accrochages qu'il a eus avec un de mes adjoints. Mais l'important, c'est son talent. Et sa place est aux émissions dramatiques. *Le Cœur découvert* tient certainement une place importante dans son œuvre. L'homosexualité est un sujet délicat mais il faut en parler à la télévision. J'ai donné mon accord à cette production et je suis loin de le regretter ! *Le Cœur découvert* raconte la naissance d'un amour entre Jean-Marc, prof de français de 39 ans (Gilles Renaud) et Mathieu, un jeune comédien au chômage (Michel Poirier), père d'un jeune enfant de cinq ans, Sébastien (Olivier Chassé). On retrouve dans cette dramatique les qualités qui ont fait de Michel Tremblay un de nos grands auteurs. Construction à la fois subtile et rigoureuse, personnages d'une grande humanité qui restent gravés dans la mémoire, une attention constante aux mots et aux gestes du quotidien. La distribution comprend aussi quelques autres comédiens de talent comme Amulette Garneau, Louise Rinfret, Robert Lalonde, Pierre Houle et Louisette Dussault, qui restera toujours ma souris verte.

Le prix O'Keefe décerné au FFM au meilleur film canadien est remporté cette année par *Un zoo la nuit,* scénario et réalisation de Jean-Claude Lauzon. Dans ce premier long-métrage, le cinéaste met beaucoup de lui-même. La séquence finale nous laisse une impression forte de tendresse entre le fils (Gilles Maheu) et le père (Roger Lebel) au moment de leur réconciliation.

J'avais connu Jean-Claude au moment d'acquérir les droits de diffusion de ses courts-métrages au début des années 1980 ; en 1988, je l'accompagne à Toronto pour la remise des prix Génie. Il hésite à monter sur la scène pour recevoir ses 13 prix, dont ceux du meilleur film, meilleur scénario et meilleur réalisateur, mais il se décide quand même à y aller. En guise de coup de gueule, il détruit le chèque qu'on lui remet puisque cette somme doit être affectée au prochain film à réaliser et non au créateur qui vient de se démarquer. Je le supplie de venir au moins quelques instants à la réception.

Nous prenons l'ascenseur et je dois le laisser à la porte de sa chambre. Il préfère être seul.

Avec deux courts (*Super Maire* et *Piwi*) et deux longs-métrages (*Un zoo la nuit* et *Léolo*), Jean-Claude Lauzon se posait comme un des cinéastes les plus prometteurs de sa génération. Il est mort dans la quarantaine dans l'écrasement de l'avion qu'il pilotait, en compagnie de sa conjointe, la comédienne Marie-Soleil Tougas.

Tensions à Téléfilm

En 1985, André Lamy, que j'appréciais beaucoup, quitte la direction générale de Téléfilm Canada et le Parti conservateur choisit Peter Pearson pour le remplacer. Un excellent choix à mon avis puisque Pearson a été scénariste et réalisateur aussi bien dans le privé qu'à l'ONF et à la CBC. Mais en 1987, Jean Sirois est nommé président du conseil d'administration, rôle dans lequel il ne semble pas vouloir se confiner puisqu'il empiète beaucoup sur les prérogatives du directeur général. Connaissant le caractère de ces deux gestionnaires, la crise m'apparaît inévitable.

Un incident à Cannes en 1986 aura des répercussions importantes sur le milieu. *Le Déclin de l'empire américain* de Denys Arcand connaît le succès à la Quinzaine des réalisateurs. Le mot déclin n'était plus limité au film de Denys Arcand, mais s'appliquait trop bien à la direction de Téléfilm dont on remettait en question depuis un moment la gestion. Et Jean Sirois invite la presse au célèbre restaurant le Moulin de Mougins où le repas n'est pas donné et où normalement le vin de qualité coule à flots. Le lendemain, les journalistes feront rapport et Jean Sirois sera accusé de gaspiller les fonds publics. La guéguerre à Téléfilm allait mener à la démission fracassante de Peter Pearson le 12 octobre 1987, qui a quitté son poste en claquant la porte au moment même où j'arrive aux bureaux de Téléfilm.

J'ai reçu un coup de téléphone de Jean Sirois qui m'invitait à déjeuner. J'ignorais ce qui se passait à Téléfilm ce matin-là mais le président du CA voulait me parler de finances. Lorsque j'arrive, je vois bien que ça ne tourne pas rond et ça cause très fort. Au déjeuner, après la crise du matin, on m'offre d'augmenter le niveau du financement alloué à

Radio-Canada et même d'accorder une somme très importante à un projet qui nous a été soumis par un producteur indépendant. Je suis interloqué! Je retourne à mon bureau sans donner suite aux offres reçues, mais conscient qu'à Téléfilm on vit un mauvais moment. Heureusement cette situation n'empêchera pas le financement nécessaire aux projets d'émissions dramatiques soumis par les producteurs privés et déjà acceptés chez nous. D'autant plus que l'accès à ce nouveau fonds permet à SRC/CBC d'en obtenir jusqu'à 50 % par les projets soumis par les producteurs indépendants.

Tensions à Radio-Canada

Du 11 au 16 mai, je suis invité à participer à la Cinquième Conférence générale du CIRTEF (Conseil international des radios-télévisions d'expression française) qui a lieu à l'Île Maurice. Notre hôte est MBC (Mauritius Broadcasting Corporation). Pierre Juneau d'Ottawa, Pierre DesRoches de Paris et quelques autres délégués du Canada participent à cette conférence. Pendant ce voyage, j'ai l'occasion de discuter avec Paul-Émile Lamy, un beau-frère de Pierre Juneau qui travaille au service d'ingénierie de Radio-Canada. Ce que je lui dis rejoint la pensée de plusieurs ministres du gouvernement fédéral, tout comme celle de plusieurs collaborateurs du président. Évidemment, Paul-Émile ne manque pas de le rapporter à son beau-frère.

Ce qui me préoccupe alors, c'est que le gouvernement conservateur de Brian Mulroney sabre dans nos budgets. Et si notre président, nommé par les libéraux, choisissait de quitter son poste avant la fin de son terme, que se passerait-il ? Pourrions-nous toujours compter sur un appui financier gouvernemental ou devrions-nous nous tourner davantage vers la commercialisation de la télévision publique ? Le président Juneau croit fermement dans l'indépendance de la Société ; il répète que si des gens ne l'aiment pas, ce n'est pas une raison de démissionner. Je sais à mon retour à Montréal que mon message a été relayé : j'accepte une invitation de Franklin Delaney à déjeuner dans un restaurant de l'Ouest de la ville.

Nous sommes en juin 1987 et mon attitude avec le patron du réseau français, je l'avoue, n'est pas très chaleureuse. Même si j'accomplis toujours mon travail avec beaucoup d'enthousiasme, j'anticipe de plus en plus un affrontement avec la haute direction. À peine avons-nous entamé notre conversation que Franklin me propose très simplement de quitter mon poste à Montréal en échange d'une affectation à la direction du bureau de Paris ou, si je le préfère, à un poste au bureau de Londres, sans perte de salaire. C'est la répétition de ce qu'on a fait à Jean-Marie Dugas auquel j'ai succédé il y a à peine deux ans. Cette offre m'indigne : si j'acceptais le poste à Paris, ce serait pour en chasser celui qui, depuis 1966, est mon mentor, qu'il faudrait réaffecter à Ottawa peut-être... Non jamais ! Je sors de cette rencontre convaincu que mes belles années à la télévision publique sont derrière moi, même si j'aime toujours mon travail. Il faut donc être patient, éviter les conflits qui ne mènent nulle part et développer ma résilience. J'ai encore à gérer plusieurs dossiers qui me tiennent à cœur et ce sera là ma priorité pendant les prochains mois.

La grille automne-hiver 1987-1988

Selon certains journalistes dont le mandat est de couvrir la télévision, nous aurions décidé de nous secouer les puces et d'améliorer notre programmation. Et pourquoi pas ? C'est notre mandat de toujours *revamper* notre offre. Notre objectif premier n'est pas de battre Télé-Métropole, comme certains journalistes se complaisent à le dire, sans doute pour stimuler la concurrence entre les télévisions privée et publique, ce qui nous convient également ; il est clair que nous devons offrir à notre public davantage de productions canadiennes intéressantes, et la sélection de productions étrangères doit être de la plus grande qualité. Voilà notre objectif.

Nous présentons aux journalistes notre grille automne-hiver 1987-1988, avec ses productions préparées à l'interne et celles réalisées par les producteurs indépendants : c'est pas de la tarte, comme dit un journaliste. Nous en sommes d'autant plus fiers qu'en dépit des compressions imposées par le gouvernement fédéral, le niveau de qualité est optimal. Le public s'en régalera.

Nous sommes également très fiers d'annoncer que le contenu canadien dépasse désormais 80 % de notre offre aux heures de grande écoute, loin devant toutes les autres chaînes de télévision canadiennes, francophones aussi bien qu'anglophones.

Plusieurs nouvelles séries sont à l'antenne : *Les Anges du matin, Les Démons du midi, Rachel et Réjean, Robert et compagnie, Bonjour docteur...*

Victor Lévy-Beaulieu avait écrit une grande saga, *Race de monde*, diffusée de 1979 à 1983. Il récidive avec *L'Héritage* dont il écrira 86 épisodes de 60 minutes qui seront à notre antenne de 1987 à 1990, les mercredis à 20 h. Ce feuilleton dramatique est l'histoire de la famille Galarneau de Trois-Pistoles tiraillée entre le paternel Xavier (Gilles Pelletier) et ses enfants, Myriam (Nathalie Gascon), Miville (Robert Gravel) et Xavier Junior (Yves Desgagnés). Parmi les autres comédiens, que nous n'oublierons jamais : Jean-Pierre Masson, Amulette Garneau, Yvan Canuel, Vincent Gratton, Aubert Palascio, Sylvie Leonard, Jacques L'heureux, Daniel Gadouas, Jean-Louis Millette... Une belle équipe de réalisateurs sera affectée à cette série pendant les trois prochaines années : Aimé Forget, Louis-Georges Carrier, Michel Gréco, Raymonde Boucher, Rolland Guay, Lise Chayer et Marc Drouin. Maurice Falardeau agira comme réalisateur coordonnateur. Voilà un des grands succès de la télévision publique qui sera suivi par plus de deux millions de téléspectateurs. Victor Lévy-Beaulieu remportera trois prix Gémeaux consécutifs pour le meilleur texte pour une émission ou série dramatique de 1988 à 1990, année où la série remporte le Gémeaux de la meilleure série dramatique. Retiré dans ses terres, VLB comme on l'appelle familièrement, est un de nos écrivains québécois les plus importants.

On se souvient d'une série dramatique québécoise intitulée *Rock*, des Productions SDA, que dirige François Champagne. Cette mini-série de cinq épisodes qui raconte la vie d'un adolescent de 15 ans témoigne des réalités auxquelles certains jeunes sont confrontés. On nous fera vivre les tourments d'une famille éclatée puis ceux d'un foyer reconstitué. Les garçons seront initiés au milieu de la drogue et de la prostitution. Les comédiens : Patrick Labbé (Rock), Murielle Dutil (Margot), Yvon Roy (André), Louise Laparé (Jennifer), Gilles Renaud (Philippe) et Pierre Flynn (Max). Scénarisation et dialogues, Monique M. Messier. Une réalisation de Jean Lepage.

Une autre série fort instructive et divertissante, présentée le vendredi à 19 h 30, à compter du 4 septembre, connaîtra un succès au-delà de nos espérances: *La Cour en direct.* Dans cette téléréalité avant la lettre, l'avocate Jocelyne Jarry présente les causes des gens du public devant un vrai juge à la retraite (Paul Robitaille, puis Robert Hodge) en cour des petites créances. Une idée géniale, adaptée d'une série américaine, *The People's Court*, qu'avait développée le producteur indépendant Robert Sésé. Cette agréable aventure durera de 1987 à 1992 avec un auditoire fidèle.

La cote à tout prix

Avant *les Beaux Dimanches*, maintenant programmés à 20 h 30, nous donnons l'antenne à Jean-Pierre Ferland qui anime le grand spectacle hebdomadaire des variétés, *L'Autobus du showbusiness.* Tout au long de la saison, de nombreuses vedettes de la chanson et du théâtre d'ici et d'ailleurs seront les invités de Jean-Pierre. Cette émission est conçue par Denise Filiatrault et Jean-Pierre Plante, avec François Cousineau à la direction musicale et Bernard Picard à la réalisation, sous la houlette de nul autre que l'excellent réalisateur Jean Bissonnette. Plusieurs années plus tard, à l'occasion du 50e anniversaire de la télévision publique, j'ai entendu Jean-Pierre Ferland se plaindre à Bernard Derome que la direction des programmes lui avait fixé « un objectif de 600 000 téléspectateurs, sinon la série serait interrompue ». De rage, il a arrêté son show de *L'Autobus du showbusiness.* Cette décision avait été prise après mon départ. Nouvelle direction, nouvelle façon de faire. Je n'interviens plus dans les affaires de la Société, mais je n'en pense pas moins. Nous avons vécu une autre époque où la cote d'écoute n'était pas souveraine; souvenir d'un âge heureux.

L'automne 1987 sera une période faste aux *Beaux Dimanches*, encore une fois. Le 13 septembre, un excellent spectacle de variétés est présenté pour sensibiliser le public à une réalité qui nous touche tous: le *Gala de la Fondation des maladies mentales*, produit par Guy Latraverse et réalisé par Jean-Jacques Sheitoyan, marque la création de cette fondation par le docteur Yves Lamontagne, de l'Hôpital Louis-H.-Lafontaine. Le docteur Lamontagne, bien connu des médias, travaille depuis des années à démystifier la maladie mentale et cette soirée lui permettra de rejoindre un très large auditoire. Le gala rassemble plusieurs personnalités et vedettes sympathiques à la cause : René Lévesque, Yvon Deschamps, Jean Besré, Pierre Nadeau, Suzanne Lévesque, Geneviève Bujold, Janine Sutto, Pierre Péladeau, Gaston L'Heureux, Clémence DesRochers, Diane Dufresne, Jean Lapointe, Céline Dion, Claude Dubois, Michel Rivard et les Foubracs.

Le 20 septembre, la compagnie de danse contemporaine La La La Human Steps de Montréal donne une soirée de danse, *Human Sex*, avec Louise Lecavalier, Marc Béland, Carole Courtois, Claude Godin et Édouard Lock. Une réalisation d'Édouard Lock produite par Claudio Luca.

En 1987, il y a encore de la place à Radio-Canada pour le répertoire classique. Le 18 octobre, on présente *La Mouette* d'Anton Tchekhov. Voilà ce qu'on peut appeler une superproduction qui met en scène une quinzaine de comédiens québécois : Andrée Lachapelle (Arkadina), Normand Chouinard (Trigorine), Anne Bédard (Nina La Mouette), Denis Bernard (Treplev), Jacques Godin, Gérard Poirier, Hélène Loiselle, Lionel Villeneuve, Lucie Routhier, Luc-Martial Dagenais... Une réalisation d'André Bousquet.

Les 50 ans de l'Union des artistes

Toujours aux *Beaux Dimanches,* voici une première dans l'histoire de la télévision au Canada et une date importante dans notre histoire culturelle. Le 20 décembre à 20 h, en direct de la salle Wilfrid-Pelletier de la Place des Arts, un gala est diffusé simultanément par les quatre grands réseaux de télévision francophone : Radio-Canada, TVA, Radio-Québec et Télévision Quatre-Saisons. *La Vie d'artiste* célèbre les 50 ans de l'Union des artistes, le Syndicat du showbusiness canadien français, sous la présidence d'honneur de Madame Jeanne Sauvé, gouverneure générale du Canada et membre à vie de l'Union. Une production conjointe de l'UDA, et des quatre réseaux, là aussi une première. Serge Turgeon, président de l'UDA, déclare : « L'histoire de l'UDA c'est d'abord et avant tout 50 ans d'histoire culturelle du Québec et du Canada français. Cinquante ans d'histoire de notre radio, de notre cinéma et c'est toute l'histoire de notre télévision. »

Les concepteurs de ce gala sont Serge Grenier et Jean-Pierre Plante; les producteurs délégués sont Jean Bissonnette (Radio-Canada), Paul Breton (Radio-Québec), Anne-Marie Tougas (TQS), Claude Taillefer (TVA) et Serge Turgeon (UDA). André Morin est le producteur exécutif, Jean-Jacques Sheitoyan est le réalisateur et Louis-Georges Carrier est le réalisateur-coordonnateur.

La Vie d'artiste présente aussi bien des numéros sur scène que des séquences d'archives illustrant le rôle primordial joué par les artistes dans les émissions et spectacles destinés aux enfants, le cabaret, le chant, la danse classique, le cinéma, le théâtre, la postsynchronisation, la chanson dans tous ses aspects, les reportages sportifs, les téléromans, téléthéâtres, comédies... Oui, cette soirée est un moment mémorable. Certains se souviennent sans doute de l'arrivée sur scène de Rose Ouellette (La Poune) en compagnie du chanteur Jen Roger; en 1919, la comédienne du burlesque, née en 1903, a commencé une carrière qui s'étendra sur plus de 70 années.

À toi Richard!

Nos commentateurs sportifs ont souffert ces dernières années! Ils aimeraient bien retrouver une certaine parité avec leurs collègues du réseau anglais de la télévision publique qui continuent de couvrir les rencontres sportives internationales comme si les coupures au budget de Radio-Canada ne les affectaient pas. Au réseau français, ce sont eux qui ont écopé parce que ces compressions budgétaires nous ont obligés à réduire la couverture de certains événements sportifs à l'étranger.

Mais un événement va faire déborder le vase. Richard Garneau, toujours aussi passionné et rigoureux, se prépare à couvrir les Championnats du monde d'athlétisme qui se tiendront à Rome à la fin du mois d'août. Le clou de ces championnats, c'est le record attendu au cent mètres par le sprinteur canadien Ben Jonhson (un an avant sa déconfiture historique pour cause de dopage aux Jeux olympiques de Séoul). Richard se présente au bureau du directeur du Service des sports, Yvon Giguère, pour discuter des modalités de son voyage. Mais le patron des sports a une mauvaise nouvelle pour lui: « Nous n'avons pas d'argent pour aller à Rome. » Le message venait d'en haut. Richard sait pourtant que ses collègues anglophones ont les moyens financiers d'y assister.

Avec son ami Serge Arsenault, journaliste aux sports à la SRC qui deviendra homme d'affaires, Richard va soulever des passions comme on n'avait jamais vu entre la direction et le Service des sports. Les deux amis se plaignent à la direction des inégalités entre la CBC et la SRC quand il s'agit de la couverture d'événements importants à l'étranger. Le réseau français est le parent pauvre et pour eux, c'est inacceptable. Richard et Serge signent ensemble une longue lettre destinée à la ministre des Communications Flora MacDonald et au président Pierre Juneau, qu'ils font circuler parmi leurs collègues aux sports ; six d'entre eux se joignent à leur croisade, que répercutent les journalistes de la presse. Notre équipe n'est pas allée à Rome, mais fin octobre, Réjean Tremblay, dans son éditorial, fait écho à ses revendications, en annonçant mon intention de régler le problème. Quelques jours plus tard, Franklin Delaney explique son point de vue par écrit, mais sa réponse irrite Serge Arsenault : « Une réponse primaire qui ne tient pas compte du problème réel », qui deviendra le titre de l'article du 6 novembre de Réjean Tremblay. Franklin Delaney faisait état du nombre d'heures que la Société consacrait aux sports, aussi bien à la radio qu'à la télévision : « C'est donc par choix et non pour des raisons strictement financières que nous avons pris la décision d'abandonner la couverture de certains événements. »

Mais en décembre, nous organisons une rencontre avec le groupe des huit en présence de Franklin Delaney, Yvon Giguère et moi-même, une occasion pour nous d'écouter avec respect les membres de la fronde, une équipe compétente, mais frustrée à juste titre. Les décisions qui s'ensuivent tiendront compte du fait que le public francophone a les mêmes droits que son vis-à-vis anglophone.

Le prochain grand rendez-vous sportif sera Calgary en février 1988, à l'occasion des premiers Jeux olympiques d'hiver à se tenir au Canada. J'irai aux Jeux, une de mes dernières sorties pour la télévision publique, et je passerai un moment sur les pistes avec Richard Garneau. Quand ce dernier publiera *À toi, Richard*... chez Stanké, il résumera ainsi cette aventure : « Notre absence des Championnats du monde à Rome avait été à l'origine de notre action. Quatre ans plus tard, Radio-Canada ne participa pas non plus à ces mêmes Championnats à Tokyo. La CBC y était. Serge Arsenault et Robert Roy avaient quitté Radio-Canada depuis un bon moment. »

J'aurai l'occasion de revoir Richard plus tard lors de célébrations des prix Gémeaux et j'aurai l'honneur de lui remettre le Grand Prix de l'Académie en 1996, troisième et dernière année de mon mandat de président (Québec) de l'ACCT. Chaque samedi matin, je serai son fidèle auditeur à l'émission de Joël Le Bigot à la radio publique, où il continuera à nous renseigner sur les sports comme il le fait depuis des décennies.

Quel gentilhomme et grand professionnel que ce Richard Garneau qui, depuis 2003, est membre culturel de l'Académie des Grands Québécois, à l'instar des Roger Lemelin (1989), Jean-Paul Lemieux (1990), Paul Hébert (1992), Jean Lapointe (1995), Robert Lepage (2002) et Félix Leclerc, Grand Québécois du XXe siècle.

La nouvelle du décès de Richard Garneau en janvier 2013 m'a bouleversé. Il sera admis à titre posthume au Temple de la renommée olympique du Canada en 2014. Richard aura été pendant plus de cinquante ans un de nos plus brillants et chaleureux journalistes sportifs à la télévision, à la radio et à travers le monde.

34

LA DERNIÈRE ANNÉE

Un de mes premiers rendez-vous au début de janvier 1988 est avec Patrick Watson.

C'est un journaliste et un producteur exceptionnel qui a réalisé un parcours glorieux à la CBC et à la télévision américaine. Je n'aurai pas servi sous son règne à la présidence de CBC-SRC, puisque celui-ci ne commencera que l'année suivante et je serai ailleurs.

Pour le moment, Patrick développe une série documentaire qui m'intéresse comme directeur des programmes, sachant que ce projet ne figure pas dans les plans de mes collègues de l'Information. Patrick Watson est aussi l'animateur de la coproduction internationale intitulée *Struggle for Democracy* (en français, *Démocraties*). Il a voyagé dans une trentaine de pays pour observer l'évolution de la démocratie, depuis ses origines à Athènes jusqu'à nos jours, en passant par la Constitution américaine et la démocratie à l'africaine. Il aborde la tyrannie des majorités, les droits des minorités, aussi les responsabilités, la liberté de parole, et se demande comment cette réalité s'exprime selon les nations et les différences culturelles. Cette série sera diffusée simultanément sur CBC et SRC de janvier à mars 1989 et remportera le prix Gémeaux pour la meilleure série documentaire.

Pressions publicitaires

Cette année commence aussi une avalanche de compétition. Il y a deux ans sont apparues deux nouvelles chaînes francophones : Télévision Quatre-Saisons (TQS) et Musique Plus ; rien d'inquiétant pour nous puisque leur programmation est très différente de la nôtre. Mais cette année, les ondes commencent à être chargées avec l'arrivée de

Météo-Media, Canal Famille (qui, en 2001, deviendra VRAK.TV, passant d'une chaîne pour enfants à un service orienté vers les ados) et TV5 Québec Canada. En septembre 1989, ce sera au tour de RDS, pour les amateurs de sports. Pendant les vingt prochaines années, la liste s'allongera. Certains croient qu'il y en aura pour tous les goûts... pour d'autres, il semblerait que l'argent seul fasse loi.

Quelques années plus tôt, quand j'étais au service du cinéma, le service commercial songeait à vendre de la publicité dans le dernier créneau du dimanche soir, celui de *Ciné-club,* où nous diffusions sans coupures les grands classiques du cinéma. Je m'en étais inquiété auprès du vice-président, Pierre DesRoches. Sans m'en parler, DesRoches avait demandé au directeur commercial de lui dire combien pouvait rapporter la pub à *Ciné-club.* À la réponse de Paul Rousseau, le patron avait dit : « Je te casque », et l'affaire était réglée. Nous n'aurions plus de soucis à nous faire pour notre *Ciné-club*, les grands classiques du cinéma ne seraient pas coupés par des pauses publicitaires. Voilà comment Pierre DesRoches réglait les questions qui arrivaient quotidiennement sur son bureau. Quelle époque !

Mais les classiques ne seront pas éternellement à l'abri. En 1988, je dois composer avec une nouvelle intrusion du service commercial que dirige toujours Paul Rousseau, qui relève du vice-président Franklin Delaney. Je l'apprends par la plume de Serge Dussault, critique de cinéma à *La Presse*, qui dénonce les coupures pratiquées dans les films présentés à Radio-Canada pour y insérer de la publicité. Le 24 février 1988, toujours à *La Presse,* Raymond Bernatchez renchérit en parlant de douze minutes amputées à un film de Chaplin pour fins publicitaires. On a compris que le service commercial de la Société impose ces contraintes pour rentabiliser au maximum le temps d'antenne. Serge Dussault décide donc d'inciter les cinéphiles à protester auprès de Radio-Canada contre la profanation de ces chefs-d'œuvre. « Plus les gens vont chialer, admet un porte-parole anonyme de la Société, plus ça va aider Robert Roy à gagner son point contre le service commercial. » *Ciné-club*, sans publicités, est de retour à l'antenne le dimanche 10 avril à 22 h 35. J'ignore toutefois ce qui se passera après mon départ.

Richard Martin part et compte!

Jetons maintenant un coup d'œil sur la programmation de quelques émissions et séries qu'on ne peut oublier, même si elles sont aujourd'hui pour la plupart ensevelies dans les archives de notre télévision publique.

L'automne dernier, les reprises de la série *Lance et compte,* réalisée par Jean-Claude Lord, ont donné des résultats remarquables. *Lance et compte II,* qui prend l'affiche le jeudi 7 janvier à 20 h, promet tout autant. Nous sommes donc heureux de présenter cette série, même si elle nous a coûté un grand sacrifice. Ce sacrifice, c'est le départ de Richard Martin, celui-là même qui a eu l'idée de cette aventure alors qu'il dirigeait le secteur des émissions dramatiques de Radio-Canada. Pendant de longues années, Richard a été réalisateur chez nous, aux émissions jeunesse puis aux dramatiques. *Lance et compte* est son bébé et il voulait l'élever lui-même. C'est donc lui qui en a réalisé la deuxième saison. Le producteur Claude Héroux redoute une baisse d'intérêt du public, d'autant plus qu'il n'approuve pas notre décision de diffuser le nouveau bloc de treize épisodes le jeudi soir, qui pour lui n'est pas bon pour les cotes d'écoute. Il aurait préféré le créneau des *Dames de cœur* de Lise Payette ou celui de *L'Héritage* de Victor-Lévy Beaulieu. Les conflits entre la maison et un producteur externe qui apporte son idée et son produit font certainement partie de notre réalité en mouvement. Mais cette fois-ci, le différend prend un tour inusité puisque c'est nous qui avons fourni l'idée et passé la commande au producteur. Quant à la décision de diffuser la série le jeudi soir, Claude Héroux nous la pardonnera bien vite puisque la première du 7 janvier rejoint plus de deux millions et demi de téléspectateurs. Richard Martin et Réjean Tremblay ont encore touché le fond du filet, pour reprendre une métaphore du hockey.

Lance et compte II ramassera plusieurs prix Gémeaux, dont celui de meilleure minisérie (Claude Héroux), meilleur réalisateur d'une série dramatique (Richard Martin), meilleure interprète premier rôle féminin (Sylvie Bourque), meilleur interprète masculin dans un rôle de soutien (Marc Messier).

Une question loin d'être banale

Demander comment ça va, c'est une façon amicale et assez peu engageante d'aborder une connaissance. Mais quand la question nous est posée par des médecins, on réfléchit toujours avant de répondre. *Comment ça va ?* est une série de télévision qui fera date, et une toute nouvelle façon d'aborder la santé et d'en faire la promotion. La petite histoire de cette agréable aventure qui précède la signature du contrat avec ses producteurs vaut bien quelques lignes.

Le producteur Jacques Nadeau (le frère de Pierre) dirige l'entreprise Idéacom en collaboration avec Josette D. Normandeau. Il me demande un rendez-vous pour me soumettre un projet de série. Je le reçois en fin de journée. À mon étonnement, il est accompagné d'un jeune homme de trente ans du nom de Jean-François Chicoine. J'ignore à ce moment-là combien de titres et de fonctions ce jeune médecin cumule et cumulera. Pour l'instant, il est pédiatre-urgentologue à l'Hôpital Sainte-Justine. Dans la vaste salle de conférence, assis face à moi, il décrit avec une intelligence et un bagou hors du commun le concept de *Comment ça va ?* qu'il a imaginé. Je suis fasciné. À l'écouter, je suis convaincu qu'il me faut faire un geste ; à l'issue de cette toute première rencontre, j'offre à Idéacom un montant substantiel pour la production d'un pilote qui achèvera de nous convaincre. Le concept de l'émission est fort original : des médecins nous parlent... de santé. Mais comment ? En les sortant complètement des hôpitaux ou même des studios. L'émission ne propose pas de reportages ou d'enquêtes sur des maladies graves, mais que des conseils de prévention, présentés de façon simple et imagée. Les chroniqueurs sont tous de jeunes professionnels de la santé qui passent très bien à l'écran.

Cette belle idée mérite d'être diffusée en heure de grande écoute. *Comment ça va ?* sera à l'antenne de 1989 à 1993, pour un total de cent trente-quatre émissions de 30 minutes. En présentant cette émission, le Dr Jean-François Chicoine se fait connaître et aimer d'un très large public. Chercheur, éducateur, auteur, professeur et animateur, le docteur Chicoine est un grand communicateur, qui, depuis 1989, est resté bien présent dans les médias où on le sollicite très souvent pour avoir son opinion sur de grandes questions de santé publique, surtout celles qui touchent les enfants. Vingt-cinq ans plus tard, je le croise ici et là à la télé ou dans les premières de film, car ce scientifique est aussi un grand amateur de culture.

Comment ça va ? a récolté une douzaine de prix, incluant quatre Gémeaux, dont deux pour la meilleure émission ou série de services ; l'Association nationale des téléspectateurs a aussi salué par un prix son caractère innovateur. Avec les années, le Dr Alain Poirier, futur directeur de la Santé publique du Québec, relèvera le Dr Chicoine à l'animation.

Après mon départ de la Société, j'ai reçu une lettre de Jacques Nadeau qui me remerciait pour mon soutien et qui m'informait du succès que cette série connaît auprès du public. Au mois d'octobre 1988, l'émission rejoint plus de 800 000 téléspectateurs. J'avais cru en cette équipe, j'ai aimé les premières émissions qui sont passées à l'antenne et je l'ai fait savoir. Voilà qu'avec une série documentaire, Radio-Canada peut rejoindre un auditoire qui dépasse celui de plusieurs téléromans et émissions de variétés.

Mes derniers *Beaux Dimanches* nous proposent des œuvres qui méritent mention :

Le 24 janvier, une superbe dramatique signée Claude Jasmin, qui décidément s'est fait jouer un tour par sa belle plume ; ancien décorateur, il voulait devenir réalisateur, mais on l'apprécie trop comme écrivain. *Nous sommes tous des orphelins* met en vedette Jacques Godin et Denis Bernard. En résumé : un fils a des comptes à régler avec son père renfermé et taciturne. Ils s'affrontent à coups de monologue, pour découvrir qu'ils s'aiment et qu'ils se sont toujours aimés… Une réalisation d'André Bousquet, qui a également collaboré aux dialogues.

Le 14 février, diffusion de *L'Éternel marié* d'après Dostoïevski, avec deux comédiens éblouissants qui nous ont quitté bien trop tôt : Jean-Louis Millette (Pavel) et Hubert Loiselle (Alexis). Une réalisation de Jean Faucher.

La semaine suivante, les Productions du Verseau, d'Aimée Danis, nous proposent *L'emprise*, scénario et dialogues de Luc Hétu et Francine Tougas. Une femme battue quitte son mari à la suite d'une scène particulièrement violente. La dramatique est suivie des témoignages d'hommes et de femmes touchés dans leur vie par cette tragédie. Une réalisation de Michel Brault et Suzanne Guy.

Cette même Suzanne Guy nous avait offert en 1985 le documentaire *C'est comme une peine d'amour*, une réflexion sur l'avortement. Sensible à la condition féminine, la réalisatrice nous revient avec le film *Les Bleus au cœur,* qui lève le voile sur le sort des détenues. Elles parlent de leurs conditions à la prison Tanguay, de ce qui les a amenées à la détention, de leurs cauchemars, de leurs espoirs et de leur désarroi. Un cri d'alarme ! Film difficile et émouvant qui évoque la solitude, la pauvreté et l'ignorance qui sont le lot de plusieurs de ces femmes. Une autre production du Verseau.

Équinoxe, une production des Ateliers audiovisuels du Québec, est un film de mon bon ami Arthur Lamothe qui m'avait invité au tournage dans l'univers très particulier des îles de Sorel. Nous avions fait une excursion au cœur de cet étonnant milieu naturel : un moment de pur bonheur et d'échanges avec un cinéaste que je connais depuis trente ans. Arthur a été mon collègue à la fin des années 1950 alors que nous faisions tous deux la promotion des émissions de la télévision publique comme rédacteurs au Service de presse et d'information. À la fin de cette journée dans les îles de Sorel, au moment où le soleil disparaît de l'horizon, notre bateau est tombé en panne mais la beauté des marais, les petites criques foisonnantes d'oiseaux a calmé nos inquiétudes. En manœuvrant pour regagner la rive, nous avions failli chavirer et la caméra d'Arthur a pris l'eau ; mais nous avons pu regagner terre et arriver à temps au restaurant pour déguster la spécialité locale, la gibelotte. En revoyant le film *Équinoxe*, je revois ce lieu et ce moment magique passé avec Arthur.

Équinoxe raconte l'histoire d'un homme à la recherche de ses origines. Cette quête de nature et d'enfance est empreinte de colère. Condamné pour homicide involontaire, Guillaume revient trente ans plus tard sur les lieux de son enfance en compagnie de sa petite-fille. Ce long-métrage met en vedette Jacques Godin et Ariane Frédérique, Marthe Mercure, André Melançon, Jerry Snell, Marcel Sabourin et Luc Proulx. Arthur Lamothe a écrit le scénario avec la collaboration de Gilles Carle et de Pierre-Yves Pépin, Guy Dufaux a signé les images.

En 1980, Arthur Lamothe a été le premier lauréat du prix Albert-Tessier décerné par le gouvernement du Québec ; c'est la plus haute distinction pour un cinéaste québécois. En mars 1987, il est le premier cinéaste canadien à faire l'objet d'une rétrospective à la Cinémathèque française, au Centre Georges-Pompidou et au palais de Chaillot. La même année, *Équinoxe* lui rapporte aussi un prix Gémeaux.

Le producteur et le réalisateur du long-métrage *La Guêpe* sont des collègues dont j'admire le talent depuis de longues années. Ce sont aussi des amis. Sur un site de Radio-Canada, on trouve ces commentaires à propos du réalisateur: « On ne lui connaît qu'un seul échec critique et commercial » et aussi: « C'est l'échec le plus cuisant du cinéaste. » À sa première au Festival des films du monde, *La Guêpe* a fait un bide, comme disent les Français. Je passerai la majeure partie de la soirée à essayer de consoler le réalisateur Gilles Carle et le producteur François Floquet. Comme ils sont malheureux! C'était la première et la dernière incursion de François Floquet, de Via le monde, dans le long-métrage de fiction. L'écrivaine française Catherine Hermary-Vieille avait collaboré au scénario avec Gilles Carle et Camille Coudari.

La Guêpe est un drame social réalisé en 1986, qui a été choisi en 1987 pour faire partie de la compétition du FFM. En résumé, Chloé Richard assiste impuissante à la mort accidentelle de ses deux jeunes garçons. Un étrange millionnaire, saoul et responsable de l'accident, excentrique et sans scrupule, s'en tire lors d'un procès sans accusation criminelle, et sa seule pénalité est le retrait temporaire de son permis de conduire. La mère décide de venger ses enfants.

Une nouvelle comptine pour SRC

« Minee-Feechie », on s'en souvient, est le terme accrocheur que le journaliste canadien-anglais Maurie Alioff, de la revue *Cinema Canada,* avait collé à une manière de faire développée à Radio-Canada: la combinaison de la minisérie (*minee*) et du long-métrage (*feature - feechie)*; manière inaugurée avec *Les Plouffe* en 1981.

Pour *Les Tisserands du pouvoir*, *Cinema Canada* forge un nouveau terme: le *Minee-Feechie-Feechie,* puisque cette production conçue pour la télévision (minisérie de six épisodes d'une heure) a généré non pas un long-métrage, mais bien deux (en plus d'un roman publié par Québec Amérique).

Cette série raconte l'exode massif des Canadiens français vers la Nouvelle-Angleterre au début du XXe siècle. C'est l'œuvre de Marie-José Raymond, Claude Fournier et Michel Cournot, produite par René Malo (Malofilms) et Marie-José Raymond (Ciné les Tisserands) en coproduction avec la France (FR3). Une impressionnante distribution : Serge Turgeon, Olivette Thibault, Madeleine Robinson, Francis Reddy, Donald Pilon, Jean-René Ouellet, Dominique Michel, André Melançon, Anne Létourneau, Charlotte Laurier, Paul Hébert, Michel Forget, Denise Filiatrault, Gratien Gélinas, Juliette Huot, Pierre Chagnon, Rémy Girard, Denis Bouchard, Andrée Pelletier, Jean Desailly, Francis Lemaire, Aurélien Recoing, Vlasta Vrana, Gabrielle Lazure et plusieurs autres. Quelques bonnes pages du bottin de l'UDA !

Diffusée en 1989 sur nos ondes, *Les Tisserands du pouvoir* remporte quatre prix Gémeaux en 1990 : meilleure minisérie, meilleure réalisation, meilleur texte et meilleure interprétation (Michel Forget).

Au mois d'avril, certains sont surpris de me rencontrer au MIP-TV à Cannes alors que mon successeur intérimaire, Andréanne Bournival, est restée à Montréal. Daniel Rioux, du *Journal de Montréal*, écrit que je suis venu réaliser des projets de coproduction. Un, surtout, avec la chaîne française FR3 : *L'Or et le papier*, une série de 26 émissions réalisées par Jean Beaudin.

Au mois de mai, BBM publie les résultats de son enquête du mois de mars : Radio-Canada compte six productions québécoises parmi les dix émissions les plus écoutées par les Québécois : *Lance et compte* est en première position, *Des dames de cœur* en troisième, *Rock* en quatrième, *Juste pour rire* et *Samedi de rire* en cinquième et sixième et *L'héritage* en neuvième place. Dans les cotes d'écoute, ce sont les chiffres qui parlent et les journalistes qui nous suivent n'ont pas d'autre choix que d'être unanimes : Daniel Rioux du *Journal de Montréal*, Paul Cauchon du *Devoir* et Louise Cousineau de *La Presse* répètent tous : Radio-Canada assure et le « 10 » en arrache.

C'est mon dernier bulletin de la BBM.

Louise Cousineau annonce mon départ

Le 8 avril 1988, Louise Cousineau titre dans *La Presse*: « Robert Roy, n° 2 de RC, s'en va. » On s'était parlé la veille et je lui avais bien dit que je ne prenais pas ma retraite, mais que je me retirais de Radio-Canada. Elle écrit alors: « M. Roy est souvent identifié dans le milieu comme un des défenseurs du mandat culturel de Radio-Canada versus les partisans de la rentabilité commerciale... il part au moment où Radio-Canada est n° 1 sur la place publique, ce qui est un phénomène rare pour une télévision publique ». Je lui réponds: « Je suis un partisan des émissions comme *L'Héritage* qui sont des œuvres importantes tout en étant des grands succès populaires. » Je me permets aussi de faire un retour sur la dernière réunion de la CTF où nous présentions le reportage *Télé-Dollars,* le dessin animé *L'Homme qui plantait des arbres* de Frédéric Back et *Céline Dion incognito*, qui montre que tout en étant à l'avant-garde dans bien des domaines, on peut quand même remporter 39 Gémeaux sur 52. Dans mon dernier message à la journaliste, que je respecte, je souhaite que les gouvernements comprennent enfin que la télévision exprime la culture d'un peuple et qu'elle a besoin de ressources adéquates pour maintenir la qualité.

Louise Cousineau annonce aussi son départ

Cet été, je dois à mon tour saluer la journaliste qui décide de quitter un poste où elle nous a beaucoup divertis, pour ne pas dire angoissés... Elle nous manquera. Le 9 juillet, elle écrit: « Douze ans devant la télé, ça suffit. » Louise Cousineau interrompt donc sa chronique pour devenir boss à *La Presse*. Je retiens de son dernier texte ces quelques mots: « L'automne dernier, j'ai décroché. Je venais de voir la reprise de ce chef-d'œuvre qu'est *Des souris et des hommes.* Je me suis rendu compte que la télévision ne faisait plus d'œuvres de cette qualité. Et le public, déshabitué d'en voir, n'en réclamait plus. » Elle ajoutait, parlant de moi: « L'ex-patron de Radio-Canada disait qu'il faisait des émissions populaires de qualité. C'est vrai dans plusieurs cas, mais jusqu'à nouvel ordre seulement à Radio-Canada. » Je lui envoie ce mot : « On va s'ennuyer, surtout au moment où la guerre des cotes d'écoute, comme vous l'appeliez, risque de s'amplifier... Plus sérieusement je vais regretter de ne plus pouvoir lire vos critiques. J'ai dit à mes collaborateurs, les chefs de service, que souvent elles étaient justes et qu'on se devait d'en tenir compte. Merci de votre contribution à notre métier... »

Je conclus avec cette citation, qui constitue, selon moi, du grand Louise Cousineau : « Ce n'est pas de travailler fort qui fatigue. C'est plutôt de travailler pour des imbéciles. »

L'effritement de Radio-Canada continue

Au moment de tirer ma révérence, je me rappelle que dix ans plus tôt, en 1978, le gouvernement de Pierre Elliott Trudeau, avec Jean Chrétien aux Finances et Jeanne Sauvé aux Communications, avait amputé notre budget de 71 millions de dollars. C'était, en quelque sorte, le cadeau des libéraux pour les 25 ans de la télé. En 1984, le cadeau de bienvenue des conservateurs est une amputation supplémentaire de 85 millions de dollars. On ne peut pas dire « quand on se compare, on se console » puisque les organismes publics de télévision dans bien des pays comparables au Canada, comme la Belgique, le Royaume-Uni, la Suisse ou le Japon, ont un budget annuel par habitant qui dépasse largement celui de notre pays, même si nos deux chaînes publiques, SRC et CBC, en plus d'offrir des services de radio et de télévision en deux langues, en anglais et en français, doivent rejoindre une clientèle qui est dispersée sur un territoire infiniment plus grand que ceux de tous ses vis-à-vis européens combinés, ce qui nécessite beaucoup d'antennes d'un océan à l'autre. Pas étonnant que Radio-Canada fasse de plus en plus de place à la publicité et que son contenu, comme plusieurs s'en plaignent, ressemble de plus en plus à celui de ses compétiteurs privés. Dommage !

35

LE VICE-PRÉSIDENT ET MOI

Au début de 1988, je me suis fixé plusieurs objectifs à titre de directeur général des programmes. Bien sûr, je souhaite que tous les services de programmes continuent à développer des productions internes dans nos studios sous la direction de nos réalisateurs. Mais je veux aussi poursuivre nos collaborations avec les producteurs indépendants et leur donner la possibilité de nous surprendre avec des idées nouvelles. À cette fin, je souhaite confirmer l'intégration des mandats internes et externes dans chacun des services de programmes. Mon bras droit, Andréanne Bournival, est éminemment capable de gérer cet aspect de la production extérieure. Quand j'en informe mon vice-président, sa réponse me surprend : il doit consulter le président, Pierre Juneau. Étrange réponse ! J'avoue ne pas comprendre ce besoin de sa part. Mais la réponse ne venant pas, je dois repousser de semaine en semaine mes vacances annuelles d'une semaine. Enfin, le vice-président accepte mes recommandations et je peux partir en vacances l'âme en paix.

Pendant cette semaine de vacances, je décroche du travail ; je ne triche qu'un tout petit peu, en lisant de temps en temps la chronique de Louise Cousineau dans *La Presse*... au cas où... Pour le reste, j'ai tout délégué. On m'appellera s'il y a catastrophe !

Je rentre le 20 mars, je dépose ma blonde et nos bagages à la maison et je reprends la route vers Radio-Canada où je sais que les dossiers s'accumulent sur ma table de travail. Ma secrétaire, Carmen, a tout classé selon son importance, avec, bien en vue, une communication de mon vice-président, Franklin Delaney. J'y lis que durant mon absence, après consultation avec les chefs de service des programmes

– lesquels, soit dit en passant, relèvent de mon bureau –, il a été décidé que mes recommandations pour la restructuration de la télévision ne seront pas appliquées. Il revenait sur sa parole donnée dix jours plus tôt !

Ma décision est prise, boulevard René-Lévesque en ce dimanche après-midi. Je quitte mon poste ! À regret, bien entendu. J'aime pourtant cette responsabilité de diriger la télévision publique francophone. Mais, depuis un an et demi, je travaille avec un patron avec lequel j'ai peu d'affinités ; il vient de faire déborder le vase. Le jour même, je l'informe de ma décision. Au téléphone, je lui dis qu'elle est irrévocable. Je pense alors au titre d'un essai de Blaise Cendrars : *Trop c'est trop*.

Mais le vice-président doit partir en Europe, et je suis attendu le jour même à Toronto pour les Génies 88 de l'Académie ; nous remettons la conversation à la semaine suivante. Pendant cette semaine, mes collègues m'invitent à reconsidérer cette décision. J'entends encore mon bras droit, Andréanne Bournival, s'étonner qu'on puisse ainsi abandonner le pouvoir. Pourtant, je n'ai jamais cherché le pouvoir ; j'ai aimé le défi. Le défi d'être utile à la culture dans une maison stimulante et pleine de ressources. Jean-Paul Kirouac, un brillant professionnel et un être toujours calme, mon collègue de longue date, me suggère de réfléchir. Mais depuis le départ de Pierre DesRoches, je n'ai que des frictions avec son successeur ; vaut mieux quitter mon poste maintenant. Je renonce à ce « pouvoir » de participer à la création.

Mon patron, de son côté, a le temps de réfléchir si tant est qu'il le souhaite... J'ai prévu un scénario pour notre rencontre. On se donne trois heures pour mettre cartes sur table. Trente et un ans de services, ça vaut bien trois heures... Et durant la première heure, il peut me dire tout ce qu'il veut. Mais cette première heure ne dure que quelques secondes, quelques minutes peut-être... Monsieur Delaney n'a rien à redire ! Stratégie sans doute. Peut-être avons-nous fait un match nul. Qui sait ! Il a gagné mon départ, mais c'est moi qui ai décidé de ma démission. Une année plus tôt, je le voyais diviser pour mieux régner ; aujourd'hui, je lui laisse toute la place. Après tout, c'est lui le patron.

Pendant trois décennies, j'ai côtoyé les costauds, les forts, les meilleurs : des patrons que je respectais et qui me respectaient, les

Dugas, David, DesRoches. Je n'étais pas, à la télé, ce qu'on appelle un créateur, comme Frédéric Back par exemple. J'étais un gestionnaire de la création. J'ai appris au contact des patrons de la télévision publique et je m'y plaisais. J'admirais les créateurs et leur faisais confiance. Avec moi à la direction, ils étaient les maîtres de leurs créations.

Je quitte mon rôle sans amertume, plutôt avec reconnaissance. Celle qui me succède a beau ne pas comprendre qu'on puisse renoncer au pouvoir, mes collègues ont beau me presser toute la semaine de revenir sur ma décision, ma blonde a beau penser que j'en ferai une dépression, tout se passe dans l'ordre. D'avril à juillet, méthodiquement, je cède un à un mes dossiers. Je vais à Ottawa répondre aux questions des nombreux vice-présidents de Radio-Canada, francophones et anglophones, qui veulent connaître la raison de mon départ, qu'ils comprennent et qui ne les étonne guère. En mai, je retourne à Cannes poursuivre les négociations de coproductions, pour *L'Or et le Papier* notamment. En juin, je vole vers Toulouse, pour une dernière assemblée de la Communauté des télévisions francophones, dont je cède la présidence à Yves Jaigu.

Dernière formalité : faire mes adieux.

36

MES ADIEUX À LA MAISON

Ce n'est pas pour assister à l'enregistrement d'une émission que mes enfants Annick et Patrick se mêlent aux quelques centaines de personnes invitées dans le mythique studio 42 de Radio-Canada en ce 7 juin 1988. C'est pour me voir déballer le butin que mes chers collègues ont rassemblé pour me souhaiter un bon départ de la Maison. Comme autant de Rois mages, plusieurs services sont venus déposer leurs offrandes, reliques de mes 31 années passées à la Société Radio-Canada :

Service de presse et d'information :
- ma première machine à écrire, celle qui me servait à propager l'excellence de la programmation de Radio-Canada.

Service des émissions pour la jeunesse :
- une statuette de l'émission *Alexandre et le Roi ;* elle est toujours là, devant moi ;
- le chapeau melon de *Bobino* que j'offrirai à l'Académie pour son encan annuel de 1998.

Service des dramatiques :
- une assiette du salon de *Terre humaine.*

Service des sports :
- une médaille des Jeux olympiques de Calgary (Sports).

Service des variétés :
- un blouson de *L'Autobus du showbusiness.*

Service de la musique :
– deux coupes en verre fait main pour l'émission *Vivaldi*.

Services techniques :
– une cassette des œuvres d'animation ;
– une sérigraphie originale (E.A. 1/15) de *L'Homme qui plantait des arbres* de mon collègue et ami Frédéric Back.

Et ce commentaire de la journaliste Hélène Fecteau, que j'emballe avec tous mes présents de départ, pour le savourer à mes heures tranquilles :

« Vous étiez peut-être le dernier à combattre les nouveaux dieux d'une société décadente et à tenter de sauvegarder les valeurs qui nous avaient permis de nous épanouir. »

C'est par ces mots, prononcés à l'occasion de cette fête solennelle, que j'ai fait mes adieux à la Maison :

Quand j'ai passé mon examen d'entrée à Radio-Canada, invité par Robert Élie à disserter sur Marcel Pagnol, je ne pouvais pas imaginer qu'aujourd'hui je vivrais ces adieux à une maison qui, au fil des années, est devenue ma maîtresse. Et j'en profite pour remercier Claudette, Annick et Patrick qui ont accepté que je vive cette liaison. Liaison pas très dangereuse mais toujours présente, même en vacances dans le Sud quand La Presse *de Louise Cousineau est en vente au dépanneur du coin. Et si j'ai aimé cette maîtresse, pas Louise Cousineau mais Radio-Canada, c'est sans doute qu'elle m'a offert plusieurs privilèges.*

Radio-Canada a occupé beaucoup de place dans ma vie depuis ce mois de juin 1957 où je débarquais de CKBL Matane. Mais davantage encore lorsque je suis revenu d'Ottawa, appelé par Jean-Marie Dugas. Depuis ce dimanche soir de novembre 1966, j'ai eu le privilège de me retrouver au cœur du mandat de la Société, c'est-à-dire aux programmes. On parlait anglais à cette époque à Radio-Canada et certains disaient, en parlant des programmes : « All the rest is housekeeping ».

J'ai eu le privilège de fréquenter chaque jour l'équipe de direction de Raymond David et tout ça entre mai 68 et octobre 70. C'était pour moi la meilleure école, avec de grands professionnels, hommes d'action mais en même temps hommes de réflexion et de vision.

J'ai eu le privilège, pendant près de neuf ans, de collaborer à la tradition d'excellence du Service jeunesse de Radio-Canada, avec une équipe dynamique, exigeante, motivée, des gens de cœur et de talent, qu'ils soient comédiens, auteurs, musiciens, artisans, réalisateurs, réalisatrices, scripts ou gestionnaires.

Je me suis souvent dit que si j'avais étudié l'histoire et les sciences politiques, c'est que je voulais voyager, voir le monde. Et j'ai eu le privilège de rencontrer ici ou là producteurs, distributeurs, diffuseurs, doubleurs... québécois, canadiens, américains, européens, asiatiques... et j'ai conservé de bons amis parmi eux.

J'ai eu le privilège, à la fin des années 1970, d'être au cœur de la démarche qui permettrait aux indépendants de s'associer aux artisans de cette grande maison pour créer la télévision des années 1980 et je ne peux que souhaiter que cette association continue de se faire dans l'harmonie.

Invité par Pierre DesRoches, j'ai eu le privilège d'animer une équipe où il y avait des Kirouac, Bournival, Dumas, Chardola, des chefs du Service des programmes qui, avec leurs équipes, ont fait la télévision qui, cette année, a remporté 39 des 52 Gémeaux.

En somme, j'ai eu le grand privilège de faire carrière derrière la plus grande scène de spectacle du pays avec les créateurs de la radiotélévision publique. Et les fréquenter chaque jour, c'était partager leur vision du rôle essentiel de Radio-Canada, radiotélévision publique et non d'État comme on le dit trop souvent aujourd'hui.

Et j'ai eu l'insigne privilège de vivre avec de grands artisans qui sont toujours nombreux dans cette maison de culture. Et vous me permettrez d'associer à cette fête deux artisans que la plupart d'entre vous connaissent mais qui ne peuvent être avec nous ce soir. Frédéric Back qui vole vers Banff pour porter le message d'Elzéar Bouffier et mon bon ami Herbert Ruff... les deux êtres les plus extraordinaires que j'aie rencontrés au cours de ces 31 années. Vivre avec des êtres de cette qualité, c'est un privilège que je n'oublierai jamais.

J'ai eu le privilège de pouvoir exprimer ma passion dans un travail qui n'a rien de routinier. Chaque jour, les angoisses ou les joies sont différentes de la veille puisque ce sont des angoisses ou des joies reliées à la création, à la réalisation. Et, quoi qu'on dise, en ces temps où la tentation est de faire passer l'essentiel au second plan, il y a encore dans cette maison des êtres de vision qui malgré toutes les embûches continueront de donner le meilleur d'eux-mêmes. Il y a encore ici dans ces sous-sols, dans ces studios, des artisans et des artistes qui savent exprimer la culture d'ici et la faire rayonner dans les foyers d'ici et d'ailleurs. Et j'ai confiance que, grâce à eux et elles, les Back, les Gauvreau, les Lévy-Beaulieu de la génération montante pourront exprimer leur talent et leur culture.

Un de mes grands privilèges aujourd'hui, c'est de pouvoir vous dire MERCI. J'ai vécu une carrière passionnante et c'est à plusieurs d'entre vous que je la dois, vous qui m'avez accompagné à un moment ou l'autre dans le couloir de la vie radio-canadienne. Je vous en remercie du fond du cœur. Et si j'ai pu blesser l'un ou l'autre, veuillez m'en excuser. Vous me permettrez de remercier nommément deux collaborateurs sans lesquels je n'aurais pas pu tenir le coup ces dernières années et qui ont eu la patience et le courage de me supporter dans le quotidien. Merci, Carmen, Merci, Martin.

Je pense pouvoir vous dire en terminant, sans aucune prétention : si vous aimez Radio-Canada, si l'expression de la culture d'ici est essentielle à vos yeux, si vous êtes prêts à contribuer à la réalisation d'utopies, il y a de fortes chances que cette maison vous comble de privilèges. C'est ce que je vous souhaite.

ÉPILOGUE

Et puis après...
Je refuse d'être candidat à la vice-présidence des programmes à TVA ; je recommande plutôt Michel Chamberland, autrefois responsable des émissions de variétés à Radio-Canada : recommandation appliquée.

Marc Boudreau quitte la direction du bureau francophone de l'Académie canadienne du cinéma et de la télévision. Après une rencontre avec Andra Sheffer à Toronto, j'accepte de le remplacer. Dès que la nouvelle est connue, Frédéric Back me félicite d'avoir choisi avec mon cœur et non pas avec mon portefeuille.

Normalement, au théâtre, on entre côté jardin... à Radio-Canada, j'ai préféré entrer côté cour ; cela m'a valu 31 années d'émotions et de bonheur.

Le côté jardin, c'est bon pour la sortie, pour une vie plus paisible...

Table des matières

M
MARQUIS
Québec, Canada

FSC
www.fsc.org
RECYCLÉ
Papier fait à partir
de matériaux recyclés
FSC® C103567